LAAT IN DE NACHT

Van dezelfde auteur:

De obsessie

SANDRA BROWN

LAAT
IN DE
NACHT

the house of books

Oorspronkelijke titel
Hello, darkness
Uitgave
Simon & Schuster, New York
Copyright © 2003 by Sandra Brown Management Ltd
Copyright voor het Nederlandse taalgebied © 2005 by The House of Books,
Vianen/Antwerpen

Vertaling
Yvonne Kloosterman
Omslagontwerp
Studio Jan de Boer BNO, Amsterdam
Foto auteur
Ron Rinaldi NY

ISBN 90 443 1314 2
D/2005/8899/95
NUR 332

PROLOOG

Tot zes minuten voor het einde was het een normale radio-uitzending geweest.

'Het is een warme avond in het heuvelland. Bedankt dat jullie je tijd met me hebben doorgebracht hier op 101.3. Ik heb van jullie gezelschap genoten, zoals op elke doordeweekse avond. Dit is jullie presentatrice van klassieke liefdessongs, Paris Gibson.

Vanavond verlaat ik jullie met drie van mijn lievelingsliedjes. Ik hoop dat je ernaar luistert met iemand van wie je houdt. Hou elkaar stevig vast.'

Ze drukte de knop op het bedieningspaneel in om haar microfoon af te zetten. De reeks liedjes zou ononderbroken doorspelen tot 1.59.30. Gedurende de laatste dertig seconden van haar programma zou ze haar luisteraars opnieuw bedanken, hen goedenacht wensen en de uitzending beëindigen.

Onder de klanken van *Yesterday* sloot ze haar ogen en bewoog haar hoofd heen en weer boven haar gespannen schouders. Vergeleken met een werkdag van acht tot negen uur leek een vier uur durende radioshow een makkie. Dat was het niet. Na afloop was ze lichamelijk uitgeput.

Ze zat alleen achter het bedieningspaneel en leidde de liedjes in die ze vóór de show had geselecteerd en ingeprogrammeerd. Verzoeken van het publiek maakten dat de lijst moest worden aangepast en dat er zorgvuldig op de aftelklok moest worden gelet. Ook de binnenkomende telefoontjes behandelde ze zelf.

De technische kant van haar werk deed ze routinematig, maar dat gold niet voor haar presentatie. Die liet ze nooit routineus of slordig worden. Paris Gibson, de persoon, had ijverig gewerkt, met stemcoaches én zelfstandig, om het Paris Gibson-geluid waardoor ze zo bekend was te perfectioneren.

Ze werkte harder dan ze zelf besefte om die volmaakte stembuiging en toonhoogte te handhaven, want na tweehonderdveertig minuten uitzending gloeiden haar nek- en schouderspieren van vermoeidheid. Dat brandende gevoel in haar spieren was het bewijs dat ze haar werk goed had gedaan.

Halverwege de klassieker van de Beatles begon het rode knopje van een van de telefoonlijnen te knipperen, het teken dat er een binnenkomend gesprek was. Ze kwam in de verleiding niet op te nemen, maar officieel eindigde haar programma pas over zes minuten. En ze beloofde de luisteraars altijd dat ze tot twee uur telefoontjes beantwoordde. Het was te laat om deze beller uit te zenden, maar ze hoorde hem in elk geval te woord te staan.

Ze drukte het knipperende knopje in. 'Je spreekt met Paris.'

'Hallo, Paris. Met Valentino.'

Ze kende zijn naam. Hij belde regelmatig. Het was niet moeilijk om zijn ongewone naam te onthouden. Zijn stem was ook opvallend. Hij fluisterde bijna, waarschijnlijk om indruk te maken of om zijn stem te vervormen.

Ze sprak in de microfoon die boven het bedieningspaneel hing en als telefoon dienst deed wanneer hij niet voor de uitzending werd gebruikt. Op die manier had ze haar handen vrij om haar normale bezigheden te vervolgen terwijl ze met een beller praatte.

'Hoe gaat het vanavond met je, Valentino?'

'Niet goed.'

'Het spijt me dat te horen.'

'Ja. Je zult er spijt van hebben.'

De Beatles maakten plaats voor Anne Murray's *Broken Hearted Me*.

Paris keek op de logmonitor en nam er automatisch nota van dat het tweede liedje van de laatste drie was begonnen. Ze was er niet zeker van of ze Valentino goed had verstaan. 'Wat zei je?'

'Je zult er spijt van hebben.'

De dramatische ondertoon was typisch iets voor Valentino. Als hij belde, was hij óf heel vrolijk óf heel somber, zelden op een emotioneel niveau ertussenin. Ze wist nooit wat ze van hem kon verwachten en om die reden was hij een interessante beller. Maar vanavond klonk zijn stem dreigend. Dat was nog nooit voorgekomen.

'Ik snap niet wat je bedoelt.'

'Ik heb alles gedaan wat je me hebt geadviseerd, Paris.'

'Wat ik jou heb geadviseerd? Wanneer?'
'Telkens wanneer ik belde. Je zegt altijd – niet alleen tegen mij, maar tegen iedereen die belt – dat we de mensen van wie we houden moeten respecteren.'
'Dat klopt. Ik denk...'
'Nou, met respect kom je nergens, en het kan me niks meer schelen wat jij denkt.'

Ze was noch psycholoog noch een bevoegde therapeut, slechts een radiopersoonlijkheid. En daarmee hielden haar kwalificaties op. Desalniettemin nam ze haar rol als vriendin-in-het-nachtelijk-uur serieus.

Als een luisteraar niemand anders had met wie hij kon praten, was zij een anoniem klankbord. Haar publiek kende alleen haar stem, maar het vertrouwde haar. Ze diende als vertrouweling, adviseur en biechtvader.

Ze deelden hun vreugde en uitten hun grieven. Soms legden ze hun ziel bloot. De telefoontjes die ze het waard vond om te worden uitgezonden speelden in op gevoelens van medelijden bij andere luisteraars, riepen op tot gelukwensen en leidden soms tot verhitte discussies.

Regelmatig wilde een beller alleen maar zijn hart luchten. Paris fungeerde als buffer. Ze was een gemakkelijke uitlaatklep voor iemand die boos was op de wereld. Zelden was zíj het doelwit van de woede van de beller, maar blijkbaar was dit een van die keren, en het was zenuwslopend.

Als Valentino op de rand van een emotionele instorting stond, kon ze niet herstellen wat hem zover had gebracht, maar misschien kon ze hem overhalen op een veilige afstand van de rand te gaan staan en hem dan aansporen professionele hulp te zoeken.

'Laten we erover praten, Valentino. Wat zit je dwars?'
'Ik respecteer meisjes. Als ik een relatie heb, zet ik het meisje op een voetstuk en behandel haar als een prinses. Maar dat is nooit genoeg. Meisjes zijn nooit trouw. Ze gaan allemaal vreemd en bedonderen me, stuk voor stuk. En als ze me verlaat, bel ik jou en dan zeg je dat het niet mijn schuld is.'
'Valentino, ik...'
'Je zegt tegen me dat ik niets verkeerds heb gedaan, dat het mijn schuld niet is dat ze weggaat. En weet je wat? Je hebt volkomen gelijk. Het ís mijn schuld niet, Paris. Het is jóuw schuld. Deze keer is het jóuw schuld.'

Paris keek over haar schouder naar de geluiddichte deur van de studio. Die was natuurlijk gesloten. De gang achter de glazen wand had er nog nooit zo donker uitgezien, hoewel het gebouw altijd onverlicht was gedurende haar nachtprogramma.

Ze wilde dat Stan toevallig binnenkwam. Het zou zelfs fijn zijn om Marvin te zien. Ze wilde dat iemand, wie dan ook, dit telefoontje hoorde en haar adviseerde hoe ze het moest aanpakken.

Ze overwoog de verbinding te verbreken. Niemand wist waar ze woonde of hoe ze eruitzag. Dat stond in haar contract met het radiostation: geen persoonlijke optredens. En haar beeltenis zou ook niet worden gebruikt voor reclamedoeleinden, hierbij inbegrepen gedrukte reclame, reclamespotjes en reclameborden. Paris Gibson was alleen een naam en een stem, geen gezicht. Maar ze vond ook dat ze het telefoongesprek met deze man niet kon afbreken. Als hij iets wat ze op de radio had gezegd ter harte had genomen en er was iets misgegaan, dan was zijn woede begrijpelijk.

Aan de andere kant, ieder weldenkend mens dat het niet eens was met iets wat ze had gezegd, zou het advies gewoon naast zich hebben neergelegd. Valentino had haar meer invloed op zijn leven toegekend dan ze verdiende of wenste.

'Leg eens uit waarom het míjn schuld is, Valentino.'

'Je zei tegen haar dat ze een einde aan onze relatie moest maken.'

'Ik zou nooit...'

'Ik heb je gehoord! Ze belde je eergisteravond. Ik luisterde naar je programma. Ze noemde haar naam niet, maar ik herkende haar stem. Ze vertelde je ons verhaal. Toen zei ze dat ik jaloers en bezitterig was geworden.

Je zei tegen haar dat ze, als ze onze relatie benauwend vond, er iets aan moest doen. Met andere woorden, je ried haar aan me te dumpen.' Hij zweeg even. Toen voegde hij eraan toe: 'En ik zal ervoor zorgen dat je er spijt van krijgt dat je haar dat advies hebt gegeven.'

Paris dacht razendsnel na. In al die jaren bij de radio was ze nog nooit met iets als dit geconfronteerd. 'Valentino, laten we kalm blijven en erover praten, oké?'

'Ik bén kalm, Paris. Heel kalm. En er valt nergens over te praten. Ik heb haar naar een plek gebracht waar niemand haar zal vinden. Ze kan me niet ontsnappen.'

Die verklaring veranderde 'dreigend' in 'eng'. Hij meende natuurlijk niet letterlijk wat hij zojuist had gezegd.

Maar voordat ze haar gedachte hardop kon uitspreken voegde hij eraan toe: 'Binnen drie dagen zal ze sterven, Paris. Ik ga haar ombrengen, en jij zult haar dood op je geweten hebben.'

Het laatste lied speelde. De klok op het computerscherm tikte naar het einde van de uitzending. Ze wierp een vluchtige blik op de Vox Pro om zich ervan te verzekeren dat hij niet door een elektronisch duiveltje defect was geraakt. Maar nee, de geavanceerde machine deed gewoon haar werk. De telefoontjes werden opgenomen.

Ze bevochtigde haar lippen met het puntje van haar tong en haalde nerveus adem. 'Valentino, dit is niet grappig.'

'Zo is het ook niet bedoeld.'

'Ik weet dat je niet écht van plan bent...'

'Ik ben van plan precíes te doen wat ik zei. Ik heb minstens tweeënzeventig uur met haar verdiend, denk je niet? Zo aardig als ik voor haar ben geweest? Is drie dagen van haar tijd en aandacht niet het minste dat ik verdien?'

'Valentino, luister alsjeblieft...'

'Ik luister niet meer naar je. Je kletst uit je nek. Je geeft waardeloze adviezen. Ik behandel een meisje met respect, dan gaat ze uit en vrijt met andere mannen. En jij zegt tegen haar dat ze me moet dumpen, alsof ík degene ben die de relatie verpestte, alsof ík degene ben die ontrouw was. Eerlijk is eerlijk! Ik ga haar neuken tot ze bloedt. Daarna ga ik haar doden. Tweeënzeventig uur vanaf nu, Paris. Nog een prettige nacht!'

1

Dean Malloy stapte voorzichtig uit bed en tastte rond in het donker. Toen hij zijn ondergoed op de vloer vond, nam hij het mee naar de badkamer. Zo stil mogelijk sloot hij de deur voordat hij het licht aandeed.

Liz werd tóch wakker.

'Dean?'

Terwijl hij op de rand van de wasbak leunde keek hij naar zichzelf in de spiegel. 'Ik kom er zo aan.' Zijn spiegelbeeld staarde terug. Of dat vol wanhoop of afschuw was, kon hij niet precies zeggen. Op z'n minst vol verwijt.

Hij bleef nog een paar seconden naar zichzelf kijken voordat hij de kraan openzette en koud water over zijn gezicht plensde. Hij deed een plas, trok zijn boxershort aan en opende de deur.

Liz had de lamp op het nachtkastje aangedaan en leunde op één elleboog. Haar blonde haren waren verward. Onder haar oog zat een veeg mascara. Maar op de een of andere manier zag ze altijd kans er aantrekkelijk uit te zien, al was ze half ontkleed. 'Ga je je douchen?'

Hij schudde zijn hoofd. 'Niet nu.'

'Ik zal je rug wassen.'

'Bedankt, maar...'

'Je voorkant?'

Hij wierp haar een glimlach toe. 'Dat houd ik van je te goed.'

Zijn broek hing over de leunstoel. Toen hij hem wilde pakken, leunde Liz weer achterover in de kussens. 'Je gaat weg.'

'Hoe graag ik ook zou willen blijven, Liz.'

'Je hebt in geen weken een hele nacht met me doorgebracht.'

'Dat vind ik net zo vervelend als jij, maar voorlopig kan het niet anders.'

'Lieve hemel, Dean. Hij is zestien.'

'Inderdaad. Zestien. Als hij een baby was, zou ik op elk moment weten waar hij was, wat hij deed en bij wie hij was. Maar Gavin is zestien en hij mag autorijden. Voor een ouder is dat een vierentwintig uur durende, levende nachtmerrie.'

'Waarschijnlijk is hij er niet eens als je thuiskomt.'

'Dan heeft hij een probleem,' bromde hij terwijl hij de slip van zijn overhemd in zijn broek stopte. 'Gisteravond kwam hij veel te laat thuis, dus heb ik hem vanmorgen huisarrest gegeven. Hij moet dus binnenblijven.'

'Voor hoelang?'

'Tot hij zich verantwoordelijker gedraagt.'

'Wat als hij dat niet doet?'

'Thuisblijven?'

'Zijn verantwoordelijkheid nemen.'

Dat was een veel belangrijker vraag. Het vereiste een gecompliceerder antwoord, waar hij vanavond geen tijd voor had. Hij trok zijn schoenen aan. Toen ging hij op de rand van het bed zitten en nam haar hand in de zijne. 'Het is niet eerlijk dat Gavins gedrag je toekomst bepaalt.'

'Ónze toekomst.'

'Onze toekomst,' verbeterde hij zacht. 'Het is buitengewoon oneerlijk. Vanwege hem zijn onze plannen voor onbepaalde tijd opgeschort, en dat deugt van geen kant.'

Ze kuste de rug van zijn hand terwijl ze hem door haar wimpers heen aankeek. 'Ik kan je niet eens overhalen de nacht met me door te brengen. En ik hoopte nog wel dat we met de kerst getrouwd zouden zijn.'

'Dat zou nóg kunnen. De situatie zou zich eerder kunnen verbeteren dan we denken.'

Ze deelde zijn optimisme niet. Dat was te zien aan de frons op haar voorhoofd. 'Ik ben geduldig geweest, Dean. Dat is toch zo?'

'Inderdaad.'

'Ik denk dat ik vanaf het begin van onze relatie, twee jaar geleden, meer dan inschikkelijk ben geweest. Ik ben zonder ruzie te maken weer in deze stad gaan wonen. En hoewel het logischer was geweest dat we samenwoonden, heb ik ingestemd dit huis te huren.'

Ze had een selectief en slecht geheugen. Er was nooit sprake van samenwonen geweest. Dean zou het niet eens hebben overwogen zolang Gavin bij hem woonde. Er was ook nooit een reden geweest om over haar terugkeer naar Austin te kibbelen. Hij had haar nooit voorgesteld naar Austin te verhuizen. In feite had hij er de voorkeur aan gegeven dat ze in Houston bleef.

Toen hij zich in Austin vestigde had Liz zélf het besluit genomen hem te volgen en ook naar Austin te verhuizen. Op het moment dat ze hem met dat nieuws overviel had hij net moeten doen of hij er blij mee was en een lichte irritatie moeten verbergen. Ze had zich aan hem opgedrongen terwijl dat op dit moment het laatste was dat hij nodig had.

In plaats van nu over deze zeer netelige kwestie te gaan discussiëren, gaf hij toe dat ze onder de huidige omstandigheden bijzonder veel geduld met hem had gehad.

'Ik ben me er heel goed van bewust dat mijn situatie sinds onze eerste ontmoeting erg is veranderd. Je bent geen relatie begonnen met een alleenstaande ouder van een tiener. Ik had niet het recht te verwachten dat je zoveel geduld zou opbrengen.'

'Dank je,' zei ze gevleid. 'Maar mijn lichaam kent geen geduld, Dean. Elke maand die voorbijgaat betekent een eitje minder in de mand.'

Hij glimlachte om de voorzichtige herinnering aan haar biologische klok. 'Ik besef dat je offers voor me hebt gebracht en dat nog steeds doet.'

'Ik ben bereid nog meer offers te brengen.' Ze streelde zijn wang. 'Omdat, Dean Malloy, je die vervloekte offers waard bent!'

Hij wist dat ze het meende. Haar oprechtheid vrolijkte hem niet op, maar maakte hem nóg zwaarmoediger. 'Heb nog een beetje langer geduld, Liz. Alsjeblieft? Gavin is onmogelijk, maar er zijn redenen voor zijn slechte gedrag. Geef het wat meer tijd. Hopelijk vinden we gauw een oplossing waar we alledrie mee kunnen leven.'

Ze trok een grimas. 'Mee kunnen leven? Blijf dat soort zinnen gebruiken en voor je het weet heb je je eigen dagelijkse talkshow op de televisie.'

Hij grijnsde, blij dat ze het ernstige gesprek op een luchtiger toon konden beëindigen. 'Ga je morgen nog naar Chicago?'

'Voor drie dagen. Besloten vergaderingen met mensen uit Kopenhagen. Allemaal mannen. Robuuste, blonde vikingtypes. Jaloers?'

'Stinkend jaloers.'

'Zul je me missen?'

'Wat denk je?'

'Zal ik je iets geven als herinnering?'

Ze duwde het laken weg. Naakt en bijna spinnend, liggend op het verkreukte beddengoed waarop ze de liefde al hadden bedreven, leek Elizabeth Douglas meer op een verwende courtisane dan op een directeur marketing van een luxe, internationale hotelketen.

Ze had een wulps figuur, en daar hield ze van. In tegenstelling tot de meesten van haar leeftijdgenoten werd ze niet door elke calorie geobsedeerd, beschouwde ze het als een uitputtende klus om haar eigen bagage te dragen en ontzegde ze zich nooit een dessert. De welvingen stonden haar goed. In feite stonden ze haar verdomde goed.

'Verleidelijk,' zuchtte hij. 'Heel verleidelijk. Maar we zullen met een kus genoegen moeten nemen.'

Ze kuste hem innig en zoog zijn tong in haar mond op een manier die de vikingtypes waarschijnlijk zouden hebben doen grommen van jaloezie. Dean was degene die een einde aan de kus maakte. 'Ik moet echt gaan, Liz,' fluisterde hij tegen haar lippen alvorens zich terug te trekken. 'Goede reis en behouden thuiskomst.'

Ze trok het laken op om haar naakte lichaam te bedekken en toverde een glimlach te voorschijn om haar teleurstelling te verbergen. 'Ik bel je zodra ik er ben.'

'Dat is je geraden ook!'

Hij vertrok en probeerde net te doen of hij niet vluchtte. Buiten daalde de lucht als een vochtige deken op hem neer. De lucht leek zelfs de textuur van natte wol te hebben toen hij hem inademde. Zijn hemd plakte aan zijn rug nadat hij de korte wandeling naar zijn auto had gemaakt. Hij startte de motor en draaide de airco op de hoogste stand. De radio ging automatisch aan. Een lied van Elvis. *Are You Lonesome Tonight?*

Op dit uur was er vrijwel geen verkeer op straat. Dean minderde vaart voor een oranje stoplicht en kwam helemaal tot stilstand op het moment dat het lied eindigde.

'Het is een warme avond in het heuvelland. Bedankt dat jullie je tijd met me hebben doorgebracht hier op 101.3.'

De hese vrouwenstem weergalmde door de auto. De geluidsgolven drukten tegen zijn borst en zijn buik. Haar stem werd uitstekend weergegeven door acht luidsprekers die Duitse technici strategisch hadden aangebracht. Door de superieure geluidsinstallatie leek ze dichterbij dan wanneer ze naast hem in de passagiersstoel had gezeten.

'Vanavond verlaat ik jullie met drie van mijn lievelingsliedjes. Ik hoop dat je ernaar luistert met iemand van wie je houdt. Hou elkaar stevig vast.'

Dean omknelde het stuur en liet zijn voorhoofd op de rug van zijn handen rusten terwijl de Fab Four naar gisteren verlangden.

Zodra rechter Baird Kemp zijn auto had teruggekregen van de parkeerknecht van het Four Seasons Hotel en was ingestapt, bevrijdde hij zich van zijn das en zijn jasje. 'God, wat ben ik blij dat het voorbij is.'

'Jíj wilde het diner per se bijwonen.' Marian Kemp trok snel haar Bruno Magli-pumps uit en maakte de diamanten oorclips los. Ze kromp ineen van de pijn toen het bloed weer door haar verdoofde oorlelletjes begon te stromen. 'Maar móesten we nou naar de afterparty?'

'Nou, het leek me goed dat we tot het groepje behoorden dat als laatste vertrok. Er zaten zeer invloedrijke mensen bij.'

Het was een typisch awards-diner geweest. Het had ondraaglijk lang geduurd. Daarna had er in een ontvangstkamer een cocktailparty plaatsgevonden. De rechter liet nooit een gelegenheid voorbijgaan om campagne voor zijn herverkiezing te voeren, al was het informeel. Onderweg naar huis praatten de Kemps over anderen die aanwezig waren geweest, of, zoals de rechter hen spottend noemde: 'De invloedrijken, de profiteurs en het voetvolk.'

Thuisgekomen liep hij naar zijn studeerkamer, waar de bar dankzij Marians goede zorgen altijd ruimschoots van zijn lievelingsmerken was voorzien. 'Ik ga een slaapmutsje drinken. Zal ik er ook een voor jou inschenken?'

'Nee, dank je, schat. Ik ga naar boven.'

'Zet de airco aan in de slaapkamer. Deze hitte is ondraaglijk.'

Marian klom de gebogen, brede trap op waarvan onlangs een foto in een luxe woonblad had gestaan. Marian had daarop een design-baljurk gedragen en haar kanariegele, diamanten halsketting. Het portret was zeer goed uitgevallen, al zei ze het zelf. De rechter was blij geweest met het begeleidend artikel, waarin ze was geprezen omdat ze hun huis tot een bezienswaardigheid had gemaakt.

De gang op de bovenverdieping was donker. Tot haar opluchting zag ze een streep licht onder de deur van Janeys kamer. Hoewel het zomervakantie was, had de rechter hun zeventienjarige dochter een uitgaansverbod opgelegd. Gisteravond had ze dat genegeerd en was pas tegen het ochtendgloren thuisgekomen. Het was duidelijk geweest dat ze had gedronken en, tenzij Marian zich vergiste, de stank die aan haar kleren hing was die van marihuana geweest. Erger nog, in die toestand was ze zélf naar huis gereden.

'Je kunt vergeten dat ik je ooit nog een keertje help,' had de rechter gebruld. 'Als je wéér wordt opgepakt wegens rijden onder invloed, zal ik geen poot meer voor je uitsteken. Dan komt het maar op je strafblad!'

Janey had verveeld geantwoord: 'Nou en?'

Ze waren zó hard gaan schreeuwen en schelden, dat Marian bang was geweest dat de buren het zouden horen, ondanks de tientallen meters brede, keurig verzorgde groenstrook tussen hun huis en dat van de buren. De ruzie was geëindigd toen Janey haar kamer binnenstormde, de deur met een klap achter zich dichtsloeg en hem op slot deed. Ze had de hele dag geen woord tegen een van hen beiden gezegd.

Blijkbaar had het laatste dreigement van de rechter indruk gemaakt. Janey was thuis, en volgens haar maatstaven was het vroeg. Marian bleef voor haar deur staan en bracht haar hand omhoog om op de deur te kloppen. Maar toen hoorde ze door de deur heen de stem van de vrouwelijke diskjockey naar wie Janey luisterde als ze in een goed humeur was. De dj was een welkome afwisseling van de afschuwelijke dj's op de psychedelische rock- en rapstations.

Janey kreeg altijd een woedeaanval als ze het gevoel had dat haar privacy werd geschonden, en haar moeder voelde er niets voor om deze fragiele vrede te verstoren. Daarom klopte ze niet, maar liet haar hand zakken en liep door de gang naar de ouderslaapkamer.

Toni Armstrong werd met een schok wakker.

Ze lag doodstil en luisterde of ze een geluid hoorde dat haar misschien had gewekt. Had een van de kinderen haar geroepen? Was Brad aan het snurken?

Nee, het huis was stil, op het lage gezoem van de airco na. Ze was niet wakker geworden door een geluid. Zelfs niet door de luidruchtige ademhaling van haar man, want het kussen naast het hare was onbeslapen.

Toni stond op en trok een dunne ochtendjas aan. Ze keek hoe laat het was. Twintig voor twee. En Brad was nog steeds niet thuis.

Voordat ze naar beneden ging, controleerde ze de kinderkamers. De meisjes werden 's avonds elk in hun eigen bed gestopt, maar uiteindelijk sliepen ze onveranderlijk samen in één bed. Het leeftijdsverschil tussen hen was slechts zestien maanden. Daarom werden ze vaak ten onrechte voor een tweeling aangezien. Ze zagen er nu vrijwel hetzelfde uit, hun kleine, stevige lichamen dicht tegen elkaar aan gedrukt, verwarde haren op het kussen dat ze deelden. Toni trok een laken over hen heen. Daarna stond ze even hun onschuldige schoonheid te bewonderen alvorens op haar tenen de kamer uit te lopen.

De vloer van de slaapkamer van haar zoon was bezaaid met speelgoedruimteschepen en speelgoedstrijders. Ze waakte er angstvallig voor nergens op te trappen terwijl ze naar het bed liep. Hij lag op zijn buik te slapen, zijn benen gespreid, één arm hing over de zijkant van het bed.

Ze maakte van de gelegenheid gebruik om zijn wang te strelen. Hij had de leeftijd bereikt waarop hij grimaste en terugdeinsde wanneer ze hem haar genegenheid toonde. Als oudste vond hij dat hij zich stoer, als een man, moest gedragen.

Maar het idee dat hij een man zou worden, vervulde haar met een wanhoop die aan paniek grensde.

Toen ze de trap afliep kraakten er treden. Toni hield van een huis met eigenaardigheden en gebreken. Die gaven het karakter. Ze hadden geluk gehad toen ze dit huis kochten. Het stond in een goede buurt, vlak bij een basisschool. De prijs was verlaagd door eigenaren die het dolgraag wilden verkopen. Er moest het een en ander aan het huis worden opgeknapt, maar ze had aangeboden dat voornamelijk zélf te doen om binnen hun budget te blijven.

Ze had het er druk mee gehad, terwijl Brad zich in zijn nieuwe praktijk had geïnstalleerd. Ze had de tijd en de moeite genomen eerst de noodzakelijke reparaties uit te voeren en de boel dan pas te verfraaien. Haar geduld en ijver waren beloond. Het huis was niet alleen mooier vanbuiten, maar ook solide vanbinnen. De gebreken waren niet met een verse laag verf verdoezeld zonder eerst te zijn gerepareerd.

Helaas was niet alles zo makkelijk te herstellen als huizen.

Zoals ze al had gevreesd waren alle kamers beneden donker en leeg. In de keuken zette ze de radio aan om de onheilspellende druk van de stilte af te weren. Ze schonk een glas melk in waar ze eigenlijk geen zin in had en dwong zichzelf het rustig leeg te drinken.

Misschien deed ze haar man onrecht. Misschien woonde hij inderdaad een cursus over belastingen en financiële planning bij. Tijdens de avondmaaltijd had hij gezegd dat hij het grootste deel van de avond weg zou zijn.

'Weet je niet meer, schat,' had hij gezegd toen ze haar verbazing had getoond, 'dat ik je dit eerder deze week heb verteld?'

'Nee, want je hébt het me niet verteld.'

'Het spijt me. Ik dacht dat ik het had gedaan. Ik was het wel van plan. Geef de aardappelsalade even door, alsjeblieft. Tussen haakjes, die smaakt heerlijk. Wat is dat voor kruid?'

'Dille. Ik hoor nu voor het eerst dat je vanavond een cursus hebt, Brad.'

'Mijn collega's hebben het aanbevolen. Wat ze op de laatste cursus hebben geleerd, heeft hun een smak belastinggeld bespaard.'

'Dan zou ik er misschien ook heen moeten. Ik zou best eens wat meer van dat soort zaken willen weten.'

'Goed idee. We zullen wachten tot de volgende cursus. Je moet je van tevoren opgeven.'

Brad had haar verteld waar de cursus werd gehouden en hoe laat hij begon. Hij had gezegd dat ze niet op hem moest wachten omdat de presentatie werd gevolgd door een informele discussie, en hij niet wist hoelang die zou duren. Hij had haar en de kinderen een kus gegeven voordat hij vertrok en was naar zijn auto gelopen met een tred die ontzettend kwiek was voor iemand die naar een cursus over belastingen en financiële planning ging.

Toni dronk haar melk op.

Ze toetste voor de derde keer het nummer van Brads mobieltje in, maar evenals de twee keren daarvoor kreeg ze zijn voicemail. Ze liet geen bericht achter en overwoog de zaal te bellen waar de cursus had plaatsgevonden, maar dat zou tijdverspilling zijn. Er zou niemand meer zijn op dit uur van de nacht.

Na Brad vanavond te hebben uitgewuifd had ze de vaat gedaan

en de kinderen gebaad. Toen ze eenmaal in bed lagen, had ze geprobeerd Brads werkkamer binnen te gaan, maar had ontdekt dat de deur op slot was. Tot haar schande had ze als een gek door het huis gerend, op zoek naar een haarspeld, een nagelvijl, iets waarmee ze het slot kon openmaken.

Ten slotte had ze haar toevlucht tot een schroevendraaier genomen. Waarschijnlijk had ze het slot onherstelbaar beschadigd, maar dat kon haar niets schelen. Tot haar teleurstelling was er niets in de kamer geweest om haar razernij of haar achterdocht te bevestigen. Op zijn bureau lag een krantenadvertentie voor de cursus. Hij had de datum op zijn kalender genoteerd. Blijkbaar was hij toch van plan geweest eraan deel te nemen.

Maar hij was ook heel goed in het leggen van geloofwaardige rookgordijnen.

Ze was achter het bureau gaan zitten en had naar zijn lege computerscherm gestaard. Ze had zelfs over de aan- en uitknop gestreken, geneigd om hem in te drukken en een onderzoek te doen waarmee alleen dieven, spionnen en achterdochtige vrouwen zich inlieten. Ze had de computer niet aangeraakt sinds Brad een eigen computer voor haar had gekocht. Toen ze de van labels voorziene dozen zag die hij had binnengebracht en op de keukentafel gezet, had ze uitgeroepen: 'Heb je een andere computer gekocht?'

'Het is tijd dat je je eigen computer hebt. Vrolijk kerstfeest!'

'Het is juni!'

'Dan ben ik dus vroeg. Of laat.' Hij had op een ontwapenende manier zijn schouders opgehaald. 'Nu je zelf een computer hebt, hoef je mij niet bij mijn werk te storen als je met je familie wilt e-mailen. Of als je wilt internetten, of wat dan ook.'

'Ik gebruik je computer overdag, als je in de kliniek bent.'

'Dat bedoel ik. Nu kun je altíjd on line gaan.'

En jij ook.

Blijkbaar had hij haar gedachten gelezen, want hij had gezegd: 'Het is niet wat je denkt, Toni.' Hij had zijn handen op zijn heupen gelegd, in een verdedigende houding. 'Ik was vanmorgen in de computerwinkel aan het rondsnuffelen. En toen zag ik dit knalroze ding. Het is klein en compact en kan vrijwel alles. Ik dacht: vrouwelijk en doeltreffend. Net als mijn lieve vrouw. Dus heb ik hem voor je gekocht, in een impuls. Ik dacht dat je er blij mee zou zijn. Kennelijk heb ik me vergist.'

Ze had zich onmiddellijk schuldig gevoeld en gezegd: 'Ik bén er blij mee. Het is een heel attent gebaar, Brad. Dank je.' Ze had wantrouwend naar de dozen gekeken. 'Zei je róze?'

Toen waren ze in lachen uitgebarsten en had hij haar onstuimig omhelsd. Hij had naar zonneschijn, zeep en gezondheid geroken. Zijn lichaam tegen het hare had aangenaam, vertrouwd en goed aangevoeld. Haar angsten waren in slaap gesust.

Slechts tijdelijk. Onlangs hadden ze de kop weer opgestoken.

Ze had vanavond zijn computer niet opgestart. Ze was te bang geweest voor wat ze misschien zou vinden. Als er een wachtwoord nodig was om toegang tot de computer te krijgen, zouden haar vermoedens bevestigd zijn, en dat had ze niet gewild. God, nee, dat had ze niet gewild.

Daarom had ze haar best gedaan om de kapotte deurknop te herstellen. Daarna was ze naar bed gegaan en was ze gaan slapen, in de hoop dat Brad haar spoedig wakker zou maken, boordevol kennis over financiële krijgslisten voor gezinnen met hetzelfde belastbare inkomen als zij. Het was een wanhopige hoop.

'Ik heb van jullie gezelschap genoten,' zei de sexy stem op de radio. 'Dit is jullie presentatrice van klassieke liefdesliedjes, Paris Gibson.'

Geen enkele cursus duurde tot twee uur in de morgen. En een bijeenkomst van een therapiegroep duurde ook niet tot in de kleine uurtjes. Dat was vorige week Brads uitvlucht geweest toen hij het grootste deel van de nacht was weggebleven.

Hij had gezegd dat een van de mannen in zijn groep het moeilijk had. 'Na de bijeenkomst vroeg hij of ik een biertje met hem ging drinken. Hij zei dat hij een begripvolle schouder nodig had om op uit te huilen. Die vent heeft écht een probleem, Toni. Tjonge! Sommige dingen die hij vertelde gelóóf je gewoon niet. Echt pure ellende. Hoe dan ook, ik wist dat je het zou begrijpen. Je weet hoe die dingen gaan.'

Ze wist het maar al te goed. Het liegen. De ontkenningen. De ontbrekende uren. De afgesloten deuren. Ja, ze wist hoe die dingen gingen. Zoals nú!

2

Hier kreeg ze koude rillingen van. Dit was écht eng.

Hij was al een tijd geleden vertrokken, en ze wist niet wanneer hij terug zou komen. Ze vond dit niet leuk, ze wilde weg.

Maar haar handen waren vastgebonden. Letterlijk. En haar voeten ook. Het ergste was de naar metaal smakende tape waarmee hij haar mond had dichtgeplakt.

Vier – misschien vijf – keer in de afgelopen paar weken was ze met hem meegegaan naar deze plek. Altijd waren ze uitgeput maar supervoldaan vertrokken. De uitdrukking 'je suf neuken' schoot haar te binnen.

Maar hij had nooit bondage voorgesteld, of iets pervers. Nou... niets dat té pervers was. Dit was de eerste keer, en eerlijk gezegd hoefde het voor haar niet.

Een van de dingen die ze in het begin aantrekkelijk aan hem had gevonden, was dat hij mondain leek. Hij was opgevallen te midden van de rondzwervende menigte die voornamelijk bestond uit middelbareschoolleerlingen en studenten, op zoek naar drank, drugs en snelle seks. Nu en dan was er een zielige, ouwe vent die zich schuilhield in de bosjes en zijn penis liet zien aan iedereen die zo ongelukkig was zijn kant op te kijken. Maar deze man was zo niet. Hij was echt leuk.

Blijkbaar was zij hem ook opgevallen. Zij en haar vriendin Melissa hadden gemerkt dat hij met doelbewuste belangstelling naar hen keek.

'Misschien is hij een smeris,' mijmerde Melissa. 'Eentje die undercover werkt.'

Melissa was die avond erg gedeprimeerd omdat ze de volgende dag met haar ouders naar Europa moest vertrekken en ze zich niets ellendigers kon voorstellen. Ze deed verwoede pogingen om stoned te worden, maar dat was haar nog niet gelukt. Ze had een pessimistische kijk op alles.

'Een smeris die in zo'n auto rijdt? Dat denk ik niet. Bovendien draagt hij te dure schoenen voor een smeris,' zei Janey.

Het was niet alleen dat hij naar haar keek. Mannen keken altijd naar haar. Het was de manier waaróp hij naar haar keek die zo ongelofelijk opwindend was. Hij leunde tegen de motorkap van zijn auto, met gekruiste enkels, zijn armen achteloos over zijn middenrif geslagen, roerloos en, ondanks zijn intensiteit, ogenschijnlijk ontspannen.

Hij stond niet naar haar borst of benen te gapen – waar constant naar werd gestaard – maar hij keek recht in haar ogen. Alsof hij haar onmiddellijk kende. Haar niet alleen herkende, of haar naam kende, maar háár kende. Alles over haar wist wat belangrijk was.

'Vind je hem knap?'

'Gaat wel,' antwoordde Melissa. Zelfmedelijden maakte haar onverschillig.

'Nou, ik vind hem knap.' Janey dronk haar rum-cola, ze zoog het op door een rietje, op de uitdagende manier die ze had geperfectioneerd door uren voor haar spiegel te oefenen. De suggestiviteit ervan maakte mannen gek. Dat wist ze, en daarom deed ze het.

'Ik ga erop af.' Ze zette het lege plastic bekertje achter zich op de picknicktafel waarop zij en Melissa hadden gezeten. Daarna liet ze zich op de grond zakken met de kronkelende gratie van een slang die van een rots afglijdt. Ze schudde haar haar naar achteren en trok de zoom van haar T-shirt naar beneden terwijl ze diep inademde. Zoals een olympische atlete werkte ze voor elke grote wedstrijd een vast ritueel af.

Zíj deed de eerste zet. Ze liet Melissa alleen en liep langzaam naar hem toe. Toen ze de auto bereikte ging ze naast hem staan en leunde net als hij tegen de motorkap. 'Je hebt een slechte gewoonte.'

Hij draaide zijn hoofd om en glimlachte tegen haar. 'Eentje maar?'

'Voorzover ik weet.'

Zijn grijns werd breder. 'Dan moet je me beter leren kennen.'

Een nadere uitnodiging was niet nodig, uiteindelijk waren ze om die reden op deze plek. Hij nam haar bij de arm en bracht haar naar de passagierskant van zijn auto. Ondanks de hitte was zijn hand koel en droog. Hoffelijk deed hij het portier open en hielp haar in de met leer beklede stoel. Toen ze wegreden wierp ze Melissa een triomfantelijke glimlach toe, maar Melissa zag het niet, ze rommelde in haar tas, op zoek naar peppillen.

Hij reed voorzichtig, met beide handen aan het stuur en zijn blik op de weg gericht. Hij zat haar niet aan te gapen en te betasten, wat beslist iets ongewoons was. Zodra ze in de auto van een man stapte, begon hij in de regel naar haar te graaien, alsof hij niet kon geloven dat hij zoveel geluk had, alsof ze misschien zou verdampen als hij haar niet aanraakte, of zich zou bedenken als hij niet opschoot.

Maar deze man leek een beetje afstandelijk, en dat vond ze wel leuk. Hij was volwassen en zelfverzekerd. Hij hoefde haar niet aan te gapen en te betasten om zich ervan te verzekeren dat hij op het punt stond een wip te maken.

Ze vroeg naar zijn naam.

Terwijl hij voor een stoplicht stopte wierp hij haar een zijdelingse blik toe. 'Is dat belangrijk?'

Ze haalde haar schouders op. Op een overdreven manier, die ze had geoefend, die haar borsten beter omhoogduwde en tegen elkaar aandrukte dan welke push-upbeha ook. 'Ik denk het niet.'

Hij liet zijn blik een paar seconden op haar borsten rusten. Daarna sprong het stoplicht op groen en reed hij weer verder. 'Wat is mijn slechte gewoonte?'

'Je staart.'

Hij lachte. 'Als je dat een slechte gewoonte vindt, moet je me wérkelijk beter leren kennen.'

Ze legde haar hand op zijn dij en zei met haar meest sexy stem: 'Ik verheug me erop.'

Zijn huis was een grote teleurstelling. Het was een eenvoudig appartement in een derderangs motel. Een haveloos, rood spandoek aan de voorkant van het twee verdiepingen tellende gebouw maakte reclame voor speciale maandtarieven. Het gebouw stond in een vervallen buurt die niet bij zijn auto of zijn kleren paste.

Bij het zien van haar teleurstelling zei hij: 'Het is een miserabel onderkomen, maar het was het enige dat ik kon vinden toen ik hierheen verhuisde. Ik zoek iets anders.' Toen voegde hij er kalm aan toe: 'Als je wilt dat ik je terugbreng, zou ik dat begrijpen.'

'Nee.' Ze peinsde er niet over hem te laten denken dat ze een stom, preuts middelbareschoolmeisje was zonder zin voor avontuur. 'Sjofel is ín.'

Het grootste vertrek van het appartement was zowel zitkamer als slaapkamer. De keuken was niet groter dan een flinke kast, en de badkamer was nóg kleiner.

In de kamer stonden een bed en een nachtkastje, een kast met vier laden, een luie stoel met een vloerlamp ernaast, plus een inklapbare tafel die lang genoeg was voor een computer met toebehoren. Het meubilair was van inferieure kwaliteit, maar alles was netjes.

Ze liep naar de tafel. De computer was al opgestart. Na een paar klikjes met de muis vond ze wat ze hoopte te vinden. Ze keek over haar schouder en zei glimlachend tegen hem: 'Dus je was daar vanavond niet toevallig.'

'Ik was daar om jou te zoeken.'

'Speciaal míj?'

Hij knikte.

Dat vond ze leuk. Heel leuk.

De met formica beplakte bar die de keuken van de zitkamer scheidde werd gebruikt als plank voor fotoapparatuur. Hij had een kleinbeeldcamera, een aantal lenzen en diverse accessoires, waaronder een draagbaar statief. Alles zag er complex en duur uit, misplaatst in het armzalige appartement. Ze pakte de camera en keek naar hem door de zoeker. 'Ben je beroepsfotograaf?'

'Het is maar een hobby. Wil je iets drinken?'

'Graag.'

Hij liep de keuken in en kwam terug met twee glazen rode wijn. Prima. Wijn gaf aan dat hij een verfijnde smaak en klasse had. Wijn klopte ook niet met het appartement, maar ze dacht dat zijn verklaring ervoor een leugen was. Dit was waarschijnlijk niet zijn hoofdverblijf, alleen zijn speelplaats. Uit de buurt van zijn vrouw.

Terwijl ze van haar wijn nipte keek ze rond. 'Waar zijn je foto's?'

'Ik laat ze niet zien.'

'Waarom niet?'

'Ze zijn voor mijn privé-verzameling.'

'Privé-verzameling?' Ze wierp hem een sluwe glimlach toe en wond een haarlok om haar vinger. 'Dat klinkt goed. Laat maar eens zien!'

'Het lijkt me beter van niet.'

'Waarom?'

'Ze zijn... artistiek.'

Hij keek haar opnieuw op die directe manier aan, alsof hij haar reactie peilde. Door zijn blik begonnen haar tenen te tintelen en haar hart te bonzen. Dat was in lange tijd niet gebeurd in het gezelschap van een man. Meestal was zíj het die voor tintelingen en bonzende harten zorgde. Het was ongewoon en geweldig om degene te zijn die niet precies wist wat er zou gaan gebeuren. Superspannend.

Stoutmoedig zei ze: 'Ik wil per se je privé-verzameling zien.'

Hij aarzelde even. Toen knielde hij neer, haalde een doos onder het bed vandaan, deed hem open en haalde er een standaardfotoalbum uit met een omslag van zwart namaakleer. Terwijl hij overeind kwam, drukte hij het tegen zijn borst. 'Hoe oud ben je?'

De vraag was een belediging, omdat ze er prat op ging dat ze veel ouder leek dan ze was. Ze had zich in geen jaren hoeven legitimeren. Eén glimp van de vlinder die op haar borst was getatoeëerd, en geen uitsmijter vroeg nog naar een legitimatiebewijs. 'Wat maakt het verdomme uit hoe oud ik ben? Ik wil de foto's zien. Trouwens, ik ben tweeëntwintig.'

Het was duidelijk dat hij haar niet geloofde. Hij deed zelfs een vergeefse poging om zijn glimlach te verbergen. Desalniettemin legde hij het album op de tafel en deed daarna een stap naar achteren. Zo achteloos mogelijk liep ze erheen en sloeg het album open.

De eerste foto was schokkend en liet niets aan duidelijkheid te wensen over. Gezien de hoek van waaruit hij was genomen, nam ze aan – terecht, zoals ze later ontdekte – dat het een zelfportret was.

'Vind je het aanstootgevend?' vroeg hij.

'Natuurlijk niet. Denk je dat ik nog nooit een erectie heb gezien?' Haar antwoord was lang niet zo blasé als ze het liet klinken. Ze vroeg zich af of hij haar hart kon horen bonzen.

Ze bladerde het hele album door. Ze bestudeerde elke foto en deed alsof ze net zo analytisch was als een kunstcriticus. Sommige waren kleurenfoto's, sommige zwart-wit, maar op de eerste na waren het allemaal foto's van naakte jonge vrouwen in een uitdagende pose. Ieder ander had ze misschien schunnig gevonden, maar zij was te mondain om nerveus te worden van uitvergrote geslachtsdelen.

Het waren absoluut geen 'artistieke' naaktstudies. Het waren obscene foto's.

'Wat vind je ervan?' Hij stond zo dicht achter haar, dat ze zijn adem in haar haren voelde.

'Ze zijn goed.'

Hij reikte om haar heen en bladerde snel terug tot hij bij een speciale foto was. 'Dit is mijn lievelingsfoto.'

Janey zag niets wat dit meisje zo bijzonder maakte. Haar tepels leken net muggenbeten op haar platte, magere borst. Je kon elke rib zien. Ze had gespleten haarpunten en puistjes op haar schouders. Een sluier verborg haar gezicht, en waarschijnlijk was dat niet voor niets.

Ze sloot het album. Daarna wendde ze zich tot hem met haar verleidelijkste glimlach. Langzaam trok ze haar T-shirt over haar hoofd en liet het op de grond vallen. 'Je bedoelt dat het je lievelingsfoto wás.'

Zijn adem stokte. Toen ademde hij langzaam uit. Hij pakte haar hand en legde hem onder haar borst, zodat die in haar handpalm lag, alsof ze hem aanbood.

Hij schonk haar de liefste, tederste glimlach die ze ooit had gezien. 'Je bent volmaakt. Ik wist het.'

Ze voelde zich trots. 'We verspillen tijd.' Ze maakte de rits van haar korte broek los en stond op het punt hem uit te trekken, toen hij haar tegenhield. 'Nee, laat hem daar, laag op je heupen.' Snel pakte hij zijn camera. Blijkbaar zat er al een filmrolletje in en was het fototoestel klaar voor gebruik, want hij begon door de zoeker te kijken.

'Dit wordt fantastisch.' Hij schoof haar dichter naar de vloerlamp naast de luie stoel, en zette de groezelige lampenkap recht. Toen liep hij achteruit en keek opnieuw door de camera. 'Laat de broek nog een klein beetje meer zakken. Ja. Zo is het precies goed.'

Hij nam een paar foto's, snel achter elkaar. 'O, dame, je bent dodelijk.'

Hij liet de camera zakken en keek haar vol verrukking aan. 'Je bent een natuurtalent. Je moet dit eerder hebben gedaan.'

'Ik heb nooit beroepsmatig geposeerd.'

'Verbazingwekkend,' zei hij. 'Ga nu op de rand van het bed zitten.'

Hij knielde voor haar neer en liet haar de houding aannemen

die hij wilde. Benen. Handen. Hoofd. Voordat hij de camera pakte, kuste hij de binnenkant van haar dij. Hij zoog haar huid tegen zijn tanden en liet zo een brandmerk achter.

Het volgende anderhalve uur ging het fotograferen door, samen met het voorspel. Toen hij haar neukte was alles één groot orgasme. Na afloop vulde hij hun wijnglazen opnieuw en ging daarna naast haar liggen. Hij streelde haar hele lichaam en zei tegen haar dat ze zo mooi was.

Dit is een man die weet hoe je een vrouw moet behandelen, dacht ze.

Toen ze hun wijn ophadden, vroeg hij of hij nog meer foto's mocht nemen. 'Ik wil je naglans vastleggen.'

'Zodat je een foto van ervoor en erna hebt?'

Hij lachte en kuste haar vluchtig, vol genegenheid. 'Zoiets, ja.'

Hij kleedde haar aan – ja, hij kleedde haar persoonlijk aan zoals zij vroeger haar poppen had aangekleed. Hij bracht haar terug naar het park aan het meer waar ze elkaar hadden ontmoet en zorgde ervoor dat ze veilig in haar auto stapte. Voor hij het portier sloot, kuste hij haar mond. 'Ik hou van je.'

Ho! Dat had haar verrast. Talloze mannen hadden tegen haar gezegd dat ze van haar hielden, maar meestal wanneer ze zaten te klungelen met een condoom. Meestal vonden deze liefdesverklaringen plaats in de dampige binnenkant van hun auto of pick-up.

Maar de liefde was nooit op een zachte, tedere en veelzeggende manier verklaard. Hij had haar zelfs een handkus gegeven voordat hij haar liet gaan. Ze had dat ontzettend lief en beschaafd gevonden.

Sinds die eerste avond hadden ze elkaar diverse keren ontmoet, en het was altijd heel spannend geweest. Maar algauw, en voorspelbaar, was hij gaan zeuren. Waar was je gisteravond? Met wie was je? Ik heb uren gewacht, maar je kwam nooit opdagen. Wanneer kan ik je weer zien?

Door zijn bezitterigheid was het niet meer leuk om bij hem te zijn. Bovendien begon het nieuwe eraf te gaan. Zijn fotografie leek niet meer exotisch, alleen vreemd en vaak griezelig. Het was tijd om hiermee op te houden.

Misschien had hij gevoeld dat ze had besloten er vanavond een punt achter te zetten, want de avond was slecht begonnen. Ze hadden onmiddellijk nadat hij haar had opgepikt ruzie gekregen. En toen was alles geleidelijk aan erger geworden.

Ze vond hem bizar en eng met dit bondagegedoe. Uren geleden had hij haar vastgebonden achtergelaten. Wat als dit armzalige hok in brand vloog? Wat als er een tornado kwam of zoiets?

Het beviel haar niet. Ze wilde hier weg. Hoe eerder hoe beter. Voor zijn vertrek had hij de radio aangezet en afgestemd op het radioprogramma van Paris Gibson. Dat verschafte haar gezelschap. Ze voelde zich niet zo verlaten als ze zich zou hebben gevoeld wanneer het doodstil was geweest in het donker.

Terwijl ze naar Paris Gibsons stem lag te luisteren, vroeg ze zich af wanneer hij verdomme terug zou komen en wat voor andere spelletjes hij in gedachten had.

3

Het rode lampje op het bedieningspaneel ging uit. Valentino had opgehangen.

Het duurde een paar seconden voordat Paris besefte dat het enige dat ze hoorde het geluid van haar eigen hartslag was. De muziek was opgehouden. Op de logmonitor zag ze een rij nullen waar normaal gesproken cijfers aangaven hoe lang een lied nog duurde. Hoe lang zond ze al stilte uit?

Ze had nog drieëntwintig seconden over. Ze drukte de knop van haar microfoon in en probeerde te spreken, maar kon het niet. Ze deed nóg een poging.

'Ik hoop dat jullie van deze avond van klassieke liefdesliedjes hebben genoten. Stem morgen weer op me af. Ik verheug me erop. Tot dan. Hier is Paris Gibson op 101.3 FM. Welterusten.'

Door twee knoppen in te drukken was ze uit de ether. Toen sprong ze van haar hoge kruk, rukte de zware studiodeur open, rende door de gang en stormde de kamer van de technici binnen.

Op Stans bureau stond een doos met gebraden kip van een afhaalrestaurant. Verder was de kamer leeg. Ze begon weer te rennen, ging rechtsaf bij het eerste kruispunt van gangen en botste letterlijk tegen Marvin op, die een vieze lap over een vensterbank haalde.

Ze hijgde. 'Heb je Stan gezien?'

'Nee.' Eén ding kon je over Marvin zeggen – hij was een man van weinig woorden. En áls hij sprak, gebruikte hij eenlettergrepige woorden.

'Is hij al vertrokken?'

Deze keer gaf hij haar niet eens antwoord, maar haalde slechts zijn schouders op.

Ze verliet de schoonmaker, rende naar de ruimte van de heren-toiletten en duwde de deur open. Stan stond te plassen. 'Stan, kom eens hier.'

Overrompeld door de storing draaide hij zijn hoofd om. 'Wat... ik ben bezig, Paris.'

'Schiet op. Dit is belangrijk.'

Ze liep terug naar de studio en rolde haar kruk naar de Vox Pro, die elk binnenkomend telefoontje opnam om het later te kunnen afspelen. Er werd ook een verplichte opname gemaakt van alles wat er werd uitgezonden. Maar dat was een ander apparaat en een ander verhaal. Nu was ze alleen geïnteresseerd in het telefoonge-sprek.

'Wat is er?' Stan slenterde de studio binnen terwijl hij op zijn horloge keek. 'Ik heb plannen.'

'Luister hier eens naar.'

'Vergeet niet dat mijn dienst ophoudt als jij klaar bent met je radioprogramma.'

'Hou je mond, Stan, en luister.'

Hij leunde tegen de rand van het bedieningspaneel. 'Goed, maar ik moet zo écht weg.'

'Sst.' Valentino had net zijn naam genoemd. 'Dit is iemand die vaker belt.'

Stan leek meer belangstelling voor de vouw in zijn linnen broek te hebben, maar toen Valentino tegen Paris zei dat ze er heel veel spijt van zou krijgen, trok Stan zijn wenkbrauwen op. 'Wat be-doelt hij daarmee?'

'Luister.'

Hij zweeg tijdens de rest van de opname. Na afloop keek Paris hem vol verwachting aan. Hij haalde zijn smalle schouders op. 'Hij is een mafkees.'

'Is dát het? Is dát alles wat je ervan vindt? Een mafkees?'

Hij snoof. 'Je denkt toch niet dat hij het serieus meent?'

'Geen idee.' Ze draaide zich om en drukte de hotlineknop in op het bedieningspaneel. Dat was de telefoonlijn die de dj's voor privé-gesprekken konden gebruiken.

'Wie bel je?' vroeg Stan. 'De politie?'

'Ik vind dat dat moet.'

'Waarom? Je wordt voortdurend door halvegaren gebeld. Vori-ge week was er toch eentje die wilde dat je slippendrager op zijn moeders begrafenis was?'

'Dit is ánders. Ik praat elke avond met een heleboel mensen, maar deze... ik weet het niet,' voegde ze er bezorgd aan toe.

Toen haar 911-telefoontje werd aangenomen, noemde ze haar naam en gaf de telefoniste een korte beschrijving van wat er was gebeurd. 'Waarschijnlijk is het niets, maar ik vind dat iemand dit gesprek moet horen.'

'Ik luister op mijn vrije avonden naar uw programma, miss Gibson,' zei de telefoniste. 'U lijkt me niet het type om gauw in paniek te raken. Ik zal zo snel mogelijk een patrouilleauto naar u toe sturen.'

Paris bedankte haar en hing op. 'Ze zijn onderweg.'

Stan kromp ineen. 'Moet ik hier wachten?'

'Nee, ga maar weg. Ik red me wel. Marvin is er ook nog.'

'Nee, hij is 'm gesmeerd. Ik zag hem weggaan toen ik hierheen liep vanaf de wc waar ik op ruwe wijze tijdens het plassen werd gestoord. Zo'n verrassing kan een man duur komen te staan, wist je dat?'

Vanavond was ze niet in de stemming voor Stan. 'Dat betwijfel ik.' Ze wuifde hem weg. 'Verdwijn, en doe de deur achter je op slot. Ik laat de politie wel binnen.'

Ze was duidelijk nerveus. Hij voelde zich een deserteur. 'Nee, ik wacht hier wel met jou,' zei hij nors. 'Ga thee voor jezelf zetten of zoiets. Ik kan aan je zien dat je van streek bent.'

Ze wás van streek. Thee leek haar een goed idee. Ze liep naar de personeelskeuken, maar zover kwam ze niet. Een afschuwelijk geluid weerklonk door het hele gebouw, het signaal dat er iemand bij de hoofdingang was.

Paris draaide zich om en rende naar de voorkant van het gebouw. Tot haar opluchting zag ze twee politiemannen in uniform aan de andere kant van de glazen deur staan. Het deed er niet toe dat het leek of ze net van de politieacademie waren gekomen. Een van hen leek zelfs nog te jong om zich te scheren. Maar ze kwamen direct terzake en stelden zich kort en bondig voor.

'Bedankt dat jullie zo snel hierheen gekomen zijn.'

'We waren hier in de buurt geweest en reden terug toen we het telefoontje kregen,' legde een van hen uit. Hij en zijn partner keken Paris bevreemd aan, zoals de meeste mensen als ze haar voor het eerst ontmoeten. De zonnebril maakte hen meteen nieuwsgierig.

Zonder aandacht aan haar zonnebril of hun nieuwsgierigheid te schenken, leidde ze de agenten Griggs en Carson door de doolhof van donkere gangen. 'In de studio is een opname van het telefoongesprek.'

De buitenkant van het gebouw had hen niet voorbereid op de geavanceerde elektronische apparatuur in de studio, en ze keken dan ook nieuwsgierig en vol ontzag rond. Paris bracht hen weer bij de les door Stan voor te stellen. Ze gaven een kort knikje, maar er werden geen handen geschud. Paris gebruikte de muis van de Vox Pro computer om Valentino's opgenomen telefoontje af te spelen.

Niemand zei iets terwijl ze luisterden. Agent Griggs staarde naar het plafond, Carson naar de vloer. Na afloop tilde Carson zijn hoofd op en schraapte zijn keel, ogenschijnlijk in verlegenheid gebracht door de grove taal die Valentino had gebezigd. 'Krijgt u vaak dit soort telefoontjes, miss Gibson?'

'Soms krijg ik rare en verknipte telefoontjes. Hijgers en oneerbare voorstellen. Maar nooit zoiets als wat jullie net hebben gehoord. Nooit iets bedreigends. Valentino heeft eerder gebeld. Hij vertelde me dat hij een fantastisch, nieuw vriendinnetje had of dat er onlangs een einde aan een relatie was gekomen, wat zijn hart had gebroken. Maar hij heeft nooit iets als dit gezegd. Ook niet iets wat erop lijkt.'

'Denk je dat het dezelfde vent is?'

Ze wendden zich allemaal tot Stan, die de vraag had gesteld. Hij vervolgde: 'Iemand anders kan de naam Valentino hebben geleend omdat ze hem in je programma hebben gehoord en weten dat hij een regelmatige beller is.'

'Dat is mogelijk,' zei Paris langzaam. 'Ik weet bijna zeker dat Valentino's stem onherkenbaar is gemaakt. Hij klinkt nooit erg natuurlijk.'

'Het is ook geen gangbare naam,' zei Griggs. 'Denkt u dat het zijn echte naam is?'

'Daar heb ik geen idee van. Soms blijft een beller liever anoniem, en wil hij zelfs zijn voornaam geheimhouden.'

'Kunt u telefoontjes natrekken?'

'We hebben nummerweergave. Een van onze technici heeft software aan de Vox Pro toegevoegd waardoor het nummer van het beeldscherm is af te lezen. Tenminste, als het beschikbaar is. Bij elk telefoontje staan ook de tijd en de datum vermeld.'

Ze liet de informatie op het computerscherm verschijnen. Er was geen naam, alleen een lokaal telefoonnummer, dat Carson neerkrabbelde.

31

'Dit is een goed begin,' zei hij.

'Misschien,' zei Griggs. 'Waarom zou hij een traceerbaar nummer gebruiken, gelet op wat hij wilde gaan zeggen?'

Paris las tussen de regels door. 'Denk je dat het een misselijke grap was?'

Geen van beide agenten gaf meteen antwoord. Carson zei: 'Ik zal het nummer bellen en kijken of er wordt opgenomen.'

Hij gebruikte zijn mobiele telefoon. Nadat hij de telefoon een groot aantal keren had laten overgaan, besloot hij dat niemand opnam. 'Ook geen voicemail. Ik kan het nummer beter aan het bureau doorgeven.' Hij toetste een aantal cijfers in. En terwijl hij Valentino's nummer doorgaf aan degene die aan de andere kant van de lijn was, zei Griggs tegen Paris en Stan dat het nummer zou worden nagetrokken.

'Maar ík denk dat het een man was die een naam gebruikte die hij in uw programma had gehoord en probeerde u een reactie te ontlokken.'

'Zoals de griezels die obscene telefoontjes plegen,' zei Stan.

Griggs knikte met zijn bijna kaalgeknipte hoofd. 'Precies. Ik wed dat we een eenzame dronkaard vinden, of een groep verveelde kinderen die lol proberen te maken door gore taal uit te slaan, zoiets.'

'Ik hoop dat je gelijk hebt.' Paris wreef over haar armen om warmer te worden. 'Ik kan niet geloven dat iemand dit voor de grap doet, maar ik geef absoluut de voorkeur aan een grap boven het alternatief.'

Carson verbrak de telefoonverbinding. 'Ze zijn ermee bezig. Het zal niet lang duren.'

'Laat je me weten wat ze hebben ontdekt?'

'Natuurlijk, miss Gibson.'

Stan bood aan haar in zijn auto te volgen als ze naar haar huis reed, maar het was een aanbod zonder overtuiging. Hij leek opgelucht toen ze het afsloeg. Hij wenste iedereen goedenacht en vertrok.

'Hoe kunnen we u bereiken als we iets meer weten?' vroeg Griggs terwijl ze door het gebouw naar de ingang liepen.

Ze gaf hem het nummer van haar huistelefoon en benadrukte dat het een geheim telefoonnummer was.

'Natuurlijk, miss Gibson.'

Het verbaasde de twee agenten dat zíj degene was die het gebouw voor de nacht afsloot. 'Bent u hier elke nacht alleen?' vroeg Carson toen ze met haar meeliepen naar haar auto.

32

'Op Stan na.'

'Wat doet hij en hoe lang heeft hij hier gewerkt?'

Hij doet niet zoveel, dacht ze wrang. Maar ze zei dat hij technicus was. 'Hij is hier voor het geval er iets fout gaat met de apparatuur. Hij werkt hier al een paar jaar.'

'Heeft niemand anders nachtdienst?'

'Nou, Marvin is er. Sinds een aantal maanden werkt hij hier als schoonmaker.'

'Achternaam?'

'Dat weet ik niet. Hoezo?'

'Je weet het maar nooit met mensen,' zei Griggs. 'Kunt u goed met die mannen opschieten?'

Ze lachte. 'Geen mens kan met Marvin opschieten, maar hij is niet iemand die een angstaanjagend telefoontje pleegt. Hij praat alleen als er iets tegen hem wordt gezegd, en dan bromt hij min of meer.'

'En hoe zit het met Stan?'

Ze vond het niet loyaal om achter zijn rug om over hem te praten. Als ze eerlijk haar mening gaf, zou het geen vleiende beschrijving zijn, dus vertelde ze hem alleen wat relevant was. 'We kunnen het goed met elkaar vinden. Ik ben er zeker van dat geen van hen iets met dat telefoontje te maken heeft.'

Griggs glimlachte tegen haar en klapte zijn notitieboekje gedecideerd dicht. 'Het kan geen kwaad om dat na te gaan.'

Haar telefoon rinkelde toen ze de voordeur van haar huis opendeed. Ze haastte zich erheen en nam op. 'Hallo?'

'Miss Gibson, u spreekt met agent Griggs.'

'Ja?'

'Bent u goed thuisgekomen?'

'Ja. Ik heb net mijn alarm uitgeschakeld. Heb je al iets gehoord?'

'Dat nummer hoort bij een munttelefoon bij de universiteitscampus. Er is een patrouilleauto naartoe gestuurd om de boel te controleren, maar er was niemand in de buurt. De telefooncel staat vóór een apotheek die om tien uur sluit. De cel en het parkeerterrein waren verlaten.'

Dus waren ze terug bij af. Ze had gehoopt dat ze het nummer van een trieste, eenzame persoon zouden opsporen, zoals Griggs had beschreven, een verloren ziel die haar en een denkbeeldige gevangene had bedreigd in een vertwijfelde poging om aandacht te trekken.

Haar aanvankelijke onrust keerde terug. 'Wat nu?'

'Er valt niet echt iets te doen, tenzij hij opnieuw belt. Maar ik denk niet dat het zal gebeuren. Waarschijnlijk probeerde iemand u op stang te jagen. Morgenavond zullen we politieauto's in dat gebied laten patrouilleren, op zoek naar iemand die zich in die omgeving schuilhoudt.'

Dat was niet bevredigend, maar meer zat er niet in. Paris bedankte hem en zijn partner. Ze hadden gedaan wat van hen werd verwacht, maar ze was er nog niet van overtuigd dat Valentino's telefoontje een grap was en dat er niets was om zich zorgen over te maken. Zelfs de herkomst van het telefoontje was zorgwekkend. Zou iemand die naar aandacht op zoek was niet duidelijke aanwijzingen achterlaten, zodat hij kon worden opgespoord, geïdentificeerd en gekastijd door de politie en daarna misschien zelfs in de krant komen?

Valentino had van een publieke telefooncel gebruikgemaakt, zodat het telefoontje niet kon worden getraceerd. Hij wilde niet geïdentificeerd worden.

Die verontrustende gedachte spookte het meest door haar hoofd terwijl ze door haar zitkamer liep, en vervolgens door de gang naar haar slaapkamer. Zoals altijd als ze thuiskwam van haar werk waren de kamers donker en stil.

Op dit tijdstip waren de huizen van haar buren ook donker en stil, maar er was een verschil. In die huizen waren de gebeden van kinderen gehoord voordat ze waren ingestopt. Echtgenoten en echtgenotes hadden elkaar een nachtkus gegeven. Sommigen hadden de liefde bedreven voordat ze onder de wol kropen. Ze deelden een bed, lichaamswarmte, dromen. Ze deelden een leven. Duisternis werd verlicht door nachtlampjes, kleine lichtbakens van troost in kamers waarin speelgoed en schoenen rondslingerden, kamers met de kenmerken van een druk gezinsleven.

De lampen in Paris' huis benadrukten alleen maar de steriele netheid van de kamers. Haar bewegingen waren de enige bron van geluid. Ze sliep alleen. Dat zou niet haar eerste keus zijn geweest, maar zo was het nou eenmaal, en ze was het gaan accepteren.

Maar vannacht was de eenzaamheid zenuwslopend. En de oorzaak was Valentino's telefoontje.

Ze had een jarenlange ervaring met het luisteren naar stemmen. Ze pikte nuances op in een stem, ontdekte onderliggende boodschappen, onderscheidde waarheid van leugens, en hoorde meer dan wat iemand hardop zei. Ze kon een aantal conclusies over iemand trekken die alleen maar gebaseerd waren op zijn of haar stembuigingen. Na afloop van een telefoontje was ze blij geweest, verdrietig, bedachtzaam, geïrriteerd en af en toe echt boos.

Maar nooit bang. Tot vanavond.

4

Ze begon kramp in haar ledematen te krijgen omdat ze al zo lang in dezelfde houding lag. Haar voetzool jeukte zó erg dat ze er gek van werd. En haar gezicht deed pijn. Ze voelde dat het gezwollen was. Alles deed haar zeer.

Die rotzak, dacht ze, niet in staat hem hardop uit te schelden vanwege de tape over haar mond.

Waarom had ze ooit gedacht dat hij zo bijzonder was? Hij nam haar nooit mee naar luxe restaurants en gaf nooit geld aan haar uit. Ze waren samen nooit ergens anders geweest dan hier, in dit krot.

Ze wist niets van hem, niet waar hij werkte, niet hoe hij heette. Ze had zijn naam nooit gehoord, zelfs niet toevallig. Nergens in het appartement was iets te vinden waarop zijn naam stond vermeld, er was geen tijdschrift waarop hij geabonneerd was, geen post, niets. Hij bleef naamloos. Dat had haar eerste aanwijzing moeten zijn dat hij niet chic en boeiend was, maar behoorlijk geschift.

De tweede keer dat ze samen waren, had hij haar de aard van hun relatie verteld. De grondregels aangegeven, bij wijze van spreken. Hij had het gesprek geopend terwijl hij haar met babyolie insmeerde, in de hoop een serie foto's een speciaal effect te geven.

'Je vriendin… degene die bij je was toen we elkaar voor het eerst ontmoetten.'

'Bedoel je Melissa?' vroeg ze met een steek van jaloezie. Wilde hij Melissa uitnodigen voor een triootje? 'Wat is er met haar?'

'Heb je haar over ons verteld?'

'Daar heb ik geen kans voor gehad. Ze moest met haar ouders mee. Ze gingen op vakantie naar Frankijk. Ik heb haar sinds die avond niet meer gezien of gesproken.'

'Heb je iemand over me verteld en over wat we hier doen?'
'Natuurlijk. Ik heb het tijdens het ontbijt aan mijn ouders verteld.' Ze moest lachen om zijn stomverbaasde gelaatsuitdrukking. 'Nee, suffie! Ik heb het aan niemand verteld.'
'Mooi zo, want dit is zo speciaal, dat ik graag denk dat jij en ik elkaars best bewaarde geheim zijn.'
'We zijn elkaars geheim. Ik ken niet eens je naam.'
'Maar je kent míj.'
Hij keek haar diep in de ogen. Het herinnerde haar aan haar eerste indruk van hem, dat hij recht in haar binnenste kon kijken. Hij had kennelijk, net als zij, direct gevoeld dat er iets bijzonders tussen hen was. En hij had op die eerste avond al tegen haar gezegd dat hij van haar hield.

Het geheim was waarschijnlijk noodzakelijk vanwege een echtgenote die niets over zijn 'hobby' wist. Ze stelde zich voor dat zijn vrouw een preuts mens was die op de traditionele manier vrijde, met de man boven en de vrouw onder. Een trut die nooit zijn behoefte aan variatie en spanning zou begrijpen, laat staan erin meegaan. Foto's van een masturberende Mrs. Anoniem? Doe normaal. Nooit, in geen miljoen jaar. Waarschijnlijk zelfs geen foto van een blote tiet.

Die avond was zijn liefdesspel bijzonder hartstochtelijk geweest. Je zou kunnen zeggen dat hij zich niet alleen op zijn camera concentreerde. Ze raakte de tel kwijt, zo vaak hadden ze het gedaan, maar het was altijd anders, dus werd het nooit saai. Hij kon niet genoeg van haar krijgen en zei dat tegen haar. Het was een geweldige ervaring om vrijwel te worden aanbeden door een man die zo chic was dat hij waarschijnlijk elke vrouw kon krijgen. Ze had gedacht dat ze nooit zou willen dat het ophield.

Maar dat was toen geweest.

Telkens wanneer ze hem zag nam zijn jaloezie toe, tot het haar begon te irriteren en het plezier om bij hem te zijn vergalde. Hoe goed de seks ook was, het was de ruzie over andere mannen die hij met haar maakte niet waard.

Ze had overwogen hem vanavond te laten zitten, maar toen was ze van mening veranderd. Hij zou het zwaar opnemen als ze tegen hem zei dat ze hem niet meer wilde zien. Ze zag op tegen een scène, maar hoe eerder ze hem uit zijn lijden hielp, hoe beter.

Hij stond op de afgesproken plek op haar te wachten en zag er, in tegenstelling tot de avond van hun eerste ontmoeting, helemaal niet kalm en ontspannen uit. Hij was geagiteerd en gespannen. Zodra ze in zijn auto zat, barstte hij los. 'Je bent met iemand anders geweest, is het niet?'

Ze nam aan dat ze gevleid moest zijn omdat hij jaloers was, maar ze had hoofdpijn en was niet in de stemming voor het derdegraadsverhoor. 'Heb je een stickie?' Hij had ontdekt dat ze daar dol op was en had er altijd een paar voor haar bij zich.

'In het handschoenenkastje.'

Er zaten er drie in. Ze stak er een aan en inhaleerde diep. 'Een beter middel tegen hoofdpijn is er niet.' Met een zucht legde ze haar hoofd tegen de hoofdsteun en sloot haar ogen.

'Wie was hij?'

'Wie was wíe?'

'Belazer me niet.'

Ze keek op bij het horen van de klank in zijn stem.

'Je hebt vanavond al met iemand seks gehad, is het niet?' Zijn vingers omklemden het stuur. 'Doe geen moeite erover te liegen. Ik weet dat je kortgeleden met iemand hebt gevrijd. Je ruikt naar hem.'

Aanvankelijk was ze verrast en een beetje bang omdat hij het wist. Had hij haar bespioneerd? Maar het angstige gevoel maakte spoedig plaats voor woede. Het ging hem geen donder aan met wie en wanneer ze neukte!

'Moet je horen, misschien is het geen goed idee om vanavond te vrijen,' zei ze. 'Ik moet ongesteld worden en zit niet te wachten op gezeik van wie dan ook. Oké?'

Zijn woede verdween onmiddellijk. 'Het spijt me dat ik mijn stem verhief. Het is alleen... ik dacht...'

'Wat?'

'Dat we samen iets speciaals hadden.'

Op dat moment had ze tegen hem moeten zeggen dat ze hem niet meer wilde zien. Toen had hij haar een kans gegeven, maar, verdomme, die had ze laten liggen. In plaats daarvan had ze gezegd: 'Ik hou er niet van dat je zit te zeuren over waar ik heen ga, wat ik doe en met wíe ik het doe. Mijn ouders zaniken daar al genoeg over.' Ze leunde achterover en nam een flinke trek van de joint. 'Óf je kalmeert, óf je brengt me terug naar mijn auto.'

Hij kalmeerde. Hij was stil, bijna een beetje afstandelijk toen ze het appartement bereikten. 'Wil je wijn?'

'Die drink ik toch altijd?'
Ze was al high van het stickie. Ze zou net zogoed compleet uit haar dak kunnen gaan. Eén wip als daad van barmhartigheid en dan zou ze tegen hem zeggen dat ze elkaar een tijdje niet zouden moeten zien – lees: nooit meer – en daarna zou ze maken dat ze wegkwam en niet meer terugkomen.

Zijn computerscherm was de enige lichtbron in de kamer, waar de rolgordijnen altijd naar beneden waren getrokken. Op zijn screensaver was een van de meer gewaagde foto's van haar.

Toen ze die zag, zei ze: 'Nou, nou, dat is er absoluut een van "erna", is het niet? Ik ben zo'n ondeugend meisje. Ondeugend maar aardig, hè?' Ze gaf hem een knipoog terwijl ze het glas wijn aannam dat hij uit de keuken had meegebracht.

Ze dronk de wijn als water, liet een harde boer en reikte hem het lege glas aan met het brutale verzoek het opnieuw te vullen.

'Je gedraagt je als een slet.' Hij pakte kalm het glas van haar aan en zette het op het nachtkastje. Toen gaf hij haar een klap. Hij sloeg zó hard, dat de tranen in haar ogen sprongen nog voor de pijn van haar jukbeen haar hersens bereikte.

Ze dacht dat ze het uitschreeuwde, maar was zó geschokt dat ze geen woord kon uitbrengen.

Hij duwde haar achterover op het bed. Ze kwam hard terecht en de kamer leek te kantelen. Ze had niet gedacht dat ze zo stoned was en deed verwoede pogingen om overeind te komen. 'Hé! Ik wil niet...'

'O, ja, je wilt wél.'

Hij spreidde zijn hand uit over haar borst en hield haar in bedwang terwijl hij met zijn riem en zijn gulp worstelde. Toen begon hij aan haar kleren te trekken. Ze sloeg tegen zijn handen, schopte hem en schold hem uit voor van alles en nog wat, maar hij liet zich niet tegenhouden.

Hij stootte in haar met zo'n kracht, dat ze het uitschreeuwde. Hij bedekte haar mond met zijn hand. 'Hou je kop,' siste hij, zo dicht bij haar gezicht dat ze zijn speeksel op haar wang voelde.

Ze beet in het vlees onder zijn duim. Brullend trok hij zijn hand terug. 'Vuile schoft,' krijste ze. 'Ga van me af!'

Tot haar verbazing begon hij zacht te lachen. 'Je trapte erin. Je dacht dat ik het serieus meende.'

Ze hield op met vechten. 'Hè?'

'Ik was je droom over verkrachting aan het verwezenlijken.'

'Je bent niet goed wijs.'

'O nee?' Hij stootte hard in haar. 'Kun je oprecht zeggen dat je het niet fijn vindt?'

'Ja, verdomme. Ik haat het. Ik haat jou, klootzak.'

Hij begon te glimlachen omdat ze reageerde, wát ze ook zei. Na afloop waren ze beiden uitgeput en ze glommen van het zweet.

Hij kwam als eerste bij zijn positieven en liep naar zijn camera. 'Blijf zo liggen,' zei hij terwijl hij de eerste foto nam.

De flits leek ontzettend fel. Ze was écht stoned.

'Beweeg je niet,' zei hij. 'Ik heb een idee.'

Bewegen? Ze was te sloom om zich te bewegen. Haar hele lichaam deed pijn, vanaf haar jukbeen – wat voor verklaring moest ze geven voor haar blauwe plek? – tot aan haar gespreide dijen. Jeetje, ze had haar sandalen nog aan. Was dat niet gek? Maar ze was te moe om de moeite te nemen ze uit te trekken. Bovendien had hij tegen haar gezegd dat ze zich niet mocht bewegen.

Misschien sluimerde ze een paar minuten. Toen was hij ineens terug, boog zich over haar heen en duwde haar polsen tegen elkaar.

'Wat is dat?' Ze zag dat hij een stropdas gebruikte om haar polsen vast te binden.

'Een rekwisiet voor een foto. Je bent stout geweest en moet gestraft worden.' Hij klom van het bed, pakte zijn camera en stelde hem scherp.

En toen begon het griezelig te worden en voelde ze voor het eerst angst. Ze worstelde om rechtop te zitten. 'Heb ik je verteld dat ik niet van sm-spelletjes hou?'

'Dit is geen sm-spelletje, dit is straf,' zei hij afwezig terwijl hij naar de lamp liep. Hij verstelde de kap, zette hem eerst in de ene en toen in de andere stand, zodat er schaduw op haar lichaam viel.

Oké. Zo was het genoeg. Ze was het zat. Na vanavond wilde ze hem niet meer zien. Het was leuk geweest om voor hem te poseren. Het was weer eens iets anders geweest en, toegegeven, ze had een kick gekregen als ze later de foto's van zichzelf bekeek. Maar hij begon te bezitterig te worden en te... te eigenaardig. Ze herinnerde zich dat ze op strenge toon had gezegd dat hij haar handen moest bevrijden.

Ten slotte, tevreden over de belichting, begon hij het statief neer te zetten.

Ze gooide het over een andere boeg en sloeg een zachtere toon aan. 'Ik doe alles wat je wilt. Dat weet je. Je hoeft het alleen maar te vragen, om het even wát.'

Hij leek nog steeds niet te luisteren. Terwijl hij werd afgeleid, schoof ze naar de rand van het bed en schatte de afstand naar de deur. Maar toen ze ernaar keek, viel haar iets raars op. Ze rilde van angst op het moment dat ze besefte dat er aan deze kant geen deurknop was. Alleen een koperen plaatje op de plek waar de deurknop had moeten zitten.

Ineens stopte hij met het gepruts aan de camera. Ongetwijfeld voelde hij dat ze schrok. Hij glimlachte tegen haar. 'Waar was je van plan heen te gaan?'

'Ik wil dat je me losmaakt.'

'Je hebt je bewogen en daardoor is de belichting verknald,' siste hij.

'Je kunt de pot op met je belichting. Ik gá!'

Ze had profijt van de tijd dat ze cheerleader was geweest. Ze sprong van het bed met ongelooflijk veel kracht en behendigheid, maar ze kwam niet ver. Hij pakte haar bij de haren en trok haar terug. Daarna duwde hij haar op het bed.

'Je kunt me hier niet vasthouden,' schreeuwde ze.

'Je moest het gewoon verpesten, hè?'

'Wát?'

'Ons.'

'Er is geen "ons", gestoorde idioot.'

'Je moest me bedriegen. Net als de anderen. Dacht je dat ik er niet achter zou komen? Ik luister ook naar Paris Gibson! Ze zond je telefoontje uit. Duizenden mensen hoorden je tegen haar zeggen dat mijn bezitterigheid je benauwde. Je was van plan haar raad op te volgen en me te dumpen, is het niet?'

'O, God.'

Hij stond over haar heen gebogen, met gebalde vuisten langs zijn zijden, alsof hij zijn woede met kracht onderdrukte. 'Je kunt mensen niet ongestraft als oud vuil behandelen.'

Omdat ze doodsbang voor hem was, hield ze wijselijk haar mond.

Hij nam nog een paar foto's en besloot toen dat haar voeten ook vastgebonden moesten worden. Ze vocht alsof haar leven ervan afhing, maar uiteindelijk gaf hij haar zó'n harde klap, dat haar oren tuitten. Dat was het laatste wat ze hoorde.

Toen ze bijkwam waren haar armen en benen gespreid. Haar

handen en voeten waren aan het frame van het bed vastgebonden, onder de matras, terwijl haar mond met tape was dichtgeplakt. Het appartement was leeg. Hij was verdwenen. Ze was alleen, en niemand wist waar ze was.

In de afgelopen uren had ze tal van manieren bedacht om te ontsnappen, maar ze had de ideeën vrijwel meteen weer verworpen. Ze waren niet uitvoerbaar. Ze kon niet anders dan wachten tot hij terugkwam voor meer perverse seksspelletjes.

Mijn God, dacht ze, waar ben ik verzeild in geraakt?

'Ik hoop dat jullie hebben genoten van deze avond van klassieke liefdesliedjes. Stem morgenavond weer op me af. Ik verheug me erop. Tot dan. Hier is Paris Gibson op 101.3 FM. Welterusten.'

Geweldig. Nu was zelfs Paris er niet meer om haar gezelschap te houden.

5

Gavin Malloy was stomdronken. De aangename roes van de goedkope tequila was niet meer zo aangenaam. Het was te warm om tequila te drinken. Hij had het bij bier moeten houden. Maar hij had iets veel sterkers nodig gehad om zijn depressieve gevoel weg te drinken.

Het stomme was dat hij nog steeds neerslachtig was.

Zijn avond was al vroeg verpest. Het drinken had hem niets opgeleverd, behalve dat hij een licht gevoel in zijn hoofd had en zweterig en misselijk was. Met een benevelde blik keek hij naar een groepje cederbomen. Hij vroeg zich af of hij de afstand over de rotsachtige grond nog kon afleggen voordat hij overgaf. Waarschijnlijk niet.

Bovendien had hij een tijdje geleden een stelletje achter de bomen zien verdwijnen. Als ze nog steeds deden wat ze daar waren gaan doen, zouden ze het niet op prijs stellen dat hij hen overviel. Over coïtus interruptus gesproken!

Hij grinnikte bij het idee.

'Waarom zit je te lachen?' vroeg zijn nieuwe vriend terwijl hij een por in Gavins maag gaf, waardoor de tequila begon te klotsen. De naam van de jongen was Craig en nog wat. Als hij Craigs achternaam al had gehoord, Gavin was hem vergeten. Craig reed in een pick-up, een Dodge Ram, de grootste die er ooit was gemaakt. Gitzwart. Met alles erop en eraan. Een echt scheurijzer!

Gavin, Craig en een paar anderen hadden uren in de laadbak van de pick-up gezeten, wachtend tot er iets gebeurde. Eerder was er een groepje meisjes langsgekomen. Ze hadden wat van hun tequila gedronken en net genoeg huid laten zien om hen opgewonden te maken. Daarna waren ze weggewandeld met de belofte om terug te komen, maar tot nu toe hadden ze dat niet gedaan.

'Wat is er zo grappig?' vroeg Craig.

'Niets. Ik zat te denken.'

'Waaraan?'

Waar had hij aan zitten denken? Hij kon het zich niet herinneren. Dan zou het wel niet zo belangrijk zijn geweest. 'Mijn ouweheer,' zei hij na een harde boer.

Ja, zijn vader was de hele avond op de achtergrond van zijn gedachten geweest, lastig als een jeukende plek waar hij niet bij kon.

'Hoezo?'

'Hij zal laaiend zijn omdat ik vanavond naar buiten ben gegaan. Hij heeft me huisarrest gegeven.'

'Dat is klote.'

'Heb jij huisarrest gekregen?' hoonde een andere jongen. 'Hoe oud ben je, twaalf?'

Gavin kende de naam van de jongen niet. Hij wist alleen dat hij een hufter was met een slechte huid en een nóg slechtere adem, die dacht dat hij veel leuker was dan Gavin.

Een week na het einde van het voorjaarssemester was Gavin van Houston naar Austin verhuisd. Het was niet makkelijk geweest om in de zomervakantie nieuwe maten te vinden en hij had zich dan ook bij deze groep aangesloten. Ze hadden hem geaccepteerd toen ze ontdekten dat hij een jongen was die net zoveel van feesten hield als zij.

'O, Gavin is bang voor zijn papa,' hoonde de hufter.

'Ik ben niet bang voor hem. Ik vrees alleen dat ik opnieuw op mijn donder zal krijgen.'

'Bespaar jezelf de ruzie.' Dit zei de optimist die hun eerder zijn voorraad condooms had laten zien. 'Wacht tot hij naar bed gaat voordat je naar buiten sluipt.'

'Dat heb ik al geprobeerd. Hij is verdomme net een vleermuis. Hij heeft een ingebouwde radar of zoiets.'

Dit gesprek maakte de rotavond nóg rotter. Niemand kon hem opvrolijken vanavond, de tequila niet, en zelfs niet de terugkeer van de meisjes. En de kans was heel groot dat ze zich niet aan hun belofte hielden en niet terugkwamen. Waarom zouden ze hun tijd verspillen aan sukkels als dit zootje, als hij?

Hij stond op en zwaaide gevaarlijk heen en weer. 'Ik smeer 'm. Als ik geluk heb, is hij nog niet thuis. Hij is bij zijn vriendin.'

Hij baande zich een weg tussen de anderen door. Daarna sprong hij van de laadklep. Maar hij schatte de afstand tot de grond fout in en ook de zwakheid in zijn knieën, zodat hij languit op zijn buik in het stof viel.

Zijn nieuwe maten brulden van het lachen. Hij gierde het ook uit terwijl hij moeizaam overeind krabbelde. Zijn T-shirt was zó nat van het zweet, dat hij, toen hij probeerde het vuil weg te vegen, modderstrepen op zijn borstkas achterliet.

'Morgenavond,' zei hij tegen zijn vrienden terwijl hij wankelend wegliep. Waar had hij zijn auto neergezet?

'Vergeet niet dat het morgen jouw beurt is om drank mee te nemen,' riep Craig.

'Ik ben blut.'

'Pik het dan van je ouweheer.'

'Dat kan niet. Hij controleert de flessen.'

'Jeetje, is hij soms smeris in zijn vrije tijd?'

'Ik zal kijken wat ik kan doen,' bromde Gavin, en liep in de richting van het parkeerterrein.

'Wat als miss Hotpants je komt zoeken?' Dat riep de hufter tegen hem met eentonige stem. Zijn grijns was gemeen en irritant. 'Wat moeten we dan tegen haar zeggen? Dat je naar huis moest, naar je pappie?'

'Krijg de klere!'

Het joch begon hatelijk te lachen. 'Nou, jij zult niet uit de kleren gaan. Vanavond in elk geval niet.'

Een van de anderen bromde: 'Hou je kop, idioot.'

'Ja, hou op,' zei de condoomjongen.

'Wat? Wat moet ik doen?'

Craig sprak zachtjes. 'Ze heeft hem gedumpt.'

'O ja? Wanneer?'

Gavin liep door tot hij buiten gehoorsafstand was. Hij wilde niets meer horen.

Toen hij het parkeerterrein bereikte, spoorde hij zijn auto op. Het was niet zo moeilijk hem te vinden te midden van alle andere, omdat het een waardeloze kar was. Voor hém geen fantastische pick-up of sportwagen. O, nee, niets van dat al voor Gavin Malloy. En een motor kon hij wel vergeten. Dat zou niet gebeuren zolang zijn pa de baas was, en waarschijnlijk niet zolang hij nog ademhaalde.

Zijn auto was een praktisch vervoermiddel, zuinig in het gebruik en zo traag, dat zelfs een oud omaatje zich er veilig in zou voelen. Er werd van hem verwacht dat hij er dankbaar voor was.

Hij had de wind van voren gekregen toen hij zei dat hij er niet weg van was. 'Een auto is geen stuk speelgoed, Gavin. Of een statussymbool. Dit is een betrouwbare auto voor beginners. Als je bewezen hebt dat je verantwoordelijk genoeg bent om ervoor te zorgen en hem veilig te gebruiken, zal ik een duurdere overwegen. Tot die tijd…' Bla-bla-bla.

Hij schaamde zich dood voor het ding. Als het najaarssemester op zijn nieuwe school begon, zou hij waarschijnlijk worden uitgelachen op de campus omdat hij in deze oude brik reed. De allergrootste sukkel zou er niet mee gezien willen worden.

In zijn huidige toestand had hij niet het recht om ergens in te rijden. Hij was nog net nuchter genoeg om zich dat te realiseren. Hij concentreerde zich zo goed mogelijk op de middenstreep, maar dat leek zijn duizeligheid alleen maar erger te maken.

Hij was nog maar een paar blokken van zijn huis verwijderd toen hij gedwongen werd te stoppen, uit te stappen en over te geven. Hij braakte een golf tequila uit op het bloembed van een of andere pechvogel. Het braaksel vormde een fraaie, gekleurde kring rond de brievenbus. Als iemand morgen naar buiten kwam om de post uit de bus te halen, stond hem een walgelijke verrassing te wachten. Om maar te zwijgen over de postbode.

Gedesoriënteerd klom hij weer in zijn auto en reed naar het nieuwe huis dat zijn vader voor hen had gekocht. Het was zo gek nog niet. In feite vond hij het wel prima. Vooral het zwembad. Maar hij wilde niet dat zijn vader dat wist.

Tot zijn opluchting zag hij dat de auto van zijn pa niet op de oprit stond. Gavin zag hem er wel voor aan een val te hebben opgezet. Daarom sloop hij door de achterdeur het huis binnen en bleef even staan luisteren. Zijn vader zou hem graag willen betrappen, zodat hij hem voor langere tijd huisarrest kon geven, zijn zaktelefoon, computer en auto kon afnemen, en Gavins leven nog beroerder maken dan het al was.

Dat was het hoofddoel van zijn ouders in hun leven – het zijne ellendig maken.

Tevreden omdat het huis leeg was liep hij naar zijn kamer. Zijn vader zou nog wel bij Liz zijn. Ongetwijfeld lagen ze als konijnen te paren. Ze deden het nooit hier, in zijn vaders bed. Dachten ze soms dat hij dom was, dat hij niet wist dat ze seks met elkaar hadden als ze de avond bij haar thuis doorbrachten?

Het was niet moeilijk om je Liz in bed voor te stellen. Ze had een sexy lichaam. Maar zijn ouweheer? Aan het neuken? Mooi niet. Gavin kon zich niets walgelijkers voorstellen.

In zijn slaapkamer zette hij zijn computer aan, nog vóór hij het licht aandeed. Hij kon zich een leven zonder computer niet voorstellen. Hoe hadden de mensen vóór hen overleefd? Als zijn vader hem écht wilde straffen, moest hij hem dat voorrecht ontnemen.

Hij keek of er e-mail was. Er was er een van zijn moeder, die hij wiste zonder hem te lezen. Alles wat ze te zeggen had was bedoeld om haar geweten te sussen, hij wilde het niet horen.

Uiteindelijk zul je beseffen dat dit het beste is voor ons allemaal.
Jij en je toekomst is onze voornaamste zorg, Gavin.
Als je je eenmaal aan de verandering hebt aangepast...
Ja, mam. Wat je zegt, mam. Gelul, mam.

Hij ging achter het bureau zitten en begon een e-mail te tikken. Maar niet naar zijn moeder. Zijn woede voor haar was mild vergeleken bij de wrok die hij koesterde voor de ontvanger van deze brief. Niet dat hij van plan was hem te versturen. Hij liet alle woede die hij dagenlang had opgekropt de vrije loop.

'Waarom denk je trouwens dat je zo sexy bent?' schreef hij. 'Ik heb betere gezien. Ik heb betere gehad.'

'Gavin?'

Toen het licht aanging schrok hij zich dood. Hij wiste snel zijn e-mail voordat zijn vader kon lezen wat er op het scherm stond. Hij draaide zich om in zijn verrijdbare bureaustoel, in de hoop dat hij er niet schuldig uitzag. 'Wat is er?'

'Ik ben thuis.'

'En?'

'Alles goed?'

'Waarom niet? Ik ben geen kind meer.'

'Heb je vanavond gegeten?'

'Ja, hoor,' zei Gavin terwijl hij met zijn lippen smakte. 'Een restje pizza uit de magnetron.'

'Je was uitgenodigd om Liz en mij gezelschap te houden, maar dat weigerde je.'

'Ongetwijfeld heeft dat je hart gebroken.'

Met de kalme, bedaarde stem waar Gavin de pest aan had, zei zijn vader: 'Als ik niet had gewild dat je meeging, had ik je niet uitgenodigd.' Hij kwam de kamer binnen. Gavin dacht: geweldig! 'Wat heb je de hele avond gedaan?'

'Niets. Gesurfd op het internet.'

'Wat is dat op je T-shirt?'

Fantastisch. Hij was vergeten dat zijn T-shirt vies was. Modder. En waarschijnlijk ook braaksel. Hij negeerde de vraag en keerde zich weer om naar zijn computer. 'Ik heb het druk.'

Zijn vader pakte zijn schouder beet en draaide hem om. 'Je bent naar buiten gegaan. Je auto staat niet op dezelfde plek als toen ik vertrok, en de motorkap is warm.'

Gavin lachte. 'Controleer je zelfs de temperatuur van de motor van mijn auto? Heb je niets beters te doen?'

'Jíj bent degene die het beter moet doen.' Zijn vader verhief zijn stem, wat zelden gebeurde. 'Je stinkt naar braaksel en je bent dronken. Je hebt onder invloed autogereden, je had iemand kunnen doden.'

'Nou, dat heb ik niet gedaan. Dus ontspan en laat me met rust.'

'Geef me je autosleutels,' zei Dean terwijl hij zijn hand uitstak, met de handpalm naar boven.

Gavin keek hem boos aan. 'Als je denkt dat het afpakken van mijn sleutels me hier opgesloten zal houden, vergis je je.'

Dean zei niets, hield alleen zijn hand uitgestoken. Gavin viste de sleutels uit de zak van zijn spijkerbroek en liet ze in zijn vaders handpalm vallen. 'Ik heb toch een bloedhekel aan die rotauto, dus het maakt me niets uit.'

Zijn vader stak de sleutels in zijn zak, maar hij vertrok niet. Hij ging op de rand van het onopgemaakte bed zitten. 'En wat krijgen we nú?' kreunde Gavin. 'Een van je beroemde preken over hoe ik mijn leven aan het vergooien ben?'

'Denk je dat ik het leuk vind om je te straffen, Gavin?'

'Inderdaad. Ik denk dat het je een kick geeft om de grote, slechte vader te zijn, om mij te commanderen. Je geniet ervan om tegen me te zeggen wat ik allemaal verkeerd doe.'

'Dat is belachelijk. Waarom zeg je dat?'

'Omdat jij nooit iets verkeerds hebt gedaan in je hele vervloekte leven. Mr. Perfect, de volmaaktheid in eigen persoon. Dat ben jij. Het moet strontvervelend zijn om altijd gelijk te hebben.'

Tot zijn verbazing zag hij zijn vader glimlachen. 'Ik heb beslist niet altijd gelijk en ben verre van volmaakt. Vraag maar aan je moeder. Zij zal het je vertellen. Maar ik weet dat ik wat één ding betreft gelijk heb.'

Zijn vader zweeg even en keek hem streng aan. Waarschijnlijk hoopte hij dat Gavin zou vragen wat dat ene ding was. Nou, hij kon wachten tot hij een ons woog! Ten slotte zei Dean: 'Het is goed dat je nu bij mij woont. Daar ben ik blij om. Ik wil je bij me hebben.'

'Ik ben er zeker van dat je opgetogen bent over je nieuwe woonsituatie. Je vindt het heerlijk dat ik bij je ben, dat ik je in je doen en laten belemmer en je in de weg zit.'

'Me in de weg zit? Voor wát?'

'Voor alles,' riep Gavin uit. Zijn stem sloeg over. Hij hoopte dat zijn vader het niet aanzag voor emotie, wat het absoluut niet was. 'Ik zit je in de weg voor je leven, je nieuwe baan, Liz.'

'Je zít me niet in de weg, Gavin. Je bent mijn familie, mijn zoon. Liz en ik wilden dat je vanavond bij ons was.'

Gavin lachte spottend en zei: 'Voor een gezellig dineetje? Alleen wij drietjes? Je nieuwe gezin. En wat dan? Wat moest ik doen als je haar thuisbracht? In de auto wachten terwijl jij naar binnen ging voor een snelle pijpbeurt?'

Hij wist meteen dat hij te ver was gegaan. Zijn vader was niet iemand die opvloog als hij boos werd. Hij verloor zijn zelfbeheersing niet, hij raasde en tierde niet, stampvoette niet, schreeuwde niet en smeet niet met dingen. In plaats daarvan bleef hij roerloos zitten. Hij perste zijn lippen op elkaar en er gebeurde iets raars met zijn ogen, waardoor ze hard en scherp werden en je als stalen priemen doorboorden.

Blijkbaar was er een grens aan zijn vaders zelfbeheersing, en was hij die juist gepasseerd.

Voor Gavin het wist was zijn vader overeind en kreeg Gavin een keiharde klap in zijn gezicht, wat hem een kapotte lip bezorgde.

'Wil je niet als een kind worden behandeld? Prima. Ik zal je als een volwassene behandelen. Dát zou ik gedaan hebben met een volwassen man die zoiets tegen me zei.'

Gavin vocht tegen zijn tranen. 'Ik haat je.'

'Jammer dan. Je zit met me opgescheept.' Dean ging weg en trok de deur met een klap achter zich dicht.

Gavin vloog uit zijn stoel. Hij stond in het midden van zijn rommelige kamer, trillend van woede en frustratie. Maar hij besefte dat hij nergens heen kon vluchten, en dat hij daar ook het geld niet voor had. Hij wierp zich op zijn bed en veegde de mengeling van snot, tranen en bloed van zijn gezicht. Hij kon wel janken. Hij wilde zich oprollen en huilen als een baby. Omdat zijn leven goed waardeloos was. Alles. Hij haatte alles en iedereen. Zijn vader. Zijn moeder. De stad Austin. Vrouwen. Zijn stomme vrienden. Zijn lelijke auto.

Maar hij haatte vooral zichzelf.

6

Brigadier Robert Curtis probeerde zo onopvallend mogelijk langs de donkere glazen van haar zonnebril te kijken. Toen hij zichzelf erop betrapte dat hij stond te staren, schoof hij snel een stoel voor haar aan. 'Vergeef me mijn gebrek aan manieren, miss Gibson. Ik moet toegeven dat ik een beetje van slag ben bij de aanblik van een ster. Gaat u zitten. Hebt u zin in een kopje koffie?'

'Nee, dank u. En ik ben niet écht een ster.'

'Ik moet het helaas met u oneens zijn.'

Curtis was een rechercheur van het Centrale Onderzoeksbureau van de politie van Austin. Hij was in de vijftig, robuust gebouwd, keurig gekleed. Onder zijn glanzend gepoetste cowboylaarzen zaten hakken die een paar centimeter aan zijn lengte toevoegden. Hoewel hij desondanks niet langer was dan Paris, straalde hij autoriteit en zelfvertrouwen uit. Aan een kapstok hing een sportjack, maar hij droeg een stropdas onder zijn gesteven boordje en in zijn manchetknopen waren zijn initialen gegraveerd.

Aan de muren van het kleine kamertje hingen een gedetailleerde kaart van de staat, nog een van Travis County, en een ingelijst diploma. Het bureau was vrijwel helemaal bedekt met paperassen en computercomponenten, maar op de een of andere manier zag het er niet rommelig uit.

Curtis ging achter zijn bureau zitten en glimlachte tegen haar. 'Ik krijg niet elke morgen bezoek van een radioberoemdheid. Wat kan ik voor u doen?'

'Ik weet niet zeker of u iets kunt doen.'

Nu ze hier was, onder de hoede van een rechercheur, veilig verstopt in zijn kamertje waarin hij ongetwijfeld lange dagen maakte en de gemeenschap diende met het vangen van boeven, had ze enigszins haar twijfels over haar besluit om naar het politiebureau te gaan.

Dingen die om twee uur in de ochtend gebeurden, hadden bij daglicht een heel ander aanzien. Plotseling leek haar komst hier een melodramatische en ietwat egocentrische reactie op iets wat waarschijnlijk niets anders was dan een bizar telefoontje.

'Gisteravond heb ik 911 gebeld,' begon ze. 'Vannacht in feite. Twee politieagenten, Griggs en Carson, zijn naar me toe gekomen. Ik heb een referentienummer van hen gekregen.' Ze gaf hem het nummer dat Griggs bij haar had achtergelaten.

'Wat voor 911, miss Gibson?'

Ze bracht hem verslag uit van wat er was gebeurd. Hij luisterde aandachtig. Zijn gelaatsuitdrukking bleef open en bezorgd. Hij zat niet te wiebelen en te draaien alsof ze zijn tijd verspilde met iets onbelangrijks. Als hij zijn belangstelling veinsde, deed hij dat heel goed.

Toen ze klaar was, haalde ze een cassettebandje uit haar handtas en gaf het aan hem. 'Ik ben vanmorgen vroeg naar het radiostation gegaan en heb een kopie van het telefoongesprek gemaakt.'

Ze had wakker gelegen tot het ochtendgloren en had het toen opgegeven. Ze was opgestaan, had zich gedoucht en aangekleed, en was op het radiostation teruggekeerd toen Charlie en Chad, de dj's die tijdens de ochtendspits dienst hadden, de hoofdpunten van het nieuws van zeven uur lazen.

'Ik wil graag uw bandje beluisteren, miss Gibson,' zei Curtis. 'Maar deze afdeling onderzoekt moord, verkrachting, aanranding en diefstal. Bedreigende telefoontjes...' Hij spreidde zijn handen. 'Waarom bent u naar míj toe gekomen?'

'Ik las uw naam in de krant van gisteren,' bekende ze teleurgesteld. 'Iets over uw getuigenis tijdens een proces. Ik dacht dat ik meer persoonlijke aandacht zou krijgen als ik vroeg met een bepaalde rechercheur te mogen praten in plaats van zonder afspraak op het toneel te verschijnen.'

Nu leek híj teleurgesteld. 'Waarschijnlijk hebt u gelijk.'

'En als mijn beller doet waarmee hij dreigt, zal de zaak onder deze afdeling vallen, is het niet?' Met een ernstig gezicht stond Curtis op. Hij liep het kamertje uit, een grote ruimte in, en riep of iemand een cassetterecorder bij de hand had. Binnen een paar seconden verscheen een andere rechercheur in burger met een cassetterecorder. 'Alsjeblieft.'

Hij keek Paris met openlijke nieuwsgierigheid aan terwijl hij het apparaat aan Curtis gaf, wiens bruuske 'Bedankt, Joe' in werkelijkheid een bevel was om te gaan. De andere man trok zich terug.

Brigadier Curtis was een willekeurige keuze geweest, maar ze was blij dat ze naar hém toe was gekomen. Kennelijk had hij macht en aarzelde hij niet om die te gebruiken.

Curtis keerde terug naar zijn stoel en stopte het bandje in de recorder terwijl hij met gedempte stem zei: 'Ik zie dat er al is rondverteld wie u bent.'

Misschien, dacht Paris. Of misschien vroeg de rechercheur zich simpelweg af waarom ze haar zonnebril niet had afgezet. Dit was geen bijzonder lichte omgeving. In feite was het een kamer zonder ramen.

Hij en Anderson dachten waarschijnlijk dat ze de zonnebril droeg omdat ze een beroemdheid was en haar identiteit in het openbaar verborgen wilde houden of haar geheimzinnigheid als mediapersoonlijkheid wilde vergroten. Ze dachten waarschijnlijk dat ze de bril droeg om anderen buiten te sluiten. Het zou nooit bij hen opkomen dat ze hem droeg om zich in zichzelf op te sluiten.

'Laten we eens kijken wat meneer… hoe heette hij ook alweer? Valentino?… te zeggen heeft.' Curtis drukte op 'play'. *Je spreekt met Paris. Hallo, Paris. Je spreekt met Valentino.*

Na afloop trok Curtis peinzend aan zijn onderlip. Toen vroeg hij: 'Mag ik het nóg een keer afdraaien?'

Zonder op haar toestemming te wachten spoelde hij het bandje terug en begon opnieuw. Terwijl hij luisterde fronste hij geconcentreerd zijn voorhoofd en draaide aan de ring die hij om zijn korte, dikke vinger droeg. Zijn afstudeerring van de University of Texas.

Aan het eind van het bandje vroeg ze: 'Wat denkt u, brigadier? Zoek ik te veel achter een bizar telefoontje?'

Hij stelde zélf een vraag. 'Hebt u geprobeerd het nummer te bellen?'

'Ik was zó geschokt, dat ik er niet aan dacht om meteen terug te bellen. Maar dat had ik eigenlijk moeten doen.'

Hij wuifde haar bezorgdheid weg. 'Waarschijnlijk zou hij tóch niet hebben opgenomen.'

'Toen Carson later belde, nam hij niet op. Er was ook geen voicemail.'

'En u zegt dat het nummer op de nummerweergave dat van een munttelefoon was?'

'De details staan vast en zeker in het rapport, maar Griggs zei tegen me dat een patrouilleauto naar dat gebied was gestuurd om de telefooncel te controleren. En dat toen – minstens een halfuur later, misschien wel meer – degene die gebeld had, wie het ook was, was verdwenen.'

'Iemand had hem kunnen zien bij de telefooncel. Hebben de agenten navraag gedaan?'

'Er was niemand om iets aan te vragen. Volgens Griggs was de omgeving verlaten toen de patrouilleauto arriveerde.' Curtis' vragen bevestigden haar bezorgdheid, maar dat maakte haar angst alleen maar groter. 'Denkt u dat Valentino de waarheid zei? Heeft hij een meisje ontvoerd dat hij wil vermoorden?'

Curtis blies zijn blozende wangen op voordat hij langzaam zijn adem liet ontsnappen. 'Ik weet het niet, miss Gibson. Maar als het zo is, en als hij zich aan zijn deadline van drie dagen houdt, hebben we geen tijd om te lanterfanten en erover te praten. Ik wil niet nóg een kidnap-verkrachting-moordzaak op mijn bureau hebben als ik het kan vermijden.' Hij stond op en pakte zijn jack.

'Wat kunnen we doen?'

'We proberen eerst vast te stellen of hij het serieus meent of dat hij slechts een halvegare is die de aandacht van zijn favoriete beroemdheid probeert te trekken.' Hij leidde haar door de doolhof van identieke kamertjes naar de dubbele deuren waardoor ze het gebouw was binnengekomen.

'Hoe stellen we dat vast?'

'We gaan naar dé autoriteit op dat gebied.'

Juist op het moment dat Dean zijn huis verliet, belde Liz vanaf het vliegveld van Houston. 'Ben je al in Houston?'

'Mijn vliegtuig vertrok om halfzeven uit Austin.'

'Onmenselijk.'

'Mijn idee!' Na een korte pauze vroeg ze: 'Hoe is het met jou en Gavin gegaan toen je gisteravond thuiskwam?'

'Regelrechte oorlog, beide partijen troffen doel en leden verlies.'

Hij klemde de draadloze telefoon tussen kin en schouder en schonk een glas sinaasappelsap voor zichzelf in. Vannacht had hij uren wakker gelegen. En toen hij eindelijk in slaap was gevallen, was hij diep bewusteloos geweest. Zijn wekker was al een halfuur aan het aflopen voordat hij wakker was geworden. Vanmorgen had hij geen tijd om koffie te zetten.

'Nou, hij wás er tenminste toen je thuiskwam,' zei Liz. 'Hij was niet ongehoorzaam geweest.'

Dean had geen zin om uitvoerig verslag te doen van zijn ruzie met Gavin en bromde een niet-verbale instemming. 'Hoe laat is je eerste afspraak in Chicago?'

'Zodra ik in het hotel arriveer. Ik hoop dat O'Hare niet al te veel problemen geeft en ik het snel kan afronden. Wat heb jij vandaag op je programma staan?'

Hij schetste zijn werkzaamheden van die dag. Toen zei ze dat ze moest rennen, dat ze alleen maar even gedag had willen zeggen voor ze vertrok. Hij zei tegen haar dat hij blij was dat ze elkaar nog hadden gesproken en wenste haar een goede vlucht. Ze zei: 'Ik hou van je.' En hij antwoordde: 'Ik ook van jou.'

Nadat hij had opgehangen boog Dean zijn hoofd, sloot zijn ogen en tikte hard met de hoorn tegen zijn voorhoofd, alsof hij een soort onorthodoxe, zelfkastijdende boete deed.

In plaats van de dag goed te laten beginnen, zoals duidelijk de bedoeling van Liz was geweest, maakte haar telefoontje hem kregelig. Voeg daar de vervloekte hitte en het spitsverkeer van Austin aan toe, en hij was in een prikkelbare stemming toen hij een kwartier te laat op zijn kantoor arriveerde.

'Goedemorgen, miss Lester. Nog berichten?'

Dean deelde de secretaresse met enkele anderen. Ze was competent, en vriendelijk. Op zijn eerste werkdag had ze hem verteld dat ze de gescheiden moeder van twee dochters was en dat hij haar bij haar voornaam mocht noemen.

Tenzij zijn ogen hem bedrogen, en dat dacht hij niet, waren haar decolletés sinds zijn komst steeds dieper geworden en haar rokken korter. Die geleidelijke afname van textiel kon in verband staan met de stijgende zomertemperatuur, maar dat betwijfelde hij. Voor de zekerheid was hij haar miss Lester blijven noemen.

'De berichten liggen op uw bureau. Ik ben verse koffie aan het zetten. Zodra hij klaar is, breng ik u een kopje.'

Hem koffie brengen stond niet in haar taakomschrijving, maar vanmorgen was hij blij dat ze het zelf had aangeboden. 'Fantastisch, dank je wel.'

Hij ging zijn kantoor binnen en sloot de deur, waardoor hij het gesprek afkapte. Hij hing zijn jas aan de kapstok, maakte de knoop in zijn das losser en opende het bovenste knoopje van zijn overhemd. Toen ging hij achter zijn bureau zitten en begon de berichten door te nemen. Tot zijn vreugde waren er geen dringende bij. Hij had een paar minuten nodig om zich te ontspannen.

Hij draaide zijn bureaustoel rond en trok het rolgordijn op, zodat hij naar buiten kon kijken. Het zonlicht was verblindend, maar dat was niet de reden waarom hij in zijn ogen wreef en daarna vermoeid zijn handen over zijn gezicht haalde.

Wat moest hij met Gavin beginnen? Hoe vaak kon hij hem huisarrest geven? Hoeveel meer voorrechten kon hij hem ontnemen? Hoeveel meer scènes als die van gisteren konden ze doorstaan? Dat soort ruzies bracht vaak onherstelbare schade toe. Kon een relatie dat soort uitbarstingen overleven?

Hij had heel veel spijt dat hij hem had geslagen. Niet dat Gavin het niet had verdiend voor zijn hatelijke opmerking, maar toch had hij hem niet moeten slaan. Hij was de volwassene en had zich ook als zodanig moeten gedragen. Het was onvolwassen om je zelfbeheersing te verliezen. Onvolwassen en gevaarlijk. Het verlies van zelfbeheersing kon alles verwoesten. Dat wist hij beter dan wie ook!

Bovendien was hij vastbesloten Gavin een goed voorbeeld te geven. Hij wilde geen preken tegen hem afsteken. Gisteravond had hij laten zien hoe je juist níet met kwaadheid moest omgaan. Hij had er spijt van.

Hij haalde zijn vingers door zijn haar en vroeg zich af waar de koffie bleef.

Moest hij Gavin terugsturen naar zijn moeder? 'Geen optie,' bromde hij. Geen sprake van. Om een lange lijst met redenen, waaronder het zich niet houden aan de afspraak die hij en Patricia over hun zoon hadden gemaakt. Maar de belangrijkste reden was dat Dean Malloy altijd wilde winnen. Dat gold voor alles. Hij gooide alleen de handdoek in de ring als hij echt niet anders kon.

Gavin had tegen hem gezegd – hem ervan beschúldigd – dat hij altijd gelijk had. Hij had gezegd dat het strontvervelend moest zijn om steeds gelijk te hebben. Niet echt, Gavin, dacht hij wrang. Op dit moment had hij het gelijk helemaal niet aan zijn kant. Kennelijk behandelde hij zijn zoon niet rechtvaardig. En Liz ook niet. Hij behandelde Liz verre van rechtvaardig. Hoe lang kon hij het uitstellen om daar iets aan te doen?

'Dr. Malloy?'

In de veronderstelling dat miss Lester de langverwachte, sterke koffie kwam brengen, bleef hij met zijn rug naar de deur zitten. 'Zet maar op het bureau, alsjeblieft.'

'Er is iemand die u wil spreken.' Dean draaide zijn stoel om. 'Brigadier Curtis van het Centrale Onderzoeksbureau vroeg of u even tijd voor hem had,' zei de secretaresse. 'Is het goed dat hij binnen komt?'

'Jazeker.' Dean had de rechercheur slechts één keer ontmoet, het leek hem een eerlijke vent. Dean wist dat hij een hardwerkende, zeer gerespecteerde politieman was. Toen Curtis binnenkwam ging hij dan ook staan. 'Goedemorgen, brigadier Curtis.'

'Alleen Curtis. Zo noemt iedereen me. Geeft u de voorkeur aan doctor of inspecteur?'

'Wat vind je van Dean?' Ze ontmoetten elkaar in het midden van het kantoor en gaven elkaar een hand. 'Kom ik ongelegen?' vroeg Curtis. 'Sorry dat ik u onaangekondigd lastigval, maar misschien zal blijken dat het belangrijk is.'

'Geen probleem. De koffie komt eraan.'

'Ik heb iemand meegenomen.' Curtis ging in de deuropening staan en wenkte iemand naderbij.

Ondanks haar zonnebril was Paris bang dat haar gelaatsuitdrukking niet minder veelzeggend was dan die van Dean.

Hij keek net zo verbaasd als zij zojuist toen ze zijn naam las op de deur van de kamer die ze op het punt stond binnen te gaan, niets vermoedend, onvoorbereid, en niet in staat het onvermijdelijke een halt toe te roepen.

Hij staarde haar een paar seconden aan voordat hij erin slaagde een geschrokken 'Paris?' over zijn lippen te krijgen.

Curtis keek verbaasd van de een naar de ander.

'Moet ik meer kopjes brengen, dr. Malloy?' vroeg de secretaresse.

Deans blik bleef op Paris gericht terwijl hij antwoordde: 'Graag, miss Lester.'

De secretaresse trok zich terug en liet Paris, Dean en de rechercheur achter. Ze stonden verstijfd, als acteurs die hun tekst kwijt waren. Ten slotte legde Curtis zijn hand onder Paris' elleboog en duwde haar zachtjes naar voren. Met tegenzin liep ze verder, Deans kamer in. En net als elke ruimte die Dean ooit had bezet, domineerde hij hem. Niet alleen fysiek, met zijn brede schouders en zijn lengte, die boven het gemiddelde lag, maar ook met zijn sterke persoonlijkheid. Onmiddellijk voelde je dat dit een man was met een onwankelbare overtuiging en een onwrikbare vastbeslotenheid. Hij kon je loyaalste bondgenoot zijn of je meest gevreesde tegenstander.

Paris had zowel het een als het ander meegemaakt.

Haar keel was dichtgesnoerd. Het leek of er te weinig zuurstof in de kamer was. Ze had moeite met ademen terwijl ze zich inspande om ijzig kalm te lijken.

Met Dean ging het ook niet zo goed. Toen het duidelijk werd dat de schok hem van zijn manieren beroofde, gaf Curtis aan Paris een teken dat ze in de dichtstbijzijnde stoel moest plaatsnemen. Dat haalde Dean uit zijn verdoving. 'Eh, ja, ga alsjeblieft zitten. Jullie alle twee.'

Toen ze beiden zaten, zei Curtis: 'Ik ben niet voor niets rechercheur. Ik krijg de indruk dat jullie elkaar kennen.'

Paris vertrouwde op haar stem om er de kost mee te verdienen, maar nu had hij haar in de steek gelaten, en ze liet het dan ook aan Dean over om het woord te doen.

'Van Houston,' zei hij. 'Jaren geleden. Ik werkte bij de politie en Paris...'

Hij keek haar verwachtingsvol aan. Ze had geen andere keus dan de zin af te maken. 'Ik was verslaggever voor een van de televisiestations.'

Verbaasd trok Curtis zijn lichte wenkbrauwen op. 'Televisie? Ik dacht dat je altijd radiowerk had gedaan.'

Ze keek naar Dean. Toen schudde ze haar hoofd. 'Ik ben van de tv naar de radio gegaan.'

Curtis knikte om aan te geven dat hij de overgang begreep, terwijl het duidelijk was dat hij het helemáál niet begreep.

'Pardon.' Miss Lester kwam de kamer binnen. Ze droeg een dienblad. Toen ze het op Deans bureau zette, vroeg ze: 'Wil iemand room en suiker?'

Ze bedankten alledrie. Ze pakte een roestvrijstalen kan en vulde drie bekers met koffie. Daarna vroeg ze aan Dean of ze nóg iets voor hem kon doen. Hij schudde zijn hoofd en bedankte haar. Ze vertrok.

Curtis keek haar na. Toen hij zich weer omdraaide zei hij: 'Ik ben onder de indruk. Bij ons zijn er geen persoonlijke assistentes.'

'Wat?' Dean keek hem verward aan en daarna keek hij naar de

lege deuropening. 'O, miss Lester. Ze is niet mijn persoonlijke assistente. Ze is gewoon... Ze is gewoon erg efficiënt. Zo behandelt ze iedereen hier.'

'Hier' verwees naar de aanbouw naast het hoofdbureau van de politie, bereikbaar via een verbindende parkeergarage. Dat was de route die zij en Curtis hadden genomen. De rechercheur leek Deans verklaring voor de aandacht van de secretaresse net zomin te geloven als zij, maar hij onthield zich van commentaar.

Paris legde haar beide handen om de dampende beker koffie, dankbaar voor de warmte die ervan afkwam. Dean nam een slok van zijn koffie, die waarschijnlijk zijn tong verbrandde.

'Ik had geen idee dat ik twee lang verloren vrienden zou herenigen,' zei Curtis.

'Paris wist niet dat ik tegenwoordig hier werk,' zei Dean terwijl hij haar aandachtig aankeek. 'En zo ja...'

'Ik wist het niet. Ik nam aan dat je nog steeds in Houston woonde.'

'Nee.'

'Hmm.'

Curtis vulde de daaropvolgende stilte op. 'Voordat dr. Malloy bij ons in dienst trad, maakten we gebruik van burgers en betaalden hun een honorarium voor hun advies. We hebben lang moeten wachten op een eigen psycholoog die deel uitmaakte van de politiemacht, iemand die zowel een ervaren, goed opgeleide politieman was als een dito psycholoog. Aan het begin van dit jaar werden de financiën eindelijk goedgekeurd en hadden we het geluk dat we dr. Malloy hierheen konden lokken.'

'Wat fijn.' Paris wierp beiden een flauwe glimlach toe.

Na weer een korte stilte schraapte Dean zijn keel en richtte zich tot de rechercheur. 'Je had het over een zaak die belangrijk kon zijn.'

Curtis maakte het zich wat gemakkelijker in zijn stoel. 'Ben je bekend met het radioprogramma van miss Gibson?'

'Ik luister er elke avond naar.'

Haar hoofd ging met een ruk omhoog en ze keek Dean verbaasd aan. Hun blikken kruisten elkaar even voordat hij zijn aandacht weer op Curtis richtte.

'Dan weet je dat luisteraars kunnen bellen en verzoekplaten aanvragen en dergelijke,' zei de rechercheur. Dean knikte. 'Gisteravond kreeg ze een telefoontje dat haar verontrustte. Met reden.'

Curtis vertelde de strekking van Valentino's telefoontje. 'Ik dacht dat je misschien eens wilde luisteren en ons je professionele mening kunt geven,' eindigde hij.

'Graag. Laat maar horen.'

Curtis had de cassetterecorder bij zich. Hij zette hem op het bureau en spoelde het bandje terug. Na diverse valse starts, waarvoor hij zich verontschuldigde, vulde Paris' stem de gespannen stilte. *Je spreekt met Paris.*

Ze kende inmiddels elk woord van het gesprek. Terwijl het bandje werd afgedraaid staarde ze in haar koffiebeker, maar vanuit een ooghoek keek ze naar Dean. Naar afzonderlijke delen van hem. Naar het geheel. Heimelijk keek ze naar zijn handen, die op de rand van zijn bureau lagen, de vingers ineengestrengeld. Hij wreef langzaam zijn duimen tegen elkaar. En alleen al dat gebaar zorgde voor een tinteling diep in haar buik.

Slechts eenmaal stond ze zichzelf toe naar zijn gezicht te kijken. Hij had in de verte zitten staren, maar hij moest hebben gevoeld dat haar ogen op hem waren gericht, want hij wierp haar een doordringende blik toe. Zijn ogen konden haar nog steeds het gevoel geven van een vlinder die op een prikbord was geprikt.

Ooit, jaren geleden, was het opwindend geweest om zo intens te worden aangekeken. Nu herinnerde het haar alleen aan dingen die ze allang had moeten zijn vergeten. Het bracht gevoelens tot leven die ze had geprobeerd te begraven. En tot een paar minuten geleden had ze gedacht dat het was gelukt. Ze richtte haar blik weer op haar koffiebeker.

Toen het bandje was afgelopen vroeg Dean of hij een kopie kon laten maken.

'Natuurlijk,' antwoordde Curtis.

Dean haalde het bandje uit de cassetterecorder en verliet het kantoor, net lang genoeg om miss Lester opdracht te geven het bandje te kopiëren. Toen hij terugkeerde zei Curtis: 'Dus je denkt niet dat deze man slechts fabeltjes vertelt?'

'Ik wil nog een paar keer naar de opname luisteren, maar mijn eerste indruk is dat het op z'n minst zorgwekkend is. Heb je ooit eerder zo'n telefoontje gehad, Paris?' vroeg Dean.

Ze schudde haar hoofd. 'Luisteraars hebben UFO's gemeld, het infiltreren van terroristen, asbest op hun vliering. Er was eens een vrouw die me belde en zei dat er een slang in haar badkuip zat, en

60

of ik wist hoe je kon weten of hij giftig was. Ik krijg minstens één huwelijksaanzoek per week. Ik heb één aanbod van donorsperma gehad. Honderden oneerbare voorstellen, maar niet iets als dit. Dit... dit vóelt anders.'

'Hoewel hij je al eerder heeft gebeld.'

'Een man die zichzelf Valentino noemt belt regelmatig op. Ik geloof dat het dezelfde man is, maar zeker weten doe ik het niet.'

'Denk je dat hij iemand is die je kent?'

Ze aarzelde alvorens te antwoorden. 'Eerlijk gezegd kon ik vannacht niet slapen omdat ik daar steeds aan moest denken. Maar ik herken de stem niet, en ik denk dat ik dat wél zou doen.'

'Je hebt natuurlijk gevoel voor stemmen,' zei Dean peinzend. 'maar mij lijkt het dat hij zijn stem onherkenbaar probeert te maken.'

'Dat idee heb ik ook.'

'Dus zóu het iemand kunnen zijn die je kent.'

'Ja, maar ik kan niemand bedenken die zo'n grap met me zou uithalen.'

'Heb je onlangs iemand boos gemaakt?'

'Niet dat ik weet.'

'Een woordenwisseling gehad?'

'Ik kan me zoiets niet herinneren.'

'Heb je iets gezegd dat iemand als een belediging zou kunnen opvatten? Tegen een collega. Een bankbediende. Een ober. Een inpakker bij de supermarkt. De vent die je ramen droogmaakt in de autowasserette.'

'Nee,' snauwde ze. 'Ik maak er geen gewoonte van om mensen te tergen.'

Hij negeerde haar geïrriteerdheid en ging verder: 'Heb je ruzie gemaakt met een vriend? Een relatie beëindigd? Iemands hart gebroken?'

Ze keek hem even aan en schudde toen haar hoofd.

Curtis, die optrad als een tactvolle scheidsrechter in een conflict dat hij niet begreep, kuchte achter zijn hand. 'Een paar nieuwelingen, Griggs en Carson, hebben deze zaak vannacht behandeld,' zei hij tegen Dean. 'Vanmorgen in alle vroegte zijn ze persoonlijk naar het radiostation gegaan om de boel daar te controleren. Ik zal ze meteen bellen en kijken of ze iets hebben gehoord. Excuseer me.'

Voordat Paris kon protesteren – en hoe zou ze dat kunnen? –

haalde Curtis zijn zaktelefoon te voorschijn en verliet het kantoor.

De aardewerken koffiebeker was koud geworden in haar handen. Ze boog naar voren en zette de beker op de rand van het bureau.

Toen keek ze Dean aan, niet in staat het nog langer te vermijden. 'Ik heb dit niet gepland, Dean. Toen ik vanmorgen hier kwam, had ik geen idee... Ik wist niet dat je nu in Austin woont.'

'Ik had het je op Jacks begrafenis kunnen vertellen, maar toen wilde je niet met me praten.'

'Inderdaad.'

'Waarom niet?'

'Het zou ongepast zijn geweest.'

Hij boog zich naar haar toe en zei zacht maar boos: 'Na zeven jaar?'

Jack was de eerste geweest die zei dat niemand zoveel effect op Dean had als zij. Ze was de enige persoon op aarde die een gat in zijn ijzeren zelfbeheersing kon slaan.

Hij klonk nog steeds boos toen hij zei: 'Ik dacht dat de zonnebril alleen voor de begrafenis was. Heb je nog steeds...'

'Ik wil hier niet over praten, Dean. Als ik kon, zou ik vertrekken. Als ik had geweten naar wie brigadier Curtis me meenam...'

'Zou je op de vlucht zijn geslagen. Dat is jouw aanpak, nietwaar?'

Voor ze kon antwoorden keerde Curtis terug. 'Ze zijn Marvin Patterson, de schoonmaker, aan het natrekken. Tot nu niets bijzonders gevonden. Er lijkt enige verwarring te zijn over wat ze proberen te vinden. Ik zal spoedig iets meer weten. Stan Crenshaw...' Hij zweeg even en keek Paris aan. 'Is hij familie van de eigenaar van het radiostation?'

'Hij is een neef van Wilkins Crenshaw.'

'Begunstigt Wilkins Crenshaw bloedverwanten bij het vergeven van posten?'

'Natuurlijk,' zei ze open en eerlijk. 'Stan doet zo weinig mogelijk, en het beetje dat hij doet doet hij niet eens goed. Zijn luiheid is irritant en vaak hinderlijk voor degenen van ons die met hem werken, maar op het persoonlijke vlak kunnen wij goed met elkaar overweg. Bovendien kan hij of Marvin het niet zijn geweest, stel dat een van hen zoiets had gewild, want ze waren in het gebouw toen het telefoontje binnenkwam.'

'Aangezien de telefoons van tegenwoordig geavanceerde technische snufjes zijn, heb ik het elektronisch genie van het bureau opdracht gegeven dat facet te bekijken. Ook praten agenten met de mensen die in de apotheek werken waar de munttelefoon staat. Ze proberen daar iets wijzer te worden en te kijken of er een werknemer of een klant op u gefixeerd is. Maar...' Hij zweeg en trok aan zijn oor. 'We hebben niet te maken met een feitelijk misdrijf, alleen met de dréiging ervan.'

'Het is een ernstige dreiging.'

'Dat klopt,' gaf de rechercheur peinzend toe. 'Valentino zei dat hij de vrouw in uw show over hem hoorde praten. Herinnert u zich een telefoontje als dat wat hij beschrijft?'

'Niet uit mijn hoofd. Maar het moet tamelijk recent zijn, en ik heb het uitgezonden. Dat beperkt het geheel aanzienlijk. Maar ik zou nooit tegen een beller hebben gezegd dat hij of zij iemand moest "dumpen".'

'Het kan zijn dat hij daarover heeft gelogen,' zei Dean. Paris en Curtis keken hem vragend aan. 'Het telefoontje van de vriendin kan een verzinsel zijn om te rechtvaardigen – ook tegenover zichzelf – wat hij van plan is met haar te doen.'

Het was een sombere veronderstelling. Gedurende hun bedachtzame stilte keerde miss Lester terug met het originele bandje en de gevraagde kopie. Dean speelde het bandje opnieuw af. 'Er is iets wat me stoort,' zei hij na afloop. 'Hij heeft het over "meisjes", niet over vrouwen.'

'Om de status van een vrouw te verkleinen,' merkte Curtis op.

'In zíjn optiek. Dat geeft ons een aanwijzing over de manier van denken van die man. Zijn fundamentele afkeer en wantrouwen van vrouwen komen luid en duidelijk over. Als ik een karakterschets van hem moest geven die alleen op dit gesprek was gebaseerd, zou ik hem onderbrengen in de categorie boze, op wraak beluste verkrachters.'

'Hij is boos op vrouwen in het algemeen over echte of vermeende onrechtvaardigheden,' zei Curtis.

'Een gevaarlijke motivatie,' zei Dean. 'Seks is zijn manier van straffen. Dat wordt gewoonlijk omgezet in gewelddadige verkrachting. Als hij zijn slachtoffer wil laten boeten, zoals hij tegen Paris zei, zal hij er geen moeite mee hebben om haar te doden.' Zijn lippen vormden een strakke lijn, wat de vrees uitdrukte die ze allemaal voelden. 'Nóg iets, de enige andere Valentino die ík ken is Rudolph.'

'De ster van de stomme film,' zei Paris.

'Klopt. En zijn bekendste film was *The Sheik*.'

'Waarin hij een jonge vrouw ontvoert en verleidt, op nogal geweldddadige wijze.' Ze kende de film. Zij en Jack hadden hem gezien op een filmfestival van klassieke films. 'Denk je dat dat de reden is waarom hij die naam gebruikt?'

'Het zou toeval kunnen zijn, maar ik ben niet bereid het als zodanig terzijde te schuiven.' Dean dacht even na. 'In feite, Curtis, ben ik niet bereid ook maar íets terzijde te schuiven. Wat mij betreft meent hij wat hij zegt.'

De rechercheur knikte somber. 'Jammer genoeg ben ik het met je eens.'

'Ik zou graag met je aan de zaak willen werken.'

'Ik ben blij met je inbreng. We zullen Valentino's dreigement serieus nemen tot blijkt dat het een grap is.'

'Of dat het écht is,' voegde Paris er zacht aan toe.

7

Rechter Kemp willigde het verzoek van de strafpleiter in om een half uur te pauzeren. De advocaat wilde overleg plegen met zijn cliënt. Hopelijk om hem aan te sporen te accepteren dat er strafvermindering werd bepleit in ruil voor een schuldbekentenis, wat een einde zou maken aan het proces en de rechter een vrije middag zou bezorgen.

Rechter Kemp gebruikte het halve uur om zich in zijn kamer terug te trekken en met een zilveren schaartje de haartjes in zijn neusgaten te knippen. Hij gebruikte een spiegel die het spiegelbeeld vijf keer vergrootte. Toch was het een delicate aangelegenheid. Het plotselinge geluid van zijn zaktelefoon kostte hem bijna een lek geprikt neustussenschot.

Lichtelijk geïrriteerd beantwoordde hij het telefoontje van zijn vrouw.

'Janey is niet in haar kamer,' zei ze zonder inleiding. 'Ze is er de hele nacht niet geweest.'

'Jij zei dat ze binnen was toen we thuiskwamen.'

'Dat dacht ik, omdat ik de radio in haar kamer hoorde spelen. Vanmorgen stond hij nog steeds aan. Ik vond dat raar, want je weet dat ze een langslaper is. Maar ik dacht dat ze door het geluid van de radio heen sliep.

Rond tien uur klopte ik op haar deur. Ik wilde met haar in die nieuwe tearoom gaan lunchen. Dat was iets wat we samen konden doen. En het is er werkelijk fantastisch. Bea en ik zijn er vorige week geweest. Ze hebben uitstekende gazpacho.'

'Marian, ik zit midden in een reces.'

Onverschrokken ging ze door. 'Ze reageerde niet op mijn geklop. Om kwart voor elf besloot ik naar binnen te gaan en haar wakker te maken. Haar kamer was leeg en het bed onbeslapen.

Haar auto staat niet in de garage, en geen van de dienstmeisjes heeft haar gezien.'

'Misschien is ze vroeg opgestaan, heeft ze haar bed opgemaakt en is daarna weggegaan.'

'En misschien valt de hemel vanmiddag naar beneden.'

Ze had gelijk. Het was een absurde veronderstelling. Janey had nog nooit een bed opgemaakt. Haar weigering om dat te doen was een van de redenen waarom ze van het zomerkamp naar huis was gestuurd, de enige keer dat zij en haar man Janeys protesten hadden genegeerd en erop hadden gestaan dat ze ging.

'Wanneer heb je haar voor het laatst gezien?'

'Gistermiddag,' antwoordde Marian. 'Ze had urenlang bij het zwembad liggen zonnen. Ik haalde haar over om naar binnen te komen. Ze verpest haar huid. Ze weigert zonnebrandcrème op te doen. Ik zeg dat ze zich moet insmeren, maar ze luistert natuurlijk niet. Ze zegt dat zonnebrandcrème het stomste is waarvan ze ooit heeft gehoord, omdat het zonnen dan weinig effect heeft.

En, Baird, ik vind echt dat je iets tegen haar moet zeggen over het topless zonnebaden. Ik besef heus wel dat het haar eigen achtertuin is, maar er zijn hier altijd arbeiders aan het werk, en ik wil absoluut niet dat ze een gratis peepshow krijgen. Het is al erg genoeg dat ze een string draagt, wat er, als je het mij vraagt, niet alleen onsmakelijk uitziet en ongepast is voor een dame, maar volgens mij ook nog eens ontzettend oncomfortabel moet zijn.'

Deze keer dwaalde ze niet af van haar onderwerp. 'Hoe dan ook, gisteren haalde ik haar over het heetste deel van de dag binnenshuis door te brengen. Ik herinnerde haar eraan dat we naar het award-diner zouden gaan en dat zij thuis moest blijven vanwege haar huisarrest. Ze stormde de trap op zonder iets tegen me te zeggen, smeet haar deur dicht en deed hem op slot. Blijkbaar is ze gisteravond kort na ons vertrokken, en is ze sindsdien niet thuis geweest.'

Hij had niet gezien dat Janeys auto ontbrak, omdat hij zijn eigen auto 's nachts buiten had laten staan en niet in de garage had gezet. De volgende keer dat hij Janey huisarrest gaf, moest hij niet vergeten haar autosleutels in beslag te nemen. Niet dat het haar ervan zou weerhouden het huis uit te sluipen en die wilde vriendinnen van haar te ontmoeten, wier invloed ongetwijfeld de reden van haar wangedrag was.

'Heb je naar haar mobieltje gebeld?'

'Ik kreeg haar voicemail en heb elke keer een boodschap ingesproken.'

'Heb je haar vriendinnen gesproken?'

'Een paar, maar iedereen beweert haar gisteravond niet te hebben gezien. Het kan natuurlijk zijn dat ze liegen om haar te dekken.'

'En hoe zit het met die slet, die Melissa met wie ze zoveel tijd doorbrengt?'

'Die is samen met haar ouders in Europa.'

Zijn secretaresse klopte zacht, stak haar hoofd om de hoek van de deur en zei dat iedereen weer in de rechtszaal zat.

'Marian, ik ben er zeker van dat ze óns straft omdat wij háár straffen. Ze wil je de stuipen op het lijf jagen, en dat lukt haar ook nog. Ze zal heus wel weer komen opdagen. Het is niet voor het eerst dat ze een hele nacht is weggebleven.'

De laatste keer dat Janey niet naar huis was gekomen, had het niet veel gescheeld of ze was wegens immoreel gedrag in het openbaar in de Travis County-gevangenis gestopt. Zij en een groep vrienden en vriendinnen hadden gebruik gemaakt van een whirlpool die in de tuin van een hotel stond. Gasten hadden over het lawaai geklaagd. Toen de mannen van de bewakingsdienst gingen kijken wat er aan de hand was, ontdekten ze een bruisende kookpot met half naakte jonge mensen in verschillende stadia van dronkenschap, bezig met allerlei seksuele activiteiten.

Zijn dochter was een van degenen die het meest dronken waren. Ze was absoluut het meest naakt, volgens de agent die haar persoonlijk uit het water had gevist en haar had losgetrokken van de jongeman me wie ze aan het vrijen was.

De politieagent had haar in een deken gewikkeld voordat hij haar naar haar huis bracht in plaats van naar de gevangenis. Hij had het gedaan om de rechter een dienst te bewijzen, niet uit goedheid voor het meisje dat hem had uitgescholden toen hij haar bij haar ouderlijk huis afleverde.

De agent was met een honderd-dollarbiljet bedankt, waarmee stilzwijgend zijn belofte was gekocht om Janeys naam buiten het rapport over het voorval te houden.

'Goddank hebben de media niet de lucht van dat verhaal gekregen,' zei Marian nu, alsof ze de gedachten van de rechter las. 'Kun je je voorstellen hoeveel schade je reputatie zou hebben geleden?'

Ze snoof zachtjes en vroeg: 'Wat ga je doen, Baird?' Daardoor legde ze het probleem handig op zijn bordje.

'Ik ben de hele dag aan het werk in de rechtbank en heb geen tijd om me met Janey bezig te houden.'

'Nou, je kunt niet van me verwachten dat ik heel Austin doorkruis om haar te zoeken. Ik zou me net een hondenmepper voelen. Bovendien, jíj bent degene die de contacten heeft.'

Evenals de honderd-dollarbiljetten, dacht hij wrang. In de afgelopen paar jaar had hij met briefjes van honderd gestrooid om zeker te stellen dat zijn dochters streken niet in de publiciteit kwamen.

'Ik zal kijken wat ik kan doen,' bromde hij. 'Maar als ze weer verschijnt – waar ik zeker van ben – vergeet dan niet me op te piepen. Als ik in de rechtszaal ben, staat mijn pieper in de trilstand. Toets drie keer een drie in. Dan zal ik weten dat ze thuis is en dan verdoet niemand tijd met haar te zoeken.'

'Bedankt, schat. Ik wist dat ik erop kon rekenen dat jij dit zou oplossen.'

Curtis nodigde Dean uit voor de lunch. Dean nam de uitnodiging aan, maar hij was niet naïef. Hij vermoedde dat de rechercheur uit was op achtergrondinformatie over Paris. Hij kon Curtis amper kwalijk nemen dat hij nieuwsgierig was, vooral na de geladen sfeer die ze vanmorgen in zijn kantoor hadden gecreëerd.

Hij zou hem niets geven, niets waar Curtis niet zelf achter kon komen door een gepubliceerde biografie te lezen, maar het zou interessant zijn om de rechercheur in actie te zien.

Ze waren de trap voor het politiebureau aan het aflopen toen Curtis achter zich zijn naam hoorde roepen. De jonge agent in uniform die hem had geroepen, was door de glazen deuren naar buiten gekomen. Hijgend bood hij zijn excuus aan.

'Ik vind het heel vervelend om u op te houden, brigadier Curtis.'

'We gaan alleen maar lunchen. Ken je dr. Malloy?'

'Alleen van naam. Ik ben een beetje laat met u welkom te heten bij de politie van Austin. Eddie Griggs.' Hij stak zijn hand uit. 'Aangenaam, sir.'

'Dank je,' zei Dean terwijl ze elkaar de hand schudden. 'Nemen jullie rustig de tijd, ik ga in de schaduw staan wachten.'

'Ik denk niet dat brigadier Curtis er bezwaar tegen zal hebben dat u dit hoort, gezien het feit dat u samen met hem aan dat telefoontje van Paris Gibson werkt. Daar gaat het over. Nou ja, min of meer. Indirect.'

'Laten we allemaal in de schaduw gaan staan,' opperde Curtis.

Ze liepen dichter naar het gebouw toe om te profiteren van het strookje schaduw op het gloeiendhete trottoir. Op Interstate 35, de nabije autosnelweg, raasde het verkeer voorbij, maar Grigg, de nieuweling, schreeuwde boven het lawaai uit.

'Hebt u een memo rondgestuurd dat iedereen alert moet zijn op personen die als vermist zijn opgegeven?' zei hij tegen Curtis.

'Inderdaad.'

'Nou, sir... Rechter Baird Kemp?'

'Wat is er met hem?'

'Hij heeft een dochter. Middelbare-schoolleeftijd. Zo wild als een maartse haas. Af en toe wordt ze een beetje te wild en gaat ze over de grens. Ze is welbekend bij agenten die na middernacht patrouilleren.'

Hij keek om zich heen om te controleren of iemand die het gebouw binnenging of verliet hem kon horen. 'De rechter is heel vrijgevig voor een agent die haar thuisbrengt, háár uit de gevangenis en haar náám uit de publiciteit houdt.'

'Ik snap het,' zei de rechercheur.

'Vandaag,' vervolgde Griggs, 'nam de rechter telefonisch contact op met een paar van zijn vrienden bij de politie. Hij had een speciaal verzoek. Het schijnt dat Janey – zo heet ze – gisteravond niet is thuisgekomen. Iedereen is gevraagd om naar zijn dochter uit te kijken. En als ze wordt gevonden zou de rechter de agent die haar thuisbracht zeer erkentelijk zijn.'

Dean had de rechter nog niet ontmoet, maar hij kende wel zijn naam. Een van zijn eerste taken was geweest een gevangene overhalen de politie te helpen bij het oppakken van zijn medeplichtige, die eigenlijk de grootste boosdoener van de twee was en nog steeds vrij rondliep.

De gevangene had geweigerd mee te werken. 'Ik heb schijt aan ze, man.'

'Ze' tegenover 'jou', omdat Dean aan de kant van de gevangene was gaan staan en zijn vriend, sympathisant, vertrouweling werd. De goede politieman.

'Mijn proces was doorgestoken kaart, verdomme,' tierde de gevangene. 'Hoor je wat ik zeg, man? Die rechter beïnvloedde de jury. Arrogante klootzak.'

Zijn achting voor de rechter die zijn proces had geleid verschilde niet van die van de meeste veroordeelde criminelen. Ze hadden zelden een goed woord over voor de in een toga gehulde persoon die, met één klap van de hamer, hun sombere toekomst bezegelde.

Uiteindelijk gaf de gevangene Dean de informatie, wat tot de aanhouding van zijn partner leidde. Maar de man had zijn lage dunk over rechter Kemp gehandhaafd. Misschien wel terecht, dacht Dean, gelet op wat Griggs zojuist had verteld.

Curtis zei: 'Alleen al in dit district zouden er honderd tieners kunnen zijn die vannacht niet zijn thuisgekomen en van wie de ouders niet weten waar ze uithangen. En dat zou nog een voorzichtige schatting zijn.'

Dean dacht aan zijn eigen tienerzoon die zijn moeder meer dan eens doodongerust had gemaakt door 's nachts niet thuis te komen en pas te verschijnen als de volgende dag al een heel eind was verstreken. 'Ik ben het met je eens. Het is te vroeg om overhaaste conclusies te trekken over één meisje dat niet is thuisgekomen, vooral als ze er een gewoonte van maakt om weg te blijven.'

'Rechter Kemp zou het in zijn broek doen als zijn "speciale verzoek" een algemene dienstmededeling werd,' zei Curtis, met duidelijke afkeer. 'Toch, Griggs, bedankt dat je ons dit hebt verteld. Je hebt de zaak goed aangepakt. Hoe komt het dat je zo vroeg bent vandaag?'

'Ik maak overuren, sir. Bovendien hoopte ik dat ik Paris Gibson kon helpen. Ze was vannacht behoorlijk overstuur.'

'Ik ben er zeker van dat ze je toewijding op prijs zal stellen.'

Curtis bedoelde dat spottend. Blijkbaar was hem hetzelfde opgevallen als Dean – de knul was verliefd op Paris.

'Laten we miss Janey Kemp nog een paar uur geven om nuchter te worden en naar huis terug te keren voordat we haar koppelen aan de man die miss Gibson belde,' zei Curtis.

'Ja, sir.' De jonge politieagent gedroeg zich zo beleefd, op militaire wijze, dat Dean bijna verwachtte dat hij salueerde. 'Smakelijk eten, sir. Dr. Malloy.'

Curtis liep verder, maar Dean bleef achter. Hij voelde dat Griggs nog iets op zijn lever had. Als het Paris betrof, wilde hij weten wat het was. 'Sorry, Griggs. Als er iets is dat je dwarszit, willen we het graag horen.'

Het was duidelijk dat de nieuweling niet op de tenen wilde trappen van een rechercheur of van een officier met een sliert kwalificaties achter zijn naam en een doctorstitel ervoor. Toch was hij opgelucht dat Dean hem had uitgenodigd zijn mening te zeggen.

'Het is alleen dat dit meisje moeilijkheden zoekt, sir.' Hij liet zijn stem dalen en vervolgde op vertrouwelijke toon: 'Een van onze undercover drugsspeurders op de middelbare school zegt dat ze er fantastisch uitziet, en dat ze dat weet ook. Een... een echt stuk! Hij zegt dat haar pogingen om hem te verleiden hem bijna hadden doen vergeten dat hij een smeris was.' Griggs had rode oren gekregen. Zelfs zijn hoofdhuid bloosde door zijn stekelhaar heen.

In de hoop dat de jongere man zich zou ontspannen, grapte Dean: 'Ik vind het vreselijk als me dat overkomt. Een van de redenen waarom ik nooit undercover heb gewerkt.'

Griggs grinnikte, alsof hij blij was te merken dat Dean ook maar een man was. 'Ja, nou, wat ik bedoel is dat ze misschien in een situatie verzeild is geraakt waarin er iets ergs zou kunnen gebeuren.'

'Met het gevaar geflirt en meer gekregen dan ze had verwacht?' zei Curtis, die inmiddels bij hen was komen staan.

'Zoiets, sir. Voor zover ik weet doet ze wat ze wil en wanneer ze dat wil, en legt ze aan niemand verantwoording af. Zelfs niet aan haar ouders. Volmaakte kandidaat om Rohypnol toe te stoppen, als ze dat niet al zelf slikt. Als ze die Valentino heeft ontmoet en hij heeft gedaan wat hij beweert te hebben gedaan, dan zou niemand het voorlopig weten. En dat zou erg kunnen zijn.'

Curtis vroeg of iemand Janey Kemp had gezocht op de plekken waarvan bekend was dat ze er vaak rondhing.

'Ja, sir. De rechter wilde dat dat gebeurde. In het geheim natuurlijk. Een paar mannen van de inlichtingendienst houden zich ermee bezig, en ook gewone politieagenten. Maar het is zomer, dus de Sex Club komt vrijwel elke nacht in de openlucht bijeen. De ontmoetingsplaats verandert om de paar nachten om drugsspeurders en ouders...'

'Sex Club?' Dean keek Curtis vragend aan, maar de rechercheur haalde zijn schouders op. Ze richtten beiden hun blik op Griggs.

De jonge agent was opnieuw nerveus en ging van zijn ene glanzend gepoetste schoen op de andere staan. 'Weet u niets af van de Sex Club?'

Paris kwam uitgeput thuis. Op dit uur stond ze normaal gesproken op, en gewoonlijk ontbeet ze wanneer ieder ander de lunch gebruikte. Vandaag week ze af van haar schema. Als ze vanmiddag niet een paar uurtjes sliep, zou ze aan het eind van haar radio-uitzending een zombie zijn.

Maar na haar onverwachte hereniging met Dean zou ze vast niet kunnen slapen.

Ze maakte een sandwich met pindakaas voor zichzelf klaar, waar ze eigenlijk geen trek in had. Toen ging ze aan de keukentafel zitten, met een servet op schoot, en deed net of het een echte maaltijd was. Tijdens het eten sorteerde ze haar post.

Op het moment dat ze de lichtblauwe envelop zag met het bekende logo in de linkerbovenhoek, hield ze op met kauwen. Ze spoelde het hapje brood weg met een glas melk, alsof ze zich tegen de inhoud van de envelop wapende.

De brief, die uit drie alinea's bestond, was afkomstig van de directeur van het Meadowview Hospital. Beleefd maar resoluut, in niet mis te verstane bewoordingen, verzocht hij haar de persoonlijke bezittingen van ex-patiënt wijlen Mr. Jack Donner op te halen.

'Aangezien u niet hebt gereageerd op mijn talloze pogingen u telefonisch te bereiken,' stond er in de brief, 'kan ik alleen aannemen dat u die boodschappen nooit hebt ontvangen. Daarom laat ik u via deze brief weten dat de bezittingen van Mr. Donner zullen worden verwijderd als u ze niet ophaalt.'

Ze had tot morgen de tijd om aan zijn verzoek gehoor te geven. Morgen. En hij meende het. De datum was onderstreept.

Toen Jack patiënt was van het Meadowview Hospital hadden Paris en alle personeelsleden, vanaf de directeur tot de portier, elkaar bij de voornaam genoemd. Dit leek net een brief aan een vreemde. Zijn geduld was op, ongetwijfeld omdat ze zijn telefonische berichten had genegeerd.

Sinds de dag waarop Jack in kamer 203 stierf was ze niet meer in de privé-kliniek geweest. In de zes maanden die volgden had ze niet kunnen terugkeren, zelfs niet om zijn persoonlijke bezittingen op te halen. Op heel weinig uitzonderingen na was ze zeven jaar lang dagelijks naar het ziekenhuis gegaan, maar nadat ze het op die laatste dag had verlaten, had ze zich er niet toe kunnen zetten er opnieuw heen te gaan.

Haar onwil om dat te doen was niet helemaal zelfzuchtig. Ze wilde Jack niet onteren door zich te herinneren hoe hij in dat ziekenhuisbed had gelegen, met verschrompelende ledematen, hoewel ze elke dag door deskundige fysiotherapeuten van het ziekenhuis werden getraind. Hij was zo afhankelijk geweest als een baby, niet in staat om iets te zeggen behalve gebrabbel, niet in staat zichzelf te voeden, niet in staat iets te doen, behalve ruimte innemen en zich verlaten op toegewijde verpleegkundigen die zelfs voor zijn intiemste behoeften zorgden.

In die toestand had hij de laatste zeven jaar van zijn leven geleefd – bestaan. Hij verdiende beter dan zo herinnerd te worden.

Ze legde haar armen op de tafel en liet haar hoofd erop rusten. Met gesloten ogen stelde ze zich Jack Donner voor zoals hij geweest was toen ze hem voor het eerst ontmoette. De sterke, knappe, vitale, zelfverzekerde Jack.

'Dus jij bent de nieuwe die voor zoveel opschudding zorgt,' zei hij terwijl hij achter haar stond. Toen ze zich naar hem omdraaide en hem aankeek, was haar eerste indruk zijn aanmatigende grijns. Het haar toegewezen kamertje in de redactieruimte was amper groot genoeg om je om te draaien. Het stond propvol dozen die ze aan het uitpakken was. Jack deed net of hij niet merkte dat zijn aanwezigheid de kamer nóg voller maakte.

Koeltjes herhaalde ze: 'De níeuwe.'

'Er wordt over je gepraat in de directiekantoren. Dwing me niet te herhalen wat ik heb gehoord en zo een aanklacht wegens seksuele intimidatie te riskeren.'

'Ik ben net lid geworden van het nieuwsteam, als u dat bedoelt.'

'Het award-winnende nieuwsteam,' verbeterde hij met een nog bredere glimlach. 'Besteed je geen aandacht aan de reclames van ons tv-station?'

'Werkt u op de reclameafdeling?'

'Nee, ik sta aan het hoofd van het officiële ontvangstcomité. In feite bén ik het officiële ontvangstcomité. Het is mijn taak om alle nieuwkomers te verwelkomen.'

'Bedankt. Ik beschouw mezelf als verwelkomd. Als u nu…?

'Eigenlijk zit ik in de verkoop. Jack Donner.' Hij stak zijn hand uit. Ze schudden elkaar de hand.

'Paris Gibson.'

'Mooie naam. Pseudoniem of echt?'

'Echt.'

'Wil je met me lunchen?'

Zijn vrijpostigheid krenkte haar niet, maar maakte haar aan het lachen. 'Nee, ik heb het druk.' Ze wees naar de dozen om haar heen. 'Ik zal de hele middag nodig hebben om hier orde op zaken te stellen. Bovendien hebben we net kennisgemaakt met elkaar.'

'Juist, ja.' Terwijl hij over dat dilemma piekerde, kauwde hij op zijn onderlip. Waarschijnlijk wist hij dat de manier waarop hij dat deed grappig en vertederend was. Ineens klaarde zijn gezicht op. 'Dineetje?'

Ze ging die avond niet mét hem dineren. En ook niet de volgende drie keren dat hij het vroeg. In de weken erna werkte ze als een bezetene. Ze versloeg alle verhalen die de eindredacteur haar maar wilde geven en deed haar best om zoveel mogelijk zendtijd te krijgen. Ze wist dat het publiek haar naam, stem en gezicht alleen zou herkennen als ze vaak op het scherm was.

Haar doel was het presenteren van het avondjournaal. Ze zou misschien een paar jaar nodig hebben om dat te bereiken. Ze moest nog veel leren en bewijzen, maar ze zag geen reden om niet het hoogste na te streven. Dus had ze het veel te druk met het veroveren van een plek in het televisiewereldje van Houston om afspraakjes te maken.

En Jack Donner was er veel te veel van overtuigd dat ze uiteindelijk voor zijn charmes zou bezwijken. Hij was knap, op en top Amerikaans, met een innemende persoonlijkheid en een aanstekelijke humor. Elke vrouw in het gebouw, van de stagiaires tot de grootmoeder die de financiële afdeling runde, was verliefd op hem. Verbazingwekkend genoeg mochten mannen hem ook. Hij stond al enige jaren achter elkaar boven aan de lijst van succesvolle verkopers, en het was geen geheim dat hij zich op een functie als manager voorbereidde.

'Topmanagement,' vertrouwde hij haar toe. 'Ik wil algemeen directeur worden. En wie weet? Misschien heb ik op een dag mijn eigen tv-station.'

Hij had beslist de ambitie en het charisma om te bereiken wat hij zich ten doel stelde. Met haar uitgaan was zijn hoofddoel op korte termijn. Ten slotte gaf ze haar verzet op en zei ja.

Op hun eerste avondje uit nam hij haar mee naar een Chinees restaurant. Het eten was superslecht en de bediening nóg slechter, maar tijdens de maaltijd maakte hij haar voortdurend aan het lachen door verhalen te verzinnen over alle norse obers en serveersters. Hoe meer rijstwijn hij dronk, hoe grappiger de verhalen werden.

Toen hij zijn 'gelukskoekje' openmaakte, een koekje waarin een voorspelling of een spreuk was gebakken, floot hij zachtjes. 'Wow, moet je dit horen.' Hij deed net of hij las. 'Gefeliciteerd. Na maanden te hebben geprobeerd een bepaalde dame te verleiden, hebt u vanavond geluk.'

Paris maakte háár gelukskoekje open en haalde er het briefje met de voorspelling uit. 'Op het mijne staat: negeer de vorige voorspelling.'

'Ga je niet met me naar bed?'

Ze lachte om zijn teleurgestelde gelaatsuitdrukking. 'Nee, Jack, ik ga niet met je naar bed.'

'Weet je dat zeker?'

'Ja, dat weet ik zeker.'

Maar nadat ze vier maanden met elkaar waren omgegaan, ging ze wél met hem naar bed, en na zes maanden beschouwde iedereen op het tv-station hen als een paar. Met Kerstmis vroeg Jack haar ten huwelijk en op nieuwsjaarsdag zei ze ja.

In februari sneeuwde het. In Houston, waar sneeuw even zeldzaam was als de Hale Bopp-komeet, kwam het openbare leven tot stilstand, wat betekende dat de nieuwsteams overuren maakten om alle verhalen te verslaan die met het weer te maken hadden, van het sluiten van scholen tot het onderdak verlenen aan thuislozen en de talloze gevaren van gladde wegen. Paris werkte zestien uur achter elkaar, binnen en buiten de studio. Ze reed in een tochtig bestelbusje van het televisiestation rond, dronk lauwe koffie, en zorgde dat ze de deadlines haalde.

Toen ze eindelijk thuiskwam stond Jack in haar keuken. Hij roerde in een pan eigengemaakte soep. 'Als ik al niet van je hield...' zei ze terwijl ze het deksel van de pan optilde en de geur diep inhaleerde, 'dan doe ik het nú.'

'Als je bij mij introk, zou ik elke avond voor je koken.'

'Nee.'

'Waarom niet?'

'We hebben het minstens duizend keer over dit onderwerp gehad, Jack,' zei ze moe, en trok haar doorweekte laarzen uit.

Hij knielde neer om haar bevroren tenen te masseren. 'Laten we het nog één keer doen. Ik vergeet steeds die slappe excuses van je. Zoals je weet is mijn penis langer dan de duur van mijn concentratie. En ben je niet blij?'

Ze trok haar voeten uit zijn warme handen. De massage was

veel te lekker om erbij te ruziën over iets waar ze al zo vaak over hadden gekibbeld.

'Tot we getrouwd zijn bewaar ik mijn onafhankelijkheid.' Toen ze zag dat hij op het punt stond daartegenin te gaan, voegde ze eraan toe: 'En als je erover door blijft zeuren, stel ik de bruiloft nóg eens zes maanden uit.'

'Je bent een harde vrouw, Paris Gibson bijna Donner.'

Ze aten hun soep op en dronken de fles wijn leeg die Jack vóór haar komst al had ontkurkt. Hij stelde zelfs niet voor dat hij de nacht bij haar zou doorbrengen. Ze was dankbaar dat hij rekening hield met haar uitputting.

Toen ze hem bij haar voordeur goedenacht wenste, zag ze dat de vier centimeter sneeuw die de stad had lamgelegd al was gaan smelten. Al die zenuwslopende nieuwsgaring was door een paar graden op de thermometer alweer tot geschiedenis gemaakt.

'Goddank, morgen is het zaterdag,' zei ze met een zucht terwijl ze tegen de deurpost leunde. 'Ik ga de hele dag slapen.'

'Maar zorg dat je op tijd wakker wordt voor morgenavond.'

'Wat is er dan?'

'Dan ontmoet je mijn getuige bij ons huwelijk.'

Onlangs had hij haar verteld dat zijn beste studievriend naar Houston was teruggekeerd nadat hij een doctorstitel had behaald aan een universiteit in een andere staat. Waar precies, dat kon ze zich nu niet herinneren. Ze wist alleen dat Jack heel opgewonden was dat zijn vriend terug was, en dat hij popelde om hen aan elkaar voor te stellen.

'Heeft hij het naar zijn zin bij de politie van Houston?' vroeg ze luid gapend.

'Hij zegt dat het nog te vroeg is om daar iets over te zeggen, maar hij denkt dat hij het wel leuk zal vinden. We gaan proberen een basketbalwedstrijd in de sportzaal te organiseren terwijl jij de hele dag ligt te pitten. Morgenavond om zeven uur halen we je op.'

'Ik zal klaarstaan.' Ze stond op het punt de deur te sluiten toen ze hem nariep. 'Sorry, Jack, hoe heet hij ook alweer?'

'Dean. Dean Malloy.'

Hijgend ging Paris rechtop zitten.

Ze was in haar eigen keuken, maar ze had een paar seconden nodig om zich te oriënteren. Mijmeringen waren overgegaan in dromen. Ze had heel vast geslapen. Het zonlicht scheen vanuit een andere hoek naar binnen. Ze had een tintelend gevoel in haar armen omdat ze er met haar hoofd op had gelegen. Als zij ze schudde, werd het tintelende gevoel alleen maar erger. Met een verstijfde hand reikte ze naar de rinkelende telefoon – de oorzaak van haar abrupt ontwaken.

Uit gewoonte zei ze: 'Je spreekt met Paris.'

8

'Wanneer ben je voor het laatst naar een tandarts geweest, Amy?'
'Dat weet ik niet meer. Een paar jaar terug misschien.'
Dr. Brad Armstrong keek zijn patiënte streng aan. 'Dan had je allang voor controle moeten komen.'
'Ik ben bang voor tandartsen.'
'Dan ben je niet bij de juiste geweest.' Hij gaf haar een knipoog. 'Tot nu toe.'
Ze giechelde.
'Je boft dat ik maar één gaatje heb gevonden. Het is klein, maar het moet wel gevuld worden.'
'Doet het pijn?'
'Pijn? In deze kamer is pijn een vies woord.' Hij gaf een zacht klopje op haar schouder. 'Mijn taak is het je tanden te repareren. Jouw taak is het achterover te liggen en je te ontspannen terwijl ik bezig ben.'
'Het valium helpt. Ik begin al slaperig te worden.'
'Het duurt niet lang.'
Zijn assistente had Amy's moeder om toestemming gevraagd voordat ze Amy een kleine dosis van het kalmeringsmiddel gaven om haar angst te verlichten en de behandeling meer ontspannen te maken, zowel voor de patiënte als voor de tandarts. Haar moeder kwam over een tijdje terug om haar op te pikken en naar huis te rijden. Intussen stond het hem vrij zijn ogen goed de kost te geven terwijl ze wegsoesde.
Volgens haar kaart was ze vijftien, maar ze was welgevormd. Ze had mooie benen. Haar korte rok onthulde gladde, zongebruinde dijen en gespierde kuiten.
Hij hield van de zomer. Zomer betekende huid. Hij zag al op tegen de herfst en de winter, als vrouwen sandalen verwisselden

78

voor laarzen en blote benen voor ondoorschijnende panty's. De rokken werden langer, en schouders die 's zomers bloot waren onder topjes en smalle bandjes werden bedekt met truien. Het enige goede aan truien was dat ze soms nauw aansloten. De suggestie van wat eronder zat kon ongelofelijk verleidelijk zijn.

Zijn patiënte haalde diep adem, waardoor het papieren slabbetje verschoof. Hij was geneigd het op te tillen en naar haar borsten te kijken. Als ze protesteerde, kon hij altijd nog zeggen dat hij het slabbetje weer op zijn plaats legde, meer niet.

Maar hij hield zichzelf in toom. Zijn assistente kon elk moment binnenkomen en die was, in tegenstelling tot zijn patiënte, níet suf door het valium.

Hij liet zijn blik opnieuw over de benen van het meisje dwalen. Door de ontspanning hadden ze zich gespreid. Tussen haar knieën was een ruimte van enkele centimeters. De elastische stof van haar rok zat als een tweede huid om haar heen en benadrukte de venusheuvel tussen haar dijen. Hij vroeg zich af of ze een slipje droeg. De mogelijkheid dat dat níet het geval was zette hem in vuur en vlam.

Hij vroeg zich ook af of ze nog maagd was. Boven de leeftijd van veertien jaar waren er nog maar weinig maagden. Volgens de statistieken was de kans groot dat ze seks met een man had gehad. Ze zou weten wat ze moest verwachten van een man die seksueel geprikkeld was, en ze zou niet zo geschokt zijn als…

'Dr. Armstrong?' Zijn assistente verscheen en verstoorde de dagdroom. 'Is ze klaar voor de verdoving?'

Hij vermeed altijd dat zijn patiënten het woord 'injectie' hoorden.

Hij gleed van de lage kruk waarop hij had gezeten en deed net of hij de röntgenfoto's van de patiënte bestudeerde. 'Ja, ga je gang. Dan begin ik over tien minuten.'

'Ik zal zorgen dat alles klaarstaat.'

Hij trok zijn latexhandschoenen uit, liep zijn eigen kamer in en sloot de deur achter zich. Zijn huid was koortsig, zijn hartslag versneld. Als hij zijn witte laboratoriumjas niet had aangehad, zou zijn assistente zijn erectie hebben gezien. Als ze hem niet op tijd had gestoord, had hij misschien een verschrikkelijke fout begaan. En hij kon zich niet permitteren er opnieuw een te maken.

Maar de laatste keer was het níet zijn schuld geweest.

Dat meisje had binnen twee maanden drie keer in zijn stoel gezeten, en bij elk bezoek was ze een beetje vriendelijker geworden. Vriendelijker – verdorie, ze had openlijk met hem geflirt! Ze had precies geweten wat ze deed. De uitdagende manier waarop ze tegen hem had geglimlacht wanneer ze achteroverleunde in zijn stoel, was dat niet zowat een uitnodiging geweest om haar te liefkozen?

En toen hij het deed, had ze zo'n stampei gemaakt dat zijn collega's, alle mondhygiënistes en de meesten van zijn patiënten door de gang naar de behandelkamer waren geheld, waar ze beschuldigingen tegen hem stond te schreeuwen.

Als ze de vijfentwintigjarige was geweest die ze leek te zijn, in plaats van de minderjarige die ze was, zouden die beschuldigingen terzijde zijn geschoven. Maar ze werden geloofd, en hij was uitgenodigd het gebouw te verlaten. Toen hij de volgende morgen bij de praktijk arriveerde, hadden zijn collega's hem bij de deur opgewacht met een ontslagbrief plus een cheque ter waarde van drie maanden salaris. Dat hadden ze gezien de omstandigheden fair gevonden. Vaarwel en succes.

Hypocriete schoften.

Maar daarmee was de kous nog niet af geweest. De ouders van het meisje, hevig ontstemd omdat een normale, heteroseksuele man op de uitnodigende signalen had gereageerd die hun sexy dochter had uitgezonden, hadden een aanklacht ingediend wegens onzedelijke handelingen met een kind. Alsof ze een kind was! Alsof ze er niet om had gevraagd! Alsof ze het niet fijn had gevonden dat zijn hand tussen haar dijen lag!

Hij was als een crimineel voor de rechter gesleept en, op advies van zijn onbekwame advocaat, gedwongen zijn excuses aan de gewiekste kleine sloerie aan te bieden. Hij had zich schuldig verklaard aan de vernederende aantijgingen om een 'lichte straf' te krijgen, die bestond uit verplichte psychotherapie en een proeftijd.

Maar het oordeel van de rechter was veel minder hard geweest dan die van Toni. 'Dit is de laatste keer, Brad,' had ze gewaarschuwd.

Aangezien hij aan opsluiting had kunnen ontkomen, zou je toch aannemen dat er een feestje werd gevierd, nietwaar? O, nee. Zijn vrouw had andere plannen gehad, wat onder andere inhield dat ze eindeloos doorzaagde over zijn 'verslaving'.

'Ik kan niet nóg eens zo'n beproeving doorstaan,' had ze tegen hem gezegd.

Daarna had ze uren lang zitten zeuren over zijn 'destructieve gedragspatroon'.

Oké, er waren nog een paar andere incidenten geweest, zoals die in de kliniek waar hij zijn loopbaan was begonnen. Hij had een mondhygiëniste foto's laten zien. Het was een grap geweest, verdomme. Hoe kon hij nou weten dat ze streng protestant was en waarschijnlijk dacht dat baby's zowel met vijgenbladen als met navels geboren zouden moeten worden. Ze had zulke gemene roddels over hem verspreid, dat hij uit eigener beweging was vertrokken. Maar Toni hield hem er nog steeds verantwoordelijk voor.

Tot slot had ze gezegd: 'Ik zal nóg duidelijker zijn, Brad. Ik wil niet nog eens zo'n beproeving doorstaan en ik zal niet toestaan dat onze kinderen eronder lijden. Ik hou van je,' had ze gesnikt, 'en ik zal niet van je scheiden. Ik wil dat ons gezin bij elkaar blijft, maar ik zal je verlaten als je geen hulp inroept en iets aan je verslaving doet.'

Verslaving. Als hij een sterk libido had, wat dan nog? Was dat een verslaving? Ze had het doen klinken alsof hij een pervers persoon was.

Maar hij was niet helemaal gek. Hij wist dat hij zich moest aanpassen aan de wereld waarin hij leefde. Als de maatschappij puriteins werd, moest hij zich naar de algemeen aanvaarde regels schikken. Hij moest het smalle, rechte pad bewandelen zoals het door de kerk en de staat was afgebakend, en wat dat betrof waren ze eensgezind. Eén misstap over hun dwaze grenzen van zogenaamd fatsoen, en je was niet alleen een zondaar maar ook een vogelvrijverklaarde.

Zelfs een beetje flirten met een andere patiënte kon hem zijn carrière kosten. Het had acht maanden geduurd voordat hij deze baan in Austin in de wacht sleepte, lang nadat het geld van de ontslagcheque was uitgegeven en de spaarrekening was leeggehaald.

Deze kliniek was niet zo bekend als de vorige. Zijn huidige collega's waren niet zo gespecialiseerd en beroemd als die hij vroeger had gehad. Maar van zijn loon kon hij de hypotheek betalen. En zijn gezin hield van Austin, waar niemand wist waarom ze hierheen waren verhuisd.

Na die nachtmerrie in de rechtszaal was Toni wekenlang ineengekrompen wanneer hij haar aanraakte. Ze had wel het bed met hem gedeeld, hoewel hij had gedacht dat ze de schijn ophield omwille van de kinderen.

Ten slotte had ze hem toegestaan haar te omhelzen en te kussen. Nadat zijn groepstherapeut hem een gouden ster had gegeven voor de vorderingen die hij had gemaakt op weg naar 'genezing', was ze weer gaan vrijen. Ze had tamelijk tevreden geleken... tot een paar avonden geleden, toen hij zo stom was geweest de hele nacht weg te blijven.

Hij had een geloofwaardig verhaal verzonnen. Misschien was ze het blijven geloven als hij gisteravond niet zo laat was thuisgekomen. Het verhaal over de belastingcursus was niet overtuigend. Hij was naar de cursus gegaan en had bij aankomst getekend, zodat zijn aanwezigheid was geregistreerd, maar het was nooit zijn bedoeling geweest om te blijven, en na het eerste, saaie uur was hij vertrokken.

Vanmorgen had hij de wind van voren gekregen. Toni joeg de kinderen weg van de ontbijttafel en stuurde hen naar boven om allerlei karweitjes te doen. Toen vroeg ze zonder enige waarschuwing: 'Waar was je gisteravond, Brad?'

Geen inleiding, alleen de boze verrassingsaanval, die hem onmiddellijk in woede deed ontsteken. 'Je wéét waar ik was.'

'Ik ben tot twee uur vannacht opgebleven en toen was je nog niet thuis. Geen enkele belastingcursus duurt zo lang.'

'Dat klopt. Rond elf uur was het afgelopen. Ik heb daar een paar mannen ontmoet, en we zijn samen een biertje gaan drinken. Op een gegeven moment beseften we dat we trek hadden en hebben toen iets te eten besteld.'

'Wat voor mannen?'

'Geen idee. Mannen. We kenden alleen elkaars voornaam. Joe, zo heette hij geloof ik, heeft een leidinggevende functie bij Motorola. Grant, of Greg, zoiets, is eigenaar van drie schilders- en carrosseriebedrijven. De andere...'

'Je liegt,' riep ze uit.

'Nou, bedankt dat je me het voordeel van de twijfel geeft.'

'Dat heb je niet verdiend, Brad. Gisteravond heb ik geprobeerd je studeerkamer binnen te gaan. De deur was op slot.'

Hij stond op en duwde zo boos zijn stoel naar achteren dat hij luid over de vloer schraapte. 'Reusachtig! De deur was op slot. Ik heb hem niet op slot gedaan. Dat moet een van de kinderen hebben gedaan. Maar waarom ging je daar eigenlijk naar binnen? Om te zien wat je kon vinden om me aan te rekenen? Om rond te snuffelen? Om te spioneren?'

'Ja.'

'Je geeft het tenminste toe.' Hij ademde lang uit, alsof hij de tijd nam om zich te beheersen. 'Toni, wat héb je toch de laatste tijd? Telkens wanneer ik het huis verlaat onderwerp je me aan een kruisverhoor.'

'Omdat je vaak weg bent en dan lange periodes wegblijft, periodes waarvoor je geen rekenschap kunt of wilt afleggen.'

'Rekenschap afleggen? Ben ik niet volwassen? Mag ik niet komen en gaan wanneer ik wil? Moet ik me bij jou melden om te beslissen of ik al dan niet ergens een biertje ga drinken? Als ik moet plassen, moet ik jou dan eerst opbellen en toestemming vragen?'

'Zo werkt het niet, Brad,' zei ze met een gekmakende kalmte. 'Ik ben niet van plan je de rollen te laten omdraaien en mij een rotgevoel te bezorgen omdat ik vroeg waarom je de hele nacht was weggebleven. Ga naar je werk, anders kom je nog te laat.' Daarmee had ze een einde aan de discussie gemaakt. Ze was de keuken uit geschreden, met een rug die zo recht was dat het leek of ze een plank had doorgeslikt.

Hij had haar laten gaan. Hij kende haar. Als ze eenmaal dat stadium van hooghartigheid had bereikt, kon hij zich urenlang vernederen zonder dat iets wat hij zei of deed haar tot bedaren bracht. Uiteindelijk ontdooide ze dan wel, maar tot die tijd...

Was het een wonder dat hij niet stond te trappelen om vanavond naar huis te gaan? Wie wilde aanhalig doen tegen een ijslolly? Als hij vanavond zondigde, moest Toni zichzélf de schuld geven, niet hém.

Goddank had hij een nieuwe uitlaatklep voor zijn 'verslaving'. Seks in al zijn variaties lag nu voor het grijpen. Bij de gedachte aan wat nu voor hem beschikbaar was glimlachte hij.

Hij stak een hand onder zijn witte laboratoriumjas en streelde zichzelf. Hij vond het fijn om met een halve erectie rond te lopen. Daarom wierp hij de hele dag door heimelijke blikken op de foto's die hij in een la achter slot en grendel bewaarde. Of hij bezocht favoriete websites, als hij zich veilig voelde en er geen kans was dat er iemand binnenkwam. Slechts een paar minuten gaven het gewenste resultaat. Sommige mensen dronken koffie als opkikkertje, maar hij had iets ontdekt wat veel stimulerender was dan cafeïne.

Het zou een lange middag worden, maar alleen al de gespannen verwachting was al verrukkelijk.

Hij kon haast niet wachten tot het avond was.

Toen Paris de kamer binnenkwam waar ze op haar zaten te wachten, stonden Dean en de twee andere mannen op. Ze waren bijeengekomen in het Centrale Onderzoeksbureau, in een kamer die gewoonlijk werd gebruikt voor het ondervragen van getuigen of verdachten. De kamer was klein en benauwd, maar vertrouwelijkheid was verzekerd.

Curtis trok een stoel bij voor Paris. Ze gaf hem een knikje bij wijze van dank en ging zitten. Ze had nog steeds haar zonnebril op, en Dean kon amper haar ogen zien achter de donkere glazen. Hij vroeg zich maar niet af waarom ze de bril nooit afzette.

'Ik hoop dat het niet te lastig voor u was om weer naar de binnenstad te komen,' zei Curtis tegen haar.

'Ik ben hier zo snel mogelijk heen gereden.'

Ze keken allemaal naar de wandklok. Het was tegen twee uur 's middags. Niemand hoefde eraan herinnerd te worden dat er al twaalf uur van Valentino's deadline was verstreken.

De rechercheur wees naar de derde man in de kamer. 'Dit is John Rondeau. John, Paris Gibson.'

Ze boog naar voren en stak hem haar hand toe. 'Mr. Rondeau.'

Terwijl ze elkaar de hand schudden zei hij: 'Aangenaam, miss Gibson. Ik ben een enorme fan van u.'

'Fijn om te horen.'

'Ik luister altijd naar u. Het is werkelijk een eer u te ontmoeten.'

Dean keek aandachtig naar de man met wie hij slechts een paar minuten vóór Paris' komst kennis had gemaakt. Rondeau was jong, goed verzorgd en knap. Een gewichtheffer, aan zijn biceps te zien. Zijn gezicht verspreidde licht als een kerstboom terwijl hij Paris aanstaarde. Net als de nieuweling Griggs was Rondeau op slag verliefd op haar.

Dean vermoedde dat brigadier Curtis dat ook was. Ze waren bij Stubb's gaan lunchen. Austins bekendste restaurant, beroemd om zijn barbecue, bier en levende muziek, was slechts een paar blokken van het politiebureau verwijderd. Ze gaan lopen.

Tijdens de lunch had er geen band gespeeld in het amfitheater onder de eiken in de achtertuin. Tientallen hongerige parlementmedewerkers en kantoorpersoneel hadden in de rij gestaan om een stuk gegrild vlees met veel pikante saus te bestellen. Hij en Curtis hadden er de voorkeur aan gegeven niet op een tafeltje te wachten. Ze hadden broodjes tartaar besteld en die meegenomen naar de houten veranda, waar ze in de schaduw hadden staan eten.

Dean had verwacht dat Curtis hem vragen over Paris zou stellen, en dat de rechercheur het subtiel zou aanpakken. Maar na een hap brood had Curtis onomwonden aan hem gevraagd: 'Wat hebben jij en Paris Gibson met elkaar? Zijn jullie vroegere minnaars?'

Curtis nam nooit een blad voor zijn mond en was rechtdoorzee; misschien maakte dat hem tot zo'n steengoede rechercheur. Hij overrompelde verdachten. Dean had zo achteloos mogelijk een hap van zijn broodje genomen alvorens te antwoorden: 'Lang geleden.'

'Heel lang geleden, vermoed ik.'

Dean hield op met kauwen.

'Wil je er niet over praten?' vroeg de rechercheur met een doordringende blik.

Dean veegde zijn mond af met een papieren servetje. 'Ik wil er niet over praten.'

Curtis knikte, ten teken dat hij dat niet onredelijk vond. 'Ben je getrouwd?'

'Nee. Jij?'

'Gescheiden. Al vier jaar.'

'Kinderen?'

'Een jongen en een meisje. Ze wonen bij hun moeder.'

'Is je vrouw hertrouwd?'

Curtis nam een slok ijsthee. 'Ik wil er niet over praten.'

Ze hadden het daarbij gelaten en waren weer over de zaak begonnen. In feite was het nog geen zaak, maar ze vreesden dat het er wel een zou worden. Dean wist nu dat Curtis vrijgezel was. De rechercheur liet nooit een kans voorbijgaan om Paris op een show van ridderlijkheid te trakteren.

Paris riep dat soort hoffelijkheid bij mannen op. Ze wierp hun geen onnozele glimlachjes toe. Zolang hij haar kende, had hij haar nog nooit zien koketteren. Ze flirtte niet, vestigde nooit met opzet de aandacht op zichzelf en kleedde zich niet uitdagend. Het was niet iets wat ze dééd, het was iets wat ze wás.

Eén blik op haar en je wenste dat je lange tijd naar haar kon kijken. Haar figuur was niet wulps, zoals dat van Liz. In feite was het hare nogal hoekig en jongensachtig. En ze was langer dan de meeste vrouwen. Haar haar, lichtbruin met blonde strepen in verscheidene schakeringen, was altijd een beetje in de war, wat absoluut sexy was. Maar dat alleen was niet genoeg om de belangstelling van mannen te wekken.

Misschien was het haar mond. Vrouwen lieten zich pijnlijke collageeninjecties toedienen om zo'n pruilmondje te krijgen, maar Paris was ermee geboren. Of waren het haar ogen? God weet dat die verdomde spectaculair waren. Blauw en onpeilbaar. Ze nodigden je uit erin te duiken en rond te spetteren, om te kijken of je ooit hun diepten kon peilen. Niet dat je nu iets over haar ogen kon zeggen, want ze waren immers verborgen achter de zonnebril.

Maar de jonge John Rondeau leek dat niet erg te vinden. Hij stond bijna als aan de grond genageld.

'Heb je sinds vanmorgen nog iets nieuws gehoord?' vroeg ze.

'Ja, maar we weten niet hoe belangrijk het is.' Ze had de vraag aan Curtis gesteld, maar door te antwoorden dwong Dean haar hem aan te kijken, wat ze angstvallig had vermeden sinds ze de kamer was binnengekomen. 'We zijn hier om over de waarde ervan te praten.'

Curtis kwam tussenbeide. 'Rondeau werkt op onze afdeling computerfraude.'

'Ik snap het niet,' zei Paris. 'Hoe kunnen computerfraudes nou verband houden met waar je mij om hebt verzocht?'

'Dat vertel ik je straks,' antwoordde de rechercheur. 'Ik weet dat het geen relevantie lijkt te hebben, en misschien heeft het dat ook niet.'

'Aan de andere kant,' zei Dean, 'zou alles nauw met elkaar verbonden kunnen zijn. Dat proberen we vast te stellen. Zijn dat de cassettebandjes?'

Hij wees naar de canvas boodschappentas die ze, naast haar handtas, bij zich had toen ze de kamer binnenkwam.

'Ja. Er zit duizend minuten opgenomen materiaal op de Vox Pro.'

'Dus als er een telefoontje binnenkomt, wordt het automatisch opgenomen?' vroeg Curtis. 'Screenen jullie hiermee je telefoontjes, om te verhinderen dat mensen gore taal tegen je publiek uitslaan?'

Ze glimlachte. 'Sommigen hebben dat geprobeerd, en daarom wordt elk telefoontje opgenomen. Dan heb ik de keus om het te bewaren, uit te zenden of te wissen.'

'Hoe breng je een opname op een cassettebandje over?' vroeg Dean.

'Dat is niet makkelijk. Om mij een dienst te bewijzen heeft een van de technici een manier bedacht. Regelmatig dumpt hij – zíjn bewoordingen, niet de mijne – de opnames van de Vox Pro computer voor me op cassettebandjes.'

'Waarom?'

Ze haalde verlegen haar schouders op. 'Nostalgie, misschien. Bovendien, interessante gesprekken zouden ook nuttig kunnen zijn als ik ooit een demonstratiebandje samenstel.'

'Nou, wát je redenen om ze te bewaren ook zijn, ik ben blij dat je ze nu hebt,' zei Curtis.

'Je begrijpt dat er tijdens het kopiëren kwaliteit verloren gaat,' zei ze. 'Deze kopieën zijn niet zo duidelijk als de originelen.'

'Maakt niet uit,' zei Dean. 'Misschien komt kwaliteit later wél aan de orde, als er een stemafdruk nodig is. Maar nu willen we alleen weten of het telefoontje waar Valentino naar verwees echt was of een verzinsel.

Daarom vroegen we of we de telefoontjes konden horen die je de afgelopen week hebt ontvangen. Als er zo'n telefoontje was, en als het Valentino's woede wekte op het moment dat hij het in jouw programma hoorde, dan moeten we nagaan welke vrouw het telefoontje pleegde.'

'Als het niet te laat is,' bromde Paris.

Te oordelen naar de gelaatsuitdrukkingen rond de tafel deelde iedereen in de kamer haar sombere gedachte.

'Kun je je een telefoontje herinneren dat leek op dat wat Valentino beschreef?' vroeg Curtis aan Paris.

'Misschien. Daar heb ik sinds ons gesprek van vanmorgen over nagedacht. Drie avonden geleden heb ik een telefoontje gekregen; op weg hierheen heb ik ernaar geluisterd via de cassetterecorder in mijn auto. Ik heb het bandje gemerkt. '

Dean vond het gemerkte bandje tussen de andere in de tas, stopte het in het apparaat en speelde het af.

Je spreekt met Paris.

Hallo, Paris.

Wat heb je vanavond op je hart, beller?

Een paar weken geleden heb ik een man ontmoet met wie ik het heel goed kan vinden. We neuken ons suf. (Gegiechel.) Een beetje exotisch.

Meer details hoeven we niet te horen in een familieshow.

(Opnieuw gegiechel van de beller.) Maar ik vind het ook leuk om met andere mannen te vrijen. En nu is hij steeds jaloers. Bezitterig.

Wil je dat de relatie intiemer wordt?

Je bedoelt of ik van hem hou? Om de donder niet! Het gaat alleen om de lol. Meer niet.

Misschien is het voor hem anders.

Dat is dan zíjn probleem. Ik weet gewoon niet wat ik met hem aan moet.

Als de relatie je benauwt, moet je er een punt achter zetten. Mijn advies is dat zo snel en pijnloos mogelijk te doen. Het zou wreed zijn hem aan het lijntje te houden als je hart er niet langer bij betrokken is.

Oké, bedankt.

'Dat is alles, en daarna hing ze op,' zei Paris.

Dean zette de recorder uit en even heerste er een diepe stilte. Toen begon iedereen tegelijk te praten. Curtis wees naar Paris en gaf haar het woord.

'Ik wilde net zeggen dat dit telefoontje misschien niets met Valentino te maken heeft. Het was een nogal dwaas gesprek. Ik heb het alleen uitgezonden omdat ze zo enthousiast was. Aan haar stem te horen was ze jong. Mijn luisteraars zijn voornamelijk babyboomers, mensen van de geboortegolfgeneratie. Ik wilde mijn programma ook aantrekkelijk maken voor jongeren, dus als er een telefoontje binnenkomt van iemand die duidelijk jonger is, zend ik het meestal uit.'

'Heb je het telefoonnummer?'

'Ik heb op de Vox Pro gekeken. ?Niet beschikbaar? stond er op de nummerweergave.'

'Hebben andere luisteraars op je gesprek met haar gereageerd?'

'Er staan er een paar op de band. Sommigen hadden een interessant advies over het beëindigen van de relatie. Anderen bedankte ik voor het bellen, maar ik zond hen niet uit en verwijderde hun telefoontjes van de Vox Pro.

Ik kan me niet herinneren dat ik deze week met iemand anders over het beëindigen van een relatie heb gesproken. Ook niet buiten de uitzending. Maar ik praat elke avond met tientallen mensen, en mijn geheugen is niet honderd procent.'

'Vind je het goed dat we deze bandjes een tijdje houden?' vroeg Curtis.

'Ze zijn voor jullie. Ik heb kopieën gemaakt.'

'Ik denk dat ik iemand alle bandjes laat afluisteren – hoeveel uur vergt dat?'

'Een paar uur, ben ik bang. Ik ben teruggegaan tot drie weken geleden. Dat is vijftien nachten uitzending. Maar ik wis natuurlijk meer telefoontjes dan ik bewaar.'

'Ik zal ernaar laten luisteren, kijken of er nog zo'n telefoontje is dat je wellicht bent vergeten.'

'Heeft Valentino erop gereageerd?' vroeg Dean.

'Die avond? Nee. Hij noemt altijd zijn naam. Gisteravond hoorde ik hem voor het eerst weer. Dat weet ik heel zeker.'

Curtis stond op. 'Bedankt, Paris. We stellen je hulp op prijs. Ik hoop dat het geen belasting voor je was om weer naar de binnenstad te komen. '

'Ik ben er net zo bij betrokken als jullie.'

Blijkbaar was hij van plan haar uitgeleide te doen, maar ze bleef zitten. Curtis aarzelde. 'Heb je nóg iets?'

Dean wist waarom Paris nog niet wilde vertrekken. Haar reportersinstinct was ontwaakt. Ze wilde het héle verhaal, en ze wilde pas stoppen als ze dat had. 'Ik vermoed dat ze wil weten wat er gaande is,' zei Dean.

'Inderdaad,' zei ze met een knikje.

Curtis draaide eromheen. 'Het is een zaak van de politie.'

'Voor jou, maar voor mij is het een persoonlijke kwestie, brigadier. Vooral als Valentino iemand blijkt te zijn die ik ken. Ik voel me verantwoordelijk.'

'Dat ben je niet,' zei Dean, scherper dan zijn bedoeling was. Iedereen keek naar hem. 'Als hij echt is, is hij een psychopaat. Hij zou dit doen, ongeacht of hij al dan niet op de radio met je praat.'

Curtis was het met hem eens. 'Hij heeft gelijk, Paris. Als deze man zo obsessief is als hij klinkt, zou er vroeg of laat iets zijn geknapt.'

Rondeau zei: 'U biedt hem alleen maar een podium aan, miss Gibson.'

'En daarom ben jij onze enige link met hem.' Dean keek naar Curtis, die nog steeds naast haar stoel stond. 'Om die reden denk ik dat ze het recht heeft om te weten waar we mee bezig zijn.'

Curtis fronste zijn voorhoofd, maar ging weer zitten. Toen keek hij Paris recht aan en zei met zijn karakteristieke botheid: 'Misschien hebben we een vermist meisje.'

'Misschien?'

Dean keek naar Paris terwijl ze luisterde naar Curtis' samenvatting van wat Griggs hem over de dochter van rechter Baird Kemp had verteld. Dean kende de feiten al, dus hoefde hij ze niet meer te horen. Hij kon zich op Paris concentreren, die aan Curtis' lippen hing.

Blijkbaar had ze een vrij groot radiopubliek voor zich gewonnen, maar Dean vroeg zich af of ze haar werk als tv-verslaggever niet miste. Dat ging toch in iemands bloed zitten, net als schmink bij een acteur?

Ze was een natuurtalent geweest. Ze had het vertrouwen van de kijkers gewonnen door haar solide, onpartijdige verslaggeving. Ze was schrander genoeg geweest om te weten dat, als ze te geraffineerd of te aantrekkelijk was, ze haar zouden beschouwen als een leeghoofd die haar baan waarschijnlijk had gekregen door met hoge pieten het bed in te duiken. Of, het andere uiterste, ze zou worden beschouwd als een keihard loeder met penisnijd.

Paris had het volmaakte evenwicht gevonden. Ze was een even agressieve verslaggever geweest als haar mannelijke collega's, maar zonder haar vrouwelijkheid prijs te geven. Ze had alles in het vak kunnen bereiken.

Als niet…

Haar zachte uitroep bracht hem terug in het heden. 'Er is al bijna vierentwintig uur niets van dat meisje gezien of gehoord, en haar ouders worden nu pas ongerust?'

Dean zei: 'Moeilijk te geloven, hè? Ze hebben de politie niet formeel op de hoogte gebracht, dus is Janeys verdwijning niet officieel. Maar er zijn geen meldingen geweest van andere vermiste personen. Het is een gok, maar het is een toeval waarvan Curtis en ik dachten dat we het moesten onderzoeken.'

Ze zag onmiddellijk het verband tussen de twee dingen. 'En als bleek dat deze beller de dochter van de rechter was…'

'Daarom hebben we je om de bandjes gevraagd,' zei Dean.
'Heeft ze tegen je gezegd hoe ze heette?'
'Jammer genoeg niet. Je hebt de opname gehoord. En de naam komt me niet bekend voor. Als ik onlangs de naam Janey had gehoord, of Kemp, wat ongebruikelijker is, zou ik het me herinneren, denk ik. Bovendien, is dit niet vergezocht? Die twee dingen liggen wel erg ver uit elkaar om er een onderzoek op te baseren.'
'Dat vonden wij ook. Tot we hoorden van de internetclub, de Sex Club.'
'De wát?'
Rondeau kwam tot leven. 'Hier begint míjn rol.' Hij keek naar Curtis, alsof hij toestemming vroeg om verder te gaan.
Curtis haalde zijn schouders op. 'Ga je gang. Niet dat ze er niet zelf achter zou kunnen komen.'
Rondeau begon vol vuur aan zijn verhaal. 'De website bestaat nog maar een paar jaar. Janey Kemp was een van de... initiatiefnemers, zo zouden jullie het noemen, denk ik. Het begon als een mededelingenbord waarop plaatselijke tieners hun berichten kwijt konden, min of meer anoniem. Ze maakten alleen hun gebruikersnaam en hun e-mailadres bekend.
In de loop van de tijd werden de berichten gedetailleerder, het onderwerp pikanter, tot het doel ervan werd wat het nu is: in feite een rubriek "persoonlijk" op internet. Ze flirten via cyberspace.'
'Flirten?' Dean lachte spottend. 'De berichten die ze uitwisselen lijken meer op een voorspel.'
De jongere politieman zei: 'Ik wilde miss Gibson niet kwetsen.'
'Ze is een volwassen vrouw, en dit is geen zondagsschool.' Dean keek Paris recht aan. 'Het enige doel van de Sex Club is seks. Kinderen laten berichten achter waarin ze reclame maken voor wat ze hebben gedaan en wat ze bereid zijn te doen met de juiste partner. Als ze meer privacy met iemand willen hebben, gaan ze naar chatrooms en voeren schunnige gesprekken met elkaar. Hier is een voorbeeld.' Hij maakte een map open en haalde er een vel papier uit, een uitdraai van de computer in Curtis' kantoor.
Paris las het vluchtig door, zichtbaar verbijsterd. Toen ze opkeek zei ze: 'Maar dat zijn kínderen!'
'Voornamelijk middelbare scholieren,' zei Rondeau tegen haar. 'Ze komen elke avond op een aangewezen plek samen. Het is een enorme ruilbeurs.'
Curtis zei: 'Een deel van de pret, zo lijkt het, is personen met

hun gebruikersnaam te vergelijken en uit te vissen wie wie is.'

'En als twee mensen die op het internet hebben gechat elkaar vinden, hebben ze seks,' zei Dean.

'Of niet,' verbeterde Rondeau. 'Soms staat wat ze zien hen niet aan. De andere persoon valt tegen. Of er komt intussen iemand opdagen die beter is. Niemand is tot iets verplicht.'

'De jongens van de afdeling computerfraude ontdekten de website. Aangezien de meeste gebruikers minderjarig zijn, brachten ze het onder de aandacht van de afdeling kindermishandeling, die zes vergrijpen tegen kinderen en kinderporno onderzoekt, wat onder de auspiciën van het Centrale Onderzoeksbureau valt.' Curtis kruiste zijn armen voor zijn stevige borst. 'We mogen veel mensen op de zaak zetten, want er hangt heel veel mee samen.'

'Dat is het goede nieuws,' zei Rondeau. 'Het slechte nieuws is dat het vrijwel onmogelijk is het tegen te houden.'

Paris schudde vol ongeloof haar hoofd. 'Eens even kijken of ik het goed begrijp. Meisjes als Janey Kemp gaan naar een aangewezen plek en ontmoeten daar vreemden die ze via het internet geil hebben gemaakt en die ze hebben laten geloven dat ze seks met elkaar zouden hebben.'

'Klopt,' zei Rondeau.

'Zijn ze krankzinnig? Beseffen ze niet wat voor risico ze nemen? Als ze hun chatroom-partner ontmoeten en die blijkt minder knap te zijn dan Brad Pitt, en ze "nee, dank je" zeggen, dan leveren ze zichzelf over aan de genade van een man die ze in vuur en vlam hebben gezet en… teleurgesteld is, om het zacht uit te drukken.'

'Ze zijn niet echt aan iemands genade overgeleverd, miss Gibson,' zei de jonge politieman kalm. 'We hebben het niet over nonnen! Dit zijn hoeren. Het komt vaak voor dat ze de mannen voor hun gunsten laten betalen.'

'Vragen ze geld?'

'Niet vragen. *Eisen*,' zei Rondeau. 'En ze krijgen het. Bakken vol!'

Deze informatie was zó ontstellend, dat er een stilte viel. Ten slotte zei Curtis: 'Wat ons óók zorgen baart, Paris, is dat iedereen lid kan worden van die zogenaamde club. Er zijn slechts een paar klikken van een muis nodig om een wachtwoord en toegang tot deze website te krijgen. Het betekent dat elk seksueel roofdier, elke gestoorde, weet waar hij heen moet om zijn volgende slachtoffer te zoeken.'

'En wat nog belangrijker is,' zei Dean, 'zijn slachtoffer gaat waarschijnlijk gewillig met hem mee. Hij hoeft er heel weinig moeite voor te doen.'

'Dit is verontrustend, of het nou met Valentino in verband staat of niet,' zei Paris.

'We voeren een hopeloze strijd,' zei Rondeau. 'We hebben een einde gemaakt aan de kinderseksclub, maar voor elke vernietigde club komen er tientallen in de plaats. Ze floreren. We werken samen met de FBI, met Operation Blue Ridge Thunder, een landelijk informatienetwerk dat zich met name met internetmisdrijven tegen kinderen bezighoudt. Dat is meer dan wij aankunnen. Tieners die met wederzijds goedvinden schunnige e-mails uitwisselen... dat heeft geen hoge prioriteit.'

Curtis zei: 'Het is als bekeuringen uitschrijven voor oversteken buiten het zebrapad, terwijl bendeleden elkaar aan de andere kant van de stad doodschieten.'

'Hoe zit het met Janeys ouders?' vroeg Paris. 'Zijn zij hiervan op de hoogte gesteld?'

'Ze hebben problemen met haar gehad,' antwoordde Curtis. 'Ze heeft zich al heel vaak misdragen, maar zelfs zij kennen waarschijnlijk niet al haar activiteiten. We wilden hen voorlopig niet attent maken op een mogelijk verband tussen Janeys onbekende verblijfplaats en Valentino's telefoontje. Pas als we meer weten. We hoopten dat je cassettebandje enig licht op de zaak zou werpen.'

'Dat is niet zo, hè?' zei ze. 'Het spijt me.'

Na een bescheiden klopje werd de deur geopend. Een andere rechercheur keek naar binnen. 'Sorry dat ik je stoor, Curtis. Ik heb een bericht voor je.'

Curtis verontschuldigde zich en verliet de kamer.

Paris keek op haar horloge. 'Ik moet gaan, tenzij ik nog iets voor jullie kan doen.'

Rondeau brak bijna zijn nek toen hij overeind vloog om haar uit haar stoel te helpen. 'Hoe laat moet u op het radiostation zijn, miss Gibson?'

'Rond halfacht. En noem me alsjeblieft Paris.'

'Moet je van tevoren veel voorbereidingen treffen?'

'Ik selecteer de muziek zelf en programmeer de liedjes in, in de volgorde waarin ze worden gespeeld. Een andere afdeling heeft de reclameboodschappen dan al gerangschikt.

Maar een groot deel van mijn programmering ontstaat spontaan. Ik weet nooit wat voor lied een beller wil horen. Maar ik kan dat lied onmiddellijk invoeren in de logcomputer, omdat we een computergestuurde muziekbibliotheek hebben.'

'Ben je wel eens nerveus vóór de uitzending?'

Ze lachte en schudde haar hoofd, waardoor haar wilde kapsel nóg wilder werd en nóg aantrekkelijker. 'Ik doe het al te lang om de kriebels te krijgen.'

'Moest je veel technische dingen leren toen je begon?'

'Dat gaat wel. Waarschijnlijk weet jij meer over computers dan ik over radiogolven.'

Het verkapte compliment bracht een dwaze grijns op zijn gezicht. 'Is het niet saai om in je eentje te werken?'

'Nee, niet echt. Ik hou van muziek. En de bellers houden me scherp. Elke uitzending is anders.'

'Je werkt elke avond alleen. Voel je je dan niet eenzaam?'

'Nee, ik geef er juist de voorkeur aan om alleen te zijn.'

Voordat Rondeau haar nóg intiemere vragen ging stellen, kwam Dean tussenbeide. 'Ik loop met je mee naar buiten, Paris.'

Toen hij haar naar de deur leidde zei ze: 'Ik wil graag op de hoogte blijven. Vraag aan brigadier Curtis of hij me belt als hij iets weet.' Brigadier Curtis. Niet híj. De afwijzing kon niet duidelijker zijn, en hij ergerde zich mateloos. Hij was net zogoed politieman als brigadier Robert Curtis, en bovendien was hij hoger in rang!

Hij stak een hand uit om de deur te openen, maar die ging zonder zijn hulp open. Curtis stond aan de andere kant van de deur. Zijn gelaatskleur was een paar tinten roder dan gewoonlijk en de weinige blonde haren die hij nog had leken rechtop te staan.

'Nou, de rapen zijn gaar,' zei hij. 'Op de een of andere manier is een rechtbankreporter erachter gekomen dat politiemensen op zoek waren naar Janey Kemp. Hij confronteerde de rechter ermee toen die terugkeerde van de lunchpauze. De edelachtbare is níet blij.'

'Het leven van zijn dochter kan op het spel staan en hij maakt zich druk over de media?' riep Paris uit.

Dean zei: 'Ik dacht precies hetzelfde. Het kan me geen bal schelen of hij blij is of niet.'

'Mooi zo. Je krijgt de kans hem dat in het gezicht te zeggen. De hoofdcommissaris heeft bevolen dat we een gesprek met Kemp voeren en proberen zijn veren glad te strijken. Nu meteen!'

10

Paris reed vlak achter de onopvallende Taurus van brigadier Curtis de oprijlaan van de familie Kemp op. Ze stapten tegelijkertijd uit. Voor hij de kans had om iets te zeggen zei ze: 'Ik ga met je mee.'

'Dit is een zaak van de politie, miss Gibson.'

Kennelijk was hij geërgerd, want hij gebruikte weer haar achternaam. Ze hield voet bij stuk. 'Ik bracht deze zaak aan het rollen toen ik vanmorgen naar je toe kwam. Als ik nooit meer iets van Valentino hoor en het telefoontje van gisteravond een grap blijkt te zijn, dan ben ik jou, de politie van Austin, en vooral deze familie een excuus schuldig. En als het geen grap is, ben ik er direct bij betrokken en zij ook, wat me het recht geeft met hen te praten.'

De rechercheur keek naar Dean, alsof hij raad zocht over de manier waarop hij haar moest aanpakken als ze een koppige houding aannam. Dean zei: 'Jij bent de baas, Curtis. Maar ze is goed in het praten met mensen. Dat is haar vak.'

Aangezien dit werd gezegd door een ervaren onderhandelaar, was het een groot compliment. Curtis dacht even na. Toen zei hij schoorvoetend: 'Goed dan, maar ik vraag me af waarom je nog meer bij deze zaak betrokken wilt raken dan al het geval is.'

'Daar heb ik niet voor gekozen. Valentino betrok mij erbij.'

Zij en Dean volgden hem. 'Bedankt dat je me steunde,' zei Paris, zó zacht dat alleen Dean het kon horen.

'Bedank me nog niet.' Hij knikte naar de grote voordeur, die openging toen ze de trap van de veranda opliepen. 'Net of hij op de loer heeft gelegen.'

Rechter Baird Kemp was lang, gedistingeerd en aantrekkelijk, ondanks de dreigende blik die hij op Curtis richtte. Blijkbaar wist hij zijn naam. 'Ik probeer dit geheim te houden, Curtis, en wat doet de politie van Austin? Extra politiemensen naar mijn huis sturen. Wat is er met jullie aan de hand, verdomme? En wie zijn zíj?'

Het sierde Curtis dat hij het hoofd koel hield, hoewel zijn gezicht en hals vuurrood werden. 'Rechter Kemp, dr. Dean Malloy. Hij werkt als psycholoog bij de politie.'

'Psycholoog?' zei de rechter met een grijns.

Dean nam niet de moeite zijn hand naar de rechter uit te steken, want hij wist dat die niet zou worden aangenomen.

'En dit is Paris Gibson,' zei Curtis terwijl hij naar Paris wees.

Als haar naam de rechter al iets zei, liet hij dat niet merken. Na haar een vluchtige blik te hebben toegeworpen, keek hij Curtis boos aan. 'Heb jíj het valse gerucht verspreid dat mijn dochter vermist is?'

'Nee, rechter, dat heb ík niet gedaan, maar ú. Toen u belde met een van de agenten die u steekpenningen geeft, en hem beval haar te gaan zoeken.'

Er klopte een ader op Kemps voorhoofd. 'Ik zei tegen de hoofdcommissaris dat ik per se wilde weten wie er verantwoordelijk was voor het uitlekken van dat verhaal, dat trouwens schromelijk is overdreven. Hij stuurt jou naar me toe, en een zielenknijper en een...' Hij wierp een blik op Paris. 'Wat dan ook. Waarom zijn jullie hier, verdomme?'

'Baird, alsjeblieft.' Er kwam een vrouw uit het huis, die hem streng aankeek. 'Laten we dit alsjeblieft binnen afhandelen. Daar kunnen we door minder mensen worden afgeluisterd!' Ze bekeek hun gasten vluchtig, met een blik die net niet vijandig was, en zei toen stijfjes: 'Willen jullie niet binnenkomen?'

Opnieuw volgden Paris en Dean Curtis. Ze werden naar een fraai gemeubileerde zitkamer gebracht die een salon in Versailles kon zijn geweest. De binnenhuisarchitect was zich te buiten gegaan aan kant, verguldsel, kralen en kwastjes.

De rechter liep naar een sierlijk barmeubel, pakte een kristallen karaf, schonk een borrel voor zichzelf in en dronk hem in één teug op. Mrs. Kemp zat op de elegante armleuning van een sofa, alsof ze niet van plan was lang te blijven.

Curtis bleef staan. Hij leek even misplaatst in deze chique kamer als een brandkraan. 'Mrs. Kemp, hebt u iets van Janey gehoord?'

Ze keek haar man aan voordat ze antwoordde: 'Nee. Maar als ze thuiskomt, heeft ze een probleem.'

Paris dacht dat het meisje nu een veel groter probleem kon hebben.

'Ze is een tiener, alsjeblieft zeg.' De rechter stond ook nog steeds, en hij keek hen aan alsof hij op het punt stond hen tot twintig jaar dwangarbeid te veroordelen. 'Tieners halen steeds dit soort stunts uit. Maar als míjn dochter dat doet, is het voorpaginanieuws.'

'Beseffen jullie niet dat negatieve publiciteit een situatie alleen maar erger maakt?' zei Mrs. Kemp.

Voor wie? Paris was ontzet dat publiciteit Mrs. Kemps voornaamste zorg was. Hoorde ze niet bezorgder te zijn over de afwezigheid van het meisje in plaats van wat erover zou worden gezegd?

Curtis probeerde nog steeds diplomatiek te zijn. 'Rechter, ik weet niet welke politieman met die reporter heeft gesproken. Dat zullen we waarschijnlijk nooit weten. De schuldige zal niet naar voren komen en schuld bekennen, en de reporter zal zijn bron beschermen. Ik stel voor dat we dat onderwerp laten rusten en...'

'Dat kun jij makkelijk zeggen.'

'Helemaal niet makkelijk.' Dean deed voor het eerst zijn mond open, en sprak op zó'n autoritaire toon, dat alle ogen op hem werden gericht. 'Ik wilde dat wij drieën naar u toe waren gekomen met de hoed in de hand om vergiffenis te vragen voor een foute beoordeling, een verspreking, een vals alarm. Helaas zijn we hier omdat uw dochter in groot gevaar kan zijn.'

Mrs. Kemp liet zich van de leuning van de sofa op het kussen zakken.

De rechter keek verbijsterd. 'Wat bedoelt u? Hoe weet u dat?'

'Misschien zou ik u moeten vertellen waarom ik hier ben,' zei Paris kalm.

De rechter kneep zijn ogen samen. 'Hoe heette u ook alweer? Bent u de spijbelambtenaar die ons vorig jaar bleef lastigvallen?'

'Nee.' Ze stelde zich opnieuw voor. 'Ik heb een radioprogramma. Elke doordeweekse avond van tien tot twee.'

'Radio?'

'O!' riep Mrs. Kemp uit. 'Paris Gibson. Natuurlijk. Janey luistert vaak naar u.'

Paris wisselde blikken uit met Dean en Curtis voordat ze zich weer tot de rechter wendde, die haar en haar show blijkbaar niet kende. 'Luisteraars bellen me op en soms zend ik zo'n telefoongesprek uit.'

'Een praatprogramma op de radio? Een stelletje linkse radicalen die over van alles en nog wat hun gal spuwen?'

Hij moest het onaangenaamste mens zijn dat Paris ooit had ontmoet. 'Nee,' zei ze kalm. 'Mijn show is geen praatprogramma.' Ze was bezig de formule van haar programma te beschrijven toen hij haar onderbrak.

'Ik snap het. Maar waar gaat het om?'

'Soms belt er een luisteraar om een persoonlijk probleem te vertellen.'

'Aan een wildvreemde?'

'Ik ben geen vreemde voor mijn luisteraars.'

De rechter trok een grijzende wenkbrauw op. Kennelijk was hij niet gewend aan mensen die hem tegenspraken of corrigeerden. Maar Paris was niet bang voor iemand van wie ze nu al een lage dunk had.

Met een uiterst grof en onbeleefd gebaar wuifde hij haar weg en richtte zich weer tot Curtis. 'Ik snap nog steeds niet wat een dj van de radio hiermee te maken heeft.'

'Ik denk dat dit u zal helpen het te begrijpen.' De rechercheur zette de draagbare cassetterecorder op een salontafeltje. 'Mag ik?'

'Wat is dat?'

'Ga zitten, Baird,' snauwde zijn vrouw. Paris zag een zweem van angst in de ogen van de andere vrouw. Eindelijk begon de ernst van de situatie tot Mrs. Kemp door te dringen. 'Wat staat er op de band?' vroeg ze aan Curtis.

'We willen dat u luistert en ons vertelt of u de stem van uw dochter herkent.'

De rechter keek Paris aan. 'Heeft ze u gebeld? Waarom?'

Paris en de anderen negeerden hem toen het bandje begon.

Nou, kijk, ik heb die man een paar weken geleden ontmoet.

Paris zag dat Dean aandachtig naar Mrs. Kemp keek. Ze reageerde onmiddellijk. Was dat omdat ze de stem herkende? Of omdat de jonge vrouw een beschrijving gaf van een kortstondig maar wel zeer hartstochtelijk avontuurtje?

Toen het bandje was afgelopen, boog Dean zich naar Mrs. Kemp toe. 'Is dat Janeys stem?'

'Zo klinkt het wel. Maar als ze met ons praat is ze bijna nooit zo enthousiast, dus is het moeilijk te zeggen.'

'Rechter?' zei Curtis.

'Ik kan het ook niet met zekerheid zeggen. Maar wat maakt het verdomme uit als zij het inderdaad is? We weten dat ze vriendjes heeft. Ze fladdert van de een naar de ander. Zó snel, dat we het niet kunnen bijhouden. Ze is een populair meisje. Wat heeft dat er nou mee te maken?'

'Niets, hopen we,' antwoordde Curtis. 'Maar het zou verband kunnen houden met een telefoontje dat Paris van een andere luisteraar heeft gekregen.' Terwijl hij sprak verwisselde hij het ene bandje met het andere. Voor hij het tweede bandje afspeelde, zei hij tegen Mrs. Kemp: 'Ik verontschuldig me van tevoren, ma'am. Soms is het taalgebruik nogal grof.'

Ze luisterden in stilte. Toen Valentino Paris een prettige nacht toewenste, stond de rechter met zijn rug naar de kamer uit het raam te kijken. Mrs. Kemp had haar hand voor haar mond geslagen.

De rechter draaide zich langzaam om en wendde zich vervolgens tot Paris. 'Wanneer hebt u dit telefoontje ontvangen?'

'Gisteravond, vlak voor het einde van de uitzending. Ik heb onmiddellijk 911 gebeld.'

Curtis nam het van haar over. 'Janey is de enige vermiste persoon die is aangemeld. Als zíj degene is die eerder deze week met Paris sprak, zou het met elkaar in verband kunnen staan.'

'Als ik zulk flinterdun bewijs in mijn rechtszaal hoorde, zou ik het niet-ontvankelijk verklaren.'

'U misschien wél, rechter, maar ík niet,' verklaarde Curtis. 'Ik heb begrepen dat u, na uw confrontatie met de verslaggever, de onofficiële zoektocht naar uw dochter hebt beëindigd. Maar, sir, u moet weten dat politieagenten op dit moment nóg intensiever speuren en dat mannen van de inlichtingendienst elke bron aanboren.'

De rechter leek in elkaar te zakken. 'Op wiens gezag?'

'Het mijne,' zei Dean. 'Ik heb het advies gegeven, en brigadier Curtis heeft het opgevolgd.'

Mrs. Kemp wendde zich tot hem. 'Het spijt me, we zijn niet officieel aan elkaar voorgesteld. Ik weet niet wie...' Dean stelde zich opnieuw voor en vertelde hoe hij bij de zaak betrokken was geraakt.

'Het is goed mogelijk dat dit een grap blijkt te zijn, Mrs. Kemp. Maar tot we dat weten, moeten we deze beller serieus nemen.'

Ze stond plotseling op. 'Heeft iedereen zin in koffie?' Voordat iemand antwoord kon geven haastte ze zich de kamer uit.

De rechter vloekte binnensmonds. 'Was dat nodig?' vroeg hij aan Dean.

Dean kon zich amper beheersen. Paris herkende zijn gespannen houding en opeengeklemde kaken toen hij opstond en vlak voor de rechter ging staan. 'Ik hoop van harte dat u een formele aanklacht tegen me kunt indienen. Ik hoop dat Janey hier binnen komt walsen en me op een grote dwaas doet lijken. Dan zult u het genoegen smaken me zo te noemen, en misschien zult u er zelfs voor kunnen zorgen dat ik word ontslagen.

Maar intussen is uw grofheid onvergeeflijk en uw koppigheid dom. We hebben een deadline van tweeënzeventig uur, en tot nu toe hebt u er twintig minuten van verspild door uw idiote gedrag. Ik stel voor dat we allemaal onze trots opzij zetten en ons concentreren op het vinden van uw dochter.'

De rechter en Dean staarden elkaar aan. Geen van beiden zwichtte voor de ander in een stille strijd om de grootste wilskracht. Ten slotte schraapte Curtis zijn keel. 'Eh, wanneer hebt u Janey voor het laatst gezien, rechter?'

De rechter leek opgelucht, nu hij een excuus had om het oogcontact met Dean te verbreken. 'Gisteren,' antwoordde hij bruusk. 'Tenminste, Marian heeft haar 's middags gezien. We zijn gisteravond laat thuisgekomen. Dachten dat ze in haar kamer was, en ontdekten pas vanmorgen dat haar bed niet was beslapen.' Hij ging zitten en sloeg zijn lange benen over elkaar, maar zijn zorgeloosheid leek onecht. 'Ik ben er zeker van dat ze bij vriendinnen is.'

'Ik heb een zoon van ongeveer Janeys leeftijd,' zei Dean tegen hem. 'Hij kan knap lastig zijn. Soms zou je denken dat we een bloedhekel aan elkaar hebben. Als u de normale ups en downs van het samenwonen met een tiener buiten beschouwing laat, zou u dan zeggen dat u in principe een goede relatie met Janey hebt?'

Het leek of de rechter op het punt stond Dean te vertellen dat zijn relatie met zijn dochter hem niets aanging, maar hij gaf toe en zei stijfjes: 'Af en toe is ze wel lastig.'

''s Nachts te laat thuiskomen? Experimenteren met alcohol? Uitgaan met kinderen met wie je haar liever niet ziet omgaan? Ik spreek uit ervaring.'

Door te wijzen op hun punten van overeenkomst slechtte hij geleidelijk aan de barrières van de rechter. Curtis leek het prima te vinden om Dean door te laten gaan.

'Alles van het bovengenoemde,' gaf de rechter toe voordat hij zich tot Paris wendde. 'Brigadier Curtis zei dat die perverseling u eerder heeft gebeld.'

'Een man die die naam gebruikte, ja.'

'Weet u iets over hem?'

'Nee.'

'Hebt u geen idee wie hij is?'

'Helaas niet.'

'Lokt u dit soort vunzigheid opzettelijk uit bij uw luisteraars?'

De suggestieve vraag verraste haar. Voordat ze kon antwoorden zei Dean: 'Paris kan niet verantwoordelijk worden gesteld voor de daden van haar luisteraars.'

'Dank je, Dean, maar ik kan voor mezelf spreken.' Ze trotseerde de superkritische blik van de rechter. 'Het kan me niet schelen wat u van mij of mijn programma vindt, rechter Kemp. Ik heb uw goedkeuring niet nodig en ik verlang daar ook niet naar. Ik ben hier alleen omdat ik Valentino's bericht uit de eerste hand hoorde, en ik de bezorgdheid van Dean – dr. Malloy – deel. Ik respecteer zijn mening als psycholoog én crimonoloog. Brigadier Curtis' speurtalent is onovertroffen. Het zou verstandig van u zijn serieus aandacht te schenken aan datgene wat ze tegen u te zeggen hebben.

Wat mijn mening betreft, die is gebaseerd op een jarenlange ervaring. Ik luister naar mensen in alle denkbare situaties. Ze praten met me door een lach en een traan heen. Ze delen hun vreugde, verdriet, zorgen en hartzeer. Soms liegen ze. Meestal voel ik dat ze liegen, dat ze een emotie veinzen in een poging me te imponeren. Soms doen ze dat omdat ze denken dat het hun kans vergroot te worden uitgezonden.'

Ze wees naar de cassetterecorder. 'Hij heeft met geen woord over een mogelijke uitzending van het telefoontje gerept. Dat was niet de reden waarom hij belde. Hij belde met een boodschap voor míj, en ik had niet het gevoel dat hij loog of veinsde. Ik denk dat het een serieus telefoontje was. Ik denk dat hij heeft gedaan en gaat doen wat hij zei.

Beledig me als u zich daardoor lekkerder voelt, maar wat u ook zegt, ik ga alles doen wat in mijn macht ligt om de politie te helpen uw dochter veilig terug te brengen.'

De gespannen stilte na Paris' toespraak werd onderbroken door Marian Kemp, die weer binnenkwam. Het leek wel of ze op het juiste moment had gewacht. 'Ik heb besloten ijsthee te maken in plaats van koffie.'

Ze werd gevolgd door een dienstmeisje in uniform dat een zilveren dienblad droeg met grote glazen ijsthee, versierd met citroen en verse munt. Elk glas stond op een geborduurde, linnen onderzetter. Een zilveren schaaltje met suikerklontjes werd vergezeld door een fraaie, zilveren tang.

Toen ze waren bediend en het dienstmeisje zich had teruggetrokken, zette Curtis zijn glas thee onhandig op het salontafeltje. 'Ik moet u nóg iets vertellen,' zei hij tegen de Kemps. 'Heeft uw dochter een computer?'

Marian antwoordde: 'Daar is ze constant mee bezig.'

Rechter en Marian Kemp luisterden in een ijzige stilte toen Curtis hun over de Sex Club vertelde. Na afloop eiste de rechter een verklaring waarom zijn vrouw zulke smeerlapperij had moeten aanhoren.

'Omdat het nodig is dat we toegang hebben tot Janeys computer.'

De rechter begon hevig te protesteren. Hij en Curtis stortten zich in een verhitte discussie over onderzoeksmethoden, privacy en vermoedelijk motief.

Ten slotte betrad Dean het strijdperk. 'Gaat de veiligheid van dit meisje niet boven wettelijke bepalingen?' Zijn geschreeuw bracht hen tot zwijgen, en dat voordeel buitte hij onmiddellijk uit. 'We hebben een kopie nodig van alles wat op Janeys harde schijf staat.'

'Dat sta ik niet toe,' zei de rechter. 'Het is best mogelijk dat die Sex Club bestaat, maar mijn dochter heeft er niets mee te maken.'

'Tippelen,' zei Marian Kemp snuivend. 'Walgelijk.'

'En angstaanjagend, ik spreek nu als ouder,' zei Dean tegen haar. 'Maar ik zou er liever van op de hoogte zijn dan het niet te weten. Bent u het daarmee eens?'

Blijkbaar niet, dacht hij toen noch de rechter noch zijn vrouw antwoord gaf. 'We willen geen inbreuk maken op Janeys privacy of op die van u, maar haar computer zou aanwijzingen over haar verblijfplaats kunnen geven.'

'Zoals?' vroeg de rechter.

'Vriendinnen, vrienden en bekenden die u niet kent. Mensen die e-mails naar haar sturen.'

'Als u iets bezwarends ontdekte, zou het nooit toelaatbaar zijn in een rechtbank, omdat het illegaal was verkregen.'

'Waar maakt u zich dan druk om?'

De rechter was in zijn eigen val gelopen, en dat realiseerde hij zich.

Dean vervolgde: 'Als Janey een e-mailadresboek heeft, waar ik nagenoeg zeker van ben, zouden we een algemeen bericht kunnen sturen naar iedereen die erin staat, met de vraag of ze haar hebben gezien, en zo ja, of ze dan onmiddellijk contact met u willen opnemen.'

'In feite algemeen bekendmaken dat haar moeder en ik niet weten wat onze dochter uitspookt.'

Dean koesterde geen warme gevoelens voor deze mensen, maar hij had niet de moed te zeggen wat overduidelijk was: zij zouden hier niet zijn als de Kemps wél hadden geweten wat hun dochter uitspookte.

'Haar vrienden en vriendinnen zullen haar e-mailadres herkennen en de brief openen,' zei hij. 'Wíj zullen uw bericht ondertekenen, niet de politie, en beloven dat iemand die met informatie komt anoniem kan blijven.'

'Mrs. Kemp,' zei Paris zacht, 'een e-mail zou veel doeltreffender zijn en veel meer mensen bereiken dan politieagenten die navraag doen op Janeys ontmoetingsplaatsen. Bovendien, jonge mensen worden nerveus als ze agenten zien naderen, ook al doen ze helemaal niets verkeerds. Janeys vrienden en vriendinnen zouden niet bereid zijn met een politieman over haar te praten. De kans dat ze op een e-mail reageren is veel groter.'

Het was een overtuigend argument, versterkt door haar zachte, warme stem. Mrs. Kemp keek haar man aan. Daarna richtte ze haar blik weer op Paris. 'Ik zal u naar haar kamer brengen.' De uitnodiging leek alleen voor Paris te zijn bedoeld, die ging staan toen Mrs. Kemp overeind kwam. Daarna liep Paris achter haar aan de kamer uit.

Zonder een woord te zeggen draaide de rechter zich plotseling om en liep naar een aangrenzende kamer. Een bibliotheek of een studeerkamer, voorzover Dean dat door de open deur kon zien voordat de rechter die achter zich dichtsmeet.

Curtis sloeg zacht op zijn dijen terwijl hij ging staan. 'Dat ging goed, hè?'

Dean grijnsde om de grappige opmerking, maar hij was helemaal niet in de stemming om te glimlachen. 'Ik denk dat de edelachtbare bezig is die hele nare zaak te ontkennen.'

'Ik wed om mijn linkerzaadbal dat hij daarbinnen zit te telefoneren en de chef op zijn donder geeft over de nieuwe politiepsycholoog.'

'Het kan me niet schelen. Ik meende alles wat ik zei, en ik zou het opnieuw zeggen.'

'Nou, af en toe moet ik getuigen in zijn rechtszaal, en moet dan twee partijen tegen elkaar uitspelen. Maar de volgende keer dat ik in de getuigenbank zit, zal mijn getuigenis in twijfel worden getrokken, denk ik.' Hij streek over zijn kalende hoofd. 'Ik ga naar buiten om een paar telefoontjes te plegen en te kijken er of nog nieuws is dat ons vannacht allemaal beter zal doen slapen.'

Dean volgde hem tot de imposante trap. 'Ik zal hier op Paris wachten.'

'Dat dacht ik al.'

Dean had geen gevat antwoord op de laatste woorden van de rechercheur, dus reageerde hij maar niet. Met de handen in zijn broekzakken nam hij de chique hal in zich op. De vloer bestond uit marmeren tegels. Boven zijn hoofd hing een grote, kristallen kroonluchter die werd weerspiegeld in de glanzend gepoetste, houten oppervlakken van twee identieke consoletafels die in de grote hal tegenover elkaar stonden.

Boven een van de tafels hing een olieverfschilderij van Marian Kemp, en aan de tegenoverliggende muur, boven de andere tafel, hing een schilderij van dezelfde schilder. Een portret van een meisje van een jaar of zeven. Ze droeg een zomerjurk van witte, gaasachtige stof, en had geen schoenen aan haar voeten. De schilder had het zonlicht gevangen dat door haar lichtblonde krullen scheen. Ze zag er engelachtig en pijnlijk onschuldig uit.

Deans mobiele telefoon trilde in de zak van zijn colbert. Hij zag dat Liz hem belde. Hij nam niet op, zei tegen zichzelf dat dit geen goed moment was. Ze had al twee keer eerder gebeld, maar toen waren het ook geen goede momenten geweest.

Zodra hij voetstappen hoorde op de met dik tapijt beklede trap, keek hij op en zag Paris en Marian Kemp de trap afdalen. Paris gaf hem een nauwelijks merkbaar knikje. In haar hand hield ze een diskette, die ze aan Dean overhandigde zodra ze hem bereikte. Hij stak hem in zijn zak. 'Dank u, Mrs. Kemp.'

Hoewel Mrs. Kemp had meegewerkt, was ze niet van hen gaan houden. 'Ik zal jullie even uitlaten.'

Ze deed de voordeur open. Toen ze de jonge vrouw naast Curtis op de oprijlaan zag staan, riep ze: 'Melissa! Ik dacht dat je in Europa was.'

Bij het horen van haar naam draaide het meisje zich om. Ze was lang en slungelig en waarschijnlijk aantrekkelijk onder de make-up die was aangebracht met de verfijning van een krijger die zich voorbereidde om ten strijde te trekken.

'Hallo, Mrs. K. Ik ben net terug.'

'Is ze een vriendin van Janey?' vroeg Dean aan Marian Kemp.

'Haar hartsvriendin. Melissa Hatcher.'

Achter Paris' auto stond een opvallende BMW-cabriolet, het nieuwste model, maar aan haar kleren was niet te zien dat het meisje rijke ouders had. Ze droeg een afgeknipte spijkerbroek, waarvan de rafels op haar dijen hingen. De broeksband was ook afgeknipt, waardoor er niets dan franje was om de broek op haar heupen te houden. Twee identieke saffieren twinkelden in haar navelpiercing. De hals en de armsgaten van haar T-shirt waren extra groot, en ze maakten er geen geheim van dat ze er niets onder droeg.

Haar gestreepte kniekousen zagen er abnormaal dik uit voor de tijd van het jaar, en de zwarte laarzen zouden beter bij een houthakkersjack of een huursoldaat in uniform hebben gestaan. Maar de grote tas die om haar schouder hing was een Gucci.

'Heb je Janey gesproken sinds je terug bent?' vroeg Marian Kemp.

'Nee,' antwoordde Melissa, alsof de vraag haar irriteerde. 'Deze man heeft dat al gevraagd. Wat is er aan de hand?'

'Janey is vannacht niet thuisgekomen.'

'Nou, en? Waarschijnlijk is ze bij iemand blijven pitten.' Ze haalde haar schouders op, waardoor haar T-shirt van één schouder gleed. Ze wierp Dean een onmiskenbaar flirterige blik toe.

'Zou je ons namen kunnen geven?'

Ze wendde zich weer tot Curtis en liet haar blik over hem dwalen. 'Namen?'

'Van mensen met wie Janey kan zijn meegegaan?'

'Ben je van de politie?' De rechercheur deed zijn sportjack open en liet haar de badge zien die aan zijn riem was vastgemaakt. 'Verdomme. Wat heeft ze gedaan?'

'Niets, voorzover wij weten.'

'Ze zou in gevaar kunnen zijn, Melissa.' Paris liep de trap af om zich bij hen te voegen.

Het meisje keek haar nieuwsgierig aan. 'Gevaar? Wat voor gevaar? Ben jij ook van de politie?'

'Nee, ik werk voor een radiostation. Ik ben Paris Gibson.' De lipstick van Melissa Hatcher was zó donkerrood, dat het bijna zwart was. Haar mond viel open van verbazing. 'Onzin! Je maakt een grapje, hè?'

'Nee.'

'Mijn god.' Haar verrukking was waarschijnlijk de eerlijkste reactie die het meisje in maanden had getoond. 'Dit is helemaal te gek. Ik luister naar je show, als ik niet naar cd's luister. Maar soms ben ik gewoon niet in de stemming voor cd's. Dan zet ik jouw programma aan. Soms is de muziek die je draait waardeloos, maar jij bent hartstikke goed, mens!'

'Dank je.'

'En ik vind je haar leuk. Zijn dat highlights?'

'Melissa, weet jij of Janey me ooit tijdens mijn programma heeft gebeld?'

'O ja. Een paar keer. Maar het is al een tijdje geleden. We belden je met Janeys mobieltje en spraken met je, maar we zeiden niet hoe we heetten en je zond ons niet uit. Wat prima was, want we waren dronken. Dat merkte je waarschijnlijk.'

Paris glimlachte tegen haar. 'Volgende keer beter.'

'Heeft Janey Paris onlangs gebeld?' vroeg Dean. Donkere, zwartomrande ogen richtten zich op hem. Paris stelde hem aan het meisje voor als dr. Malloy, en hij stak zijn hand uit.

Het beleefde gebaar leek haar in verlegenheid te brengen, maar ze schudde zijn hand. 'Wat voor soort dokter bent u?'

'Een psycholoog.'

'Psycholoog? Jeetje, wat heeft Janey gedaan? Een overdosis of zoiets?'

'We weten het niet. Er is in meer dan vierentwintig uur niets van haar gehoord. Haar ouders maken zich zorgen om haar, en wij ook.'

'Wij? Bent u ook politieman?'

'Ja. Ik werk bij de politie.'

'Hmm.' Melissa wierp hen beurtelings een wantrouwige blik toe, en Dean voelde dat ze zich behoedzaam terugtrok. Ze raakten haar kwijt. Ze was een fan van Paris Gibson, maar in de eerste plaats was ze trouw aan haar vriendin. Ze zou zuinig zijn met informatie over Janey.

'Zoals ik zei, ik weet echt niet waar Janey is of wie ze heeft gebeld, want ik ben net terug uit Frankrijk. Ik ben dertig uur achter elkaar in de weer geweest, dus ga ik nu naar huis om te slapen. Als Janey komt opdagen, wilt u dan tegen haar zeggen dat ik terug ben, Mrs. K.?'

Ze hing haar Gucci-tas met een brede zwaai om haar schouder, draaide zich om en slenterde naar haar auto. Vlak voordat ze hem bereikte, draaide ze zich plotseling om en sloeg tegen haar voorhoofd met een hand die overladen was met fonkelende armbanden en talloze ringen.

'Krijg nou wat! Ik heb het nu pas door!' Ze wees naar Dean. 'Geen wonder dat u zo sexy bent. U bent Gavins vader!'

11

'Wakker worden, slaapkop.'

Janey deed haar ogen open. Hij stond over haar heen gebogen, zijn gezicht dicht bij het hare. Ze voelde zijn adem, en toen hij haar voorhoofd kuste, kreunde ze erbarmelijk.

'Heb je me gemist?'

Ze knikte. Hij lachte. Hij geloofde haar niet, en dat was wel zo verstandig. Omdat ze de rotzak bij de eerste de beste kans die ze kreeg zou vermoorden.

Ze probeerde de woede die ze voelde niet te tonen. Ze had besloten dat ze het beste onderdanig kon lijken. De psychopaat wilde spelletjes spelen, hij wilde dat ze smeekte, hij wilde haar domineren.

Prima. Ze zou zijn berouwvolle speeltje zijn – tot hij haar de rug toekeerde, en dan zou ze zijn schedel inslaan.

'Wat is dit?' Bij het zien van het vuile beddenlaken klakte hij met zijn tong.

Ze had geplast. Wat verwachtte hij dán? Hij had haar voor Joost mag weten hoe lang alleen gelaten. Ze had haar plas zo lang mogelijk opgehouden, maar ten slotte had er niets anders op gezeten dan in het bed te plassen.

'Je zult de lakens moeten verschonen,' zei hij.

Oké, dat zal ik doen. Maak me los, geef me een schoon laken en ik zal je ermee wurgen.

Hij haalde zijn vingers door haar samengeklitte haar. 'Je stinkt naar urine en zweet, Janey. Heb je je ingespannen? Ik vraag me af waarmee.' Zijn blik dwaalde rond, tot hij op de muur achter het bed bleef rusten. 'Hmm. Krassen in de verf. Je hebt het bed heen en weer geschud, zodat de plank aan het hoofdeinde tegen de muur zou slaan, is het niet?'

108

Verdomme! Ze had gehoopt een buurman te ergeren die uiteindelijk zó boos zou worden over het constante gebonk, dat hij zou aanbellen en eisen dat het lawaai ophield. En als er dan niet werd opengedaan, zou hij tegen de manager klagen tot die ging kijken wat de oorzaak van de herrie was.

Dan zou zij worden gevonden, zou haar vader in kennis worden gesteld en zou hij ervoor zorgen dat deze klootzak nooit meer het daglicht zou zien. Ze zouden hem opsluiten in een cel onder de gevangenis en aan alle homoseksuele politiemannen een bezoekerspasje geven.

Haar dagdroom van redding en wraak vervloog toen hij het bed naar voren trok, een eindje van de muur af. 'Dat kunnen we niet toestaan, Janey.' Hij boog zich voorover en kuste nogmaals haar voorhoofd. 'Sorry dat ik een streep door je slimme plannetje haal, lieverd.'

Ze keek hem aan met een wanhoop die niet helemaal was geveinsd. Ze kreunde smekend.

'Moet je naar de wc?'

Ze knikte.

'Goed. Maar je moet me beloven dat je niet zult proberen te ontsnappen. Je zou jezelf alleen maar pijn doen, en ik wil je geen pijn doen.'

Dat beloof ik, zei ze achter de afschuwelijke tape.

Hij maakte eerst haar voeten los. Ze was van plan om, zodra ze vrij waren, te gaan schoppen en met hem te vechten, maar tot haar schrik ontdekte ze dat haar ledematen rubberachtig aanvoelden. Haar benen weigerden te bewegen, en toen ze dat wel deden, waren hun bewegingen traag.

Hij maakte haar handen los, tilde haar daarna op in zijn armen en droeg haar naar de wc. Hij zette haar neer naast de toiletpot, tilde het deksel op en liet haar voorzichtig op de wc-bril zakken.

Ze greep naar de tape die haar mond bedekte.

'Haal maar weg,' zei hij zacht tegen haar. 'Maar als je schreeuwt, zul je er spijt van krijgen.'

Ze geloofde hem. Het deed pijn om de tape te verwijderen, maar toen dat gebeurd was, zoog ze gretig lucht in haar longen. 'Mag ik alsjeblieft wat water?' vroeg ze met schorre stem.

'Eerst dit afmaken.'

Hij maakte geen aanstalten om te vertrekken en tot haar schande vulden haar ogen zich met tranen. 'Ga weg en sluit de deur.'

Hij keek haar ongeduldig aan, met gefronste wenkbrauwen. 'O, alsjeblieft, zeg. Deze plotselinge preutsheid is absurd. Schiet op voor ik me bedenk en je opnieuw dwing in bed te plassen.'

Toen ze klaar was, vroeg ze nogmaals om water.

'Zeker, Janey. Zodra je je bed verschoont. Je hebt het vies achtergelaten. Heel erg vies.'

Ze stierf van de dorst, dus verwisselde ze onderdanig het natte laken voor een schoon. Op het moment dat ze het werk naar zijn tevredenheid had verricht, was ze uitgeput. Het koude zweet brak haar uit.

Hij liet haar in de leunstoel zitten waar hij haar in de gaten kon houden terwijl hij de keuken inliep en een plastic fles water openmaakte. Ze had op een glas gehoopt. Ze had het kunnen breken en een glasscherf in zijn keel duwen. Als ze daar de kracht voor had gehad. Ze was abnormaal zwak, zelfs voor iemand die uren in bed had gelegen. Had hij haar gisteravond gedrogeerd? En deed hij dat nu wéér? Had hij iets in haar water gedaan?

Eigenlijk kon het haar niets schelen. Ze had zó'n dorst, dat ze het water gulzig opdronk.

'Heb je honger?'

'Ja.'

Hij maakte een pittige kaassandwich en voerde haar daarna met kleine beetjes tegelijk. Ze overwoog in zijn vingers te bijten, maar dan had hij nog steeds zijn andere hand vrij. Ze was de klap niet vergeten die haar zicht had vertroebeld en haar oren had doen tuiten, en ze wilde niet nóg een mep uitlokken.

Het zou haar grote voldoening geven als ze hem pijn deed, al was het maar heel even. Ze zou het heerlijk vinden om haar tanden in zijn vlees te zetten, zijn bloed te laten vloeien. Maar in haar huidige toestand zou het onmogelijk zijn om daarna een succesvolle poging te doen hem te overweldigen. De voldoening die ze erin zou vinden, zou te kort zijn en haar duur komen te staan. Tot ze meer kon doen dan hem boos en wraakzuchtig te maken, kon ze het beste haar krachten sparen en proberen een waterdicht ontsnappingsplan te bedenken.

Toen ze de sandwich ophad, zei hij: 'Ik hou ervan als je zo bent, Janey.' Hij streek over haar hoofd en kamde met zijn vingers de klitten uit haar haar. 'Je onderdanigheid is heel opwindend.' Hij raakte vluchtig haar tepels aan. 'Het maakt je zo begeerlijk.'

Hij wendde zich af, net lang genoeg om zijn fototoestel te pakken. Die rotcamera had haar zo geboeid en haar doen denken dat hij bijzonder was. Een bijzondere perverseling, leek het. Nu vond ze het afschuwelijk om dat ding te zien. Ze zou er het liefst mee in zijn gezicht willen rammen tot zowel zijn jukbeenderen als de camera waren gebroken.

Maar ze was te bang om zich te verzetten toen hij een reeks obscene foto's van haar wilde maken. Ze overwoog te bidden en te smeken, hem geld te beloven, te zweren dat ze het tegen niemand zou zeggen. Als hij haar maar vrijliet. Maar misschien zou ze een betere onderhandelingspositie hebben als ze hem nog één keer gehoorzaamde.

Ze ging dus op het bed liggen en deed precies wat hij haar opdroeg. Toen hij klaar was, had ze niet eens meer de kracht om haar hoofd op te tillen. Hij had haar gedrogeerd. Daar was ze nu zeker van.

Ze keek doodsbang toe terwijl hij de la van het nachtkastje opentrok en er een rol tape uithaalde. 'Nee,' jammerde ze. 'Alsjeblieft.'

'Ik vind het vreselijk dit te moeten doen, Janey, maar je bent een hoer. Je liefde is niet zuiver. Je bent niet eerlijk. Ik kan er zelfs niet op vertrouwen dat je je koest houdt.'

'Ik zal stil zijn. Dat beloof ik.'

Meer liet hij haar niet zeggen voordat hij een strook tape over haar mond plakte. Deze keer gebruikte hij de tape ook om haar polsen en enkels aan het ledikant vast te maken, zó stevig dat er absoluut geen beweging in was te krijgen.

Daarna knielde hij tussen haar benen en nam haar.

Later douchte hij voor hij zich aankleedde. Terwijl hij naast het bed stond, haalde hij rustig zijn riem door de lussen van zijn broek. 'Huil je, Janey? Waarom? Je was altijd zo'n feestbeest.'

Hij stopte het vuile beddengoed in een waszak en pakte zijn sleutels. Hij was bijna bij de deur toen hij met zijn vingers knipte en terugkeerde. 'Ik was het bijna vergeten. Ik heb een verrassing voor je.'

Hij haalde een cassettebandje uit zijn jaszak en stopte het in de cassetterecorder die in zijn geluidsinstallatie was ingebouwd. 'Dit heb ik gisteravond opgenomen. Ik denk dat je het wel interessant zult vinden.' Hij drukte op 'play'. Daarna blies hij haar een kus toe, vertrok en deed de deur van buiten af op slot.

Na dertig seconden stilte rinkelde er een telefoon op het bandje. Een paar keer voordat Janey een bekende stem hoorde zeggen: 'Je spreekt met Paris.'

'Hallo, Paris. Je spreekt met Valentino.'

Heet hij Valentino?

Dat was haar eerste gedachte, omdat ze onmiddellijk zijn stem herkende. Het was niet zijn normale spreekstem, maar de andere, de stem die hij soms gebruikte als ze lagen te vrijen. Ze had het vermakelijk gevonden dat hij zijn natuurlijke stem veel lager kon laten klinken, in een zacht gefluister. Het klonk alsof hij iets stouts aan het doen was – wat gewoonlijk ook zo was.

Nu kreeg ze slechts koude rillingen bij het horen van die stem in stereo.

Janey luisterde terwijl hij zijn versie van hun verhaal aan Paris Gibson vertelde. Ze haalde snel adem door haar neus, keek gefascineerd naar de geluidsinstallatie en luisterde naar het bandje met een angst die spoedig in paniek veranderde. Op het moment dat hij Paris Gibson vertelde wat zijn plannen waren met haar, Janey, begon ze te schreeuwen in de holle ruimte van haar dichtgeplakte mond.

Maar natuurlijk kon niemand haar horen.

Toni Armstrong arriveerde vlak voor sluitingstijd bij de praktijk van haar man. Een van de andere tandartsen kwam net naar buiten en bleef staan om met haar te praten. Hij verontschuldigde zich dat hij haar en Brad nog niet bij hem thuis had uitgenodigd. Ze spraken af om spoedig een datum te prikken.

Klaarblijkelijk had Brad geen moeite om de schijn op te houden. Zij zou dat ook doen, zolang ze kon.

Toen ze het gebouw binnenliep, was de receptioniste verbaasd haar te zien. 'Ik heb een oppas geregeld, want ik wil Brad op een onverwacht etentje trakteren,' zei ze.

'Wat jammer nou, dr. Armstrong is een paar uur geleden vertrokken, Mrs. Armstrong.'

De andere vrouw zou haar ontzetting als teleurstelling opvatten. 'O, nou, dat was dan mijn verrassingsavondje. Heeft hij tegen je gezegd waar hij heen ging?'

'Nee, maar ik ben er zeker van dat hij zijn mobieltje bij zich heeft.'

'Ik zal hem bellen. Houd ik je op als ik van zijn kantoortje gebruikmaak?'

'Helemaal niet. Neem de tijd. Ik moet nog het een en ander opbergen voor ik vertrek.'

Aangezien Brad er als laatste bij was gekomen, had hij het kleinste kantoor van de groepspraktijk. Toni had haar best gedaan om de kamer aantrekkelijk te maken en had zijn diploma's ingelijst en opgehangen. Ze vormden een aantrekkelijk geheel. Tussen de tandheelkundige boeken op de planken achter zijn bureau stonden familiefoto's. Zijn bureau zag er keurig uit, netjes opgeruimd.

Ze hoopte dat de omgeving net zo vriendelijk was als het leek. Ze ging in zijn bureaustoel zitten en begon aan haar zoektocht. Alle bureauladen zaten op slot, maar daar had ze zich op voorbereid. Een verbogen haarspeldje maakte de laden vrijwel moeiteloos open.

Ze had wérkelijk een oppas voor vanavond versierd. Ze had heel veel aandacht aan haar haren en make-up besteed, en ze had zich uitgedost in de hoop Brad met een avondje uit te verrassen – om het weer goed te maken na vanmorgen.

De hele dag had hun ruzie haar achtervolgd, want Brad had het huis woedend verlaten. Ze was zowel gekwetst als boos geweest. Ze had het druk gehad met schoonmaken, boodschappen doen en talloze andere taken waarmee ze haar dagen vulde. Maar ze had constant gedacht aan hun ruzie en de mogelijkheid, hoe klein ook, dat ze zich had vergist.

Wat als Brad níet had gelogen over waar hij gisteravond was geweest?

Misschien had ze beren op de weg gezien die er niet waren. Als hij haar de waarheid had verteld, hoe frustrerend moest het dan wel niet voor hem zijn geweest om een poging te doen te worden geloofd, in de wetenschap dat ze het ergste dacht?

De kans dat hij een cursus had bijgewoond en daarna een biertje was gaan drinken was gering, maar om haar gezin bijeen te houden, was ze wanhopig genoeg om de mogelijkheid aan te nemen. Vanmiddag had ze gehoopt hem een aangename verrassing te bezorgen, een zoenoffer: een gereserveerd tafeltje in een Italiaans restaurant dat hij wilde uitproberen. Door een avond alleen met hem door te brengen, weg van het huis en de kinderen, met een fles wijn en een vrijpartij daarna, had ze gehoopt vergiffenis te krijgen omdat ze hem verkeerd had beoordeeld. En daarna zouden ze de vervelende episode achter zich laten.

Maar hij was niet waar hij hoorde te zijn. Hij had de praktijk vroeg verlaten, zonder verklaring en zonder iemand te vertellen waar hij heen ging. Het was een bekend patroon, een herkenbaar signaal, dat haar ontmoedigde, dat het rechtvaardigde dat ze de sloten van zijn bureauladen openbrak.

Even later werd haar vermoeden bevestigd. In de onderste la vond ze een schat aan pornografie.

Het gedrukte materiaal varieerde van betrekkelijk zachte tot zeer expliciete, harde porno. Een aantal van de grofste foto's, zowel qua onderwerp als qua compositie, was ongetwijfeld door amateurfotografen genomen.

Brad was een verslaafde. Zoals alle verslaafden was hij gevoelig voor uitspattingen. En tijdens zo'n uitspatting kon een verslaafde iets doen wat hij of zij gewoonlijk niet deed. Zoals het seksueel intimideren van een medewerker of het liefkozen van een minderjarige patiënte.

En Joost mocht weten wat nog meer.

12

Er lag een natte zwembroek op de vloer toen Dean het huis door de bijkeuken binnenkwam. Hij vond Gavin half liggend op de sofa in de televisiekamer. Met de afstandsbediening in zijn hand zapte hij in het wilde weg en veranderde om de tien seconden van zender. Hij had alleen een handdoek om zijn middel, en zijn haar was nat.

'Hallo, Gavin.'

'Hallo.'

'Ben je in het zwembad geweest?'

Terwijl hij zijn blik op het televisiescherm gericht hield, antwoordde Gavin: 'Nee. Ik vind het gewoon lekker om met een handdoek om te lanterfanten.'

'Als je de natte handdoek naar de bijkeuken brengt, kun je ook de zwembroek oprapen die je op de vloer hebt achtergelaten.'

Gavin zapte gewoon door.

'Neem een douche, dan gaan we daarna eten,' zei Dean.

'Ik heb geen honger.'

'Neem een douche, daarna gaan we eten,' herhaalde Dean.

'En als ik dat níet doe, ga je me dan weer slaan?'

Blijkbaar toonde de blik die Dean hem toewierp dat zijn geduld begon op te raken. Gavin gooide de afstandsbediening neer en slenterde de kamer uit. Vlak voordat hij door de deuropening liep, rukte hij de handdoek af en toonde Dean zijn blote billen. Of hij wilde of niet, Dean moest Gavin twee punten geven voor dit symbolische gebaar.

Zonder naar Gavins voorkeur te vragen reed hij naar Chili's, een restaurant waar ze vaak kwamen. Gavin zat te mokken op zijn bank en antwoordde met eenlettergrepige woorden op Deans pogingen tot een gesprek.

Toen hun bestelling arriveerde vroeg Dean aan Gavin of zijn hamburger klaargemaakt was zoals hij het wilde.

'Hij is goed.'

'Sorry dat we niet vaker thuis eten.'

'Maakt niet uit. Je kookkunst is waardeloos.'

Dean glimlachte. 'Dat kan ik niet tegenspreken. Je mist waarschijnlijk je moeders eigengemaakte pastasaus en haar gestoofde rundvlees.'

'Ja.'

'Maar je wilt toch alleen maar een hamburger of een pizza!'

Gavin ging onmiddellijk in de verdediging en zei: 'Wat is daar mis mee?'

'Niets. Toen ik zo oud was als jij had ik hetzelfde dieet.'

Gavin snoof alsof hij wilde zeggen dat hij niet wist dat er zo ver terug in de oude geschiedenis hamburgers en pizza's bestonden.

Dean probeerde het opnieuw. 'Ik heb vandaag een oude vriendin van me gezien. Herinner je je Paris Gibson?'

Gavin keek hem minachtend aan. 'Denk je soms dat ik achterlijk ben?'

'Het is lang geleden, en je was nog maar een jongen. Ik was er niet zeker van of je je haar herinnerde.'

'Natuurlijk wel. Zij en Jack. Ze wilden trouwen, maar hij ging dood.'

'Hij ging niet dood; hij overleefde het ongeluk. Hij is pas een paar maanden terug overleden.'

'Ze werkt nu hier bij de radio.'

Dean was verbaasd. 'Wéét je dat?'

'Dat weet iedereen. Ze is populair.'

'Ja, ik heb begrepen dat ze heel wat fans heeft. Vandaag zei ze tegen me dat ze een jonger publiek voor zich probeert te winnen. Luister je weleens naar haar programma?'

'Soms. Niet elke avond.' Gavin doopte een frietje in een klodder ketchup. 'Heb je haar opgebeld of zo?'

'Eh, nee. Ze heeft gisteravond een eigenaardig telefoontje van een luisteraar gehad.'

'Echt waar?'

'Hmm,' zei Dean, na een hap van zijn gegrilde kip te hebben genomen. 'Ze meldde het bij de politie en toen werd ik geraadpleegd. Zij en de rechercheur wilden weten wat ik ervan dacht.'

'Rechercheur? Was het zó erg?'

'Nogal.'

Dean wenkte de serveerster en vroeg of ze nog een cola voor Gavin wilde brengen. Voor iemand die geen honger had, had hij zijn hamburger in recordtijd naar binnen geschrokt. 'En breng een portie kaas en chips voor ons mee, alsjeblieft.' Gavin vroeg nooit om meer, maar Dean wist dat hij waarschijnlijk nog steeds honger had.

'Vandaag heb ik ook een vriendin van jóu gezien,' zei hij langs zijn neus weg.

'Ik heb hier geen vriendinnen. Al mijn vrienden en vriendinnen zijn in Houston, waar ik altijd heb gewoond. In mijn eigen huis. Tot mijn moeder met die klootzak trouwde.'

Daar gaan we weer, dacht Dean. 'Ze was lang alleen geweest, Gavin.'

'Ja, omdat jij van haar scheidde.'

'Vreemd. Gisteravond zei je dat zij van míj was gescheiden. In feite is het alle twee waar. We zijn een scheiding overeengekomen omdat we wisten dat dat het beste zou zijn.'

'Goed, hoor,' zei Gavin met een verveelde zucht. Hij wendde zijn hoofd af om uit het raam te kijken.

'Vind je niet dat je moeder het recht heeft om gelukkig te zijn?'

'Wie zou er nou met hém gelukkig kunnen zijn?'

Dean was ook niet zo onder de indruk van Pats keus. Haar echtgenoot was een nogal kleurloze man, zo saai dat het heel wat inspanning kostte om een gesprek met hem te voeren. Maar hij leek stapelgek op Pat en zij op hem.

'Wat geeft het dat hij geen dynamisch karakter heeft? Kun je niet gewoon blij zijn dat je moeder iemand heeft gevonden om wie ze geeft, en die ook om háár geeft?'

'Ik ben blij, ik ben blij. Ik ben opgetogen, goed? Kunnen we erover ophouden?'

Dean had hem eraan kunnen herinneren dat híj degene was die het onderwerp ter sprake had gebracht, maar hij hield zijn mond. De serveerster kwam met hun extra bestelling.

'Hebt u nóg iets nodig?'

Ze had zich tot Gavin gericht, niet tot hem. En voor het eerst probeerde Dean zijn zoon door de ogen van een jonge vrouw te zien. Ook als je ouderlijke trots buiten beschouwing liet was Gavin een knappe jongen om te zien. Hij had het bruine, golvende haar van zijn moeder. Hij moest er heimelijk van houden, want hij had het goddank niet in een excentriek model laten knippen of in een fluorescerende kleur laten verven.

Zijn ogen hadden de kleur van whisky en keken een beetje somber. Nu hij er sloom bij zat was het niet te zien, maar hij was langer dan twee meter en had de sterke, pezige bouw en de soepele gratie van een geboren atleet.

Dean glimlachte tegen de serveerster. 'We hebben niets meer nodig, dank je.' Toen ze wegliep zei hij: 'Ze ziet er leuk uit.'

Gavin wierp een ongeïnteresseerde blik op haar en zei: 'Ze is oké.'

'Leuker dan de jonge vrouw die ik vandaag ontmoette.' Dean keek Gavin aandachtig aan. 'Melissa Hatcher,' zei hij.

Het was duidelijk dat Gavin die naam kende, daar was Dean zeker van. Maar Gavin hield zich van den domme. 'Wie?'

'Ze zei dat ze je kende.'

'Dat is niet waar.'

'Waarom zou ze dat dan zeggen?'

'Hoe moet ik dat weten? Ze verstond de naam verkeerd of verwarde me met iemand anders.' Hij speelde met het rietje in zijn colaglas en vermeed oogcontact.

'Ik heb me aan haar voorgesteld, en nadat we een tijdje hadden gepraat zei ze: "U bent de vader van Gavin." Ze kende je.'

'Misschien is ze voor me gewaarschuwd omdat jij bij de politie werkt.'

'Je bedoelt, wie wil er nou bevriend zijn met het kind van een politieman?'

Gavin keek Dean boos aan. 'Zoiets.'

'Janey Kemp?'

Deze keer kon Gavin zijn reactie moeilijk verbergen, en onmiddellijk verscheen er een waakzame blik in zijn ogen. 'Wie?'

'Janey Kemp. Naar wat ik over haar heb gehoord, zou ze niet bevriend willen zijn met een kind van een politieman. Ken je haar?'

'Ik heb van haar gehoord.'

'Wát heb je gehoord?'

Gavin nam een hap kaas en zei met volle mond: 'Ach, van alles en nog wat.'

'Zoals wát? Dat ze wild is? Makkelijk te versieren?'

'Dat zeggen ze.'

'Heb je haar weleens ontmoet?'

118

'Misschien ben ik haar een paar keer tegen het lijf gelopen.'

'Waar?'

'Jemig, wat is dit? De Spaanse inquisitie?'

'Nee, ik bewaar de duimschroeven voor later. Nu ben ik alleen benieuwd wáár je Janey Kemp en haar vriendin Melissa bent tegengekomen. Het moet zó vaak zijn gebeurd, dat mijn naam haar iets zei. En vóór die tijd herkende ze me omdat jij en ik op elkaar lijken.'

Gavin schoof heen en weer op zijn bank en draaide met zijn schouders. 'Ze gaan om met die rijke, verwaande kinderen. Ik heb ze hier en daar gezien. In de bios. Het winkelcentrum. Je weet wel.'

'Het meer?'

'Welk meer? Town of Travis?'

'Zeg jij het maar.'

'Ik heb ze een paar keer gezien. Ik weet niet meer waar.'

Dean lachte. 'Gavin, zit me niet te belazeren. Als ik zo oud was als jij en ik Melissa Hatcher had ontmoet terwijl ze gekleed was als vandaag, zou ik het me tot in het kleinste detail herinneren.' Hij schoof zijn bord weg en boog voorover. 'Vertel me wat je over de Sex Club weet.'

Gavin vertrok geen spier, maar opnieuw waren het zijn ogen die hem verrieden. 'De wát?'

'Ben je gisteravond, toen je ongehoorzaam was en toch het huis verliet, naar Lake Travis gegaan?'

'Misschien. Nou, en?'

'Ik weet dat kinderen zich op bepaalde plekken rond het meer verzamelen. Heb je gisteravond Janey Kemp tussen de menigte gezien? Voordat je me met een kluitje in het riet probeert te sturen moet je weten dat ze al meer dan vierentwintig uur vermist is.'

'Vermíst?'

'Ze is niet thuisgekomen nadat ze gisteravond is weggegaan. Niemand heeft iets van haar gehoord. Aan het eind van de middag, vlak voordat ik het politiebureau verliet, hebben agenten haar auto ontdekt. Die stond tussen een groepje cederbomen bij een picknickplaats aan het meer. Geen spoor van Janey. Blijkbaar heeft ze gisteravond iemand ontmoet en is ze met die persoon vertrokken. Heb jij haar gezien? Was ze in gezelschap van iemand?'

Gavin sloeg zijn ogen neer en staarde even naar zijn lege bord. 'Ik heb haar niet gezien.'

Dean liet zijn stem dalen en zei: 'Gavin, ik ken de ijzeren wet tegen het verraden van je vrienden. Die wet gold ook al toen ík opgroeide. Maar dit is geen kwestie van loyaliteit of verraad. Het is veel ernstiger.

Probeer Janey of iemand anders alsjeblieft niet te beschermen door informatie achter te houden. In drinken, drugs gebruiken, of wat er gisteravond ook gebeurde, ben ik op dit moment niet geïnteresseerd. Als Janey met de verkeerde vent vertrok, zou haar leven in gevaar kunnen zijn. Ben je er, met dat in gedachten, absoluut zeker van dat je haar niet hebt gezien?'

'Ja! God!' Gavin keek om zich heen, in het besef dat hij de aandacht had getrokken van de mensen die aan naburige tafeltjes zaten. Hij liet zijn schouders hangen en bromde in zijn schoot: 'Waarom kies je míj nou uit?'

'Ik kies je niet uit.'

'Je bent een smeris.'

Dean haalde diep adem. 'Oké, misschien. Ik kom naar jou als bron van informatie. Zeg me wat je weet over de Sex Club.'

'Ik weet niet waar je het over hebt. Ik moet plassen.' Gavin schoof naar het eind van de bank en wilde vertrekken.

'Vanaf je derde ben je al zindelijk, en je kunt het best nog wel een paar minuten ophouden. Wat weet je over de Sex Club?'

Gavin wiebelde heen en weer en staarde boos uit het raam, een vijandige uitdrukking op zijn gezicht. Dean dacht dat hij zou weigeren antwoord te geven, maar uiteindelijk zei Gavin: 'Oké, ik heb jongens horen praten over een website waarop ze e-mails met grietjes uitwisselen. Dat is alles.'

'Niet helemaal, Gavin.'

'Nou, dat is alles wat ík ervan weet. Ik heb niet met die lui op school gezeten, weet je nog? Ik ben met wortel en al uit de grond getrokken en hier overgeplant, dus ze zijn niet...'

'Vrijwel sinds de eerste dag dat we hier wonen ga je met een groepje jongens om. Je ouwe liedje van "Wee mij, ik moest mijn vrienden achterlaten" begint een beetje afgezaagd te worden. Je moet iets anders bedenken om over te zeuren.

Intussen is dat meisje misschien voor haar leven aan het vechten, en ik overdrijf niet. Dus hou op met dat gemok en dat zelfbeklag en geef me een eerlijk antwoord. Wat weet je over die internetclub en over de rol die Janey Kemp erin speelt?'

Gavin verzette zich nog even. Toen, alsof hij erin berustte, legde hij zijn hoofd tegen de achterleuning van de bank. 'Janey ontmoet kerels die ze via het internet heeft leren kennen, en ze hebben seks. Ze doet alles. Zij en die Melissa.'

'Dus je kent ze.'

'Ik weet wie ze zijn. Er zijn veel meer meisjes lid van de club. Ik ken al hun namen niet. Ze komen van scholen uit de hele stad. Er is een mededelingenbord en de leden praten over wat ze doen.'

'Heb jij je aangesloten bij die club, Gavin?'

Hij ging rechtop zitten. 'Nee, verdomme. Je moet weten hoe je binnenkomt, en ik heb het niet gevraagd, want ik voelde me een oen omdat ik het nog niet wist.'

'Zo'n groot geheim is het anders niet. De afdeling computerfraude van de politie is ervan op de hoogte.'

De jongen lachte. 'Ja? Wat gaan ze eraan doen? Ze kunnen het niet tegenhouden, dat weet iedereen.'

'Het uitlokken van betaalde seks is een misdrijf.'

'Jíj zult het wel weten,' bromde Gavin ontstemd. 'Jíj bent de smeris.'

Hij parkeerde tussen de eikenbomen waar anderen ook hun auto hadden achtergelaten. In zijn achterbak stond een krat bier, en er waren ook wijnkoelers. Hij pakte een biertje en nam het mee terwijl hij naar de oever van het meer wandelde, naar de met houten planken bedekte pier, die zich dertig meter boven het water uitstrekte.

Dit was de ontmoetingsplaats van vanavond.

Hij was gekomen om de boel te controleren en had zich onopvallend gekleed, klaar om in de menigte op te gaan. De flodderige korte broek en het enorme T-shirt waren van het merk Gap, wat de jongelui ook altijd droegen. Toch had hij de klep van zijn honkbalpet tot ver over zijn voorhoofd getrokken, zodat zijn gezicht niet goed te zien zou zijn.

Sommige mensen waren bekend. Hij had ze eerder gezien op soortgelijke bijeenkomsten, in de clubs aan Sixth Street en rond de universiteitscampus. Anderen waren nieuw voor hem. Er waren altijd nieuwe gezichten.

Zeg maar wat je wilde hebben – drank, drugs, seks – het was er allemaal. En vanavond kon je zelfs je hart ophalen aan gokken. Op het strand zag hij een meisje dat alleen een bikinibroekje en een cowboyhoed van stro droeg. Ze was een man aan het pijpen.

Er werden weddenschappen aangegaan over hoe lang de man het volhield voor hij klaar zou komen.

Hij voegde zich bij de kring van juichende toeschouwers die zich rond het paar had gevormd en verwedde vijf dollar. Je moest bewondering hebben voor de zelfbeheersing van de man omdat het meisje van wanten wist. Hij verloor zijn weddenschap.

Op z'n gemak liep hij over de pier. Hij vroeg niet om aandacht. Gewoonlijk was dat niet nodig, en vanavond bleek dat ook zo te zijn. Hij werd algauw benaderd door twee meisjes die zo overdreven lief deden, dat hij meteen wist dat ze ecstasy hadden gebruikt.

Ze omhelsden hem, streelden hem, kusten hem op de mond en zeiden dat hij adembenemend was. De maan was fantastisch, de avondlucht was goddelijk en het leven verdomde mooi.

Ze vroegen of hij hun kleren wilde vasthouden terwijl zij naakt gingen zwemmen. Hij keek vanaf de pier toe terwijl ze als waternimfen ronddartelden en af en toe stopten om te zwaaien en hem een kusje toe te werpen.

Toen ze uit het water kwamen en zich aankleedden – gedeeltelijk – nam hij hen mee naar zijn auto en gaf hun een biertje.

Een van de meisjes richtte haar glazige blik op hem. 'Hou je van feesten?'

'Ik ben hier toch?' Slim antwoord. Een slag om de arm houdend. Bevestiging werd alleen maar gesuggereerd.

Ze streelden hem door zijn broek heen en giechelden. 'Ik geloof van wel.'

'Wij zijn dol op feesten,' zei de ander met een zangerig accent.

Dat klopte. In het volgende uur, op de achterbank van zijn auto, lieten ze hem zien wat voor feestbeesten ze waren. Toen hij ten slotte tegen hen zei dat hij weg moest, wilden ze eigenlijk geen afscheid nemen. Ze kusten en liefkoosden hem en smeekten hem te blijven om nog meer pret te maken en nog meer spelletjes te doen.

Eindelijk kon hij zich van hen losmaken en vertrok. Toen hij zijn auto over het geïmproviseerde parkeerterrein naar de hoofdweg reed, zag hij dat een paar mannen openlijk jaloers naar hem keken. Ze moesten hem van de achterbank hebben zien komen terwijl hij zich bevrijdde van de omstrengelende ledematen van de meisjes en hun door drugs ingegeven gevoelens van affectie.

Wensten die sukkels dat ze even gelukkig in de liefde waren als hij? Daar kon je vergif op innemen.

Hij merkte ook een man op die hij als undercoveragent van de drugsbrigade herkende. De politieman was dertig, maar hij zag er geen dag ouder uit dan achttien. Hij zat door het open raampje van een auto met een bekende drugsdealer te onderhandelen.

Wat is het verschil tussen een drugsspeurder die drugs koopt en wat ík doe? vroeg John Rondeau zich af.

Helemaal níets. Om een misdrijf doeltreffend te bestrijden, moest je de aard en de techniek ervan begrijpen. Sinds zijn afdeling de Sex Club had ontdekt, had hij besloten enig speurwerk te verrichten. In zijn vrije tijd en ter plekke, natuurlijk.

Hij wilde dolgraag worden bevorderd naar het Centrale Onderzoeksbureau, de hartslag van de politie. Dáár werd al het spannende politiewerk gedaan, en dáár wilde hij zijn.

Met het oog op die promotie kon hij zich met deze zaak Kemp écht onderscheiden. Er zaten elementen in die de aandacht trokken: een beroemdheid, seks en minderjarigen. Stop ze bij elkaar en je had een klapper van een onderzoek.

Voor de afdeling computerfraude was de Sex Club ouwe koek. Ze wisten het al maanden en waren het min of meer vergeten, in het besef dat het zinloos was een einde aan de club te maken.

Maar de berichten die op het mededelingenbord werden achtergelaten bleven door Rondeaus hoofd spoken. Hij had het tot zijn taak gemaakt de situatie te controleren, om te kijken of de leden echt deden waar ze prat op gingen of dat ze gewoon hun wildste fantasieën via e-mail uitwisselden. Hij had ontdekt dat de meeste beweringen geen grootspraak waren.

Het was goed dat hij het onderzoek had verricht. Als hij geen kennis uit de eerste hand had gehad, had hij niet op intelligente, nauwgezette wijze de vragen kunnen beantwoorden die Curtis, Malloy en Paris Gibson hem vanmorgen hadden gesteld. Dus was het toch in het voordeel van de politie dat hij deze onbetaalde overuren maakte?

Maar er was meer onderzoekswerk vereist. Allemaal om naar het Centrale Onderzoeksbureau te worden gepromoveerd. Het was zijn werk, zijn plicht, waarvoor hij een eed had afgelegd. Hij werkte undercover, dat was alles.

Het was niet verbazingwekkend dat Brad Armstrong niet thuis was toen Toni van zijn praktijk terugkeerde. Ze zei tegen de verbaasde babysitter dat ze zich niet lekker voelde en dat zij en haar man hun plan om een avondje uit te gaan hadden opgegeven. Ze betaalde de oppas voor vijf uur.

Drie keer had ze naar Brads mobiele telefoon gebeld. Drie keer had ze een bericht achtergelaten waarop hij niet had gereageerd. Ze maakte hotdogs voor de kinderen, en nadat ze gegeten hadden deed ze een gezelschapsspelletje met de meisjes terwijl haar zoon naar een herhaling van Star Trek keek.

De kinderen liepen net achter elkaar de trap op om een bad te nemen, toen Brad binnenkwam met chocoladerepen en onstuimige omhelzingen. Voor Toni was er een bos gele rozen, die hij haar met een verlegen glimlach aanreikte. 'Kunnen we weer vrienden zijn? Alsjeblieft?'

Toni kon niet naar de onoprechte verontschuldiging in zijn ogen kijken en boog haar hoofd. Hij vatte dat op als instemming, gaf een vluchtige kus op haar wang en zei: 'Heb je al gegeten?'

'Ik zat op je te wachten.'

'Uitstekend. Ik zal de kinderen in bed stoppen. Als jij dan het eten op tafel zet. Ik ben uitgehongerd.'

Wat er op de tafel lag toen hij terugkeerde naar de keuken was niet wat hij had verwacht. Hij bleef abrupt staan bij het zien van de onappetijtelijke uitstalling. 'Hoe kom je daaraan?' vroeg hij boos. 'Laat maar zitten. Ik weet hoe je eraan komt.'

'Ik vond het vanmiddag toen ik naar je praktijk ging, waar je schitterde door afwezigheid, Brad. Je had tegen niemand gezegd waar je heen ging en hebt urenlang je mobieltje niet aangenomen. Dus ben ík niet degene die zich moet verdedigen. Ik weiger me te verontschuldigen voor het schenden van je privacy als dít erdoor wordt beschermd.'

Nu hij geconfronteerd werd met het bewijs van zijn ziekte verloor hij zijn vechtlust. Zowel geestelijk als lichamelijk stortte hij in. Hij pakte een stoel en ging aan de tafel zitten. Zijn schouders zakten in en zijn handen vielen lusteloos in zijn schoot.

Toni haalde een plastic vuilniszak uit de kelderkast en stopte er de verzameling schunnige foto's en tijdschriften in. Daarna bond ze de zak met een touwtje dicht en bracht hem naar de garage.

'Ik zal hem morgenochtend naar een afvalcontainer brengen,' zei ze tegen Brad toen ze weer binnenkwam. 'Ik moet er niet aan denken dat de zak per ongeluk opengaat en dat onze buren, of zelfs maar de vuilnismannen, zien wat erin zit.'

'Toni, ik... Er is echt níets wat ik ter verdediging kan aanvoeren, hè?'

'Deze keer niet.'

'Ga je bij me weg?' Hij pakte haar hand en hield hem stevig vast. 'Niet doen, alsjeblieft. Ik hou van je. Ik hou van de kinderen. Maak ons gezin alsjeblieft niet kapot.'

'Ik maak niets kapot, Brad,' zei ze terwijl ze haar hand lostrok. 'Dat doe jíj.'

'Ik kan er niets aan doen.'

'Des temeer reden om je te verlaten en de kinderen mee te nemen. Wat als een van hen die foto's had gevonden?'

'Ik zorg ervoor dat dat niet gebeurt.'

'Je zorgt ervoor dat je het verstopt, zoals een drugsverslaafde zijn voorraad drugs verstopt of een alcoholist een fles voor in geval van nood.'

'Kom nou,' riep hij.

Zijn berouw begon geleidelijk aan te verdwijnen en ervoor in de plaats kwam vijandig, defensief gedrag. Daarna zou hij een arrogante houding aannemen. Ze hadden deze scène al zo vaak gespeeld. Zijn overgang van boeteling naar martelaar verliep volgens een vast patroon, en Toni wist hoe ze op elke fase ervan moest anticiperen.

'Een onschuldige hobby met een drugsverslaving vergelijken is belachelijk, en dat weet je,' zei Brad.

'Onschuldig? Sommige van die foto's zijn van minderjarige meisjes. Ze worden voor jullie vermaak uitgebuit door corrupte, slechte mensen. En hoe kun je het onschuldig noemen als het je carrière, ons gezinsleven, ons húwelijk aantast?'

'Huwelijk?' zei hij met een spotgrijns. 'Ik heb geen vrouw meer, ik heb een gevangenbewaarster.'

'Als je zo doorgaat eindig je misschien wel in de gevangenis, Brad. Is dat wat je wilt?'

Hij rolde met zijn ogen. 'Ik ga niet naar de gevangenis.'

'Misschien wel, tenzij je aan jezelf en anderen toegeeft dat je een seksverslaafde bent en zorgt dat je de hulp krijgt die nodig is om ertegen te vechten.'

'Seksverslaafde.' Hij snoof. 'Hoor je wel hoe absurd dat klinkt, Toni?'

'Dr. Morgan vindt het níet absurd klinken.'

'Jemig. Heb je hem gebéld?'

125

'Nee, hij belde míj. Je bent in geen drie weken naar de therapie-groep geweest.'

'Omdat het zonde van de tijd is. Het enige waar die kerels over praten, is over masturberen. Nu vraag ik je, is dat een productieve manier om een avond door te brengen?'

'De rechter heeft je verplicht de bijeenkomsten bij te wonen.'

'Je gaat zeker klikken bij mijn reclasseringsambtenaar. Hem vertellen dat ik stout ben geweest. Dat ik niet naar de therapie ben gegaan met de andere perverse personen.'

'Dat hoef ik hem niet te vertellen. Dr. Morgan heeft dat al gedaan.'

'Dr. Morgan is de ergste griezel van de groep!' riep hij uit. 'Hij is zelf een afkickende "verslaafde". Wist je dat?'

Ze ging onverstoorbaar door. 'Als je twee keer achter elkaar verstek laat gaan, moet dr. Morgan dat bij de reclasseringsambtenaar melden. Morgenochtend om tien uur heb je een afspraak met hem. Het is verplicht.'

'Het doet er zeker niet toe dat ik afspraken met patiënten moet afzeggen en me de woede van mijn collega's op de hals haal?'

'Dat is een consequentie die je zult moeten aanvaarden.'

'Net zoals op de sofa slapen, neem ik aan.'

'Dat heb ik liever, ja.'

Zijn ogen vernauwden zich en keken haar dreigend aan. 'Uiteraard. Aangezien je kennelijk een hekel hebt aan wat we in bed doen.'

'Dat is niet eerlijk.'

'Eerlijk? Ik zal je zeggen wat niet eerlijk is. Dat is een vrouw hebben die liever rondsnuffelt dan neukt. Wanneer hebben we het voor het laatst gedaan? Kun je het je nog herinneren? Nee, dat betwijfel ik. Hoe kun je aan seks denken als je het zo druk hebt met spioneren?'

Hij ging staan en liep naar haar toe, legde zijn hand op haar nek en kneep erin. Zó hard, dat het niets meer met genegenheid te maken had.

'Als jij vaker zin had, zou ik misschien niet mijn toevlucht hoeven nemen tot het bekijken van mijn schunnige foto's.'

Hij trok haar naar zich toe, maar ze wendde haar hoofd af om zijn kus te ontwijken en probeerde hem weg te duwen. Maar hij drukte haar naar achteren tegen het aanrecht en pinde haar vast. Geschokt riep ze uit: 'Hou op, Brad. Dit is niet leuk.'

Haar woede leek hem alleen maar op te winden; zijn gezicht liep rood aan terwijl hij zijn onderlichaam tegen het hare kronkelde. 'Voel je dat, Toni? Vind je het lekker?'

'Laat me met rust!'

Ze gaf hem zo'n harde duw, dat hij achteruit wankelde en tegen de tafel viel. Ze legde een hand voor haar mond in een poging haar snikken te onderdrukken. Ze was verontwaardigd en bang tegelijk. Ze had hem nog nooit zo gezien. Haar man was een vreemde geworden.

Toen hij weer rechtop stond en zichzelf weer onder controle had, greep hij zijn jasje en zijn sleutels en stormde naar de deur. Het huis schudde op zijn grondvesten toen de deur met een enorme klap dichtsloeg. Toni wankelde naar de dichtstbijzijnde stoel en plofte neer. Ze huilde zacht, een paar minuten maar, want ze wilde niet dat de kinderen het hoorden.

Haar leven stortte in en ze kon er niets tegen doen. Zelfs nu hield ze nog van Brad. Hij weigerde hulp te vragen om zich van zijn ziekte te bevrijden. Waarom was hij vastbesloten de liefde die ze eens voor elkaar hadden gevoeld te vernietigen? Waarom verkoos hij weloverwogen zijn 'onschuldige hobby' boven haar, boven zijn kinderen? Betekenden die niet veel meer voor hem dan zijn...

Ze rende naar de garagedeur. De vuilniszak waarin ze de porno had gestopt was weg.

Brad had zijn eerste liefde meegenomen.

13

Op het radiostation had Paris een kantoor waarin ze werkte als ze geen uitzending had. Hoewel 'kantoor' wel een groot woord was voor het kleine kamertje waar niets moois aan was en dat ook nog eens geen raam had. Tientallen jaren geleden waren de gepleisterde muren geschilderd. Ze hadden een afschuwelijke, geelbruine kleur. Het geluiddempende plafond boog door en was bezaaid met generaties vochtvlekken. Haar bureau was van foeilelijk, grijs formica, waarvan er stukken waren uitgehold, waarschijnlijk door een vorige eigenaar die door zijn omgeving hopeloos neerslachtig was geworden.

Niets in het kantoor was haar eigendom. Er waren geen ingelijste diploma's aan de muren, of posters van vakantiebestemmingen met dierbare herinneringen, geen spontane foto's van lachende vriendinnen of geposeerde familieportretten. In de kamer was niets persoonlijks. Met opzet. Foto's en dat soort dingen nodigden uit tot vragen.

Wie is dat?

Dat is Jack.

Wie is Jack? Je man?

Nee, we waren verloofd, maar we zijn niet getrouwd.

Hoezo? Waar is Jack nu? Is híj de reden waarom je altijd een zonnebril draagt? Is híj de reden waarom je alleen werkt? Alleen woont? Alleen bent?

Zelfs het stellen van nieuwsgierige vragen door vriendelijke medewerkers kon zeer pijnlijk zijn, dus probeerde ze dat te voorkomen door haar relatie met hen strikt professioneel te houden en een kantoor te hebben waaruit niets over haar privé-leven viel op te maken.

Niet dat er geen rommel lag.

Het afzichtelijke blad van haar bureau was met post bedekt. Dagelijks werden er zakken post op leeggestort – brieven van fans, kaarten met luisterdichtheidstabellen, interne memo's, en de eindeloze stapels materiaal die haar werden toegestuurd door platenmaatschappijen die reclame maakten voor hun nieuwste platen. Aangezien er geen plaats was voor een dossierkast in de kamer sorteerde ze alles zo efficiënt mogelijk, maar het was een taak waaraan nooit een einde kwam.

Ze had zich op de stapel correspondentie gestort nadat ze de muziek voor de show van die avond had uitgekozen en ingeprogrammeerd. Ze was er een uur mee bezig geweest toen Stan in de deuropening verscheen. Aan zijn gezicht te zien was hij in een slecht humeur. 'Je wordt vriendelijk bedankt, Paris.'

'Waarvoor?'

Hij kwam binnen en sloot de deur. 'Raad eens wie me vandaag kwam opzoeken?'

'Ik heb een bloedhekel aan raadspelletjes.'

'Twee politiemannen.'

Ze legde haar briefopener neer en keek naar hem op. 'Politiemannen?'

'Ja, dank zij jou.'

'Zijn ze naar je huis gekomen?' Ze had gedacht dat óf Carson óf de geestdriftige Griggs Stan alleen maar zou hebben gebéld om nog meer vragen te stellen.

Hij schoof een stapel enveloppen opzij en ging op de hoek van het bureau zitten. 'Ze ondervroegen me en schreven mijn antwoorden op in kleine, zwarte notitieboekjes. Heel Gestapo-achtig.'

'Hou op met dat gedramatiseer, Stan.'

Ze had geen tijd gehad om te slapen vanwege haar terugkeer naar het politiebureau, gevolgd door het onplezierige bezoek aan de Kemps. Voor ze kon gaan uitrusten moest ze een radioprogramma van vier uur doen zonder te laten merken dat er iets aan de hand was. Het was een afschrikwekkend vooruitzicht.

Het helen van Stans gekrenkte trots was niet de beste manier om van haar beperkte uithoudingsvermogen gebruik te maken of van de tijd die restte voordat ze de studio van de dj overnam.

'Vanmorgen heb ik een rechercheur ingelicht over Valentino's telefoontje,' zei ze. 'Blijkbaar is een jonge vrouw uit deze omgeving spoorloos verdwenen. De politie is aan het onderzoeken of er een verband is tussen haar verdwijning en Valentino's telefoontje. Ze voeren routineonderzoeken uit naar de achtergrond van iedereen die bij de zaak is betrokken, ook al is het op afstand. Dus erger je er niet aan. Ze hebben jou niet uitgekozen. Marvin staat ook op hun lijst van mensen met wie ze willen praten.'

'Geweldig. Ik word op één lijn gesteld met een schoonmaker! Nu voel ik me stukken beter.'

Bij uitzondering vond ze zijn sarcasme gerechtvaardigd. 'Het spijt me. Echt. De politie gaat grondig te werk, omdat ze er net als ik van overtuigd zijn dat dit telefoontje geen grap was. Ik hoop dat we allemaal overdreven reageren en dat het niets blijkt te zijn. Maar als onze vermoedens juist zijn, staat het leven van een meisje op het spel. Toch vind ik het jammer dat je toevallig hierin betrokken bent geraakt.'

Hij was gekalmeerd, een beetje maar. Stans aandacht ging altijd eerst naar Stan uit. 'De politie heeft ook met onze algemeen directeur gesproken. Die belde natuurlijk onmiddellijk oom Wilkins op, die op zijn beurt de hoofdcommissaris belde en hem onomwonden de waarheid zei. Tenminste, dat heb ik ervan begrepen.'

'Dan ben je natuurlijk van elke verdenking gezuiverd.'

'Stond ik dan onder verdenking?' riep hij uit.

'Tot het tegendeel bewezen was. Vergeet het. Ga weg en koop een nieuw snufje. Er is er vast wel eentje op de markt dat je nog niet hebt. Trakteer jezelf. Je zult ervan opknappen.'

'Zo makkelijk is het niet, Paris. Mijn oom was nog meer ontstemd dan ik. Hij heeft de hele middag met de algemeen directeur gesproken. Hij wilde weten "wat er verdomme aan de hand was". Ik geef het natuurlijk vrij weer. Je kunt erop rekenen dat je zelf ook in het heilige der heiligen wordt ontboden.'

'Ik ben er al geweest.'

De algemeen directeur van het station had haar via haar mobiele telefoon bereikt toen ze het landgoed van de Kemps verliet. Hij had om een ontmoeting gevraagd, in de vorm van een bevel, niet met een verzoek. Ze had een schrobbering gekregen omdat ze hem niet eerder dan de politie van Valentino's telefoontje op de hoogte had gebracht. Zijn voornaamste zorg was de reputatie van het station.

'Ik heb het bandje met het telefoongesprek voor hem afgedraaid,' zei ze tegen Stan. 'Het schokte hem, zoals het iedereen schokte die het hoorde. Hij heeft met brigadier Curtis gesproken, de rechercheur die het onderzoek leidt.'

De algemeen directeur had met Curtis gesproken via de spea-kerphone, waardoor Paris het hele gesprek had kunnen volgen. Hij had toegestemd dat Paris en iedereen op 101.3 zijn of haar vol-le medewerking aan de politie zou verlenen, maar hij had bedon-gen dat, als de verdwijning van Janey Kemp groot nieuws werd, de betrokkenheid van het radiostation werd gebagatelliseerd.

Het antwoord van Curtis was geweest: 'Eerlijk gezegd, sir, maak ik me meer zorgen over het leven van dit meisje dan over de publicatie van telefoontjes aan uw radiostation.'

Voor ze het kantoor van de algemeen directeur verliet had hij haar er kregelig aan herinnerd dat er spoedig een einde kon komen aan haar dierbare anonimiteit. Ze had daar al aan gedacht en hoopte dat het niet zou gebeuren. Jarenlang had ze haar privacy beschermd met het fanatisme van een vrek die zijn goudvoorraad behoedt, want ze wilde nooit meer het middelpunt van een sensa-tioneel nieuwsverhaal zijn.

Maar ze was het met Curtis eens – het redden van Valentino's slachtoffer was het allerbelangrijkste. Daarbij vergeleken was de impact die het op haar leven zou hebben onbelangrijk.

Om Stan nog meer te kalmeren, zei ze: 'Wees ervan verzekerd dat ik een fikse uitbrander heb gekregen omdat ik me niet aan de hiërarchie heb gehouden. Jij bent niet de enige die vandaag op zijn vingers is getikt. Goed, kan ik nu weer aan het werk, alsjeblieft?'

'Het was een polshorloge met een ingebouwde GPS, een route-systeem via de satelliet.'

'Wat?'

'Het snufje dat ik vandaag voor mezelf heb gekocht.'

Ze lachte toen hij haar een kus toe blies en naar de deur liep. Over zijn schouder zei hij: 'Tussen haakjes, Marvin heeft zich ziek gemeld.'

'Ziek?'

'De centrale heeft een bericht op mijn voicemail achtergelaten,' riep hij terug. 'Meer weet ik ook niet.'

Bij haar weten had Marvin zich nog nooit ziek gemeld. Nieuws-gierig naar de aard van zijn plotselinge ziekte, bewaarde ze het sorteren van de post voor een andere keer en liep naar de kleine personeelskeuken achter in het gebouw.

Op dit tijdstip was het gebouw stil en zwak verlicht. De andere personeelsleden van het station waren allang weg, hun kantoren donker. Paris was gewend aan de stilte, het donker, de doordringende geuren van stof dat door elektronische apparaten wordt verschroeid, oude koffie en tapijt dat tabaksrook van tientallen jaren had opgezogen voordat roken op de werkplek werd verboden.

Het Wilkins mediaconcern bezat en bestuurde 101.3 FM, vijf kranten, drie bij een netwerk aangesloten televisiestations, een kabelmaatschappij en zeven andere radiostations. De kantoren van de grote onderneming waren gevestigd in Atlanta. Ze besloegen de drie bovenste verdiepingen van een wolkenkrabber, die chic was en gestroomlijnd, met liftcabines van glas en een fontein van twee verdiepingen in de steriele, granieten hal.

Dít gebouw, gered van een failliete vorige eigenaar, was net zomin chic en gestroomlijnd als een wollige mammoet. Er was geen fontein in de hal, alleen een waterkoeler, die gorgelde en af en toe lekte.

Het onaantrekkelijke, bakstenen bouwwerk van één verdieping stond op een heuvel aan de rand van Austin, een paar kilometer van het centrum verwijderd. Het gebouw stamde uit de vroege jaren vijftig en dat was te zien. Het was door de handen van tweeëntwintig zuinige eigenaren gegaan.

Vervallen en haveloos als het was, werd het vrijwel genegeerd door de directieleden van de onderneming – behalve wanneer ze de luistercijfers bespraken. Qua uiterlijk was 101.3 FM een onooglijke wrat op het glanzende imago van de onderneming. Maar het radiostation was gezond en solvent, een betrouwbare bron van inkomsten.

Ondanks de gebreken van het gebouw hield Paris ervan. Het had een ziel, en ondanks zijn littekens hield het zich goed.

Na de donkere gangen leek het flikkerende licht van de tl-buis in de keuken buitengewoon fel, en Paris' ogen hadden een paar seconden nodig om zich aan het verblindende licht aan te passen, zelfs achter haar zonnebril. Ze haalde een theezakje uit haar persoonlijke voorraad in de kast en legde het in een beker water die ze in de oude magnetron warm maakte. Het water was amper aan het verkleuren op het moment dat ze stemmen hoorde.

Toen ze in de gang keek, zag ze tot haar verbazing Dean. Hij volgde Stan, die tegen hem zei: 'Ze heeft me niet verteld dat ze bezoek verwachtte.'

'Ze verwacht me ook niet.'

Zodra Stan haar zag, zei hij: 'Hij klopte op de voordeur; ik heb hem pas binnengelaten toen hij me zijn politiebadge liet zien.'

Paris probeerde haar ontsteltenis voor haar collega te verbergen en zei: 'Dr. Malloy werkt bij de politie. Hij werd geraadpleegd om Valentino's cassettebandje in psychologisch opzicht te beoordelen.'

'Dat zei hij.' Stan nam Dean aandachtig op. 'Twee voor de prijs van één. Een smeris en een psychiater.'

'Zoiets ja,' antwoordde Dean met een geforceerde glimlach.

Stan keek van de een naar de ander, maar toen niemand iets zei, realiseerde hij zich waarschijnlijk dat zijn gezelschap niet langer gewenst was. 'Als je me nodig hebt, ik ben in de kamer van de technici,' zei hij tegen Paris.

Dean keek toe terwijl Stan zich terugtrok en de gang begon af te lopen. Toen hij buiten gehoorsafstand was, richtte hij zich weer tot Paris. 'Is dat Crenshaw? De neef van de eigenaar? Is hij homoseksueel?'

'Geen idee. Wat kom je doen, Dean?'

Hij stapte de keuken binnen, en maakte de al beperkte ruimte nóg kleiner. 'Iemand hoort tijdens je dienst bij je te zijn.'

'Stan is bij me.'

'Zou je hem je leven toevertrouwen?'

Ze glimlachte flauwtjes. 'Nee, niet echt.'

'Tot we meer weten over de persoon die zich Valentino noemt, moet je politiebescherming hebben.'

'Curtis bood aan Griggs en Carson naar me toe te sturen, maar ik weigerde.'

'Ik heb Griggs ontmoet. Hij slooft zich uit, een echte padvinder, maar noch hij noch...'

'Carson.'

'... is getraind in het onderhandelen met gijzelaars. Ik hoor hier te zijn voor het geval dat Valentino nóg een keer belt. Als ik het gevoel heb dat hij bijna instort, kan ik met hem praten en hem hopelijk overhalen te vertellen hoe de naam van zijn gevangene luidt en waar hij haar verborgen houdt.'

Dat was zijn vakgebied, en daarom was het een aanvaardbaar excuus voor zijn aanwezigheid hier. Toch trok Paris zijn beweegreden in twijfel. 'Misschien belt hij niet, dan heb je je hele avond verspild.'

'Die zou niet verspild zijn, Paris. Ik ben hier ook omdat ik met je wilde praten.'

'Je hébt met me gepraat.'

133

'Onder vier ogen.'

Ze zette de beker thee op het vuile aanrecht en keerde hem de rug toe. 'Dean, doe dit niet, alsjeblieft.'

Hij ging vlak achter haar staan. Ze hield haar adem in, bang dat hij haar zou aanraken. Ze was er niet zeker van hoe ze zou reageren als hij dat deed, en daarom wilde ze niet op de proef worden gesteld.

'Er is niets veranderd, Paris.'

'Alles is veranderd,' zei ze met een trieste glimlach.

'Toen jij vanmorgen mijn kantoor binnenliep, kwam het terug. Alles. Ik was als door de bliksem getroffen. Net als de eerste keer dat ik je zag. Weet je het nog? Het was de avond na de sneeuw.'

De sneeuwval in Houston was veranderd in een koude regen die naar binnen sloeg toen ze de voordeur opendeed om Jack en Dean binnen te laten.

Ze gebaarde dat ze snel naar binnen moesten komen, zodat ze de deur kon sluiten, en Jack stelde Dean voor. Maar het ging verloren in de verwarring van het uittrekken van natte jassen en pogingen om koppige paraplu's dicht te doen die de vloer van haar hal nat maakten.

Toen ze hun jassen aan de kapstok had gehangen en hun paraplu's in een hoek had gezet, draaide ze zich om en keek glimlachend op naar de beste vriend van haar verloofde. 'Laten we overnieuw beginnen. Hallo, Dean. Ik ben Paris. Leuk je te ontmoeten.'

'Dat is wederzijds.'

Zijn handdruk was stevig, zijn glimlach warm en vriendelijk. Hij was iets langer dan Jack, zag ze. Zijn bruine haar begon al te grijzen aan zijn slapen. Hij was knap, niet op de klassieke manier, zoals Jack, maar op een ruige manier. Jack had haar verteld dat Dean vrouwen van zich af moest slaan, en ze begreep waarom. Zijn asymmetrische gelaatstrekken waren boeiend en vormden een contrast met zijn ogen, die lichtgrijs waren en omlijnd door donkere wimpers. Een fascinerende combinatie.

'Ik dacht dat Jack loog,' zei hij.

'Jack liegen? Nooit!'

'Toen ik hem vroeg hoe je eruitzag, zei hij dat je me de adem zou benemen. Ik dacht dat hij overdreef.'

'Daar heeft hij wel een handje van, ja.'

'Maar deze keer heeft hij níet overdreven.'

Jack stond aan de andere kant van de kamer en wierp hun een glimlach toe. 'Terwijl jullie tweetjes over mijn slechte eigenschappen praten, ga ik een drankje voor ons inschenken.'

Ze genoten van een gezellig dineetje in Jacks favoriete steakhouse. Na de maaltijd verhuisden ze naar de aangrenzende bar, waar ze bij de open haard gingen zitten en koffie dronken. De mannen trakteerden Paris op verhalen over hun studententijd. Natuurlijk voerde Jack het hoogste woord, maar Dean leek dat uitstekend te vinden. Jack was een getalenteerde, geestige verhalenverteller.

Dean kon heel goed luisteren. Hij vroeg Paris naar haar werk, en terwijl ze een normale werkdag beschreef, verbrak hij geen moment het oogcontact. Hij gaf haar de aandacht die hij aan een orakel zou geven dat de toekomst van de mensheid onthulde. Hij was één en al oor en stelde relevante vragen. Dat was Deans speciale gave – anderen het gevoel geven dat ze het middelpunt van zijn heelal waren geworden.

Jack genoot van de avond, en dat hield ook in dat hij te veel cognac dronk. Hij sliep op de achterbank toen Dean zijn auto voor Paris' herenhuis tot stilstand bracht.

'Hij heeft het opgegeven,' merkte Dean op.

Paris keek achterom naar haar verloofde, die zachtjes door zijn open mond snurkte. 'Ik denk dat je gelijk hebt. Breng je hem veilig naar huis en naar bed?'

'Als ik hem maar geen nachtzoen hoef te geven.'

Ze lachte. 'Ik had zoveel van Jack over je gehoord, dat ik je al als mijn vriend beschouwde. Beloof me dat je gauw weer een avondje met ons doorbrengt.'

'Dat beloof ik.'

'Fijn.' Ze stak een hand uit om het portier te openen.

'Wacht, ik zal je naar binnen brengen.'

Ondanks haar protesten stapte hij uit en liep met een paraplu om zijn auto heen terwijl zij uit de auto stapte. Hij bracht haar naar de voordeur, nam de sleutel van haar over, deed met zijn vrije hand de deur open en wachtte tot ze het alarmsysteem had uitgeschakeld.

'Bedankt dat je met me bent meegelopen.'

'Graag gedaan. Wat is de datum?'

'De datum?'

'Van de trouwerij. Ik moet het op mijn kalender zetten. De getuige moet erbij zijn, weet je.'

'Ik heb nog geen datum vastgesteld. Ergens in september of oktober.'

'Dan pas? Jack gaf me de indruk dat het eerder was.'

'Als hij zijn zin kreeg zou dat ook zo zijn, maar ik wil herfstkleuren gebruiken.'

'Ja, dat zou mooi zijn.'

'Kerkelijk huwelijk?'

'Presbyteriaans.'

'En de receptie?'

'Waarschijnlijk ergens buiten de stad.'

'Dan moet je een hoop regelen.'

'Inderdaad.'

'Hmm.'

Hij leek niet te merken dat de regen vanaf de paraplu op zijn schoenen spatte, en zij merkte niet dat de regen naar binnen waaide en haar vloer nat maakte. Zelfs op die eerste avond was de blik die ze deelden misschien een paar seconden te lang.

Ten slotte maakte Dean er een einde aan door met schorre stem te zeggen: 'Goedenacht, Paris.'

'Goedenacht.'

Wanneer een toekomstige echtgenote aan een oude boezemvriend wordt voorgesteld, hebben ze vaak al meteen een hekel aan elkaar, wat het lastig maakt voor degene die ertussenin zit en van hen beiden houdt. Zij had Dean vanaf het begin gemogen en had dat als een gunstig voorteken beschouwd.

Nu pakte Dean haar hand en draaide haar naar zich om. Hij keek haar even doordringend aan als op de avond van hun eerste ontmoeting, en zijn blik had dezelfde magnetische uitwerking. Ze voelde dat haar wil wegsmolt en wist dat ze verloren zou zijn als ze er niet onmiddellijk tegen vocht.

'Dean, ik smeek je, laat het met rust.'

Ze probeerde om hem heen te lopen, maar hij versperde haar de weg. 'Onze omstandigheden zijn dan wel veranderd, Paris, maar niet datgene wat telt.'

'Wat telt, is wat altíjd heeft geteld: Jack.'

'Hij is door een hel gegaan, dat weet ik,' zei hij.

'Je kunt onmogelijk weten hoe afschuwelijk zijn leven na die avond is geweest.'

Hij boog zijn hoofd om zijn gezicht dichter bij het hare te brengen. 'Dat is waar, ik weet het niet. Omdat jij me duidelijk maakte dat ik hem niet moest bezoeken. Nooit.'

'Omdat hij niet zou hebben gewild dat jij – vooral jíj – hem zo zou zien,' zei ze met overslaande stem. 'Maar geloof me, hij was levend dood, zeven jaar lang. Totdat zijn hart zijn dood officieel maakte en ophield met kloppen.'

'Wat hem is overkomen spijt mij evenzeer als het jou spijt,' fluisterde hij. 'Weet je dat niet? Denk je dat ik het gewoon kon vergeten? Denk je dat ik zo ongevoelig ben, Paris? Net als jij heb ik moeten leven met wat er gebeurd was.'

Hij ademde lang uit, haalde zijn vingers door zijn haar en keek even naar een plek boven haar hoofd voordat hij zijn blik weer op haar richtte. 'Maar op gevaar af dat ik jou boos maak, moet ik dit zeggen: wat Jack overkwam, was zíjn schuld. Niet de jouwe, niet de mijne. De zíjne.'

'Het ongeluk zou niet zijn gebeurd als…'

'Maar het is wél gebeurd. En dat kunnen we niet ongedaan maken.'

'Jouw remedie tegen een schuldgevoel, dr. Malloy?'

'Ja. Simpel gezegd, ben ik niet van plan mijn leven door wroeging te laten verpesten. Ik heb het losgelaten.'

'Fijn voor je.'

'Dus is jouw remedie tegen een schuldgevoel beter? Emotioneel gezonder? Denk je dat ik er de voorkeur aan geef een gat te graven en me erin te verbergen?' Hij keek minachtend rond in de rommelige keuken. 'Moet je zien. Dit is een donker, smerig, somber, armzalig hol.'

'Ik hou ervan.'

'Omdat je denkt dat je niets beters verdient.'

Toen hij een stap dichterbij kwam, reageerde ze door haar ellebogen dichter tegen zich aan te drukken als middel om zich tegen zijn nabijheid te verdedigen. Het was ook een verdediging tegen de waarheid van wat hij zei. Ze wist dat hij gelijk had, wat haar alleen maar vastbeslotener maakte om niet te luisteren.

'Paris, God weet dat je goed bent in wat je hier doet. Je luisteraars houden van je. Maar bij het tv-journaal lag de toekomst voor je open.'

'Wat weet jij daar nou van?'

'Ik weet dat ik gelijk heb. Bovendien weet jíj dat ik gelijk heb.'

Ze kon niet in zijn overtuigende ogen kijken. Ze boog haar

137

hoofd en staarde naar de linoleum vloer tussen zijn schoenen en de hare. Ze onderdrukte de neiging om zijn revers vast te pakken en hem dringend te verzoeken óf van onderwerp te veranderen óf haar ervan te overtuigen dat ze voldoende had geboet. 'Ik heb gedaan wat ik moest doen,' zei ze zachtjes.

'Omdat je vond dat het je plicht was?'

'Ja, want dat was het.'

'Wás,' herhaalde hij met nadruk. 'Wat ben je Jack verplicht nu hij dood is?' Hij pakte haar bij de schouders. Het was voor het eerst in zeven jaar dat ze elkaar aanraakten. Ze werd overspoeld door een golf van hitte en vocht tegen de drang om tegen hem aan te leunen en haar lichaam tegen het zijne te drukken.

In plaats daarvan zei ze: 'Dean, alsjeblieft, niet doen. Ik moest moeilijke keuzes maken, maar ik heb het gedaan. Zoals je zei, het is voorbij. In elk geval wil ik er niet met je over kibbelen.'

'Ik ook niet.'

'Of erover praten,' voegde ze eraan toe.

'Dan doen we het niet.'

'Ik wil er niet eens aan dénken.'

'Ik zal nooit ophouden eraan te denken.'

Het timbre van zijn stem werd lager; zijn vingers grepen haar schouders steviger vast. Nauwelijks merkbaar kwam hij dichterbij, zó dicht dat hun kleren elkaar raakten en ze zijn adem op haar haar voelde.

Het onderwerp van gesprek was verplaatst van Jacks dood naar iets wat nóg verwarrender was en beter kon worden vermeden. Ze waagde het haar hoofd op te heffen en zijn blik te ontmoeten.

'Waarom verberg jij je in het donker, Paris?'

'Dat doe ik niet.'

'O nee? Ik kon amper iets zien op die gang.'

'Je raakt eraan gewend.'

'Hallo, duisternis, mijn oude vriend.'

'Je citeert Simon and Garfunkel?'

'Is dat tegenwoordig je herkenningsmelodie?'

'Misschien had jíj de dj moeten zijn.' Ze glimlachte, in de hoop het gesprek wat luchtiger te maken, maar hij liet zich niet afleiden.

Zijn blik dwaalde over haar gezicht. 'Je bent mooi, maar geen van je luisteraars weet hoe je eruitziet.'

'Dat is niet nodig. Radio is geen visueel medium.'

'Maar normaal gesproken maken radioberoemdheden reclame voor zichzelf. Jij hebt geen identiteit behalve je stem.'

'Meer identiteit heb ik niet nodig. Ik wil niet de aandacht op me vestigen.'

'Meen je dat? Dan zou je eigenlijk ook geen zonnebril moeten dragen.'

'Dat kan niet. Haar ogen zijn gevoelig voor licht.'

Geen van tweeën besefte dat Stan er was tot hij zijn mond opendeed. Terwijl ze zich naar hem omdraaiden, liet Dean haar schouders los.

Stan keek hem wantrouwig aan, maar hij had een boodschap voor Paris. 'Het is vijf voor tien. Harry gaat aan het laatste nieuws beginnen, gevolgd door de reclameboodschappen. En dan ben jij aan de beurt.'

14

'Hé, Gav!'

Gavin keek over zijn schouder. Toen hij zag wie hem had geroepen, wachtte hij tot Melissa Hatcher hem had ingehaald. Haar glimlach verdween op het moment dat ze zo dichtbij was, dat ze zijn gelaatsuitdrukking kon zien. In plaats van haar te begroeten zei hij: 'Rot op, Melissa. Probeerde je mijn leven te verwoesten of was je gewoon te stom om je mond niet dicht te houden?'

'Ben je boos?'

'Nou en of, verdomme!'

'Waarom? Wat heb ik gedaan?'

'Je hebt tegen mijn vader gezegd dat we elkaar kenden.'

'Nou, en?'

'Het probleem is dat hij over de Sex Club begon toen we vanavond bij Chili's een hamburger zaten te eten.'

Ze legde haar hand op haar heup. 'Alsof ik je vader van de Sex Club zou vertellen. Kom nou!'

'Hij heeft het van íemand gehoord.'

'Waarschijnlijk van die andere politieman. Die kleine kale.' Ze nam een trek van een brandende joint, die ze vervolgens aan Gavin aanbood. 'Alsjeblieft. Je ziet eruit of je iets nodig hebt om je te ontspannen.'

Hij duwde de marihuana weg. 'Wat weet je van Janey?'

'Ze zit zwaar in de problemen. Met haar ouders, de politie, met iedereen.' Toen ze een groepje bekenden achter Gavins schouder zag, riep ze: 'Hé, ik ben terug uit Frankrijk, en héb me toch verhalen!'

Gavin deed een stap opzij, blokkeerde haar uitzicht op de anderen en dwong haar hem aan te kijken. 'Is Janey écht vermist?' vroeg hij.

'Het zal wel. Ik bedoel, dat is wat je vader tegen me zei. Tussen haakjes, hij is sexy! Heeft hij een vriendinnetje?'

Het kwam niet alleen door de drugs dat ze zo'n absolute onbenul was. Veel hersens had ze niet meegekregen. Maar was gebrek aan intelligentie een excuus voor stom zijn? 'Melissa, wat weet je van Janey?'

'Niets.'

'Jij bent haar hartsvriendin,' zei hij.

'Ik ben verdomme in het buitenland geweest,' zei ze boos. 'Ik heb Hare Majesteit in geen weken gezien. Oké?' Ze nam nog een dosis wiet. 'Moet je horen, er staan mensen op me te wachten. Kalmeer een beetje, hè?'

Ze verliet hem en voegde zich bij een groepje dat een tuinslang aan een vaatje bier had vastgemaakt en er nu om de beurt uit dronk. De helft van het bier liep de grond in, maar niemand leek dat te zien of zich er druk om te maken. Er waren altijd méér vaatjes.

Gavin voegde zich bij zijn vrienden, die zich weer in en rond Craigs pick-up hadden verzameld. Hij reikte Craig de ongeopende fles Maker's Mark aan die hij uit zijn vaders drankkast had gestolen. Zijn ouweheer had het zó druk met het opsporen van Janey Kemp, dat het wel een paar dagen kon duren voor hij merkte dat er een fles whisky aan zijn voorraad ontbrak.

Craig begon de rode lakzegel met zijn zakmes te bewerken. 'Heb je gisteravond op je lazer gekregen?'

'En hoe!' Gavin leunde tegen de achterbumper terwijl hij zijn blik over de menigte liet dwalen, op zoek naar een bekend gezicht, een bekende gestalte.

'Je was ladderzat.'

'Ik heb onderweg als een idioot staan kotsen.'

'Jemig.'

'Ik overdrijf niet.' Hij vertelde het voorval bij de postbus. 'Het spoot er gewoon uit, als een projectiel.'

Hun gelach werd onderbroken toen een van de andere jongens Janeys naam noemde. 'Hebben jullie allemaal gehoord dat ze verdwenen is?'

'Het stond in de krant,' zei een ander. 'Mijn moeder vroeg of ik haar kende.'

'Je hebt haar vast niet verteld hóé goed je haar kende!'

'Maar jij hebt je moeder vast niet verteld dat je Janey kende in de bijbelse zin.'

'Wat weet jij nou van iets bijbels?'

'Mijn neef is dominee.'

'En wat heeft dat met jou te maken?'

'Hij probeerde me te redden. Dat lukte niet. Geef de fles eens door.'

De anderen bleven beledigingen uitwisselen en whisky drinken. Craig stapte uit de auto en ging naast Gavin staan. 'Wat héb je vanavond?'

'Niets.'

'Gewoon de pest in, hè?' Graig gaf hem een kans om een verklaring voor zijn slechte humeur te geven, maar toen gaf hij het schouderophalend op en ging ook aandachtig naar de menigte staan kijken. Plotseling fluisterde hij opgewonden: 'Hé, zie je die vent daar?'

Gavin keek in de richting die Craig aanwees. Hij zag een man van de achterbank van een auto klimmen, zijn kleren rechttrekken en een honkbalpet opzetten. Na hem stapten twee meisjes uit. Schoonheden. Barbiepoptypes, met blonde haren en een flinke boezem, hoewel hun benig borstbeen op implantaten wees.

'Hun tieten zijn nep,' zei Gavin.

'Wie kan dat nou iets schelen?'

Craig kennelijk niet, want hij bleef lonken. 'Ik vraag me af of de meisjes weten dat hij een smeris is.'

Gavin schrok op. 'Een smeris? Mooi niet!'

'Ik heb het gerucht gehoord.'

Terwijl ze toekeken, omhelsde het drietal elkaar. Toen stuurde de man de meisjes weg, maar niet voordat hij hun een vriendelijke klap op de billen had gegeven en had beloofd hen spoedig weer te ontmoeten.

De meisjes liepen langzaam weg, helaas niet in de richting van Craig en Gavin. De man stapte in zijn auto en ging dit keer achter het stuur zitten. Terwijl hij de wagen om Craigs Ram heen manoeuvreerde, kruiste zijn blik die van Gavin.

'Zelfvoldane klootzak,' bromde Craig.

'Weet je zeker dat hij van de politie is?'

'99,9 procent.'

'Wat doet hij dan híer?'

'Hetzelfde als wij, en vanavond heeft hij succes geboekt.'

'Ja, een dubbel succes.'

'Bofkont.' Ze keken de auto na tot de achterlichten uit het zicht waren verdwenen. Toen zei Craig: 'Ik zag je met Melissa staan praten.'

'Daar is ze goed in. Praten.' Hij vertelde Craig dat zijn vader haar bij het huis van de familie Kemps had ontmoet. 'Hij weet het van de Sex Club.'

'Maak je geen zorgen,' zei Craig, terwijl hij minachtend snoof. 'Wat denken ze eraan te doen? Alle computers in beslag nemen?'

'Dat vroeg ik ook aan mijn vader. Ze pissen tegen de wind in.'

Gavin praatte stoerder dan hij zich voelde; hij maakte zich ernstig zorgen en dat knaagde aan hem als een razende honger. Om die reden had hij zijn vader nogmaals uitgedaagd door vanavond het huis te verlaten. Wat maakte het uit? Hij zou tóch in de problemen komen. Het was alleen een kwestie van de mate waarin.

Weken geleden had hij een reservesleutel laten maken voor een noodsituatie als deze. Zodra zijn vader hem thuis had afgezet en naar het radiostation was vertrokken, was hij 'm ook gesmeerd. Maar hij voelde zich niet zo zorgeloos als zijn uitdagende houding voorgaf. Hij was misselijk van angst voor wat de volgende paar dagen zouden kunnen brengen.

'Waar denk je dat ze is?' vroeg Craig.

Het was alsof hij Gavins gedachten had gelezen. 'Wie, Janey? Hoe moet ík dat nou weten, verdomme?'

'Nou, ik dacht dat je het misschien wist.'

'Hoezo?'

Craig keek hem geërgerd aan. 'Omdat jij gisteravond bij haar was.'

Toen de laatste klanken van *I'll Never Love This Way Again* waren weggestorven zei Paris in haar microfoon: 'Dat was Dionne Warwick. Ik hoop dat jullie iemand in je leven hebt die in je dromen kan kijken en zorgen dat ze allemaal werkelijkheid worden.'

Vanavond voelde Paris zich opgesloten in de studio. Dat kwam door Dean. Hij had de afgelopen drie uur en zestien minuten op een kruk gezeten, dezelfde als die van haar. Hij was ver genoeg bij haar vandaan om haar bewegingsvrijheid te geven en toegang tot het bedieningspaneel, maar hij was ook zo dichtbij, dat ze zich constant van hem bewust was. Hij zat doodstil en zweeg meestal, maar zijn blik volgde haar overal.

Ze voelde hem vooral nu, nu ze het over het verwezenlijken van dromen had. 'Het is zestien over één en nog bloedheet, maar ik zal hier op 101.3 tot twee uur koele klassiekers draaien. Laat me weten wat je vanavond bezighoudt. Bel me.

Ik heb een verzoek gehad van Marge en Jim, die hun dertigste trouwdag vieren. Dit was hun huwelijkslied. Het is van The Carpenters. Gefeliciteerd, Marge en Jim.'

Toen *Close To You* begon te spelen, drukte ze op de knop om de microfoon uit te zetten. Daarna wierp ze een blik op Dean, terwijl ze een van de knipperende knoppen van de telefoonlijnen indrukte. 'Je spreekt met Paris.'

'Hallo, Paris. Je spreekt met Roger.'

Telkens wanneer ze een van de telefoontjes had aangenomen waren zij en Dean bang geweest, maar ze hadden ook gehoopt dat Valentino de beller zou zijn. Dean had een draagbare cassetterecorder bij zich, opgeladen en klaar voor gebruik.

Zijn schouders ontspanden, net als de hare, toen ze zei: 'Hallo, Roger.'

'Kunt u alstublieft een lied voor me draaien?'

'Wat is de reden?'

'Niets. Ik vind het lied gewoon mooi.'

'Dat is reden genoeg. Welk lied zou je willen horen?'

Vlot voerde ze het gevraagde nummer in de logcomputer in, als vervanging van een nummer dat al geprogrammeerd stond. Daarna drukte ze haar vuisten in haar onderrug, ging staan en rekte zich uit.

'Moe?' vroeg Dean.

'Ik heb vannacht vrijwel niet geslapen en overdag heb ik niet eens een dutje gedaan. Jij zult ook wel moe zijn. Jij bent niet gewend aan deze uren.'

'Meer dan je denkt. Tegenwoordig slaap ik zelden een hele nacht door. Ik doe een hazenslaapje terwijl ik luister of Gavin binnenkomt.'

'Brengt hij de zomer bij je door?'

'Nee, hij woont min of meer permanent bij me.'

Ze toonde duidelijk haar verbazing. 'Er is toch niets gebeurd met Pat?'

'Nee, nee, ze maakt het goed,' zei hij snel, als reactie op haar bezorgdheid. 'Het gaat zelfs uitstekend met haar. Ze is eindelijk hertrouwd. Iedereen vindt hem een leuke vent, maar Gavin denkt daar anders over.'

144

Paris had Deans ex-vrouw ontmoet bij een van Gavins Little League-honkbalwedstrijden, en zij en Jack waren een keer bij hen thuis uitgenodigd voor Gavins verjaarsdiner. Ze herinnerde zich Pat als een tengere, aantrekkelijke vrouw, maar nogal serieus en een Pietje precies.

Ongevraagd had Jack haar toevertrouwd dat Dean meteen na zijn afstuderen was getrouwd, maar dat het huwelijk nog geen jaar had geduurd. 'Net lang genoeg om de geboorte van Gavin mee te maken. Ze pasten niet bij elkaar, en dat wisten ze. Ze waren het erover eens dat het het beste zou zijn, zelfs voor het kind, als ze het zinkende schip verlieten en op een fatsoenlijke manier uit elkaar gingen.'

Hoewel Gavin bij Pat had gewoond, had Dean hem een paar keer per week gezien en was hij actief betrokken geweest bij alle fases van Gavins leven. Hij was met Pat meegegaan naar ouder-avonden, was trainer geweest van honkbalteams van jonge kinderen en van voetbalteams, en was verder bij alle aspecten van Gavins ontwikkeling betrokken geweest. Na een scheiding werd het grootbrengen van een kind meestal afgeschoven op de ouder die de voogdij had, en Paris had Dean bewonderd omdat hij zijn verantwoordelijkheden als vader zo serieus nam.

'Konden hij en zijn stiefvader niet met elkaar overweg?' vroeg ze.

'Dat kwam door Gavin. Hij misdroeg zich, en op het laatst was hij gewoon niet meer te handhaven. Pat en ik kwamen overeen dat hij een tijd bij mij zou wonen.' Hij beschreef hoe moeizaam het samenleven verliep. 'Het pijnlijke is, Paris, dat ik me erop verheugde hem bij me te hebben. Ik wil dat het werkt.'

'Het komt heus welk goed. Gavin is een lief joch.'

Hij lachte. 'Afgaande op de afgelopen tijd moet ik het helaas met je oneens zijn. Maar ik hoop dat de lieve jongen die jij je herinnert er nog steeds is ergens achter al die vijandigheid en kribbigheid.'

Op het halve uur las Paris van een beeldscherm een paar hoofdpunten van het nieuws voor, daarna volgden een paar minuten reclameboodschappen, waarin ze telefoontjes aannam. Een beller vroeg haar mee uit; ze wees het verzoek vriendelijk af.

'Misschien had je ja moeten zeggen,' plaagde Dean. 'Hij klonk wanhopig.'

'Wanhopig dronken,' zei ze, terwijl ze zijn glimlach beantwoordde en het telefoontje van de Vox Pro verwijderde.

Het volgende telefoontje was afkomstig van een lacherig stel dat zich zojuist had verloofd. 'Hij vroeg of ik een fles wijn wilde openmaken en toen gaf hij me een glas met de ring erin.' Zelfs haar geschreeuw kon een charmant Brits accent niet verhullen. 'Mijn vriendinnen in Londen zullen het níet geloven! Als meisjes keken we trouw naar *Dallas*, en we droomden ervan dat we op een dag een knappe Texaan zouden tegenkomen.'

Paris moest lachen om de duidelijke verrukking van de jonge vrouw, en vroeg wat voor nummer ze wilden horen.

'*She's Got A Way*. Hij zegt dat Billy Joel het voor míj had kunnen schrijven.'

'Ik weet zeker dat hij gelijk heeft. Vind je het goed als ik ons gesprek met de luisteraars deel?'

'Fantastisch!'

Paris schreef hun namen op en beantwoordde nog een paar telefoontjes. Na de reeks reclameboodschappen zond ze het gesprek met het verloofde stel uit, gevolgd door het lied waar ze om hadden verzocht, daarna *Precious and Few* en ten slotte *The Rose*.

Het bedienen van het controlepaneel was een tweede natuur voor haar, dus kon ze dat allemaal doen terwijl ze hun gesprek over Gavin voortzette. 'Wat zei hij toen je vertelde dat je Melissa Hatcher had ontmoet?' vroeg ze.

'Hij deed net of hij haar niet kende,' antwoordde Dean.

Paris keek hem onderzoekend aan; hij las haar gedachte.

'Ja, mij stoort dat ook. Waarom wilde hij niet toegeven dat hij haar kende? Hij gaf ook niet toe dat hij Janey Kemp kende, totdat ik druk op hem uitoefende.'

'Hoe goed kent hij haar?'

'Niet zo goed. Tenminste, dat zei hij tegen me. Maar tegenwoordig krijg ik niet altijd de waarheid te horen.'

'Niet zoals toen hij het wiel van zijn fiets had verbogen?'

'Weet je dat nog?'

'Jack en ik waren voor een barbecue naar je huis gekomen, en Gavin logeerde dat weekend bij jou. Hij had een eind gefietst met kinderen uit de buurt, maar toen hij thuiskwam, liep hij met zijn fiets aan de hand, want de spaken van zijn voorwiel waren bijna helemaal verbogen. Je vroeg of hij op het achterwiel had gefietst. En toen hij bekende, stuurde je hem naar zijn kamer, waar hij de rest van de avond moest blijven.'

'Dat zou straf genoeg zijn, omdat hij het heel fijn vond als jij en Jack op bezoek waren. Maar ik liet hem ook klusjes doen om voldoende geld te verdienen en het wiel door een nieuw te vervangen.'

'Een strenge maar goede opvoeding, Dean.'

'Vind je?'

'Ja. Je maakte je standpunt over de waarde van bezit duidelijk, maar je was niet boos over de schade aan de fiets.'

Hij glimlachte. 'Ik had duizend keer tegen hem gezegd dat hij niet op het achterwiel mocht rijden of over stoepranden springen, omdat het gevaarlijk was. Ik wilde niet dat hij een orgaandonor werd.'

'Ja, hij had net zogoed met zijn hoofd tegen het trottoir kunnen slaan of zijn nek kunnen breken. Je was van streek om wat er kon zijn gebeurd, en daarom was je boos.'

'Ik had dat misschien aan hem moeten uitleggen.'

'Hij wist het,' zei ze zacht.

Dean keek haar aan; het contact was meer dan alleen visueel. Het duurde tot aan het eind van het lied van Bette Midler. Daarna richtte Paris haar aandacht weer op het bedieningspaneel en zette de microfoon aan.

'Vergeet niet om morgenochtend af te stemmen op Charlie en Chad. Zij zullen je gezelschap houden terwijl je naar je werk rijdt. Hier is Paris Gibson met een romantisch programma van klassieke liefdesliedjes. De telefoonlijnen staan open tot twee uur. Bel me.'

Toen de volgende serie liedjes begon, keek ze naar de logmonitor. 'Nog maar negen minuten te gaan.'

'Belde hij gisteravond niet rond deze tijd?' Toen ze knikte zei hij: 'Kun je ononderbroken met hem praten als hij belt?'

Ze wees naar de aftelklok op het scherm. 'Dat is de tijd die nog over is voor alles wat is ingeprogrammeerd. Na deze volgen nog twee series.'

'Dus na het laatste lied zul je amper genoeg tijd hebben om afscheid te nemen en de uitzending te beëindigen.'

'Klopt.'

Hij keek naar de knoppen van de telefoonlijnen, waarvan er drie knipperden. 'Als het Valentino níet is, maak het dan kort. Hou de lijnen open. En als hij het wél is, vergeet dan niet te vragen of je met Janey mag praten.'

Ze haalde diep adem, keek of Dean een vinger aan de opname-knop van de draagbare cassetterecorder had, en beantwoordde toen een van de telefoonlijnen. Rachel vroeg een lied aan voor haar man Pete. *It Might Be You.*

'Aha, Stephen Bishop.'

'Het was het eerste lied waarop we op onze trouwreceptie dansten.'

'Het is een goede keus en verdient een heel goede plaats.' Paris beloofde het de volgende avond te draaien, in het eerste halfuur van haar programma.

'Gaaf. Bedankt.'

Paris keek opnieuw naar Dean voordat ze een andere knop indrukte. 'Je spreekt met Paris.'

'Hallo, Paris.'

Het bloed stolde in haar aderen bij het horen van zijn stem. Snel richtte ze haar blik op Dean, die de recorder startte. Op het scherm van de Vox Pro stond een telefoonnummer, dat hij opschreef. Hij staarde naar het scherm, alsof hij het dwong niet alleen het telefoonnummer bekend te maken maar ook het beeld en de identiteit van de beller. 'Hallo, Valentino.'

'Hoe was je dag? Druk?'

'Het ging wel.'

'Kom nou, Paris. Vertel op. Wat heb je vandaag gedaan om jezelf bezig te houden? Heb je aan me gedacht? Of heb je me afgeschreven als een rare snoeshaan? Heb je met de politie gesproken?'

'Waarom zou ik? Tenzij je me met het meisje laat praten heb ik geen reden te geloven dat ze bestaat en dat het waar is wat je me gisteravond vertelde.'

'Hou op dwaze spelletjes te spelen, Paris. Natuurlijk bestaat ze. Waarom zou ik zoiets beweren als het niet waar was?'

'Om mijn aandacht te trekken.'

Hij lachte. 'En? Is dat gelukt? Schenk je me deze keer aandacht?'

'Déze keer?'

'Toen ik je eerder waarschuwde negeerde je me, en kijk wat er gebeurde.'

Ze keek Dean aan en schudde niet-begrijpend haar hoofd. 'Waar heb je het over, Valentino?'

'Zou je dat niet graag willen weten?' zei hij tergend. 'Vraag het me vriendelijk en misschien geef ik je dan een paar aanwijzingen.

Maar je moet het me heel vriendelijk vragen. Dat is een opwindende gedachte.' Hij ademde diep in, luid, zodat ze het kon horen. 'Je stem alleen al is genoeg om me opgewonden te maken. Ik denk aan ons samen, weet je. Binnenkort, Paris.'

Ze rilde van afkeer maar vervolgde op onbewogen toon: 'Ik geloof niet dat je een meisje bij je hebt. Je kletst maar wat en dit is een flauwe grap.'

Dean knikte goedkeurend.

'Nog meer spelletjes, Paris? Ik raad het je af. Je hebt al vierentwintig van onze tweeënzeventig uren verspild. De volgende achtenveertig zullen voor mij veel leuker zijn dan voor jou. Wat mijn gevangene betreft, ze is een beetje moe, en al haar gejammer en gesmeek begint op mijn zenuwen te werken. Maar ze is nog steeds zo geil als boter, en dus ligt ze nu op me te wachten.'

De verbinding werd verbroken.

'Het is niet hetzelfde nummer. Gisteravond belde hij ergens anders vandaan,' zei Dean terwijl hij zijn mobieltje pakte. 'Heb je vanavond iets gehoord wat anders is dan gisteravond, Paris? Een verandering in zijn stembuiging of in zijn toon?'

Dean was politieman, zíj niet. Ze walgde van het telefoontje en vond het moeilijker om voor rechercheur te spelen. 'Nee,' antwoordde ze met schorre stem. 'Hij klonk hetzelfde.'

'Volgens mij ook, maar ik dacht dat jíj misschien… Hallo, Curtis, hij heeft net gebeld,' zei hij in zijn mobiele telefoon. 'Ander nummer. Klaar?'

Terwijl hij het nummer aan de rechercheur doorgaf, duwde Stan de geluiddichte deur open. 'Eh, Paris, we zenden stilte uit.'

Ze had zich niet gerealiseerd dat de muziek was gestopt. Snel gebaarde ze dat iedereen muisstil moest zijn en zette haar microfoon aan. 'Wees voorzichtig, wees gelukkig, hou van iemand. Hier is Paris Gibson. Goedenacht.' Ze drukte op een aantal knoppen. Toen zei ze: 'We zijn uit de ether.'

'Heeft de griezel wéér gebeld?' vroeg Stan.

Dean had hun de rug toegekeerd terwijl hij zijn telefoongesprek met Curtis vervolgde.

Paris zei tegen Stan: 'Laat een briefje achter voor de technici die morgenvroeg dienst hebben. Vraag of ze het laatste telefoontje van de Vox Pro op een cassettebandje willen zetten en er een aantal kopieën van maken. En schrijf ook een briefje voor Charlie en Chad om ze te waarschuwen dat ze het telefoontje niet moeten wissen.'

Hij keek beledigd. 'Ik weet hoe je het op een bandje moet overbrengen, Paris. Ik zou het nu meteen kunnen doen.'

Ze aarzelde, niet zeker van zijn vaardigheid. Maar hij zag er zo teleurgesteld uit, dat ze zei: 'Dank je, Stan, daar zou je ons erg mee helpen.'

Dean maakte een einde aan zijn telefoontje, draaide zich vervolgens om, en pakte zijn jas en de draagbare cassetterecorder. Allemaal in één vloeiende beweging. 'Het nummer hoort bij een andere munttelefoon. Er zijn al patrouillewagens onderweg.'

'Ik ga er ook vandoor,' zei Paris.

'Niks ervan! Ik peins er niet over je nu alleen te laten!' zei Dean.

Hij trok de deur open. Toen ze wegliep riep ze over haar schouder tegen Stan: 'Zou je die bandjes bij mij thuis willen afleveren?'

Dean duwde haar de gang op voordat Stan tijd had om te antwoorden.

15

Melissa Hatcher was jaloers op Janey Kemp om alle redenen die gewoonlijk jaloezie opwekken. Janey was gezonder, knapper, intelligenter, populairder en begeerlijker. Maar wat één eigenschap betrof won Melissa het van Janey: gehaaidheid.

Als Melissa Janey tot haar rivale had gemaakt, zou ze automatisch op afstand tweede zijn geworden in een wedstrijd voor twee vrouwen. In plaats daarvan was ze zo slim geweest Janey tot haar hartsvriendin te maken.

Op haar eerste avond na haar terugkeer uit Frankrijk had ze in het middelpunt van de belangstelling moeten staan. Maar nu wilde iedereen alleen maar over Janey praten en over haar mysterieuze verdwijning. Melissa was nijdig. Ze had verhalen over de naaktstranden aan de Côte d'Azur, over de wijn die ze had gedronken en de drugs die ze had gebruikt. Hoe ze aan de tepelpiercing kwam die ze in St. Tropez had gekregen was een verhaal dat een publiek een halfuur in haar ban zou houden.

Maar niemand had belangstelling voor haar recente avonturen in het buitenland. Janey was de naam op ieders lippen, het onderwerp van elk gesprek.

Melissa geloofde geen van de wilde speculaties die over de verblijfplaats van haar vriendin de ronde deden. De verhalen varieerden. Jane was ervandoor gegaan met de nieuwe quarterback van de Dallas Cowboys, die ze in een club aan Sixth Street had ontmoet. Ze was geknidnapt en haar vader weigerde losgeld te betalen. Een perverse man had haar meegenomen en tot zijn seksslavin gemaakt.

Gelul, dacht Melissa boos.

Als Janey met een van de Dallas Cowboys op huwelijksreis was gegaan, zou ze er ongetwijfeld voor hebben gezorgd dat iedereen het wist. Melissa achtte de rechter in staat te weigeren losgeld aan ontvoerders te betalen, maar dat zou hij voor het oog van de camera's doen en het gebruiken om campagne voor zijn herverkiezing te voeren. En als er íemand tot een seksslaaf werd gemaakt, was het waarschijnlijk de vent die met Janey zat opgescheept.

Janey was lekker stoned en aan het neuken. Einde verhaal. Als ze klaar was, zou ze weer verschijnen en zich verkneukelen in de opschudding die ze had veroorzaakt. Ze zou het uitbuiten voor wat het waard was. Dat was Janey. Ze vond het heerlijk om mensen te schokken en onrust te zaaien.

Het is net iets voor mijn zogenaamde hartsvriendin, dacht Melissa, om alle aandacht naar zich toe te trekken op de eerste avond dat ik terug ben uit Europa. De avond was stomvervelend, en ze had zwaar de pest in. Nadat ze zoveel over Janey had gehoord dat het genoeg was voor een heel leven, besloot Melissa naar huis te gaan en zich over te geven aan de jetlag.

Maar toen ze de oudere man in het oog kreeg, bedacht ze zich.

Ze had hem eerder gezien. Haar geheugen was niet voor honderd procent betrouwbaar, maar ze was er bijna zeker van dat Janey het minstens één keer met hem had gedaan. Hoe ergerlijk het ook was om toe te geven, maar als Janey hier zou zijn, zou hij Janey waarschijnlijk boven haar verkiezen. Maar Janey was er niet.

Melissa liep langzaam naar de plek waar hij stond, leunend tegen het portier aan de bestuurderszijde van zijn auto. 'Ga je of kom je?'

Hij nam haar aandachtig op en glimlachte traag. 'Geen van beide op dit moment.'

Ze gaf een plagerig tikje op zijn arm. 'Ik denk dat je me verkeerd begrijpt.'

'Was die dubbelzinnigheid dan niet je bedoeling?'

Ze begreep niet wat hij zei, dus haalde ze haar schouders op en wierp hem haar verleidelijkste glimlach toe. 'Misschien.'

Hij zag er leuk uit. Een jaar of vijfendertig, schatte ze. Een beetje oud en verlopen, maar wat maakte het uit? Hij zou onder de indruk zijn van haar reisverhalen.

'Ik ben net terug uit Frankrijk.'

'Hoe was het?'

'Franserig.'

Hij glimlachte waarderend om haar grapje.

'Het was een totale flop. Ik verstond niet wat ze zeiden, maar vond het leuk om ze te horen praten. Ik heb een man wijn zien drinken bij zijn ontbijt. Ouders gaven wijn aan hun kinderen, snap je dat? En op openbare stranden lagen mensen naakt te zonnen.'

'Jij ook?'

'Wat denk je?' zei ze met een sluwe glimlach.

Hij stak een hand uit en streek over haar arm. 'Een mug.'

'Ze steken gemeen vanavond. Misschien kunnen we beter in je auto gaan zitten.'

Hij bracht haar naar het portier aan de passagierszijde en deed het voor haar open. Daarna liep hij om de auto heen, ging achter het stuur zitten, startte de motor en zette de airco aan.

'Hmm, dit is veel beter,' zei ze, en nestelde zich tegen de koele, leren bekleding. 'Mooie auto,' zei ze terwijl ze het interieur bekeek. Toen ze een blik op de achterbank wierp, vroeg ze: 'Wat is dat?'

'Een plastic vuilniszak.'

'Ja, dat zie ik ook wel! Wat zit erin?'

'Wil je het zien?' Hij tilde de zak op en zette hem op haar schoot.

'Het is toch geen vuil wasgoed, hè?' vroeg ze, en hij lachte.

Melissa maakte het touwtje los, keek in de zak en haalde er een tijdschrift uit. De naam van het blad en de omslag hadden niet duidelijker kunnen zijn. Ze deed quasi-nonchalant. 'In Frankrijk kun je dit soort seksbladen op elke straathoek kopen. Niemand maakt daar een punt van. Mag ik even kijken?'

'Ga je gang.'

Toen ze het hele tijdschrift had doorgebladerd streelden zijn vingers de binnenkant van haar dij. Hij boog zijn hoofd en wreef met zijn neus tegen haar borst. 'Wat is dit?'

'Mijn souvenir uit Frankrijk.' Ze tilde haar topje op en liet hem trots haar tepelpiercing zien. 'Ik ontmoette een man op het strand. Hij kende een tandarts die als bijverdienste aan body piercing deed.'

Hij begon te lachen.

'Wat is er zo grappig aan?'

Hij bewoog de zilveren piercing heen en weer met zijn vingertop. 'Een binnenpretje.'

Er stonden zeven berichten van Liz op het antwoordapparaat van Deans huistelefoon. Hij luisterde naar alle zeven.

'Ik kan me niet voorstellen waarom je me niet hebt gebeld,' zo begon het laatste bericht. 'Ik ben nu niet meer boos, Dean, maar bang. Is er iets gebeurd met jou of Gavin? Als je dit hoort, bel me dan alsjeblieft. Als ik binnen een uur niets van je hoor, ga ik de ziekenhuizen van Austin bellen.'

Het bericht was die nacht om twintig over drie achtergelaten. Op de voicemail van zijn mobiele telefoon stond net zo'n boodschap. Het laatste dat hij wilde was met Liz praten. Nee, het laatste dat hij wilde was dat ze de ziekenhuizen ging bellen.

Hij toetste het nummer van haar mobiele telefoon in. Ze nam meteen op. 'Er is niets met me aan de hand,' zei hij onmiddellijk. 'Er ligt niemand in het ziekenhuis, en je hebt het volste recht om woedend te zijn. Geef me maar op m'n donder.'

'Dean, wat is er aan de hand?'

Hij plofte neer op een keukenstoel en haalde zijn vingers door zijn haar. 'Werk. We hebben een crisissituatie.'

'Daar is niets over gezegd in het journaal...'

'Geen nationale crisis. Geen vliegtuigongeluk, geen massamoord of iets dergelijks. Maar het is een hachelijke situatie. Ik ben er vanmorgen vroeg... gistermorgen bij betrokken geraakt. Ik werd geraadpleegd zodra ik in mijn kantoor was en ben er de hele dag mee bezig geweest. Ik ben net thuisgekomen. Doodop. Maar dat zijn allemaal geen excuses om je niet terug te bellen.'

'Wat is het voor zaak?'

'Vermist meisje. Verdachte vol eigenwaan. Hij heeft gebeld en heeft tegen ons gezegd wat hij van plan is met haar te doen tenzij we haar vóór zijn deadline kunnen opsporen.' Hij had niet de energie om haar meer te vertellen dan dat. Bovendien zouden de details Paris hebben omvat. Liz wist niets van Paris af, en dit was niet het goede moment om te proberen zo'n gecompliceerde situatie uit te leggen.

'Het spijt me dat je zo'n hectische dag hebt gehad.'

'Jemig, Liz, ík ben degene die spijt heeft.'

Er was veel waarvan hij spijt had. Spijt dat hij veinsde haar liefde te beantwoorden, en dat zó goed deed dat ze het geloofde. Spijt dat hij niet tegen haar zei dat ze in Houston moest blijven, zoals ze eigenlijk had moeten doen. Spijt dat hij wenste dat haar reisje naar Chicago langer duurde dan een paar dagen.

'Hoe is het overleg met de Zweden afgelopen?' vroeg hij quasibelangstellend.

'Denen. Ze hebben mijn voorstel geaccepteerd.'

'Fijn. Maar het is niet verbazingwekkend.'

'Hoe gaat het met Gavin?'

'Goed.'

'Geen ruzies meer?'

'We hebben bloedvergieten vermeden.'

'Je klinkt uitgeput. Ik hang op, dan kun je gaan slapen.'

'Nogmaals, wat vandaag betreft...'

'Het doet er niet toe, Dean.'

'Het doet er verdomme wél toe. Door mij heb je je onnodig ongerust gemaakt.'

Hij was kwaad op haar omdat ze niet bozer op hem was, en hij zou minder last van zijn geweten hebben gehad als ze pisnijdig was geweest. Hij wilde niet dat ze hem ontzag. Hij wilde niet dat ze hem zacht aanpakte. Hij wilde dat ze kookte van woede.

Maar een knallende ruzie zou energie hebben vereist, die hij niet had, dus liet hij het bij een zwak: 'Nou, hoe dan ook, ik bied mijn excuses aan.'

'Aanvaard. Ga slapen. Morgen praten we verder.'

'Dat beloof ik. Welterusten.'

'Welterusten.'

Hij nam een fikse slok water uit de fles in de koelkast en liep daarna door het donkere huis naar de slaapkamers. Er was geen licht onder Gavins deur, zelfs niet het zwakke schijnsel van zijn computer. Dean bleef staan om een blik in de kamer te werpen.

Gavin sliep. Hij had alleen zijn ondergoed aan en lag op zijn rug, met gespreide armen en benen, de dekens weggetrapt. Hij was bijna even lang als het bed en ademde door zijn mond, wat hij als baby al deed. Hij zag er heel jong en onschuldig uit, zestien, op de grens tussen jongen en man, maar in slaap leek hij veel meer een kind dan een volwassene.

Terwijl hij naar zijn zoon stond te kijken, besefte Dean dat de pijn die hij diep vanbinnen voelde liefde was. Hij had niet echt van Gavins moeder gehouden, en zij ook niet van hem, maar alle twee hadden ze van Gavin gehouden. Vanaf de dag dat ze wisten dat hij verwekt was, hadden ze de liefde die ze voor elkaar hadden moeten voelen op de persoon gericht die ze hadden verwekt.

Kennelijk was het hun niet gelukt de diepte van die liefde aan Gavin over te brengen. Hij geloofde nog steeds niet dat correctie voor zijn bescherming was en dat discipline geen aangenaam tijdverdrijf voor hen was, maar een bewijs dat hij heel belangrijk voor hen was. Verdomme, Dean had een goede ouder willen zijn. Hij had zo zijn best gedaan. Hij had niet gewild dat zijn zoon er ook maar een seconde aan twijfelde dat zijn vader van hem hield. Maar ergens onderweg moest hij een fout hebben begaan, iets verkeerds hebben gedaan, hebben nagelaten iets te doen wat hij had móeten doen. Nu keek zijn zoon op hem neer zonder daar een geheim van te maken.

Terwijl hij de last van zijn falen voelde, liep Dean weg van Gavins bed en sloot zacht de deur achter zich.

De ouderslaapkamer was een groot vertrek met een hoog, gewelfd plafond, grote ramen en een open haard. De kamer verdiende een betere aankleding dan wat Dean ervan had gemaakt, niet veel meer dan wat meubilair en een sprei. Toen hij zijn intrek in het huis nam, had hij tegen Liz gezegd dat hij de inrichting voor haar bewaarde, nadat ze getrouwd waren. Maar hij had tegen haar gelogen, en ook tegen zichzelf. Hij had haar zelfs nooit uitgenodigd de nacht in dit bed door te brengen.

Hij stak de batterijoplader van zijn mobieltje in het stopcontact in de badkamer, zodat de telefoon binnen bereik was als hij werd gebeld. Daarna kleedde hij zich uit en stapte in de douchebak. Terwijl hij onder de harde, warme stralen stond, liet hij alles wat er na Valentino's telefoontje was gebeurd de revue passeren.

De snelle rit naar de munttelefoon was een vergeefse inspanning geweest. Voor alle betrokkenen. Voor de politiemannen in de drie patrouilleauto's die de cel hadden omsingeld, voor brigadier Robert Curtis, die bij zijn aankomst even keurig gekleed was als overdag, en voor Paris en hemzelf.

Ze waren aangekomen kort nadat was bevestigd dat Valentino zich niet meer in de buurt van de telefooncel bevond waar hij zijn gesprek had gevoerd. De Wal-Mart was al urenlang gesloten en het parkeerterrein was een uitgestrekte woestijn van beton. Er waren geen getuigen, behalve een zwerfkat die zich te goed deed aan de restanten van een hotdog die iemand per ongeluk naast een vuilnisbak had gegooid in plaats van erin.

'En de kat praat niet,' zei Curtis droogjes toen hij de situatie voor hen samenvatte.

Dean en Paris zaten met de rechercheur in zijn auto om de mislukte poging Valentino te pakken te krijgen te bespreken. Paris zat op de achterbank, terwijl Dean naast Curtis in de passagiersstoel zat. 'Ik heb een bandopname gemaakt toen het telefoontje bin-nenkwam,' zei Dean tegen Curtis. 'Laten we ernaar luisteren.'

Hij draaide het bandje af. Toen spoelde hij het terug en luister-den ze nog een keer. Na afloop zei Curtis: 'Hij schijnt niet te we-ten dat we hem achternazitten.'

'Wat in ons voordeel zou kunnen werken,' zei Dean.

'Alleen tot het morgen in de krant staat.' Curtis wendde zich tot Paris. 'Wat bedoelt hij als hij zegt dat je de laatste keer geen aan-dacht aan hem besteedde?'

'Het is precies zoals ik tegen hem zei, ik heb geen flauw idee.'

'Herinner je je geen eerdere waarschuwing?'

'Als ik ooit zo'n telefoontje had gekregen, zou ik de politie heb-ben ingelicht.'

'Dat is precies wat ze gisteravond heeft gedaan.' Dean hield niet van de manier waarop de rechercheur naar Paris keek. 'Wat be-doel je daarmee?'

'Niets. Ik zit alleen te denken. '

'Wees dan zo vriendelijk om hardop te denken.'

Curtis keek hem aan. Hij leek op het punt te staan een aanmer-king te maken op de toon waarop Dean dat zei toen hij zich her-innerde dat Dean hoger in rang was dan hij. 'Ik dacht na over Pa-ris.'

'Waarover precies?'

'Dat ze alles op alles heeft gezet om anoniem te blijven. Eerlijk gezegd snap ik dat niet,' zei Curtis terwijl hij zich weer tot Paris wendde. 'Andere mensen in jouw branche zijn extravert, ze jagen publiciteit na; hun foto's staan op reclameborden en ze verschij-nen vaak in het openbaar.'

'Ik ben anders dan de wilde avond- en ochtendspits-dj's die overdag op de radio zijn. Mijn programma is veel rustiger dan dat van hen. De muziek is anders, en ik ook. Ik ben de onzichtbare stem in het donker. Ik ben het klankbord wanneer niemand anders wil luisteren. Als mijn luisteraars wisten hoe ik eruitzag, zou de vertrouwelijkheid die ik met hen deel in gevaar worden gebracht. Vaak is het makkelijker voor mensen om met een vreemde te pra-ten dan met een betrouwbare vriend.'

'Het is in elk geval makkelijker voor Valentino,' zei hij. 'Ten-minste, als hij een vreemde voor je ís.'

'Nu is hij dat misschien wel, maar hij wil geen vreemde blijven,' zei Dean. Paris en Curtis waren schrander genoeg om te weten dat hij zinspeelde op Valentino's suggestie dat hij en Paris spoedig minnaars zouden zijn.

Maar Curtis volgde nog steeds zijn oorspronkelijke gedachtegang. 'Sommige van die telefoonseksmensen zien er heel alledaags uit. Dik, lelijk, totaal anders dan je zou denken als je hun stem hoort.'

Dean wist dat dit niet zomaar een opmerking was. 'Goed, je hebt het aas uitgeworpen, ik zal toehappen.'

'Ze liggen niet op een bed met satijnen lakens, gehuld in schaarse lingerie, zoals ze willen dat hun bellers fantaseren. In feite werken ze met truien en gymschoenen aan vanuit hun rommelige keuken. Het draait allemaal om fantasie.' Curtis wendde zich tot Paris. 'Mensen horen je stem en dan vormen ze zich een beeld van je. Dat heb ik ook gedaan.'

'En?'

'Ik zat er ver naast. Ik dacht dat je donker haar en donkere ogen had. Een waarzegstertype.'

'Het spijt me dat ik je teleurstel.'

'Ik heb niet gezegd dat je me teleurstelt. Je ziet er gewoon niet zo exotisch uit als je stem doet vermoeden.' Curtis verschoof in zijn stoel, zodat hij niet zijn hals hoefde uit te rekken om met haar te praten. 'Dit alles om te zeggen dat sommige mensen misschien een verkeerde voorstelling van je hebben gemaakt. Valentino lijkt een van die mensen te zijn.'

'Paris kan niet verantwoordelijk zijn voor de fantasie van een luisteraar,' zei Dean. 'Vooral niet als hij psychische, emotionele of seksuele problemen heeft.'

'Ja, dat heb je al eens gezegd.' De rechercheur deed Deans commentaar min of meer af als niet relevant en richtte zich weer tot Paris. 'Is er een persoonlijke reden waarom je anoniem wilt blijven?'

'Absoluut. Om mijn privacy te beschermen. Als je een televisiepersoonlijkheid bent, sta je voortdurend in de belangstelling, ook als je geen uitzending hebt. Ik had de pest aan dat aspect van mijn werk. Mijn leven was een open boek. Alles wat ik deed of zei was onderhevig aan kritiek, speculatie of veroordeling van mensen die helemaal niets van me wisten.

Radio stelt me in staat ín het vak maar búiten de schijnwerpers te blijven. Radio maakt het mogelijk dat ik overal heen kan gaan zonder herkend en kritisch opgenomen te worden. Bovendien kan ik mijn privé-leven privé houden.'

Curtis schraapte zijn keel, ten teken dat hij wist dat hij niet het hele verhaal hoorde maar bereid was het voorlopig zo te laten. 'Hoe lang bewaarde je de opnames van je telefoontjes ook alweer?'

'Voor onbepaalde tijd.'

Hij trok een grimas. 'Dat zijn veel telefoontjes.'

'Maar vergeet niet dat ik alleen die bewaar die ik de moeite van het bewaren waard vind.'

'Maar dan nog, waar hebben we het over? Honderden?' Ze knikte.

'We zouden een groot deel van onze resterende achtenveertig uur opmaken als we naar al die telefoontjes luisterden in een poging het telefoontje te vinden waar Valentino vanavond op zinspeelde. Maar als we via de achterdeur naar binnen gaan...'

'Door naar onopgeloste zaken te kijken,' zei Dean. Hij begreep plotseling waar Curtis naartoe wilde.

'Inderdaad. Ik heb een vriend van me gebeld die bij de afdeling Onopgeloste Zaken werkt. Die lui zitten in een apart gebouw, een paar kilometer bij het hoofdbureau vandaan. 'Hij beloofde na te gaan of een van hun zaken een gelijkenis vertoonde met Janey Kemp.'

'En als dat zo is kunnen we nagaan of Paris rond die tijd een telefoontje van Valentino heeft gekregen.'

'Kalmpjes aan,' waarschuwde Paris. 'Misschien heb ik dat telefoontje niet bewaard. Bovendien, hoe zou ik nou een waarschuwing voor een moord vergeten kunnen zijn?'

'Ik betwijfel of hij de eerste keer zo onbeschaamd is geweest,' zei Dean tegen haar. 'Het is symptomatisch voor serieverkrachters om steeds brutaler te worden. Ze beginnen voorzichtig, en met elk misdrijf krijgen ze meer lef tot ze vrijwel vrágen om opgepakt te worden.'

Curtis knikte instemmend. 'Dat is ook míjn ervaring.'

'Sommigen willen werkelijk betrapt worden,' zei Dean. 'Ze smeken om te worden tegengehouden.'

'Op de een of andere manier denk ik niet dat Valentino tot die categorie behoort,' zei Paris. 'Hij klinkt erg zelfverzekerd. Arrogant.'

Dean keek Curtis aan en zag dat de doorgewinterde rechercheur het met haar eens was. Helaas gold dat ook voor Dean.

'Aan de andere kant,' zei Dean, 'zou hij ons kunnen manipuleren. Misschien herinner je je zo'n telefoontje niet omdat er geen was. Valentino zou kunnen proberen ons op het verkeerde been te zetten.'

'Zou kunnen,' zei Curtis. 'Ik heb sterk het gevoel dat hij in zijn vuistje lacht.' Hij vroeg aan Paris: 'Wat weet je over Marvin Patterson?'

'Tot gisteren kende ik alleen zijn voornaam.'

'Waarom vraag je dat?' vroeg Dean.

'Hij is ervandoor. Agenten belden naar zijn huis om te kijken of hij er was. Ze zeiden tegen hem dat ze op weg waren om met hem te praten, maar toen ze daar arriveerden was Marvin Patterson verdwenen. Halsoverkop vertrokken. De vaat van het ontbijt stond in de gootsteen en zijn koffiepot was nog warm. Zo snel is hij 'm gesmeerd.'

'Wat had hij te verbergen?'

'Dat zijn we nu aan het onderzoeken,' antwoordde Curtis. 'Het sofi-nummer dat hij invulde op het sollicitatieformulier voor zijn baan bij het radiostation voerde naar een negentigjarige zwarte vrouw die een paar maanden terug in een rusthuis is gestorven.'

'Was Marvin Patterson een schuilnaam?' vroeg Dean.

'Zodra we dat weten, geef ik het aan je door.'

Paris zei: 'Marvin, of hoe hij ook heten mag, heeft misschien iets te verbergen, maar ik denk dat hij onmogelijk Valentino kan zijn. Die fluistert op een griezelige manier, maar is duidelijk te verstaan. Als Marvin zijn mond opendoet, wat zelden gebeurt, bromt hij.'

Dean vroeg haar hoe Marvin eruitzag. 'Hoe oud is hij?'

'In de dertig. Ik heb nooit echt op zijn uiterlijk gelet, maar zou hem beschrijven als een knappe man.'

'Laten we maar afwachten en kijken wat er boven water komt,' zei Curtis.

'Is er iets bruikbaars gevonden in Janeys computer?' vroeg Dean aan de rechercheur.

'Vuiligheid. Een heleboel. Geschreven door andere kinderen.'

'Of door roofdieren.'

'Waar het ook vandaan kwam, het is ruige taal, vooral voor middelbareschoolkinderen. Rondeau heeft haar e-mailadresboek geprint en is nu bezig de gebruikers op te sporen.'

Daarna namen ze afscheid. Paris' protesten dat ze geen politiebescherming wilde werden afgewezen. Curtis had Griggs en Carson al naar haar huis gestuurd.

'Ze zijn beiden in de zevende hemel. Als ze de president zouden bewaken, zouden ze het niet serieuzer kunnen aanpakken. Hun auto zal de hele nacht langs je stoeprand staan.'

Dean reed haar naar huis. 'Hoe zit het met mijn auto?' vroeg ze toen hij weigerde naar het radiostation terug te gaan om haar auto op te halen.

'Vraag maar aan een van je bewonderaars of hij hem morgenvroeg naar je toe wil brengen.'

Ze wees hem de weg naar haar huis, dat in een bosrijk, heuvelachtig gebied aan de rand van de binnenstad stond. Het kalkstenen huis lag verscholen achter een groepje eiken, en de tuin eromheen was goed onderhouden. Een pad dat omzoomd was door witte caladiums leidde naar een diepe veranda. Twee identieke, koperen buitenlantaarns straalden uitnodigend aan elke kant van de glanzende, zwarte voordeur.

In schril contrast met de warme, knusse uitstraling van het huis stond de patrouillewagen langs de stoeprand geparkeerd. De twee jonge agenten sprongen er bijna uit toen Deans auto achter hen tot stilstand kwam.

Dean wuifde de overijverige Griggs weg. 'Ik loop met haar mee.'

Hij wilde per se met haar naar binnen gaan. En hoewel het bedieningspaneel van haar alarmsysteem niet aangaf dat er een storing was geweest sinds ze het alarm had ingeschakeld, liep Dean door elke kamer van het huis, keek in kasten, achter deuren en zelfs onder het bed.

'Valentino lijkt me geen type die zich onder een bed verstopt,' zei ze.

'Een verkrachter houdt zich vaak in het huis van zijn slachtoffer schuil, wachtend tot ze thuiskomt. Dat maakt het des te spannender.'

'Probeer je me angst aan te jagen?'

'Absoluut. Ik wil dat je doodsbang bent, Paris. Die vent wil vrouwen straffen, weet je nog? Hij is boos op Janey – tenminste, we nemen nog steeds aan dat het Janey is – omdat ze ontrouw was. Hij is boos op jou omdat je partij voor haar kiest.'

'Ik wist niet eens dat er sprake was van "partij voor iemand kiezen".'

'Nou, dat is zijn verwrongen beeld ervan, en een beeld is...'

'Waarheid. Ik weet het.'

161

'De suggestie dat jij en hij spoedig minnaars zullen zijn, betekent in feite dat je zijn volgende slachtoffer zult zijn. Daartussen maakt hij geen onderscheid.'

Ze beet op haar onderlip. 'Als hij klaar is met Janey, gaat hij achter mij aan.'

'Niet als ik het kan tegenhouden.' Hij liep naar haar toe en legde zijn handen op haar schouders. 'Maar tot we hem hebben gearresteerd moet je bang voor hem zijn.'

Ze glimlachte flauwtjes. 'Ik ben niet echt bang, maar ik ben ook niet dom. Ik zal voorzichtig zijn.'

Toen ze probeerde weg te lopen liet hij haar niet gaan. 'Dit is de eerste keer in onze vriendschap dat we samen in een slaapkamer zijn.'

'Vriendschap?'

'Waren we dan geen vrienden?'

Ze aarzelde even voordat ze kalm zei: 'Ja, we waren vrienden.'

'Goede vrienden.'

Hij stak een hand uit, zette haar zonnebril af, legde hem op een nabije stoel en keek aandachtig naar haar ogen. Ze waren nog net zo mooi als hij het zich herinnerde. Diepblauw, intelligent, expressief. Ze keken rustig terug met onmiskenbare helderheid.

Hij slaakte een diepe zucht van opluchting. 'Ik was bang dat je aan één oog blind was geworden of een ernstige verwonding had opgelopen, en daarom een zonnebril droeg.'

'Er werd niets blijvend beschadigd,' zei ze met schorre stem. 'Ik hield er zelfs geen zichtbare littekens aan over. Maar mijn ogen zijn nog steeds erg gevoelig voor fel licht.'

Zonder hun oogcontact te verbreken boog hij zich naar voren, stak een hand uit naar de muurschakelaar achter haar en drukte erop. Het werd donker in de kamer. Hij bleef voorovergebogen staan, zodat ze elkaar vanaf de borst tot aan de knieën aanraakten. En toen ze niet wegliep, legde hij zijn handen om haar nek en in haar haar, en hief haar hoofd op terwijl hij het zijne boog.

'Dean, niet doen.'

Maar de woorden waren niet meer dan een soort zucht tegen zijn lippen terwijl hij ze op de hare drukte. Hun monden gingen tegelijkertijd open. Toen hun tongen elkaar raakten, verried hun gekreun de wederzijdse hunkering. Zacht duwde hij haar achteruit tegen de muur; hij wilde haar voelen en proeven. Hij begeerde haar.

Hij sloeg zijn arm om haar middel, trok haar onderlichaam tegen het zijne en verhoogde de druk, die toch al intens was. Ze brak de kus af en kreunde zijn naam.

Hij streek met zijn lippen over haar ogen en haar jukbeenderen. 'We hebben hier lang genoeg op gewacht, Paris. Vind je niet?' fluisterde hij.

Toen keerden zijn lippen terug naar haar mond en kuste hij haar nóg hartstochtelijker dan zojuist. Hij wrong zijn hand tussen hun lichamen en omvatte haar borst. Haar tepel was al hard voordat zijn duim hem vond. Hij voelde haar handen verstrakken op de spieren van zijn rug, hij voelde de kronkelende beweging van haar heupen.

Hij bromde iets onverstaanbaars, zelfs voor hemzelf, terwijl hij zijn hoofd boog en zijn mond blindelings haar borst zocht.

'Miss Gibson? Dr. Malloy?'

Dean veerde achteruit. Paris verstijfde. Daarna rukte ze zich los.

Hij zag rood. 'Die verdomde nieuweling. Ik ga hem vermoorden.'

En op dat moment had hij het gemeend. Hij zou de gang af zijn gestormd en Griggs met zijn blote handen hebben gewurgd – zoals hij wilde doen – als Paris hem niet bij de arm had gegrepen en hem had tegengehouden.

Terwijl ze haar haren en haar kleren gladstreek, liep ze door het huis en ging de zitkamer binnen.

Griggs stond op de drempel van de voordeur. 'U hebt de voordeur open laten staan,' zei hij tegen Dean, die Paris vrijwel op de voet volgde. 'Is alles goed?'

'Prima,' zei Paris. 'Dr. Malloy was zo aardig mijn huis te controleren.'

Griggs staarde haar bevreemd aan. Of hij had gezien dat ze een kleur had en dat haar lippen gezwollen waren, óf het verbaasde hem dat ze buiten adem was, óf hij was geschokt om haar zonder zonnebril te zien, óf het was een mengeling van alles.

Op dat moment was Dean niet in staat diplomatiek op te treden en hij zei botweg: 'Je kunt vertrekken.' Hij had nooit gehouden van politiemensen die op hun strepen stonden, maar deze ene keer deed hij het ook, en zonder enig schuldgevoel.

Paris was vriendelijker. 'Dr. Malloy zal dadelijk vertrekken. Wij beiden stellen je ijver en je toewijding op prijs.'

'Eh, een of andere man... Stan? Hij heeft deze voor u bezorgd.' Hij reikte een paar cassettebandjes aan.

'Fijn, dank je.'

'Leg ze daar op tafel.'

Griggs deed wat Dean beval en wierp nóg een angstige blik in zijn richting. Daarna maakte hij zich uit de voeten en trok de deur achter zich dicht.

Dean stak opnieuw zijn handen naar Paris uit, maar ze vermeed zijn aanraking. 'Dat had niet moeten gebeuren.'

'De onderbreking? Of de kus?'

Ze keek hem dreigend aan. 'Het was meer dan alleen maar een kus, Dean.'

'Dat zijn jouw woorden, niet de mijne.'

Ze kruiste haar armen voor haar borst. 'Verbind er geen conclusies aan. Het zal niet meer gebeuren.'

Hij keek haar aan en bij het zien van haar strakke gelaatsuitdrukking, haar gespannen houding zei hij kalm: 'Doe dit niet, Paris.'

'Wat? Bij mijn positieven komen?'

'Doe dat niet. Je terugtrekken, je afsluiten. Mij buitensluiten. Mij straffen. Jezelf straffen.'

'Je moet gaan. Ze wachten op je vertrek.'

'Het kan me niet schelen. Ík heb zeven jaar gewacht.'

'Waarop?' vroeg ze boos. 'Waar wachtte je op, Dean? Op Jacks dood?'

De woorden deden pijn, alsof ze dat had geweten. Ze had ze met opzet uitgesproken om hem pijn te doen en te provoceren, maar hij verdomde het zich te laten kennen. Hij onderdrukte zijn woede en zei met kalme stem: 'Ik heb gewacht op een kans om zo dicht bij je te komen.'

'En wat verwachtte je dat er dan zou gebeuren? Verwachtte je dat ik in je armen viel? Dat ik alles vergat wat er was gebeurd en...'

Toen ze abrupt zweeg, trok hij vragend een wenkbrauw op. 'En wát, Paris? En van me hield? Was je van plan dat te gaan zeggen? Is dat waar je zo verdomde bang voor bent? Dat we toen misschien van elkaar hielden en dat nog steeds doen?'

Ze had geweigerd hem antwoord te geven. In plaats daarvan was ze naar haar voordeur gelopen en had hem opengedaan.

Met waakhonden langs de stoeprand had er niets anders voor hem opgezeten dan te vertrekken.

Inmiddels was het water in zijn douche koud geworden, maar zijn lichaam brandde nog steeds van verlangen om te weten – als hij het uit haar had kunnen krijgen – wat haar antwoord op zijn vraag zou zijn geweest.

16

Janey had haar wraakplannen opgegeven en concentreerde zich alleen nog maar op overleven.

Haar pogingen om uit de kamer te ontsnappen leken even onwezenlijk als haar jeugdherinneringen aan verjaardagsfeestjes. Ze had foto's van die partijtjes gezien, maar ze had geen binding met het meisje dat de tiara van zilverpapier droeg en de kaarsjes op een banketbakkerstaart uitblies. De herinnering aan haar pogingen om aan haar overweldiger te ontsnappen en aan het plannen maken voor zijn straf, leken eveneens de vage herinneringen van iemand anders. Nu was het beramen van dergelijke moedige plannen ondenkbaar.

Ze was zó zwak, dat ze zich ook niet kon hebben bewogen als haar armen en benen niet zouden zijn vastgebonden. De laatste twee keer dat hij hier was geweest had hij haar geen voedsel of water gegeven. Ze kon leven met de honger, maar haar keel was rauw van de dorst. Ze had hem met haar ogen gesmeekt, maar hij had haar stille smeekbeden genegeerd.

Hij was vrolijk en spraakzaam geweest, had zijn hoofd schuin gehouden en haar met hernieuwde belangstelling aangekeken. 'Ik vraag me af of je gemist wordt, Janey. Je hebt zóveel mensen slecht behandeld. Vooral mannen. Je speciale gave, ongetwijfeld je hobby, was mannen zover te krijgen dat ze je begeerden, en ze dan met een afwijzing in het openbaar te vernederen.

Ik had al heel vaak naar je staan kijken vóordat jij die eerste avond naar me toe kwam. Wist je dat? Het is echt waar. Ik had uitgevist wat je e-mailnaam was: de Gelaarsde Kat. Klopt dat? Heel slim. Vooral omdat je het fijn vindt cowboylaarzen te dragen. Je lievelingslaarzen zijn toch die rode? Op een avond heb je ze zelfs hier gedragen. Wacht even!'

Hij had de kamer doorzocht tot hij het fotoalbum vond dat hij zocht. 'Ja, hier ben je met je laarzen. In feite had je alléén je laarzen aan,' had hij er met een sluwe grijns aan toegevoegd.

Toen hij haar de foto wilde laten zien, had ze haar hoofd afgewend en haar ogen gesloten. Dat had hem boos gemaakt. 'Denk je nou écht dat er iemand is die het jammer vindt dat je bent verdwenen?'

Kort daarna was hij vertrokken. Ze was opgelucht geweest toen ze hem weg zag gaan, maar ook bang dat hij nooit meer terug zou komen. Ondanks de tape over haar mond snikte ze luid. Of misschien klonk haar gehuil alleen maar luid in haar oren. Toen ze zich verslikte, raakte ze in paniek en vroeg ze zich af of iemand zowel in zijn tranen als in zijn braaksel kon stikken.

Beheers je, Janey!

Ze kón het. Ze kon hem overleven. Ze kon het volhouden tot er hulp kwam, en dat zou spoedig gebeuren. Haar ouders zouden Austin ondersteboven keren om haar te zoeken. Haar vader was rijk. Hij zou privé-detectives in de arm nemen, de FBI erbij halen, het leger. Wat ook maar nodig was om haar te vinden.

Ze had de pest gehad aan sommige aartsconservatieve politieagenten die haar op haar donder hadden gegeven voor het rijden onder invloed, aanstootgevend gedrag en de illegale drugs die ze vaak in haar bezit had. Als ze niet de dochter van rechter Kemp was geweest, zouden de agenten, die volgens het boekje te werk gingen, haar ontelbare keren in de cel hebben gegooid.

Maar ze had ook met een paar politiemannen geneukt, de jongere, knappe agenten die ruimdenkender waren dan de oude rotten in het vak. Zoals de politieman van de drugsbrigade die undercover op haar middelbare school werkte. Het was een uitdaging geweest om hem te verleiden, en een afknapper toen hij zich eindelijk overgaf.

Maar ze had toch wel vrienden bij de politie. Zij zouden óók zoeken.

Haar kwelgeest had Paris Gibson gebeld. Janey kon zich niet voorstellen waarom, en het kon haar niets schelen ook. Kennelijk was hij trots op dat telefoontje, want hij had het opgenomen zodat hij het bandje voor haar kon afspelen. Had hij haar willen laten weten dat hij een beroemde radiopersoonlijkheid tutoyeerde? De arrogante dwaas! Wist hij niet dat Paris iedereen tutoyeerde die haar belde?

Maar goed. Het belangrijkste was dat hij Paris erbij had betrokken. Ze kon veel invloed uitoefenen. Niemand zou Paris Gibson negeren.

Het duurde niet lang of Janeys optimisme verdween. De tijd raakte op. Haar overweldiger had tegen Paris gezegd dat hij van plan was haar binnen tweeënzeventig uur te vermoorden. Maar wanneer had hij dat telefoontje gepleegd? Hoeveel van die tijd was al verstreken? Ze had geen idee wat voor dag het was en wist zelden of het dag was of nacht. Wat als ze in het eenenzeventigste uur van de tweeënzeventig was?

Al zou hij haar niet vermoorden, ze kon sterven door honger en dorst. Wat als hij nooit meer terugkwam? Hoe lang kon ze zonder voedsel en water in leven blijven? Of wat als – en dat was haar grootste angst – wat als hij gelijk had en het iedereen koud liet dat ze was verdwenen?

Hij had vannacht niet het genot van zijn eigen comfortabele bed gehad, maar dr. Brad Armstrong voelde zich levenslustig toen hij een halfuur voor zijn eerste afspraak in de tandheelkundige kliniek arriveerde.

Hij had een drukke nacht achter de rug en slechts een paar uur slaap gehad. Maar slaap was niet de enige manier om weer energie te krijgen. Een meisje met een zilveren ringetje door haar tepel... dát kon een man pas energiek maken.

Hij grinnikte terwijl hij het gebouw binnenging en de receptioniste groette.

'Goedemorgen, dr. Armstrong. Ik neem aan dat Mrs. Armstrong u gisteravond heeft opgespoord. Ze was zó teleurgesteld dat haar verrassingsavondje was verpest.'

'We hebben gezellig samen gegeten nadat de kinderen naar bed waren gegaan, dus is alles goed gekomen. Zijn er nog berichten voor me?'

'Een zekere Mr. Hathaway heeft twee keer gebeld, maar hij heeft geen boodschap achtergelaten. Hij vroeg alleen of u hem wilde terugbellen. Zal ik het nummer voor u draaien?'

Mr. Hathaway was zijn reclasseringsambtenaar. Op z'n beste dag was Hathaway een humorloze, stijve hark die ervan hield mensen over de rand van zijn opoebrilletje aan te staren. Zíjn idee van intimidatie, veronderstelde Brad. 'Nee, dank je, ik zal hem later proberen te bellen. Geen andere berichten?'

'Nee, dat is het.'

Toni moest deze keer écht boos zijn. Gewoonlijk zou ze al hebben getracht hem te bereiken, al was het maar om zichzelf gerust te stellen dat hij geen frontale botsing had gehad met een grote vrachtwagen, of een hartaanval had gekregen, of van achteren was aangevallen, beroofd en vermoord. Zíj was altijd degene die de eerste stap zette om het weer goed te maken.

Hoorde een zorgzame, behulpzame echtgenote dat niet te doen als haar echtgenoot na een ruzie het huis uit stormde?

Dus hém kon niet worden verweten wat hij afgelopen nacht had gedaan, hè? Hij had zich niet aan beloftes gehouden, maar het feit dat hij in zijn oude fout was teruggevallen was meer Toni's schuld dan de zijne. Ze had niet eens geprobeerd meelevend en begripvol te zijn. In plaats daarvan was ze tegen hem uitgevaren.

Hij had een verzameling erotische tijdschriften en foto's. Nou, en? Sommigen noemden het materiaal misschien pornografisch, wat maakte het uit? En misschien was zijn verzameling groter dan die van een ander. Was dat een reden om de zaak enorm op te blazen?

Na gisteravond zou haar volgende beschuldiging zijn dat hij te ruw was geweest. Hij kon haar al horen. *Waar komt die agressie vandaan, Brad? Ik ken je niet meer.* Toni had veel goede eigenschappen, maar het ontbrak haar aan zin voor avontuur. Alles wat nieuw of experimenteel was, maakte haar bang. Gisteravond had hij de angst in haar ogen gezien.

Ze zou les moeten nemen bij het meisje dat hij bij het meer had ontmoet. Melissa heette ze. Tenminste, dat had ze tegen hem gezegd. Hij had haar beslist niet zijn eigen naam gegeven, maar kon zich ook niet herinneren dat ze had gevraagd hoe hij heette. Voor een avontuurlijk meisje als zij waren namen onbelangrijk.

Hij had het meisje vaak gezien, met veel verschillende partners, dus het was niet verbazingwekkend dat ze niet geschokt was geweest door zijn foto's. In feite had ze er oprechte waardering voor getoond. Ze hadden haar echt geprikkeld. Ze had niet van hem kunnen afblijven. Dat meisje was iets bijzonders. Toni zou hem waarschijnlijk hebben laten opsluiten als hij had voorgesteld een body piercing te nemen. Maar, verdomme, wat was dat opwindend!

Hij ging in zijn bureaustoel zitten en startte zijn computer op. Andere mensen hadden zich nieuwsgierig afgevraagd waarom hij zijn computerscherm zo had neergezet, met de achterkant naar de kamer gericht, in plaats van tegen een muur, zodat je de kabels niet kon zien. Hij had een verklaring verzonnen, maar de echte reden was dat het alleen zíjn zaak was wat er op zijn scherm stond.

Hij bezocht zijn favoriete websites, maar was teleurgesteld dat het materiaal sinds gistermorgen niet was aangevuld. Toch nam hij alles vluchtig door, en zocht met name naar vrouwen met tepelpiercings. Hij vond er geen.

Later zou hij research plegen en over het net surfen tot hij nieuwe, exotische websites had opgespoord. Misschien had een lid van de Sex Club een paar interessante websites ontdekt die híj, Brad, nog niet kende. Dat kon je rustig aan kinderen overlaten.

Hij voerde zijn wachtwoord in en ging de site binnen, rechtstreeks naar het mededelingenbord, en hij stond op het punt een vraag in te tikken toen iemand op de deur van zijn kamer klopte en hem onmiddellijk opende.

'Dr. Armstrong?'

'Wat?' zei hij bruusk.

'Sorry,' zei een assistente. 'Het was niet mijn bedoeling u te storen. Uw eerste patiënt is gereed.'

Hij toverde een glimlach te voorschijn. 'Bedankt. Ik kom eraan zodra ik deze e-mail naar mijn moeder heb gestuurd.'

Ze liep weg, en hij wierp een blik op de klok. Hij was meer dan een uur in zijn kamer geweest, maar het had vijf minuten geleken. 'De tijd vliegt...' grinnikte hij zacht. Sommige mannen lazen de beursberichten bij hun ochtendkoffie, anderen de sportpagina. Hij had belangstelling voor iets anders. Was dat een misdaad?

Hij keerde terug naar zijn homepage en wiste voor de zekerheid al zijn internetverbindingen, zodat ze niet konden worden getraceerd.

Hij behandelde drie patiënten voordat hij pauze kon nemen. Op de koffiebar was een krant achtergelaten. Hij nam de krant, een donut en een kop koffie mee naar zijn kamer. Toen dronk hij van zijn koffie, nam een hap van zijn donut, pakte de krant... en verslikte zich bijna op het moment dat hij haar foto op de voorpagina zag staan.

Het was een ernstig portret, waarschijnlijk een schoolfoto van vorig jaar. Het was belachelijk ironisch, maar ze zag er ingetogen uit. Het was alsof ze hem recht aankeek, op een manier die maakte dat hij zijn blik wilde afwenden. Maar dat kon hij niet.

Behalve de foto was er ook een artikel over haar: dochter van districtsrechter – jemig. Eindexamenklas middelbare school. Eerdere misstappen. Vorig semester drie dagen geschorst van school. Haar mysterieuze verdwijning.

De verslaggever trad in details over haar lidmaatschap van een internetclub, dat als doel had seks uit te lokken. Alles stond daar zwart op wit. De schrijver beschreef hoe het werkte, de chatrooms, de seksueel getinte berichten die op de website werden achtergelaten, de geheime bijeenkomsten – die voor de leden niet geheim waren – en de orgiën die op deze ontmoetingsplaatsen plaatsvonden. Iedereen met wie Janey contact had gehad werd opgespoord en door de politie ondervraagd. Er werd een toespeling gemaakt op het radioprogramma van Paris Gibson, wat duidde op een mogelijke connectie.

Brad leunde met zijn ellebogen op het bureau en nam zijn hoofd in zijn handen.

Brigadier Robert Curtis, die een onderzoeksteam heeft samengesteld, wilde geen commentaar geven op de vermeende relatie van miss Kemp met de Sex Club, hoewel agent John Rondeau van de afdeling Computerfraude zei dat zo'n relatie niet was uitgesloten.

'Dat zijn we nog aan het onderzoeken,' zei Rondeau.

De politieagenten onthielden zich van commentaar toen naar de mogelijkheid van een misdrijf werd gevraagd.

In het artikel stond ook dat de politie had geweigerd commentaar te geven toen er gevraagd werd waarom een rechercheur van de afdeling Moordzaken een zaak van een vermiste persoon onderzocht. De veel spraakzamer Rondeau had tegen de verslaggever gezegd: 'Op dit tijdstip hebben we absoluut niets dat op een misdrijf duidt en nemen we aan dat miss Kemp van huis is weggelopen.' Goed antwoord, maar het was geen antwoord op de vraag.

Eén keer werd rechter Kemp aangehaald. 'Net als alle tieners kan Janey onachtzaam en onverantwoordelijk zijn wat betreft het ons verwittigen van haar plannen. Mrs. Kemp en ik zijn ervan overtuigd dat ze spoedig zal terugkeren. Het is veel te vroeg voor verontrustende speculaties.'

Brad sprong op toen zijn telefoon ging. Met een trillende hand reikte hij naar de knop van de intercom. 'Ja.'

'Uw vrouw op lijn twee, dr. Armstrong. En uw volgende patiënt is gearriveerd.'

'Dank je. Geef me vijf minuten.'

Hij wiste het zweet van zijn bovenlip en haalde een paar keer diep adem voordat hij de hoorn oppakte. Het was tijd om zoete broodjes te bakken.

'Hallo, lieverd. Voordat je iets zegt, wil ik dat je weet dat ik veel spijt heb van gisteravond. Ik hou van je. Ik haat mezelf om wat ik tegen je heb gezegd. Die vuilniszak met spullen? Verleden tijd. Ik heb alles weggegooid. En wat het ... het andere betreft... ik weet niet wat me bezielde. Ik...'

'Je bent niet op je afspraak verschenen.'

'Hè?'

'Je afspraak om tien uur met Mr. Hathaway. Hij belde hierheen omdat hij je niet op je werk kon bereiken.'

'Jeetje! Helemaal vergeten.' Dat was de waarheid. Hij was zijn kamer binnengekomen, had een uur zitten internetten, drie patiënten behandeld en het artikel op de voorpagina gelezen.

'Hoe kon je nou zoiets belangrijks vergeten, Brad?'

'Ik had patiënten,' antwoordde hij kregelig. 'Die zijn ook verdomde belangrijk. Denk aan onze hypotheek, de afbetaling van de auto, de rekening van de kruidenier. Ik heb een baan!'

'Die er niet meer toe doet als je naar de gevangenis wordt gestuurd.'

Hij wierp een blik op de foto van Janey Kemp. 'Ze stoppen me heus niet in de gevangenis omdat ik één keertje een afspraak met mijn reclasseringsambtenaar ben vergeten.'

'Hij is inschikkelijk geweest en heeft je opnieuw ingepland: om halftwee vanmiddag.'

Ze sloeg weer een hoge toon aan en sprak tegen hem alsof hij niet ouder was dan hun zoon. Mijn God, hij was volwassen! 'Blijkbaar dring ik niet tot je door, Toni. Ik heb een baan!'

'En een verslaving,' snauwde ze.

Jemig, ze gaf hem geen millimeter ruimte. 'Ik heb tegen je gezegd dat ik de tijdschriften niet meer heb. Ik heb ze allemaal in een afvalcontainer gegooid. Goed? Ben je nu tevreden?'

In plaats van blij klonk haar lach ontzettend verdrietig.

'Mij best, Brad. Maar je kunt niemand voor de gek houden. Hathaway niet, en mij zeker niet. Als je deze afspraak negeert, zal hij het rapporteren en dan zul je de gevolgen ervan moeten accepteren.'

Ze hing abrupt op.

'En jij zult een toontje lager moeten zingen, lieverd,' schreeuwde hij in de hoorn voordat hij hem neersmeet. Zijn stoel rolde achteruit toen hij overeind vloog. Hij legde zijn ene hand op zijn heup en wreef met de andere over zijn nek. En zo begon hij te ijsberen.

Normaal gesproken zou hij woest zijn op Toni omdat ze hem zo uit de hoogte behandelde. En hij wás woest. In feite was hij witheet! Maar Toni kon wachten. Vandaag moest hij zich op een veel ernstiger probleem concentreren.

Als je alles op een rij zette, zag het er niet zo goed voor hem uit. Hij was een veroordeelde zedendelinquent. De aanklacht was een volstrekte leugen geweest en het proces een schijnvertoning. Toch stond het allemaal in zijn dossier.

Vannacht had hij seks gehad met een jonge vrouw. God helpe hem als ze jonger was dan zeventien. Het maakte niet uit dat ze net zo ervaren was als een tiendollar-hoer. Tien dollar, verdomme. Vóór ronde twee had hij haar vijftig dollar 'fooi' gegeven. Als ze minderjarig was had hij een misdrijf gepleegd, of ze ervaren was of niet. En zijn vrouw, die serieus werd genomen door zijn groepstherapeut en zijn reclasseringsambtenaar, was waarschijnlijk al tegen hen aan het tetteren over zijn recente gewelddadige neigingen.

Maar wat hem wérkelijk verontrustte, wat hem darmkrampen bezorgde, was dat hij zich niet kon herinneren of hij Melissa ooit in gezelschap van Janey Kemp had gezien.

17

Brigadier Curtis belde Paris terwijl ze een geroosterde boterham met pindakaas besmeerde. 'Ik heb het gisteravond over onopgeloste zaken gehad.'

'Is er een die erop lijkt?'

'Maddie Robinson. Haar lijk werd ontdekt nadat haar kamergenote haar drie weken eerder als vermist had opgegeven. Een veehouder vond het lijk in een ondiepe kuil in een van zijn weilanden. Ergens in de rimboc. Doodsoorzaak: wurging met behulp van een soort chirurgische draad. Ontbinding was al in een ver stadium. Aaseters en de elementen hadden al aanzienlijke schade aangericht.'

Paris schoof haar ontbijt weg.

Curtis vervolgde: 'Maar de lijkschouwer heeft kunnen vaststellen dat het lijk met een bijtend middel was schoongemaakt.' Na een veelbetekenende pauze voegde hij eraan toe: 'Vanbinnen en vanbuiten.'

'Dus zelfs als het lijk eerder was gevonden...'

'De dader had zich ervan verzekerd dat de kans dat er DNA-bewijs zou worden gevonden te verwaarlozen was. Er waren ook geen schoenafdrukken of bandensporen. Waarschijnlijk weggespoeld door de regen. Geen aanwijzingen over kleding, omdat er geen kleren waren.'

Paris had medelijden met het slachtoffer dat zo'n afschuwelijke, smadelijke dood was gestorven, en ze vroeg Curtis wat hij over haar wist.

'Negentien. Aantrekkelijk, maar niet beeldschoon. Ze was studente. Haar kamergenote gaf toe dat ze bepaald geen nonnen waren. Ze vierden vaak feest, gingen bijna elke avond uit. Nu wordt het écht interessant. Volgens haar had Maddie iemand ontmoet die ze "bijzonder" noemde.'

'In welk opzicht?'

'Dat wist ze niet. Maddie was vaag over de reden waarom die man anders was dan anderen. De meisjes waren vanaf de middelbare school vriendinnen geweest en gewoonlijk vertrouwden ze elkaar alles toe, maar Maddie zei niets over deze mysterieuze man, behalve dat hij te gek was en geweldig en bijzonder.'

'Heeft de kamergenote hem nooit gezien?'

'Hij kwam niet naar hun appartement. Maddie ontmoette hem ergens anders. De kamergenote wist niet waar. Hij belde nooit naar hun huis, alleen naar Maddies mobiele telefoon. De theorie van de kamergenote luidde dat hij getrouwd was, en dat dat de reden van de geheimhouding was. Wat al hun wapenfeiten betrof, hadden zij en Maddie de grens getrokken bij het naar bed gaan met getrouwde mannen. Niet om morele redenen, maar omdat er geen toekomst in zat, zei ze.

De ene dag was Maddie verliefd, de andere dag zei ze dat ze een punt achter de relatie zette. Ze zei tegen haar kamergenote dat hij te bezitterig werd, wat haar ergerde, aangezien hij haar nooit echt mee uit nam. De enige plek waar ze heen gingen was zijn appartement – dat ze beschreef als saai en somber – waar ze seks bedreven. Ze liet doorschemeren dat het bizar was geworden, nieuw, zelfs voor haar, en dat ze ervan genoot. De kamergenote drong aan op details, maar Maddie weigerde erover te praten. Het enige dat ze zei was dat de relatie voorbij was.

Om haar op te vrolijken ried de kamergenote Maddie aan met iemand anders naar bed te gaan, en Maddie volgde haar raad op. Ze gingen uit, dronken veel, en Maddie nam een man mee naar huis. Hij werd later van de verdachtenlijst afgevoerd.

Maddie Robinson werd voor het laatst gezien aan de oever van Lake Travis, waar een grote groep jongelui het begin van de zomervakantie vierde. Maddie en de kamergenote raakten elkaar uit het oog. De kamergenote ging alleen naar huis, in de veronderstelling dat Maddie een partner voor de nacht had gevonden. Dit was niets ongewoons. Maar toen Maddie vierentwintig uur later nog niet thuis was, waarschuwde de kamergenote de politie.

De zaak werd echter niet aan mij toegewezen, en daarom schoot het me niet onmiddellijk te binnen. Het spoor liep dood voor de rechercheurs die het onderzoek deden, en de zaak werd aan de andere afdeling overgedragen.' Na afloop van deze samenvatting haalde hij diep adem.

'Dus dit gebeurde zo ongeveer rond de tijd dat het voorjaarssemester eindigde?'

'Laat in mei jongstleden. Het lijk werd op 20 juni gevonden. Heb je nog de opgenomen telefoontjes van zo lang geleden?'

'In mijn archief. Zal ik je kopieën geven?'

'Zo gauw mogelijk, alsjeblieft.'

'Stan?'

Hij sprong op toen Paris haar kantoor binnenkwam en hem betrapte terwijl hij achter haar bureau zat. Hij herstelde zich snel en groette haar met een mistroostig 'Hallo.'

Ze gooide haar handtas op de stapel drukwerk op haar bureau. 'Je zit in mijn stoel.'

Voordat ze haar kantoor binnenging, was ze naar de opslagruimte gegaan en had daar diverse cd's opgehaald waarop opgenomen telefoontjes stonden die ze van de Vox Pro had laten overnemen. Ze had ze bij een technicus achtergelaten nadat ze had gevraagd of hij de inhoud ervan wilde kopiëren op cassettebandjes.

'Cassettebandjes? Dat is ouderwets!' bromde hij.

Ze wilde niet uitleggen dat het Centrale Onderzoeksbureau nog steeds met cassettebandjes werkte en zei simpelweg: 'Bedankt.' Daarna vertrok ze voordat hij de kans had haar vreemde verzoek te weigeren.

'Wat ben je aan het doen in mijn kantoor?' vroeg ze aan Stan toen ze zijn plaats in haar stoel had ingenomen. Zoals de avond ervoor maakte hij een hoek van haar bureau vrij en ging erop zitten, onuitgenodigd.

'Omdat ik geen eigen kantoor heb, en dit was de rustigste plek om te wachten.'

'Waarop?'

'Mijn oom Wilkins. Hij voert overleg met de algemeen directeur.'

'Waarover?'

'Over mij.'

'Waarom? Wat heb je gedaan?'

Hij maakte bezwaar. 'Hoe komt het dat iedereen automatisch aanneemt dat ik heb geblunderd?'

'Héb je dat?'

'Nee!'

'Waarom is je oom Wilkins dan met onze algemeen directeur over jou aan het praten?'

176

'Vanwege dat vervloekte telefoontje!'

'Valentino's telefoontje?'

'Het heeft commotie gewekt. Mijn oom is vanmorgen vroeg met het bedrijfsvliegtuig hierheen gevlogen. Hij belde me. Hij maakte me wakker en beval me hem hier te ontmoeten, en wel onmiddellijk. Dus brak ik mijn nek zowat om hier te komen, en toen zat hij al achter gesloten deuren. Ik heb hem nog niet gezien.'

'Wat voor "commotie"?'

In plaats van haar vraag te beantwoorden, stelde hij er zelf een. 'Doe ik mijn werk hier goed, Paris?'

Ze schudde haar hoofd, vermaakt en ontzet. 'Stan, je wérkt hier toch niet?'

'Ik ben hier elke doordeweekse avond tot twee uur in de ochtend.'

'Je bent hier lijfelijk aanwezig en neemt ruimte in beslag, maar je werkt niet.'

'Omdat er nooit iets misgaat met de apparatuur.'

'Als het wel zo was, zou je dan weten hoe je het moest verhelpen?'

'Misschien. Ik ben goed met snufjes,' zei hij gemelijk.

'Snufjes is niet bepaald het woord dat ik zou gebruiken om elektronica te beschrijven die miljoenen dollars waard zijn. Heb je verstand van radiotechnologie?'

'Jij?'

'Ik noem me geen technicus.'

Hij was een verwende snotneus, gauw geneigd om te zeuren. 's Avonds kon ze hem wel wurgen om zijn onbekwaamheid en de nonchalante benadering van zijn werk. Onbekwaamheid was vergeeflijk, maar onverschilligheid niet. Tenminste, zo dacht zíj erover.

Telkens wanneer ze in haar microfoon sprak, was ze zich ervan bewust dat honderdduizenden mensen naar haar luisterden. Ze raakte hen aan met haar stem. In hun auto's en waar ze woonden. Ze werd een partner in wat ze op dat moment aan het doen waren.

Voor haar was haar publiek niet slechts een getal van zes cijfers om reclametarieven op te baseren. Elk getal vertegenwoordigde een mens die haar zijn tijd gaf en die ze de beste programmering verschuldigd was die ze kon bieden.

Stan had nooit nagedacht over de menselijke kant van hun publiek. En als hij dat wél had gedaan, dan had hij het niet in werk omgezet. Hij had nooit enig initiatief getoond. Hij bracht hier zijn tijd door, telde de minuten tot de radiouitzending was beëindigd en rende dan naar buiten om te doen wat hij deed.

Maar ondanks dat alles kon ze niet anders dan medelijden met hem hebben. Hij was hier niet omdat hij daar zelf voor had gekozen. Zijn toekomst was bepaald op het moment dat hij binnen de familie Crenshaw werd geboren. Zijn oom was een kinderloze vrijgezel, en Stan was enig kind. Toen zijn vader stierf werd hij de rechtmatige erfgenaam van het media-imperium, of hij het leuk vond of niet.

Niemand in de onderneming leek bereid te accepteren of toe te geven dat Stan ongeïnteresseerd en slecht toegerust was om de leiding in handen te nemen als zijn oom Wilkins aftrad, wat waarschijnlijk pas gebeurde als hij dood was verklaard.

'Ik leer het bedrijf van onder af kennen,' zei hij gemelijk tegen Paris. 'Ik moet van elk aspect iets af weten, zodat ik klaar ben als het tijd is om de leiding over te nemen. Tenminste, zo denkt oom Wilkins erover.'

'Wat voor commotie heeft Valentino's telefoontje gewekt?'

'Het is niets,' zei Stan met een smalende glimlach.

'Het was voldoende om je oom Wilkins in paniek te brengen.'

Stan slaakte een diepe zucht. 'Voordat ik werd toegewezen aan – lees verbannen naar – dit voortreffelijke radiostation, werkte ik op ons televisiestation in Jacksonville, Florida. Vergeleken bij deze puinhoop was het een paradijs. Ik had een avontuurtje met een van de vrouwelijke werknemers.'

'Dan ben je dus geen homo!'

Hij reageerde of er met een hete pook in zijn rug was gepord. 'Homo? Wie zegt dat ik homo ben?'

'Er is over gespeculeerd.'

'Homo? Mijn god! Ik heb de pest aan die stomme boerenpummels hier. Als je niet in een dubbelassige pick-up rijdt, Bud uit een fles drinkt en je kleedt als The Sundance Kid, ben je van de verkeerde kant.'

'Hoe zit het met die vrouw in Florida?'

Hij pakte een paperclip en begon hem te verbuigen.

'We werden in het kantoor betrapt. Toen begon ze ineens over ongewenste intimiteiten.'

'En dat was onwaar?'

'Ja, Paris, dat was onwaar,' zei hij, elk woord duidelijk uitsprekend. 'De beschuldiging was even vals als haar C-cups. Ik had haar niet gedwongen seks met me te hebben. In feite lag zíj bovenop.'

'Meer informatie dan ik nodig had, Stan.'

'Hoe dan ook, ze diende een aanklacht in. Oom Wilkins kwam tot een schikking buiten de rechtbank om, maar het kostte hem een bom duiten. Hij was boos op míj, niet op háár. Dat is toch niet te geloven? Hij zei: "Hoe dom moet je zijn om op je werk je pik uit je broek te halen"? Ik vroeg hem of hij wel eens van Bill Clinton had gehoord. Een opmerking die hij niet op prijs stelde, vooral niet omdat al onze kranten Clinton hadden gesteund bij zijn kandidatuur.

Hoe dan ook, daarom ben ik hier. Ik zit mijn tijd uit.' Hij gooide de verbogen paperclip in de prullenbak. Het ding viel met een kort, tinkelend geluid op de metalen bodem. 'En daarom sprong hij vanmorgen in het bedrijfsvliegtuig en vloog hierheen.'

'Nadat jij hem had verteld dat je door de politie was ondervraagd, vond hij dat hij naar Austin moest gaan om zich ervan te vergewissen dat die ongelukkige episode in Florida haar lelijke kop niet opstak.'

'Hij noemde het schadebeperking.'

'Gesproken als de ware peetvader.'

Nu snapte Paris het. Stan was voor straf aan 101.3 opgedrongen omdat hij het nuttige met het aangename had verenigd. Oom Wilkins had verzuimd de directie in kennis te stellen van het voorval met de werkneemster, maar hij vond dat hij het nu moest vertellen voordat de politie van Austin het onthulde en de verdenking op zijn neef wierp.

'Was dat het enige incident, Stan?'

Hij kneep zijn ogen samen terwijl hij vanaf zijn hoge zitplaats op haar neerkeek. 'Wat bedoel je?'

'De vraag was simpel zat. Ja of nee?'

Hij liet zijn schouders hangen. 'Dat was de enige keer, en geloof me, ik heb mijn lesje geleerd. Ik zal nooit meer een werkneemster aanraken.'

'Als eigenaar zou dat je erg kwetsbaar kunnen maken.'

'Ik wilde dat iemand me ervoor had gewaarschuwd voor ik naar Jacksonville ging.'

Paris was zo vriendelijk niet tegen hem te zeggen dat hij niet gewaarschuwd had hóeven worden. Dat was iets wat hij zélf had moeten bedenken.

Hij keek haar gekrenkt aan. 'Denkt iedereen dat ik een mietje ben?'

Ze lachte. Typisch Stan om het minst belangrijke prioriteit te geven. 'Je kleedt je te goed.'

De elektricien die de opnames had gekopieerd kwam het kantoortje binnen om te melden dat de cassettebandjes klaar waren en dat hij ze bij de balie in de hal voor haar had achtergelaten.

'Nog meer cassettebandjes?' vroeg Stan.

'Misschien is dit niet de eerste keer dat Valentino een moord aankondigde door me te bellen.'

'Wat is er vannacht gebeurd nadat jij en Malloy hier wegstormden? Ik krijg niet de indruk dat jullie Valentino te pakken hebben gekregen.'

'Nee, jammer genoeg niet.' Ze vertelde hem over de munttelefoon bij de Wal-Mart. 'Binnen de kortste keren waren er patrouilleauto's, maar er was niemand te zien.'

'Vanmorgen hoorde ik op het journaal het nieuws over het vermiste meisje. Het stond ook op de voorpagina van de krant.'

Ze knikte. Ze herinnerde zich de quote van rechter Kemp. Janeys ouders bleven geloven dat Janey voor haar afwezigheid had gekozen, wat volgens Paris een kolossale vergissing was. Aan de andere kant hoopte ze dat ze het bij het rechte eind hadden.

Ze ging staan, pakte haar handtas en maakte zich klaar om te vertrekken. 'Tot vanavond, Stan.'

'Wie is Dean Malloy?'

De vraag kwam uit de lucht vallen en overrompelde haar. 'Dat heb ik je al gezegd. Psycholoog in dienst van de politie van Austin.'

'Die wat bijverdient als bodyguard?' Hij wierp haar een sardonische blik toe. 'Toen ik vannacht die bandjes bij je afleverde, zei de agent tegen me dat Malloy met jou in het huis was.'

'Ik begrijp niet wat je bedoelt.'

'Met opzet, denk ik. Wie is Malloy voor jóu, Paris?'

Als ze het hem niet vertelde, ging hij misschien zélf graven en zou dan meer te weten kunnen komen dan ze wilde. 'Hij en ik kenden elkaar jaren geleden in Houston.'

'Hmm. Ik denk dat jullie elkaar vrij goed kenden.'

'Niet vrij goed, Stan, héél goed. Hij was Jacks beste vriend.'

Daarmee sloot ze het gesprek af en liep om hem heen naar de deur. Maar op de drempel bleef ze staan en draaide zich om. 'Wat weet je over Marvin?'

'Alleen dat het een eikel is.'

'Interesseert hij zich voor computers, het internet?'

Stan snoof. 'Hoe moet ík dat nou weten? Ik heb niet meer dan een paar bromgeluiden met hem gewisseld. Vanwaar die plotselinge belangstelling?'

Ze aarzelde. Ze wist niet of Curtis wilde dat Marvins schijnbare vlucht algemeen bekend werd. 'Zomaar. Tot vanavond!'

Paris en brigadier Curtis zonderden zich af in een kleine verhoorkamer en gingen tegenover elkaar zitten achter een tafel vol krassen. Er stond de draagbare recorder op die hij de dag ervoor had gebruikt en ook waren er de cassettebandjes die ze van het radiostation had meegebracht.

Ze begonnen hun zoektocht naar Valentino's telefoontjes door naar bandjes te luisteren die opgenomen waren tot een week vóór Maddie Robinsons verdwijning. Gisteren waren Paris en Dean het erover eens geweest dat Valentino zijn stem veranderde. Door die gemaaktheid was zijn stem onmiddellijk herkenbaar, waardoor ze stemmen die duidelijk niet van hem waren kon doorspoelen.

Curtis ging even weg om verse koffie voor hen te halen. Toen hij terugkeerde, zei Paris opgewonden: 'Ik denk dat ik het heb gevonden. Er is geen datum en tijd bij, zoals op de Vox Pro, maar het staat op een cassettebandje van opnames die rond die tijd zijn gemaakt. Hij was die avond bijzonder somber, maar ik heb dat telefoontje tóch uitgezonden. Zijn beweringen lokten heel veel reacties uit, waardoor mijn telefoonlijnen uren lang bezet waren.'

Curtis ging weer zitten. 'Je hebt hem die avond tot een beroemdheid gemaakt.'

'Ongewild, dat kan ik je verzekeren. Klaar?' Ze startte de band.

Vrouwen zijn ontrouw, Paris. Waarom? Jij bent een vrouw. Als je een man hebt die hoegenaamd uit je hand eet, waarom wil je dan een andere? Is kwaliteit niet beter dan kwantiteit?

Het spijt me dat je vanavond ongelukkig bent, Valentino.

Ik ben niet ongelukkig, ik ben boos.

Niet elke vrouw is ontrouw.

Die ervaring heb ik wel.

Je hebt gewoon nog niet de juiste vrouw gevonden. Wil je vanavond een speciaal lied horen?

Wat bijvoorbeeld?

Barbra Streisand zingt een prachtige vertolking van 'Cry Me a River'. Het is een cliché, maar boontje komt om zijn loontje.

Speel het lied, Paris. Maar zelfs als ze gedumpt wordt zoals ze mij dumpte, zal het niet de vergelding zijn waar ik recht op heb.

Paris stopte het bandje en keek Curtis aan, die peinzend zijn ring ronddraaide om zijn vinger. Hij zei: 'Ik denk dat de vergelding waarop hij volgens hem recht had was: haar wurgen en haar lijk in een verdomde koeienwei begraven. Sorry voor mijn taalgebruik.'

Paris liet haar hoofd in haar handen zakken en masseerde haar slapen. 'Ik zou nooit uit zijn woorden hebben opgemaakt dat hij van plan was haar te doden.'

'Hé, dat moet je jezelf niet kwalijk nemen. Je bent geen gedachtelezer.'

'Ik bespeurde geen echte dreiging in hetgeen hij zei.'

'Dat zou niemand hebben gedaan. Bovendien, we gissen nog steeds. Misschien bestaat er geen enkele relatie tussen Valentino en Maddie Robinson.'

'Maar jij denkt dat er wél een relatie tussen hen bestaat, hè?'

Voor Curtis kon antwoorden duwde John Rondeau de deur open en wierp Paris een stralende glimlach toe. 'Goedemorgen.'

'Hallo, John.'

Het leek hem goed te doen dat ze zich zijn naam herinnerde. 'Maken jullie al vorderingen?'

'We denken van wel.'

'Ik ook.' Hij keek naar Curtis. 'Kan ik je even onder vier ogen spreken?'

Curtis kwam overeind. 'Over een seconde ben ik terug.'

'Ik zal kijken of ik andere telefoontjes van Valentino kan vinden.'

De rechercheur vertrok met de jongere man, maar bleef veel langer weg dan een seconde. Toen hij terugkeerde had ze opnieuw succes geboekt. 'Dit telefoontje staat op hetzelfde bandje, wat betekent dat ze niet meer dan een paar dagen na elkaar kunnen zijn gepleegd.

Hij is een compleet andere Valentino. Heel vrolijk. Hij beweert dat de ontrouwe minnares "voorgoed uit zijn leven" is, en hij benadrukt het woord "voorgoed". Je zult het verschil in zijn stemming op de band horen.' Ze voelde dat Curtis slechts met een half oor luisterde en afwezig leek. Daarom zweeg ze, en vroeg toen: 'Is er iets mis?'

'Misschien. Ik vind het afschuwelijk om te denken dat dit erg zou kunnen zijn, maar...' Hij wreef over zijn dikke nek, alsof die plotseling pijn deed. 'Ik neem aan dat je weet dat Malloy een zoon heeft.'

'Gavin.'

'Ken je hem?'

'Ik kende hem als kleine jongen, maar heb hem sinds zijn tiende niet meer gezien.' Curtis was duidelijk bezorgd. Ze voelde een steek van angst voor Dean. 'Waarom, brigadier? Wat is er met Gavin? Wat is er gebeurd?'

18

'Gavin?'

'Ja?'

Dean duwde de deur van Gavins slaapkamer open en ging naar binnen. 'Start je computer op.'

'Hè?'

'Je hebt me gehoord.'

Gavin lag in bed televisie te kijken. Hij had vast wel iets constructievers te doen dan te kijken naar een herhaling van een voetbalwedstrijd tussen twee Europese teams. Waarom was hij niet op en aangekleed en dééd hij iets in plaats van lui in bed te liggen?

Omdat ik hem daar niet toe heb gedwongen, dacht Dean.

Hij had een luie zoon omdat hij een luie ouder was geweest. Gavin aansporen om in actie te komen waren de ruzies die steevast volgden niet waard geweest. Om heibel te vermijden had hij de laatste tijd veel toegelaten. Dat had hij niet moeten doen. Hij hoefde zich bij Gavin niet populair te maken. Hij was zijn maatje niet, noch zijn zielenherder of zijn therapeut. Hij was zijn vader. Het was de hoogste tijd dat hij op een strengere manier zijn ouderlijk gezag begon uit te oefenen.

Hij trok de afstandsbediening uit Gavins hand en zette de tv uit. 'Start je computer op,' herhaalde hij.

Gavin ging rechtop zitten. 'Waarom?'

'Ik denk dat je dat wel weet.'

'Nee, dat weet ik níet.'

De oneerbiedige toon en de brutale blik wekten Deans woede op. Hij voelde zijn boosheid branden, als gloeiende kolen in zijn borst. Maar hij zou er niet aan toegeven. Beslist niet.

Met een strak gezicht zei hij: 'Of we gaan meteen naar het politiebureau, waar ze zitten te wachten om je over de verdwijning van Janey Kemp te ondervragen. Of je start die verdomde computer van je op, zodat ik tenminste weet wat ons te wachten staat als ik je daarheen breng. In beide gevallen is je tijd om me te belazeren voorbij.'

Hij was die ochtend thuisgebleven om zijn aantekeningen uit te werken over een verdachte die hij een paar dagen geleden had ondervraagd. De rechercheur die de leiding over de zaak had begon ongeduldig te worden omdat het zo lang duurde voordat het rapport klaar was.

Als hij naar zijn kantoor ging, zou hij zich alleen maar hebben kunnen concentreren op Paris en de zaak waarbij ze was betrokken. Hij zou zich niet hebben kunnen weerhouden naar het Centrale Onderzoeksbureau te gaan, waar Paris en Curtis naar haar bandjes zaten te luisteren.

Daarom had hij miss Lester gebeld. Hij had tegen haar gezegd dat hij thuis zat te werken en zichzelf dwong het achterstallige rapport te maken. Hij had het net af gehad toen Robert Curtis belde en hem het nieuws vertelde dat zijn leven compleet kon veranderen.

'Wil de politie me ondervragen?' vroeg Gavin. 'Hoezo?'

Dean had zich vastgeklampt aan een sprankje hoop dat John Rondeau zich faliekant had vergist, maar Gavins angstige blik gaf aan dat de informatie juist was.

'Je hebt tegen me geloven, Gavin. Je bent een actief lid van de Sex Club en hebt talloze e-mails met Janey Kemp uitgewisseld. Gebaseerd op wat jullie over en weer aan elkaar hebben geschreven, ken je haar veel en veel beter dan je me liet geloven. Ontken je dat?'

Gavin zat nu op de rand van zijn matras, zijn hoofd gebogen tussen zijn opgetrokken schouders. 'Nee.'

'Wanneer heb je haar voor het laatst gezien?'

'Op de avond dat ze verdween.'

'Hoe laat?'

'Vroeg. Een uur of acht. Het was nog licht.'

'Waar?'

'Bij het meer. Daar is ze altijd.'

'Had je afgesproken haar die avond daar te ontmoeten?'

'Nee. De afgelopen paar weken heeft ze me gemeden als de pest.'

'Waarom?'

'Zo is ze. Eerst zorgt ze dat je haar mag en dan zet ze je aan de kant. Ik hoorde dat ze met een andere vent omgaat.'

'Hoe heet hij?'

'Geen idee. Dat weet niemand. Ze zeggen dat hij ouder is.'

'Hoe oud?'

'Ik weet het niet,' jammerde Gavin. Al die vragen begonnen hem de keel uit te hangen. 'Ergens in de dertig, misschien.'

'En wat gebeurde er die avond?'

'Ik ging naar haar toe en we begonnen te praten.'

'Je was boos op haar.' Gavin keek hem aan, zich in stilte afvragend hoe zijn vader dat wist. 'In je laatste e-mail aan haar noemde je haar een vuil kreng.'

Gavin vermande zich en boog opnieuw zijn hoofd. 'Daar bedoelde ik niets mee.'

'Nou, zo zal de politie het niet zien. Vooral niet omdat ze sinds die avond vermist is.'

'Ik weet niet wat er met haar is gebeurd. Ik zweer het, ik weet het echt niet. Geloof je me niet?'

Dean wilde hem dolgraag geloven, maar verzette zich tegen de aandrang Gavin met fluwelen handschoenen aan te pakken. Het was nu niet het juiste moment om zwak te worden. Gavin had het nodig dat hij hard was, en niet de vriendelijkheid in persoon. 'Of ik je geloof of niet is iets waar ik later op terugkom. Start je computer op. Ik moet zien hoe erg het is.'

Schoorvoetend liep Gavin naar zijn bureau. Dean zag dat hij een gebruikersnaam en een wachtwoord intikte om binnen te komen, wat onnodig zou zijn geweest als hij niets te verbergen had.

De homepage van de Sex Club was door amateurs ontworpen. Het was de digitale versie van graffiti op wc-muren. Dean gebaarde dat Gavin opzij moest, ging in de bureaustoel zitten en pakte de muis.

'Pa,' kreunde Gavin.

Maar Dean negeerde hem en ging rechtstreeks naar het mededelingenbord. Curtis had hem verteld welke namen Gavin en Janey hadden gebruikt: respectievelijk Lemmet en de Gelaarsde Kat. Hij keek tien minuten lang de berichten door en stopte om de e-mails te lezen die zijn zoon en de dochter van de rechter aan elkaar hadden geschreven. Het kostte hem moeite.

Het laatste bericht dat Gavin naar haar had gemaild was grof, beledigend en nú bezwarend. Diepbedroefd sloot Dean de website en zette de computer uit. Hij staarde naar het lege scherm en probeerde de schrijver van wat hij zojuist had gelezen te koppelen aan het jongetje dat hij had geleerd hoe je een honkbalhandschoen moest gebruiken, het kind dat met een mond als een fietsenrek glimlachte en ontelbare sproeten op zijn neus had, de jongeman voor wie zweetvoeten het grootste probleem vormden.

Dean had nu geen tijd om toe te geven aan zijn persoonlijke wanhoop. Dat moest hij voor later bewaren. Nu was het allerbelangrijkste zijn zoon van alle verdenking te zuiveren.

'Deze keer kun je beter eerlijk tegen me zijn, Gavin. Ik wil je helpen, en dat zal ik ook doen. Maar als je tegen me liegt, kan ik helemaal níets voor je doen. Dus hoe erg het ook is, is er nóg iets wat ik moet weten?'

'Zoals?'

'Alles over Janey en jou. Heb je werkelijk seks met haar gehad?' Dean knikte naar de computer. 'Of spraken jullie er alleen maar over?'

Gavin wendde zijn blik af. 'We hebben het één keer gedaan.'

'Wanneer?'

'Een maand, zes weken geleden,' zei hij schouderophalend. 'Niet lang nadat ik haar voor het eerst had ontmoet. Maar we hadden al e-mails uitgewisseld. Ik was de nieuwe jongen in de stad. Ik denk dat dat de enige reden is waarom ze belangstelling voor me had.'

'Waar gebeurde het?'

'Een hele groep, onder wie ik, kwamen bijeen in een park. Ik weet niet meer hoe het heette. Zij en ik maakten ons los van de groep en stapten in mijn auto.' Verontwaardigd voegde hij eraan toe: 'Heb jíj het dan nooit eens op de achterbank van een auto gedaan?'

Hij probeerde bonje te zoeken. Het overdragen van schuld was een klassieke afleidingsmanoeuvre die Dean herkende. Hij trapte er niet in. 'Heb je een condoom gebruikt?'

'Natuurlijk.'

'Weet je dat zeker?'

'Ja. Jemig!'

'En je hebt alleen die ene keer met haar gevrijd?'

Gavin rolde met zijn schouders, streek een haarlok weg die over zijn voorhoofd was gevallen, en keek overal naar, behalve naar Dean.

'Gavin?'

Hij slaakte een theatrale zucht. 'Goed dan, nóg een keertje. Ze pijpte me.'

'Dezelfde vragen.'

'Waar het gebeurde? Achter een club aan Sixth Street.'

'In het openbaar?'

'Ja, min of meer. Ik bedoel, we waren buiten in de openlucht, maar er was niemand in de buurt.'

Plotseling stelde Dean zich voor dat hij Pat belde en haar vertelde dat haar kindje wegens openbare schending van de zedelijkheid in de gevangenis zat. Waar was jíj, Dean? zou ze vragen. Waar was híj geweest terwijl zijn zoon schunnige e-mails verstuurde en in steegjes werd gepijpt?

De zelfbeschuldigingen moesten ook tot later worden opgeschort. 'Die twee keer? Dat is het?'

'Ja, ze maakte er een eind aan, ze dumpte me.'

'Maar je was er niet klaar voor om gedumpt te worden.'

Gavin keek hem aan of hij gek was. 'Nee, verdomme. Ze is supersexy!'

'Zacht uitgedrukt,' zei Dean op gedempte toon. 'Als er nóg iets is, kun je het me beter vertellen. Ik wil niet nog meer nare verrassingen, iets wat de politiemensen hebben ontdekt en wat je me niet hebt verteld.'

Gavin aarzelde minstens een halve minuut voor hij zei: 'Ze, eh...' Hij deed een bureaula open, haalde er een paperback uit, een exemplaar van *The Lord of the Rings*, en pakte een foto die tussen de pagina's was verstopt. 'Laatst gaf ze me dit.'

Dean stak een hand uit naar de foto. Hij wist niet wat hem het meest verbaasde, de pornografische houding van het meisje of haar schaamteloze glimlach. Hij stopte de foto in zijn borstzakje. 'Ga je douchen en kleed je aan.'

'Pa...'

'Schiet op. We moeten om twaalf uur op het bureau zijn voor een gesprek met een advocaat.'

Eindelijk leek de ernst van zijn situatie door de lagen van puberale brutaliteit heen te zijn gedrongen. 'Ik heb geen advocaat nodig.'

'Ik ben bang van wel, Gavin.'

'Ik heb Janey niets misdaan. Geloof je me niet, pa?'

Zijn kribbigheid was verdwenen. Hij zag er jong en bang uit.

Dean voelde dezelfde pijn in zijn hart als de avond ervoor toen hij naar de slapende Gavin had staan kijken.

Hij wilde hem omhelzen en hem verzekeren dat alles goed zou komen. Maar dat kon hij niet beloven, omdat hij niet wist of het waar was. Hij wilde tegen hem zeggen dat hij hem onvoorwaardelijk geloofde, maar jammer genoeg was dat niet zo. Gavin had zijn vertrouwen té vaak beschaamd.

Hij wilde tegen hem zeggen dat hij van hem hield, maar dat zei hij ook niet. Hij was bang dat Gavin hem zou verwijten dat het te weinig en te laat was.

Paris had meer dan een uur gewacht. Ze had onafgebroken door de hal geijsbeerd. Toch schrok ze toen Dean binnenkwam door de dubbele deuren van het Centrale Onderzoeksbureau, waar hij, Gavin en een advocaat in een verhoorkamer een gesprek met Curtis en Rondeau hadden gehad.

Hij was verbaasd haar te zien. 'Ik wist niet dat je hier was.'

'Ik kon niet vertrekken tot ik wist dat alles goed was met Gavin.'

'Dus je weet het al?'

'Ik zat met Curtis naar de bandjes te luisteren toen...' Ze zweeg abrupt, zich afvragend wat ze moest zeggen.

'Toen mijn zoon een verdachte werd?'

'Voorzover wij weten is er geen misdaad gepleegd en is Janey bij een vriendin.'

'Natuurlijk. Daarom haalt Curtis Gavin door de wringer.'

Paris duwde hem naar een bank en zette hem erop neer. Het was een lelijk, stalen geval met een bekleding van blauw vinyl. De vulling kwam door talloze scheuren naar buiten. Waarschijnlijk was er gedachteloos aan geplukt door de rusteloze handen van getuigen, verdachten en slachtoffers die op de bank hadden gezeten terwijl ze wanhoopten over hun eigen lot of dat van iemand van wie ze hielden. Ze zouden niet op deze plek zijn geweest als hun leven niet op zijn kop was gezet, misschien wel voorgoed.

'Hoe is Gavin eronder?' vroeg ze zacht.

'Hij is in een gelaten stemming. Goddank speelt hij geen spelletje. Ik denk dat het eindelijk tot hem is doorgedrongen dat hij ernstig in de problemen zit.'

'Alleen omdat hij sexy e-mails met Janey uitwisselde? Dat hebben een heleboel anderen ook gedaan.'

'Ja, maar Gavin heeft getoond dat hij heel creatief was op dat gebied,' zei hij met een bitter lachje. 'Hebben ze je iets laten zien van wat hij heeft geschreven?'

'Nee. Maar al had ik het gelezen, dan zou het mijn mening over hem niet hebben veranderd. Hij was een fantastisch jongetje en zal een voortreffelijke jongeman zijn.'

'Twee dagen geleden vond ik 's nachts te laat thuiskomen een fikse overtreding. Nu... dit. Mijn god.' Met een zucht leunde hij met zijn ellebogen op zijn knieën en sloeg zijn handen voor zijn gezicht.

Paris legde een hand op zijn schouder. Een instinctief gebaar. Hij had er behoefte aan om te worden aangeraakt, en zij had er behoefte aan om hem aan te raken. 'Heb je Pat al gebeld?'

'Nee. Waarom zou ik haar van streek maken als het uiteindelijk niets anders blijkt te zijn dan een stel schunnige e-mails?'

'Dat is volgens mij precies wat het zal blijken te zijn.'

'Dat hoop ik. Hij heeft ons twee keer verteld wat hij die avond heeft gedaan. En de verklaringen waren volkomen identiek.'

'Dan spreekt hij waarschijnlijk de waarheid.'

'Of zijn leugen is goed gerepeteerd.'

Terwijl hij recht voor zich uit keek naar de open trap aan de andere kant van de hal, tikte hij met zijn vingers tegen zijn lippen. 'Ik praat elke dag met leugenaars, Paris. De meeste mensen liegen in zekere mate. Sommigen beseffen niet eens dat ze liegen. Ze hebben iets zo lang gezegd of geloofd dat het hun waarheid is geworden. Het is mijn taak hun onzin te filteren tot ik de échte waarheid bereik.'

Toen hij zweeg, bleef Paris stil om hem de kans te geven zijn gedachten te ordenen. De warmte van zijn huid straalde door zijn hemd heen op haar hand, die nog steeds op zijn schouder lag.

'Gavin bekent dat hij dronken naar huis is gereden,' zei hij. 'Hij bekent dat hij onderweg is gestopt om in iemands tuin over te geven en hij bekent dat hij mijn verbod om het huis te verlaten heeft genegeerd door wél naar buiten te gaan.

Hij geeft toe dat hij Janey leuk vond, of het in elk geval fijn vond wat ze samen deden. Hij zegt dat hij die avond met haar heeft gepraat en heeft geprobeerd haar over te halen ergens met hem heen te gaan. Ze heeft hem zonder meer afgewezen.

Hij werd boos, zei dingen, van sommige ervan kan ik niet geloven dat ze uit de mond van mijn zoon kwamen. Hij bekent dat hij woest was toen hij haar verliet, maar blijft volhouden dat hij bij haar is weggegaan. Hij zegt dat hij zich aansloot bij een groep jongens en tequila met hen dronk tot hij naar huis vertrok. Hij heeft Janey niet meer gezien.'

Hij draaide zijn hoofd om en keek Paris aan. 'Ik geloof hem, Paris.'

'Mooi zo.'

'Ben ik naïef? Is dat ijdele hoop?'

'Nee. Ik denk dat je hem gelooft omdat hij de waarheid spreekt.' Ze gaf een bemoedigend kneepje in zijn schouder. 'Is er iets wat ik kan doen?'

'Ga vanavond met Gavin en mij uit eten.'

Dat had ze niet verwacht. Ze haalde vlug haar hand van zijn schouder en wendde haar blik af. 'Ik werk 's avonds, weet je nog?'

'Er is genoeg tijd voor een etentje voordat je naar het station gaat. We zullen vroeg beginnen.'

Ze schudde haar hoofd. 'Ik moet vanmiddag iets doen wat niet kan worden uitgesteld. Bovendien vind ik het geen goed idee.'

'Om wat er gisteravond is gebeurd?'

'Nee.'

'Ja.'

Geërgerd door zijn waarnemingsvermogen zei ze: 'Goed dan, ja.'

'Omdat je weet dat het, als we samen zijn, opnieuw zal gebeuren.'

'Nee, dat is niet waar.'

'Jawel, Paris. Je weet dat het wéér zal gebeuren. Bovendien wil je het net zo graag als ik.'

'Ik...'

'Dean?'

Ze schrokken bij het horen van zijn naam. Een vrouw was juist uit een van de liften gekomen en kwam nu hun kant op. Er was slechts één woord om haar te beschrijven: beeldschoon.

Haar gedistingeerde mantelpakje benadrukte haar weelderige figuur in plaats dat het de aandacht ervan afleidde. Een moderne, korte rok en hoge hakken deden haar prachtige benen goed uitkomen. Lipgloss en mascara waren haar enige make-up en alles wat nodig was. Ze droeg geen andere sieraden dan onopvallende, diamanten oorknopjes, een dunne, gouden halsketting en een polshorloge. Haar blonde, loshangende, schouderlange haren waren in het midden gescheiden. Een klassiek en ongecompliceerd kapsel. Een geslaagde zakenvrouw in een strakgesneden mantelpak.

Dean vloog overeind. 'Liz.'

Ze schonk hem een verblindende glimlach. 'Alles ging zo goed in Chicago, dat ik de zaak een dag eerder kon afhandelen. De terugreis ging voorspoedig. Ik wilde je verrassen met een late lunch. Miss Lester zei tegen me dat ik je hier kon vinden, en blijkbaar is het me gelukt je te verrassen.'

Ze omhelsde hem, kuste hem op de mond. Daarna draaide ze zich om en glimlachte open en vriendelijk tegen Paris. 'Hallo.'

Dean stelde hen kort aan elkaar voor. 'Liz Douglas, Paris Gibson.'

Paris kon zich niet herinneren dat ze ging staan, maar ze ontdekte dat ze recht tegenover Liz Douglas stond. Ze had een stevige handdruk, als een vrouw die gewend is voornamelijk met mannen zaken te doen. 'Hoe maak je het?'

'Ben je een politievrouw?' Liz probeerde langs de getinte glazen van Paris te kijken. Waarschijnlijk had ze aangenomen dat ze een undercoveragente was.

'Nee, ik werk bij de radio.'

'O ja? Ben je in de ether?'

'Laat op de avond.'

'Het spijt me, ik…'

'Het is niet nodig je te verontschuldigen,' zei Paris tegen haar. 'Mijn programma begint als de meeste mensen al in bed liggen.'

Na een korte maar onaangename stilte zei Dean: 'Paris en ik kenden elkaar in Houston. Jaren geleden.'

'Aha,' zei Liz Douglas, alsof die verklaring alles duidelijk maakte.

'Sorry, ik heb een afspraak. Ik moet gaan, anders kom ik te laat.'

Paris wendde zich tot Dean. 'Alles komt goed. Dat weet ik zeker. Doe Gavin alsjeblieft de groeten van me. Miss Douglas, leuk u te hebben ontmoet.' Ze liep snel weg naar de liften.

Dean riep haar, maar ze deed net of ze hem niet hoorde en liep door. Toen ze om de hoek verdween, hoorde ze Liz Douglas zeggen: 'Ik heb sterk de indruk dat ik stoorde. Heeft ze een probleem?'

'Ik, in feite,' antwoordde hij. 'Gavin en ik.'

'Mijn God, wat is er gebeurd?'

Inmiddels was er een lift gearriveerd. Paris stapte in. Tot haar vreugde merkte ze dat ze de enige passagier was. Ze leunde tegen de achterwand toen de deuren dichtgingen. Ze hoorde niets meer van Deans gesprek met Liz. Maar dat was niet nodig. De vertrouwdheid waarmee ze elkaar hadden gekust sprak boekdelen.

Hij zou niet langer haar hand op zijn schouder nodig hebben. Hij had Liz om hem te troosten.

Gavin wist dat dit de rotste dag van zijn leven zou zijn, al werd hij honderd.

Hij had zijn mooiste kleren aangetrokken voor het bezoek aan het politiebureau, en zijn vader had dat niet eens tegen hem hoeven zeggen. Waarschijnlijk waren zijn kleren nu verpest, want de afgelopen anderhalf uur had hij gezweet als een otter. De zweetlucht zou er nooit meer uitgaan.

Op de televisie en in films maakte de lichaamstaal van verdachten die verhoord werden dat ze schuldig leken. Dus probeerde hij niet te wiebelen en te draaien op de ongemakkelijke stoel, maar rechtop te zitten. Hij liet zijn blik niet door de kamer dwalen, maar keek brigadier Curtis recht aan. Als er een vraag werd gesteld, weidde hij niet uit, maar sprak waarheidsgetrouw en bondig, ook als het onderwerp gênant was.

Hij volgde zijn vaders raad op – het was nu niet het juiste moment om informatie achter te houden. Niet dat hij probeerde iets te verdoezelen, want ze waren al op de hoogte van de e-mails, de Sex Club en zo. Hij wist niet waar Janey Kemps verblijfplaats was of wat er met haar was gebeurd. Hij was even onbekend met haar lot als de politie.

Ja, hij had seks met haar gehad. Maar dat gold voor iedere man die hij sinds zijn komst naar Austin had ontmoet, met uitzondering van zijn vader en de mannen in deze kamer.

Allemaal, op één na. En die was er de oorzaak van dat hij zweette, nog meer dan de indringende vragen van Curtis. Hij was voorgesteld als John Rondeau.

Zodra Rondeau de kamer was binnengekomen had Gavin hem herkend. Uiteindelijk had hij hem gisteravond nog gezien met twee rondborstige schoonheden die uit een auto stapten. En het was beslist geen gebedsgroepje geweest!

Zonder enige twijfel had de jonge agent hem ook herkend. Toen hij Gavin zag, hadden zijn ogen zich een beetje verwijd, maar vrijwel meteen waren ze weer normaal geworden. Hij had Gavin een waarschuwende, scherpe blik toegeworpen die maakte dat Gavin ineenkromp en hem ervan weerhield te zeggen dat hij die vent eerder had gezien.

De anderen, zijn vader incluis, vatten Rondeaus starende blik waarschijnlijk op als een strenge afkeuring van de e-mails die hij met Janey had uitgewisseld. Maar Gavin wist beter. Gavin wist dat Rondeau hem met ernstige gevolgen bedreigde als Gavin Rondeaus activiteiten – die buiten het werk plaatsvonden – aan zijn superieuren zou verraden.

Gavin was nóg banger voor hem toen Curtis zijn vader vroeg de kamer te verlaten. De laatste tijd was zijn ouweheer superstreng geweest en had hij hem constant achter zijn broek gezeten over van alles en nog wat. Gavin was zelfs bang geworden om hem onder ogen te komen, omdat hij wist dat hij dan de wind van voren zou krijgen. Maar vandaag was hij blij dat zijn vader aan zijn zijde was. En hoe slecht de situatie ook werd, Gavin wist dat zijn vader hem niet in de steek zou laten.

Hij herinnerde zich dat ze eens voor een lang weekend naar de kust waren gegaan. Zijn vader had hem gewaarschuwd en gezegd dat hij niet te ver in zee mocht gaan. 'De golven zijn sterker en hoger dan ze vanaf het strand lijken. Er is ook een sterke onderstroom. Wees voorzichtig.'

Maar hij had indruk op zijn vader willen maken door hem te laten zien hoe goed hij kon zwemmen en zich kon laten terugwerpen door de golven. Op een gegeven moment hadden zijn voeten de bodem niet meer gevoeld en waren de golven nog hoger geworden. Hij was in paniek geraakt en kopje-onder gegaan, in het besef dat hij de verdrinkingsdood zou sterven.

Toen had een sterke arm zich om zijn borst geslagen en hem naar boven getrokken. 'Het is goed, zoon, ik heb je vast.'

Hij had gesputterd en geworsteld om te proberen grond onder zijn voeten te krijgen.

'Ontspan je, Gavin. Ik laat je niet los. Dat beloof ik.'

Zijn vader had hem helemaal teruggesleept naar het strand en had hem ook niet uitgefoeterd toen ze daar waren aangekomen. Hij had niet gezegd: 'Stom joch, heb ik het je niet gezegd? Wanneer ga je nou eens luisteren en leren?'

Hij had er alleen heel bezorgd uitgezien terwijl hij op Gavins rug had gebonkt tot hij al het zeewater dat hij had ingeslikt had opgehoest. Daarna had hij hem in een badlaken gewikkeld en lange tijd dicht tegen zich aan gedrukt. Zonder iets te zeggen. Hij had alleen maar naar het water gestaard en hem stevig vastgehouden.

Toen het weekend voorbij was en zijn moeder had gevraagd of alles goed was gegaan, had zijn vader hem een knipoog gegeven terwijl hij tegen haar zei dat alles prima was geweest. 'We hebben een fantastische tijd gehad.' Hij had haar niet verteld dat Gavin dood zou zijn geweest als hij hem niet had gered.

Gavin vertrouwde erop dat zijn vader er vandaag ook zou zijn om hem vast te grijpen als hij zonk. Zo was zijn vader. Hij was een fijn mens om tijdens een crisis in je buurt te hebben, en daarom werd Gavin nerveus toen de rechercheur aan zijn vader vroeg of hij buiten wilde wachten terwijl ze alleen met Gavin spraken. 'Ik ga weg, maar alleen als de advocaat blijft,' bedong zijn vader.

Curtis stemde in. Voor hij vertrok keek zijn vader hem aan en zei: 'Ik ben dichtbij, zoon, ik sta buiten op de gang.' En Gavin had daar het volste vertrouwen in.

Na Deans vertrek keek Curtis hem zo doordringend aan, dat Gavin heen en weer schoof in zijn stoel, ondanks zijn vaste voornemen dat niet te doen. Hij vroeg zich af of de rechercheur zijn tong was verloren. Ten slotte zei Curtis: 'Ik weet dat het moeilijk is om in het bijzijn van je vader over bepaalde zaken te praten. Meisjes en seks. Dat soort dingen.'

'Ja, sir.'

'Nu je vader weg is, wil ik je graag een paar vragen van persoonlijker aard stellen.'

Persoonlijker dan ze al waren geweest? Dat meent hij toch niet? dacht Gavin, maar hij zei: 'Goed.'

De vragen waren in feite dezelfde als die zijn vader had gesteld voor ze hun huis verlieten, en Gavin gaf Curtis net zo eerlijk antwoord. Hij vertelde wat er tussen hem en Janey was gebeurd.

'Heb je geen seks met haar gehad op de avond waarop je haar voor het laatst zag?'

'Nee, sir.'

'Heb je gezien dat ze met iemand anders seks had?'

Wát? Dachten ze dat hij had staan toekijken? Dachten ze werkelijk dat hij zó gestoord was? 'Ik zou niet naar haar toe zijn gegaan en met haar praten als ze met een andere vent was geweest.'

195

'Heb je haar aangeraakt?'

'Nee, sir. Eén keer probeerde ik haar hand te pakken, maar ze trok hem terug. Ze zei tegen me dat ik te graag wilde en dat dat heel irritant was geworden. '

'En toen noemde je haar een vuil kreng en zo?'

'Ja, sir.'

'Wat had ze aan?'

Gavin kon het zich niet herinneren. Als hij zich haar voor de geest haalde, zag hij alleen haar gezicht, de sensuele blik, de glimlach die zowel uitnodigend als wreed was.

'Ik weet het niet meer.'

Curtis keek Rondeau aan. 'Kun jíj nog iets bedenken?'

'Hoe kom je aan haar foto?'

Gavin durfde hem eigenlijk niet recht aan te kijken, maar hij deed het toch. 'Die heeft ze aan me gegeven.'

'Wanneer?'

'Die avond. Ze zei: "Kom er maar gauw overheen, Gavin." Toen gaf ze me de foto. Een souvenir, noemde ze het. Als ik haar miste, kon ik de foto gebruiken om klaar te komen.'

'Heeft ze je ook verteld wie de foto had genomen?'

'Een of andere vent met wie ze omgaat.'

'Noemde ze zijn naam?'

'Nee.'

'Heb je ernaar gevraagd?'

'Nee.'

Curtis wachtte om te kijken of Rondeau nog iets anders wilde vragen, maar toen Rondeau tevreden achterover ging zitten, stond Curtis op. 'Dat is het voorlopig, Gavin. Tenzij jij er nog iets aan toe hebt te voegen.'

'Nee, sir.'

'Mocht je nog iets horen, breng mij dan op de hoogte of vertel het onmiddellijk tegen je vader.'

'Dat zal ik doen. Ik hoop dat ze snel wordt gevonden.'

'Wij ook. Dank voor je samenwerking.'

Zoals beloofd stond zijn vader in de gang op hem te wachten, maar Gavin was verrast toen hij zag dat Liz er ook bij was. Ze haastte zich onmiddellijk naar hem toe. Ze vroeg of alles goed met hem was en drukte hem tegen zich aan.

'Ik moet naar het toilet,' mompelde hij en liep weg voor iemand hem kon tegenhouden.

Bij de urinoirs stond niemand. Hij stapte een van de toilethokjes binnen en bukte zich om te kijken of hij onder de afscheidingswanden voeten kon zien. Toen hij er zeker van was dat hij alleen was, boog hij zich over het toilet en gaf over. Hij had vandaag nauwelijks iets gegeten, alleen maar een beetje cornflakes als ontbijt, dus kwam er bijna alleen maar gal uit, en kon hij alleen nog maar kokhalzen totdat de aderen in zijn nek de indruk wekten elk moment te kunnen barsten. De krampen waren zo hevig dat zijn lichaam er pijn van deed.

Hij had al eens eerder van angst moeten braken. Toen hij veertien was had hij de auto van zijn moeder een keertje stiekem meegenomen. Ze was uit met de man met wie ze uiteindelijk was getrouwd. En aangezien ze hem in de steek had gelaten om met die *loser* te gaan eten, vond Gavin dat het haar eigen schuld was als hij een keertje illegaal van haar auto gebruikmaakte.

Hij was niet verder gereden dan de dichtstbijzijnde McDonald's, waar hij een Big Mac naar binnen had gewerkt. Op de terugweg, slechts één blok van zijn huis verwijderd, was de nieuwe golden retriever-puppy van de buren plotseling vlak voor de auto de weg op geschoten. Het was een leuk en vriendelijk hondje, en toen Gavin een paar dagen daarvoor naar hem was gaan kijken, had het hondje enthousiast over zijn gezicht gelikt.

Hij had nog net op tijd kunnen remmen om een tragedie te voorkomen, maar het had zó weinig gescheeld dat hij de puppy had overreden, dat hij direct na thuiskomst zijn illegaal genuttigde maaltijd had uitgekotst. Zijn moeder was er nooit achtergekomen dat hij met de auto was weggeweest, en de puppy was uitgegroeid tot een hond waarmee het nog steeds prima ging. Afgezien van een enorm schuldgevoel, had het voorval verder geen consequenties voor hem gehad.

Maar deze keer had hij een stuk minder geluk.

Voor hij het toilethokje verliet spoelde hij twee keer door. Bij de wastafel maakte hij zijn gezicht goed nat en spoelde zijn mond een paar keer met water, maakte zijn gezicht toen nóg een keer nat, draaide de kraan toen dicht en fatsoeneerde zich zo goed mogelijk.

Voor ook maar tot hem was doorgedrongen dat Rondeau achter hem stond, had de agent al een hand op Gavins hoofd gelegd en had hij de andere in een soort ijzeren greep rond zijn middel geslagen en drukte hij Gavins hand omhoog tussen zijn schouderbladen.

19

Rondeau duwde Gavins gezicht tegen de spiegel. Zo hard, dat het Gavin verbaasde dat het glas niet brak. Hij was niet zeker van zijn jukbeen. Door de pijn sprongen er onmannelijke tranen in zijn ogen. Het leek of zijn arm uit de kom was gerukt. Hijgend zei hij: 'Laat me los, klootzak.'

Rondeau siste in zijn oor: 'Jij en ik hebben een geheimpje, hè?'

'Ik ken jouw geheimpje, agent Rondeau.' Gavins lippen waren platgedrukt tegen de spiegel, maar hij kon zich nog verstaanbaar maken. 'In je vrije tijd neuk je middelbareschoolmeisjes. '

Rondeau gaf een stomp tussen zijn schouderbladen. Ondanks Gavins vastbeslotenheid om geen angst te tonen, schreeuwde hij het uit. 'Ik zal je jouw geheim vertellen, Gavin,' fluisterde Rondeau.

'Ik heb geen geheim.'

'Natuurlijk wel. Je had je buik vol van de spelletjes van die teef. Je vond dat het tijd was dat ze een lesje leerde. Dus maakte je een afspraak met haar. Zij begon te schelden en jij werd boos.'

'Je bent stapelgek.'

'Je was zó razend en je voelde je zó vernederd, dat je je zelfbeheersing verloor, Gavin. Gezien de gemoedstoestand waarin je verkeerde vraag ik me bezorgd af wat je met haar hebt gedaan.'

'Ik heb helemaal níets gedaan.'

'Natuurlijk wel, Gavin,' zei Rondeau poeslief. 'Jij had het volmaakte motief. Ze dumpt je, dan maakt ze je tot een mikpunt van spot. Ze maakte je belachelijk op het mededelingenbord, zodat iedereen het kon lezen. Een lulletje rozenwater. Zo noemde ze je toch? Jij nam dat niet en moest haar de mond snoeren. Voorgoed.'

Rondeaus overtuigingskracht maakte dat het scenario geloofwaardig klonk. Gavin werd bang bij het idee dat Rondeau heel veel andere politiemannen, inclusief brigadier Curtis, zou kunnen overtuigen.

'Goed, ze stak de draak met me en ik was boos op haar,' zei hij. 'Maar de rest is flauwekul. Ik was die avond in gezelschap van vrienden. Ze zullen dat bevestigen.'

'Een stelletje boerenpummels onder invloed van tequila en wiet?' Rondeau lachte spottend. 'Denk je dat er iets van wat zij als getuigen verklaren overeind zal blijven in de rechtszaal?'

'De rechtszaal?'

'Ik hoop dat je nog een ander alibi hebt, Gavin. Iets sterkers dan de getuigenis van de minkukels met wie je omgaat.'

'Ik heb geen alibi nodig, omdat ik niks met Janey heb gedaan behalve met haar praten.'

'Heb je niet met een stuk ijzer op haar hoofd geslagen en haar lijk in het meer gegooid?'

'God! Nee!'

'Doe je het niet in je broek bij het idee dat haar lichaam ontdekt zal worden? Ik kan vast wel iemand vinden die zal getuigen dat hij jou en Janey heeft zien vechten.'

'Dat zou een leugen zijn. Ik heb níets gedaan.'

Rondeau ging nog dichter bij Gavin staan en drukte Gavins dijen tegen de wasbak. 'Het kan me niet schelen of je het deed of niet, Gavin. Ze kunnen je laten gaan, ze kunnen je ook voor de rest van je leven opsluiten, mij maakt het niet uit. Maar als jij míj verraadt, zal ik ervoor zorgen dat je zo schuldig lijkt als wat. Ik zal ze laten geloven...'

'Wat is hier verdomme aan de hand?'

Gavin voelde de luchtstroom onmiddellijk nadat hij zijn vader vanuit de deuropening had horen bulderen. Dean trok Rondeau weg en smeet hem tegen de betegelde muur. Daarna greep hij hem bij zijn keel en pinde hem zo vast tegen de muur .

'Wat bezielt je, verdomme?' Zijn stem weergalmde door de ruimte. 'Gavin, alles goed met je?'

Gavins wang klopte en zijn schouder deed verrekte pijn, maar hij peinsde er niet over in Rondeaus bijzijn te klagen. 'Alles is oké.'

Zijn vader wierp hem een snelle, controlerende blik toe alsof hij zich ervan wilde verzekeren dat Gavin niet gewond was. Daarna wendde hij zich tot Rondeau.' Ik wacht op een verklaring!'

'Het spijt me, dr. Malloy. Ik heb gelezen wat uw zoon heeft geschreven. Het is gewoon… Sommige dingen zijn walgelijk. Ik heb een moeder, een zus. Zo hoor je niet over vrouwen te praten. Toen ik hier kwam om te pissen, zag ik hem en ging ik over de rooie.'

Gavin zou niet graag in Rondeaus schoenen hebben gestaan. Zijn vader spuwde bijna vuur in zijn gezicht en zijn hand drukte nog steeds op Rondeaus keel. Rondeaus gezicht werd rood. Hij stond doodstil. Alsof hij bang was dat hij, als hij zich bewoog, een woede-uitbarsting zou doen ontbranden waar hij niet tegen kon vechten.

Ten slotte liet Dean zijn hand zakken, maar zijn doordringende blik was even doeltreffend om Rondeau vast te pinnen. Zijn gezicht was kalm en beheerst, maar dreigend. 'Als je mijn zoon nog één keer aanraakt, draai ik je de nek om. Begrepen?'

'Sir, ik…'

'Begrépen?'

Rondeau slikte, knikte en zei toen: 'Ja, sir.'

Ondanks Rondeaus gedweeë houding duurde het even voordat Dean zijn blik afwendde, achteruitstapte, en zijn hand naar Gavin uitstak. 'We gaan, zoon.'

Gavin keek naar Rondeau toen hij langs hem liep. Misschien had de jonge agent zijn vader ervan overtuigd dat hij een onbedwingbare opwelling van gerechtvaardigde verontwaardiging had gevoeld waarvan hij oprecht spijt had.

Maar Gavin liet zich niet bedotten. In plaats van nog meer problemen voor zichzelf te scheppen, zou hij Rondeaus smerige geheimpje voor zich houden. Wat kon het hem nou schelen dat de agent een dubbelleven leidde en met minderjarige meisjes vrijde? Zo te zien hadden de meisjes het niet erg gevonden.

Toen ze de toiletruimte hadden verlaten wierp Gavin een vluchtige blik op zijn vader. Zijn kaken waren gespannen en het leek of hij klaar was om zijn dreigement Rondeau de nek om te draaien uit te voeren. Gavin was blij dat de ingehouden woede van zijn vader niet op hém was gericht.

Hij nam aan dat er spoedig een blauwe plek op zijn jukbeen zou prijken. Misschien was het al gaan verkleuren, want zodra Liz hem zag, wist ze dat er iets was gebeurd.

'Wat is er aan de hand?'

'Niets, Liz,' zei Dean. 'Alles is oké, maar ik moet de lunch overslaan. Brigadier Curtis heeft me opgepiept.'

Blijkbaar had zijn vader haar verteld wat er gaande was terwijl hij, Gavin, op de wc braakte.

'Er is iemand bij hem, en hij wil dat ik met die persoon praat. Het spijt me. Je bent eerder naar huis gekomen, en dan beland je in zo'n puinhoop.'

'Als het jóuw puinhoop is, is het ook míjn puinhoop,' zei ze.

'Bedankt. Ik bel je vanavond thuis.'

'Ik vind het niet erg om te wachten tot je vrij bent.'

Dean schudde zijn hoofd. 'Ik heb geen idee hoe lang het zal duren. Dit zou de rest van de middag weleens in beslag kunnen nemen.'

'Juist, ja, nou…' Ze keek zo teleurgesteld, dat Gavin medelijden met haar had. 'Je bent hier te zeer onmisbaar. Wil je dat ik Gavin naar huis breng?'

Inwendig kreunde Gavin. Alsjeblieft niet. Liz was aardig en was beslist heel knap om te zien. Maar ze deed te zeer haar best hem te maken zoals zíj was, en vaak waren haar pogingen zo doorzichtig, dat hij zich eraan stoorde. Hij was geen klein kind wiens hart kon worden veroverd door vrolijk gebabbel en overdreven veel belangstelling voor hem.

'Ik stel het aanbod op prijs, Liz, maar ik ben van plan Gavin in mijn auto naar huis te laten gaan.'

Gavin draaide zich snel naar zijn vader om, in de veronderstelling dat hij hem verkeerd had verstaan. Maar nee, Dean gaf hem zijn autosleutels. Twee avonden geleden had Gavin de sleutels van zijn oude rammelkast aan Dean moeten geven, en nu vertrouwde hij hem zíjn auto toe!

Dit bewijs van zijn vertrouwen betekende meer dan het feit dat hij Rondeau met de dood had bedreigd. Je kind beschermen was je plicht, maar het vertrouwen was een keuze, en zijn vader had verkozen hem te vertrouwen terwijl hij, Gavin, daar geen reden toe had gegeven. In feite had hij hem alle reden gegeven om het níet te doen.

Daar moest hij nog eens over nadenken. Later, als hij alleen was.

'Ik bel je als ik klaar ben om te vertrekken, Gavin. Dan kun je naar me toe komen en me ophalen. Lijkt je dat een goed plan?'

Gavins keel zat bijna dicht, maar hij slaagde erin een paar woorden uit zijn mond te krijgen. 'Ja, pa. Ik zal wachten.'

Hoewel haar huidige situatie chaotisch was, gebruikte Paris dat niet als excuus om de noodzakelijke rit naar Meadowview uit te stellen.

Dean en zij hadden elkaar gisteravond gekust. Misschien had het schuldgevoel daarover haar ertoe gedreven de directeur van de privé-kliniek te bellen om te zeggen dat ze daar om drie uur zou aankomen.

Toen ze precies op tijd arriveerde, stond hij in de ingang van het atrium om haar te verwelkomen. Terwijl ze elkaar de hand schudden voelde hij zich duidelijk beschaamd. Hij verontschuldigde zich voor de toon van de brief die ze de dag ervoor had ontvangen.

'Achteraf gezien wilde ik dat mijn woordkeus niet zo...'

'Je hoeft je niet te verontschuldigen,' zei ze tegen hem. 'Je brief bracht me ertoe iets te doen wat ik maanden geleden al had moeten doen.'

'Ik hoop niet dat je denkt dat ik ongevoelig ben voor je verdriet,' zei hij toen hij haar door de doodstille gang leidde.

'Helemaal niet.'

Jacks persoonlijke bezittingen werden in een bergruimte bewaard. Nadat de directeur de deur had opengemaakt, wees hij naar drie dozen die op een metalen rek waren opgestapeld. Ze waren niet groot en er zat weinig in. Paris had ze makkelijk naar haar auto kunnen dragen, maar de directeur wilde haar per se helpen.

'Het spijt me van het ongemak dat ik jou en het personeel heb bezorgd door zo lang te wachten met het ophalen van de spullen,' zei ze terwijl ze de dozen in de kofferbak van haar auto zette.

'Ik begrijp waarom je weg wilde blijven. Je kon geen goede herinneringen aan het ziekenhuis hebben.'

'Nee, maar ik hoefde me nooit zorgen te maken over de behandeling die Jack kreeg. Dank je.'

'Je gulle gift was voldoende dank.'

Nadat ze Jacks doktersrekeningen had betaald, had ze de rest van zijn nalatenschap aan de kliniek geschonken, inclusief de aanzienlijke levensverzekering die hij had afgesloten toen ze zich verloofden. Zij was de begunstigde, maar ze had het geld nooit kunnen houden.

Zij en de directeur hadden op het parkeerterrein van Meadowview, onder een brandende zon afscheid van elkaar genomen, in de wetenschap dat het twijfelachtig was of ze elkaar ooit weer zouden zien.

Nu stonden de drie dozen op Paris' keukentafel. Er zou nooit een goed tijdstip zijn om ze te openen, en ze had het liever achter de rug dan dat ze ertegenop bleef zien. Met een mesje sneed ze de tape van de drie dozen door. In de eerste zaten pyjama's. Vier, keurig opgevouwen. Ze had ze voor hem gekocht toen hij in Meadowview werd opgenomen. Ze waren zacht geworden door talloze keren te zijn gewassen, maar ze rook nog steeds de zoetige, antiseptische geur die ze met de gangen van het ziekenhuis associeerde. Ze sloot de doos.

De tweede bevatte voornamelijk papieren, gelegaliseerde documenten in drievoud van verzekeringsmaatschappijen, districtsrechtbanken, ziekenhuizen, artsen en advocaten, wat Jack Donner reduceerde tot een sofi-nummer, een statistisch gegeven, een cliënt, een post die de accountant moest tabelleren.

Als executeur-testamentair had Paris zich moeten bezighouden met alle wettelijke verplichtingen die uit iemands dood voortvloeiden. Alle 'waaroms' en 'bij dezes' waren nu niet meer zenuwslopend; de documenten behoorden tot het verleden. Ze had niet de behoefte of het verlangen om ze nog een keer te lezen.

Alleen de derde doos bleef over; de kleinste van de drie. Voordat ze hem openmaakte wist ze dat de inhoud ervan het naarste was, omdat de spullen die erin zaten Jacks persoonlijke bezittingen waren. Zijn polshorloge. Portefeuille. Een paar favoriete boeken die ze tijdens haar dagelijkse bezoeken aan Meadowview had voorgelezen. Een ingelijste foto van zijn ouders, die al waren overleden toen Paris hem leerde kennen. Ze had het een zegen gevonden dat ze dood waren en niet konden zien dat hun enige kind zo afgetakeld was.

Kort na Jacks vertrek naar Meadowview had ze zijn huis leeggehaald. Zijn kleren had ze aan een liefdadigheidsinstelling gegeven. Daarna had ze zichzelf gedwongen zijn meubels te verkopen, zijn auto, zijn ski's, zijn houten vissersboot, zijn tennisrackets, zijn gitaar en ten slotte het huis zelf. Allemaal om de astronomische doktersrekeningen te betalen die niet door de verzekering werden gedekt.

Dus dit was alles wat Jack Donner had toen hij stierf. Er was niets overgebleven, zelfs niet zijn waardigheid.

Zijn portefeuille was zacht door het dragen. Zijn creditcards, allang niet meer geldig, zaten nog op hun plaats. Door een stukje plastic heen lachte haar eigen gezicht haar toe. Onder de foto zat een stukje papier, dat ze weghaalde. Het was een krantenknipsel dat Jack een paar keer had opgevouwen zodat het achter haar foto zou passen.

Ze vouwde het open en zag nóg een foto van zichzelf. Maar dit was niet een geflatteerd portret dat in een fotostudio was gemaakt. Dit was een kiekje van een persfotograaf. Hij had haar gefotografeerd terwijl ze moe, verfomfaaid, ontgoocheld in de verte stond te staren, haar microfoon hing vergeten langs haar zijde. De krantenkop luidde: *Carrière makende verslaggeving*.

Er sprongen tranen in haar ogen. Ze wreef over de randen van het knipsel. Jack was trots geweest op het werk dat ze had verricht, trots genoeg om het krantenartikel erover te bewaren. Had hij later de wrede ironie van juist dat speciale verhaal beseft?

Gek dat een wildvreemde, iemand die ze nog nooit hadden ontmoet, zo'n katalyserende impact op hun leven zou hebben. Zijn naam was Albert Dorrie. Hij veranderde Jacks lot en het hare op de dag dat hij besloot zijn familie in gijzeling te houden.

Het was een dinsdag zonder belangrijke gebeurtenissen tot het nieuws tegen lunchtijd bekend werd. Toen de mensen in de redactiekamer hoorden dat een vrouw en haar drie kinderen in hun huis onder schot werden gehouden, werden ze aangespoord tot actie.

Er werd een cameraman aangewezen om naar de plek des onheils te gaan. Toen de cameraman snel zijn apparatuur verzamelde, ging de eindredacteur na welke verslaggever beschikbaar was. 'Wie is er vrij?' brulde hij.

'Ik.' Paris herinnerde zich dat ze haar hand opstak, als een schoolmeisje dat het juiste antwoord weet.

'Jij moet de commentaarstem opnemen bij dat verhaal over het voorkomen van darmkanker.'

'Dat is al gebeurd.'

De door en door ervaren journalist rolde zijn sigaret, die nooit ín het gebouw werd aangestoken, van de ene kant zijn met nicotine bevlekte lippen naar de andere, terwijl hij haar met gefronste wenkbrauwen aankeek. 'Oké, Gibson, ga je gang. Ik zal Marshall sturen om het van je over te nemen als hij klaar is bij de rechtbank. Probeer er intussen een niet al te grote knoeiboel van te maken. Verdwijn!'

Ze stapte naast de cameraman in het bestelbusje van het journaal. Ze was erg opgewonden en gespannen, want ze zou haar eerste superactuele reportage maken. De cameraman loodste hen vlot door het drukke verkeer van Houston terwijl hij Springsteen neuriede.

'Hoe kun je zo kalm zijn?'

'Omdat er morgen weer een andere halvegare zal zijn die iets doet wat even psychotisch is. De verhalen zijn hetzelfde. Alleen de namen veranderen.'

Tot op zekere hoogte had hij gelijk, maar ze vermoedde dat zijn ontspannen stemming grotendeels te danken was aan de joint die hij rookte.

Aan het eind van een straat in een middelmatige wijk was een blokkade aangebracht. Paris sprong uit het busje en rende naar de andere verslaggevers. Ze hadden zich verzameld rond de man van de BBE, de Bijzondere Bijstandseenheid, die nu optrad als woordvoerder van de politie van Houston.

'De leeftijd van de kinderen varieert van vier tot zeven,' hoorde Paris hem zeggen terwijl ze zich een weg baande door de menigte. 'Mr. en Mrs. Dorrie zijn een paar maanden geleden gescheiden. Mrs. Dorrie heeft onlangs een geschil over het voogdijschap over de kinderen gewonnen. Dat is alles wat we op dit moment weten.'

'Was Mr. Dorrie boos over de voogdijregeling?' schreeuwde een verslaggever.

'Je zou denken van wel, maar dat is slechts speculatie.'

'Hebt u met Mr. Dorrie gesproken?'

'Hij heeft niet gereageerd op onze pogingen tot een gesprek.'

De cameraman had Paris ingehaald en gaf haar een microfoon die met zijn camera was verbonden.

'Hoe weet u dan dat hij hierbinnen is en zijn gezin onder schot houdt?' vroeg een andere reporter.

'Mrs. Dorrie belde naar 911 en kon dat bericht doorgeven voordat de verbinding werd verbroken, waarschijnlijk door Mr. Dorrie.'

'Zei ze wat voor vuurwapen hij heeft?'

'Nee.'

Paris vroeg: 'Weet u wat Mr. Dorrie hiermee hoopt te bereiken?'

'Op dit moment weet ik alleen zeker dat we met een zeer ernstige situatie te maken hebben. Dank u.'

Daarmee sloot hij de persconferentie. Paris wendde zich tot de cameraman. 'Heb je mijn vraag op de band staan?'

'Ja. En zijn antwoord.'

'Zoals het was.'

'Er is gebeld uit de redactiekamer. Over drie minuten kom je live in de uitzending. Kun je iets bedenken om te zeggen?'

'Jij concentreert je op de camera, ik bedenk iets om te zeggen.'

Ze koos een gunstige plek uit om haar live verslag te doen. Het huis van de Dorries was op de achtergrond te zien aan het andere eind van een smalle, met bomen omzoomde straat, waar het op een normale middag waarschijnlijk rustig was.

Nu was de straat vol ambulances, politiewagens, persbusjes en nieuwsgierige toeschouwers. Paris vroeg aan een van de buren van de Dorries of ze voor de camera over het gezin wilde praten, en de vrouw wilde dat graag doen.

'Ik vond hem altijd een aardige man,' zei de vrouw. 'Wie had ooit gedacht dat hij zoiets zou doen? Je weet het gewoon nooit bij mensen. De meesten zijn krankzinnig, denk ik.'

Na een impasse van een uur zag Paris Dean Malloy in een on- opvallende auto arriveren. Hij lette niet op de toeschouwers en liep met zelfverzekerde vastberadenheid naast de geüniformeerde agenten die hem langs de journalisten naar het busje van de BBE leidden, dat halverwege de blokkade en het huis was opgesteld. Paris zag hem het busje binnengaan. Daarna belde ze de eindre- dacteur en gaf dit nieuws door.

'Houden jullie verdomme eens je kop!' brulde de eindredacteur tegen de stemmen op de achtergrond. 'Ik kan mezelf niet horen denken.' Toen zei hij tegen Paris: 'Zeg nog eens wie hij is.'

Ze herhaalde Deans naam. 'Hij is doctor in de psychologie en de criminologie, en werkt voor de politie van Houston.'

'En jij kent hem?'

'Persoonlijk. Hij is opgeleid om met gijzelnemers te onderhan- delen en zou hier niet zijn als ze niet dachten hem nodig te heb- ben.'

Ze bracht deze doorbraak live op de televisie en stak daarmee alle andere stations de loef af.

Na drie uur van nietsdoen begon iedereen een beetje verveeld te raken en wenste, vreemd genoeg, dat er iets zou gebeuren.

Paris had geluk toen ze een kleine vrouw aan de rand van de menigte zag staan. Ze werd ondersteund door een man die naast haar stond terwijl ze haar tranen de vrije loop liet zonder geluid te maken.

Paris liet haar microfoon en cameraman achter, liep naar het paar toe en stelde zich voor. Aanvankelijk nam de man een vijandige houding aan en zei botweg dat ze moest opdonderen, maar de vrouw vertelde ten slotte dat ze de zus was van Mrs. Dorrie. Aanvankelijk was ze onwillig om te praten, maar Paris kreeg uiteindelijk toch het verhaal over het stormachtige huwelijksleven van de Dorries te horen.

'Deze achtergrondinformatie zou heel nuttig kunnen zijn voor de politie,' zei ze zacht tegen de vrouw. 'Zou u bereid zijn met een van hen te praten?'

De vrouw was bedachtzaam en bang. Haar man bleef vijandig.

'De desbetreffende persoon is geen gewone politieman,' zei ze tegen hen. 'Hij is niet van de BBE. Hij is hier alleen om ervoor te zorgen dat uw zus en haar kinderen ongedeerd uit deze situatie komen. U kunt hem vertrouwen, dat verzeker ik u op mijn erewoord.'

Minuten later probeerde Paris een geüniformeerde politieman over te halen een briefje naar het BBE-busje te brengen en het persoonlijk aan Dean te overhandigen. 'Hij kent me. We zijn vrienden.'

'Het kan me niet schelen, al was je zijn zus. Malloy heeft het druk en wil niet met verslaggevers praten.'

Ze wenkte haar cameraman dichterbij. 'Ben je aan het opnemen?'

'Nu wel,' zei hij terwijl hij zijn camera op zijn schouder nam en in de lens keek.

'Maak een close-up van het gezicht van deze politieman.' Ze schraapte haar keel en begon in de microfoon te praten. 'Vandaag belemmerde agent Antonio Garza van de politie van Houston pogingen om een gezin te redden dat door een gewapende man wordt gegijzeld. Agent Garza weigerde een belangrijk bericht over te brengen aan...'

'Wat bent u in godsnaam aan het doen, dame?'

'Je komt op de tv als de agent die een redding van gegijzelden heeft verknald.'

'Geef hier dat verdomde briefje,' zei hij terwijl hij het uit haar hand griste.

Na een lang, martelend kwartier kwam Dean uit het busje, liep naar de blokkade en duwde microfoons weg die naar hem werden uitgestoken. Hij liet zijn blik over de gezichten in de menigte gaan. Toen hij Paris zag, die vanuit haar busje naar hem zwaaide, ging hij regelrecht op haar af.

'Hallo, Dean.'

'Paris.'

'Ik zou nooit misbruik van onze vriendschap maken. Ik hoop dat je dat weet.'

'Ja, dat weet ik.'

'Ik zou je nooit hebben gevraagd hierheen te komen als ik niet dacht dat dit van levensbelang was.'

'Dat stond in je briefje. Wat is er aan de hand?'

'Laten we naar binnen gaan.'

Ze stapten achter in het busje. Paris had de zus van Mrs. Dorrie en haar zwager overgehaald daar te wachten en stelde hen aan Dean voor. Er was niet veel ruimte, hoewel de cameraman buiten was gebleven. Paris wilde hen niet de stuipen op het lijf jagen met de camera en de lampen.

Dean hurkte voor de radeloze vrouw neer en sprak haar kalm en rustig toe. 'Allereerst wil ik dat u weet dat ik al het mogelijke zal doen om te verhinderen dat uw zus en haar gezin kwaad wordt gedaan.'

'Dat zei Paris ook al. Ze heeft ons haar erewoord gegeven dat we u konden vertrouwen.'

Dean wierp Paris een vluchtige blik toe.

'Maar ik ben bang dat de politiemannen het huis zullen bestormen,' zei de vrouw. Haar stem brak. 'En dan zal Albert haar en de kinderen doden. Dat weet ik zeker.'

Dean vroeg: 'Heeft hij hen al eerder met de dood bedreigd?'

'Heel vaak. Mijn zus zei altijd dat hij haar uiteindelijk zou ombrengen.'

Dean luisterde geduldig naar wat ze te vertellen had en onderbrak haar alleen als hij enige toelichting nodig had. En als ze aarzelde, spoorde hij haar zachtjes aan. Het werd warm in het busje en het stonk er naar marihuana. Dean leek zich niet bewust te zijn van de onaangename omgeving, van het zweet dat op zijn voorhoofd parelde. Zijn ogen waren voortdurend op het gezicht van de snikkende vrouw gericht.

Hij stelde relevante vragen en moest haar antwoorden in zijn geheugen hebben gegrift, want hij schreef niets op. Toen ze hem alles had verteld dat belangrijk kon zijn, bedankte hij haar en verzekerde haar dat hij haar zus en de kinderen veilig naar buiten zou brengen. Tot slot vroeg hij haar of ze in de buurt wilde blijven voor het geval hij opnieuw met haar moest praten. Zij en haar man stemden in.

Toen ze uit het bedompte busje te voorschijn kwamen, reikte Paris Dean een fles water aan. Afwezig dronk hij eruit terwijl ze naar de blokkade liepen. Tussen zijn wenkbrauwen had zich een diepe frons gevormd.

Ten slotte durfde ze te vragen of het gesprek nuttig was geweest.

'Absoluut. Maar voordat ik er iets mee kan doen, moet ik eerst zorgen dat Dorrie met me praat.'

'Je hebt nu het nummer van zijn mobiele telefoon.'

'Dank zij jou.'

'Ik ben blij dat ik kon helpen.'

Garza en andere geüniformeerde politiemannen hielden de vele reporters tegen die vragen naar hem riepen terwijl hij door de blokkade liep. Daarna bleef hij lang genoeg staan om zich om te draaien en te zeggen: 'Je hebt het goed gedaan, Paris.'

'Jij ook.'

Ze bleef waar ze was en keek hem na tot hij in het BBE-busje verdween. Vervolgens belde ze haar eindredacteur en vertelde wat er was gebeurd.

'Goed werk! Het helpt als je vrienden in hoge kringen hebt. Aangezien je een goede verstandhouding met die hoge piet hebt, moet je blijven waar je bent en het karwei afmaken.'

'Hoe zit het met Marshall?'

'Het is nu jóuw zaak, Paris. Stel me niet teleur.'

Een uur later hoorde ze samen met alle andere media dat Malloy eindelijk met Dorrie in gesprek was. Hij had de man overgehaald hem met Mrs. Dorrie te laten praten, die huilend tegen hem had gezegd dat zij en de kinderen nog in leven waren, fysiek ongedeerd, maar ontzettend bang.

Paris kwam live met dat bericht in het journaal van vijf uur. Ze herhaalde het om zes uur omdat er geen verdere ontwikkelingen waren geweest, en aan het eind van de nieuwsuitzending gaf ze een korte samenvatting van de gebeurtenissen die gedurende de hele lange dag hadden plaatsgevonden. Ze beantwoordde ook geïmproviseerde vragen van de nieuwslezers.

Om zeven uur arriveerde Jack met hamburgers en friet voor haar en haar cameraman. 'Wie rookt er wiet?' vroeg hij.

'Zij,' antwoordde de cameraman, terwijl hij een frietje in zijn mond stopte. 'Ik krijg haar maar niet van het spul af.'

Maar toen hij klaar was met eten en uit de bus stapte, aarzelde hij. 'Jack, wat betreft de…'

Jack glimlachte argeloos. 'Ik weet niet waar je het over hebt.'
De cameraman was zichtbaar opgelucht. 'Bedankt, kerel.'
Toen ze alleen waren wierp Paris Jack een geërgerde blik toe.
'Wat zul jíj een goede manager zijn!'
'Een goede manager kweekt loyaliteit,' zei hij. Zijn glimlach
verdween. Bezorgd streelde hij haar wang en zei: 'Je ziet er uitge-
put uit.'
'Mijn rouge is al uren geleden verdwenen.' Ze herinnerde zich
dat Dean zich niets had aangetrokken van zijn persoonlijke onge-
mak, en ze voegde eraan toe: 'Hoe ik eruitzie als ik in beeld ben, is
niet echt belangrijk in het licht van de zaak waarover het gaat.'
'Je hebt het geweldig gedaan.'
'Dank je.'
'Nee, ik meen het. Het station gonst!'
Toen ze vanmorgen in het busje vertrok, had ze het verhaal beschouwd als een kans om te laten zien wat ze kon, om aandacht te
trekken, om het station te laten gonzen, zoals Jack het had genoemd.
In de loop van de dag was dat veranderd. Het keerpunt was
Deans gesprek met de zus van Mrs. Dorrie geweest. Het had haar
ogen geopend voor de harde werkelijkheid van het verhaal, namen gegeven aan de mensen die erbij betrokken waren, het tot een
menselijke tragedie gemaakt in plaats van een middel om vooruit
te komen in haar carrière. Het leek walgelijk om beter te worden
van de tegenspoed van anderen.
Jack onderbrak haar gepeins. 'Heb je Dean nog gezien?' vroeg
hij.
'Eén keer maar. Hij kwam halverwege de middag naar buiten
om aan de zus van Mrs. Dorrie te vragen waar de kinderen het
meest van hielden wat betreft eten, speelgoed, spelletjes en huis-
dieren. Hij wilde zijn gesprekken met Mr. Dorrie persoonlijker
maken.'
Jack fronste peinzend zijn voorhoofd. 'Het zal voor Dean persoonlijker worden als de zaak verslechtert.'
'Hij kan niet meer doen dan zijn best.'
'Dat weet ik. Jij weet dat. Iedereen weet dat, behalve Dean. Let
op mijn woorden, Paris. Als er geen vijf mensen uit dat huis komen, zal hij dat zichzelf heel kwalijk nemen.'
Jack bleef nog een uur hangen. Toen vertrok hij, met haar belofte hem te zullen bellen als de situatie veranderde. Dat gebeurde

niet. Urenlang niet. Ze zat op de passagiersplaats van het busje, ordende haar aantekeningen en probeerde een nieuwe invalshoek voor het verhaal te vinden, toen Dean op de voorruit tikte.

'Is er iets gebeurd?' vroeg ze.

'Nee, niets. Sorry dat ik je liet schrikken,' zei hij terwijl hij naast het open raampje ging staan. 'Ik moest gewoon een tijdje uit die bus, frisse lucht inademen, mijn benen strekken.'

'Ik moest van Jack tegen je zeggen dat je het niet moest opgeven.'

'Is hij hier dan geweest?'

'Ja, om hamburgers te brengen. Heb jíj wel iets gegeten?'

'Een sandwich. Maar een slok water zou ik wel lusten.'

Ze reikte hem een fles aan. 'Ik heb er al uit gedronken.'

'Kan me niets schelen.' Hij nam een grote slok, sloot de fles af en gaf hem terug aan Paris. 'Wil jij iets voor me doen? Wil jij Gavin bellen? Hij wordt altijd bang als ik bij iets als dit betrokken ben.' Hij wierp haar een vluchtige glimlach toe. 'Te veel politieseries op de tv. Zeg tegen hem dat je met me hebt gepraat en verzeker hem ervan dat ik het goed maak.'

Toen hij de vraag in haar ogen las, voegde hij eraan toe: 'Ik heb al met hem gepraat. Pat ook. Maar je weet hoe kinderen zijn. Hij zal het sneller geloven als iemand het zegt die niet zijn ouder is.'

'Ik zal het graag doen. Nog meer?'

'Dat is het.'

'Fluitje van een cent.'

De knoop in zijn das was losgemaakt en zijn hemdsmouwen waren tot aan zijn ellebogen opgerold. Hij leunde met zijn onderarmen op de rand van het open raampje, maar wendde zijn hoofd in de richting van het huis. Na er lang naar te hebben gekeken, zei hij zacht: 'Misschien vermoordt hij ze, Paris.'

Ze zei niets. Ze wist dat dat niet van haar werd verwacht. Hij vertrouwde haar zijn grootste angst toe. Ze was blij dat hij zich bij haar zo op zijn gemak voelde dat hij dat deed. Ze wilde alleen dat ze een geruststelling kon bedenken die niet banaal klonk.

'Ik snap niet dat een man zijn eigen kinderen kan doodschieten, maar hij zegt dat hij dat gaat doen.' Dean legde zijn hoofd op zijn ineengeklemde handen en wreef met een duim over zijn gefronste voorhoofd. 'De laatste keer dat ik met hem praatte, kon ik een van de kleine meisjes op de achtergrond horen huilen. "Alsjeblieft,

211

papa. Alsjeblieft, schiet ons niet dood." Als hij besluit de trekker over te halen, kan ik verdomme niets zeggen of doen om hem tegen te houden.'

'Als jij er niet geweest was, zou hij de trekker waarschijnlijk al hebben overgehaald. Jij doet je best.' Paris raakte in een spontaan gebaar zijn haar aan.

Hij tilde onmiddellijk zijn hoofd op en keek haar aan. Misschien vroeg hij zich af hoe ze wist dat hij zijn best deed of dat hij het nodig had om dat te horen. Of misschien alleen om te verifiëren dat ze hem had aangeraakt.

'Wij krijgen te horen wat andere politiemensen over je zeggen, weet je,' zei ze, bijna fluisterend. 'Ze vinden je allemaal fantastisch.'

'Wat vind jíj?' fluisterde hij terug.

'Ik vind je ook fantastisch.'

Ze zou hebben geglimlacht, als de ene vriend naar de andere, maar een glimlach leek om velerlei redenen ongepast. De situatie, bijvoorbeeld. Of het strakke, drukkende gevoel in haar borst, zodat ze amper kon ademen. Maar vooral de intensiteit waarmee Dean naar haar keek.

Zoals op de avond van hun eerste ontmoeting, toen hij haar langer aankeek dan bij vrienden gebruikelijk was. Maar deze keer duurde het nóg langer en was de aantrekkingskracht tussen hen veel sterker.

Ze wilde haar hand laten zakken, die ze nog steeds omhooghield. Maar als ze dat deed, zou dat de overtreding nog belangrijker maken en het de betekenis geven die ze niet durfde te erkennen. Later vroeg ze zich af of ze elkaar zouden hebben gekust als zijn pieper zich niet had laten horen.

Maar dat gebeurde wel. Het verbrak de betovering en hij las het bericht op de display. 'Dorrie vraagt of hij met me kan praten.' Zonder nog iets te zeggen vloog hij naar het busje.

Het was middernacht voor hij eindelijk over de vrijlating van de kinderen onderhandelde. Dorrie was bang dat de mannen van de Bijzondere Bijstandseenheid het huis zouden bestormen, maar Dean verzekerde hem dat hij dat niet zou laten gebeuren als Dorrie de kinderen liet vertrekken. Dorrie stemde in, op voorwaarde dat Dean niet verder kwam dan de veranda en ze zelf meenam, weg van het huis. Natuurlijk kende Paris de voorwaarden van deze onderhandeling pas na afloop van de crisis.

Ze was met de zus van Mrs. Dorrie aan het praten toen de cameraman naar hen toe kwam en zei: 'Hé, Paris, Malloy loopt naar het huis.'

Met bonzend hart keek ze toe terwijl Dean aan de rand van de veranda stond, met zijn handen omhoog. Niemand kon horen wat hij en Dorrie door de deur tegen elkaar zeiden. Dean bleef naar wat een eeuwigheid leek in die kwetsbare positie staan.

Uiteindelijk werd de deur aan de binnenkant geopend en glipte een kleine jongen naar buiten, gevolgd door een ouder meisje dat een klein kind droeg. Ze huilden allemaal en hielden een hand boven hun ogen vanwege de felle lampen die op het huis waren gericht.

Dean legde zijn armen rond hun middel, tilde ze op en droeg ze naar de maatschappelijk werkers van de Kinderbescherming, die klaarstonden om ze op te vangen.

Een van Dorries voorwaarden, hoorde Paris later, was dat de kinderen niet aan zijn schoonzus zouden worden overgedragen, die altijd de pest aan hem had gehad en had geprobeerd zijn vrouw tegen hem op te zetten.

Toen Paris verslag deed van de vrijlating van de kinderen was haar stem schor van vermoeidheid en zag ze er afgepeigerd uit, maar een optimistische stemming had alle aanwezigen daar nieuwe kracht gegeven.

Ze eindigde haar verslag met een opmerking over die stemmingsverandering. 'Urenlang leek het of deze gijzeling een tragische afloop zou hebben, maar de politie heeft nu alle hoop dat de vrijlating van de kinderen een doorbraak betekent.'

Haar laatste woorden werden onderbroken door twee harde schoten. Het lawaai bracht Paris tot zwijgen, evenals de andere reporters die verslag deden. In feite had ze nog nooit een stilte meegemaakt die zo plotseling was en zo diep.

De stilte werd verbroken door het derde en laatste schot.

Paris keek nog een laatste keer naar het krantenknipsel. Daarna vouwde ze het op, precies zoals Jack had gedaan, en stopte het achter haar foto in zijn portefeuille. Ze legde de portefeuille weer in de doos. Ze was misselijk door de wetenschap dat Jack, als hij die avond ooit in verband had gebracht met wat er daarna gebeurde, het krantenknipsel niet zou hebben bewaard, maar het in duizend stukken zou hebben gescheurd.

20

Ze was een kleine vrouw. De handen die het vochtige papieren zakdoekje verfrommelden konden van een kind zijn geweest. Ze had haar enkels gekruist en haar benen onder de stoel gestoken. Ze was nerveus als een pianoleerlinge bij een recital die wachtte tot het haar beurt was om te spelen.

Curtis stelde hen voor. 'Mrs. Toni Armstrong, dr. Dean Malloy.'

'Hoe maakt u het, Mrs. Armstrong?'

Curtis was even galant voor haar als hij voor Paris was geweest. 'Kan ik iets te drinken voor u halen?'

'Nee, dank u. Hoe lang, denkt u, dat dit zal duren? Ik moet mijn kinderen om vier uur ophalen.'

'Ik zal zorgen dat u hier dan allang weg bent.'

Dean had zich gedurende dertig seconden op deze ontmoeting voorbereid, zo lang duurde het om naar Curtis' kamertje te lopen nadat hij afscheid van Gavin en Liz had genomen. Hij had geen flauw idee waarom hij was opgeroepen om bij dit gesprek aanwezig te zijn. Hij bleef staan en leunde tegen de muur, voorlopig een zwijgende waarnemer.

Mrs. Armstrong was niet zo stil en verlegen als haar fragiele uiterlijk suggereerde. Ze moest het idee hebben gehad dat ze werd aangevallen, want ze maakte een einde aan de beleefdheden en kwam terzake.

'Mr. Hathaway zei dat u had gevraagd of u me kon spreken, brigadier Curtis, dus hier ben ik. Maar niemand heeft verteld waaróm u met me wilde praten. Moet ik mijn advocaat bellen? Zit mijn man in de problemen zonder dat ik het weet?'

'Als dat zo is, weten wij dat net zomin als u, Mrs. Armstrong,' antwoordde Curtis buitengewoon vriendelijk. 'Hij heeft zich niet aan de regels van zijn proeftijd gehouden, klopt dat?'

'Ja, dat klopt.'

'En Hathaway zegt dat ú hem hebt aangegeven.'

Ze boog haar hoofd en bestudeerde het papieren zakdoekje dat ze met haar klamme handen nog steeds aan het verfrommelen was. 'Het is het moeilijkste dat ik ooit heb moeten doen.'

'Ja, dat kan ik me voorstellen,' zei hij vol meegevoel. 'Hathaway belde iemand van de afdeling Zedendelicten, die vervolgens uw man onder mijn aandacht bracht.'

Dean begon al te snappen waar het heen ging. De afdeling Zedendelicten viel onder de bescherming van het Centrale Onderzoeksbureau. De rechercheurs die zich specialiseerden in seksmisdrijven wisten van Curtis' onderzoek. Maar al te vaak hadden die misdrijven en een moord met elkaar te maken.

'Wil je me alsjeblieft de details over de achtergrond geven?' vroeg Dean.

'Achttien maanden geleden werd Bradley Armstrong schuldig bevonden aan ongewenste intimiteiten met een minderjarige. Hij werd veroordeeld tot een proeftijd van vijf jaar, verplichte groepstherapie, en dergelijke. De laatste tijd is hij niet op de bijeenkomsten verschenen.

Zijn reclasseringsambtenaar had vandaag twee keer een afspraak met hem, maar hij kwam niet opdagen. Mrs. Armstrong stelde zijn advocaat ervan in kennis, die naar de praktijk van haar man ging – hij is tandarts – om hem aan te sporen zich aan de regels te houden. Hij was 'm gesmeerd, hoewel hij vanmiddag afspraken met patiënten had. Niemand weet waar hij is. Hij heeft zijn mobiele telefoon uitgezet.'

'Ik heb hem aangegeven,' zei Toni Armstrong, 'omdat ik liever heb dat hij gearresteerd wordt vanwege het overtreden van de regels van zijn proeftijd dan... dan vanwege iets anders.'

'Wat, bijvoorbeeld?' vroeg Dean.

'Ik ben bang dat hij op het punt staat weer een misdrijf te begaan. Hij doet alles wat hij niet mag doen.'

Curtis, die voelde dat het klikte tussen Dean en Mrs. Armstrong, bood Dean zijn bureaustoel aan. Toen Dean zat, zei hij: 'Ik weet dat het moeilijk voor u is om hierover te praten, Mrs. Armstrong. We proberen niet de situatie nóg moeilijker voor u te maken. In feite willen we graag helpen.'

Ze snoof en knikte. 'Brad is weer porno aan het verzamelen. Ik vond het in zijn kamer in de praktijk. Ik kan zijn computer niet

215

kraken omdat hij constant het wachtwoord verandert om me weg te houden, maar ik weet precies wat ik er zou vinden. Tijdens zijn proces bleek dat hij tientallen websites had opgeslagen. En ik heb het niet over artistieke of verfijnde erotische kunst. Brad geeft de voorkeur aan het keiharde werk, vooral als de meisjes tieners zijn.

Maar dat is het ergste niet. Ik heb dit zelfs niet aan zijn reclasseringsambtenaar verteld.' Ze glimlachte flauwtjes tegen Dean. 'Ik weet niet waarom ik het u wél vertel. Behalve dat ik wil dat Brad wordt tegengehouden voor hij echt in moeilijkheden raakt.'

'Wat hebt u voor Mr. Hathaway verzwegen?'

Met horten en stoten vertelde ze dat haar man regelmatig niet op zijn werk was en ook niet thuis. Ze vertelde over zijn leugens en zijn rechtvaardiging van zijn daden. 'Ik weet dat het allemaal signalen zijn dat hij de controle over zijn impulsen begint te verliezen.'

Dean was het met haar eens. Dit waren de klassieke, slechte signalen. 'Gaat hij in de verdediging als u probeert er met hem over te praten? Is hij overgevoelig en boos? Beschuldigt hij u ervan dat u wantrouwig bent, dat u hem niet vertrouwt?'

'Hij weerlegt elke beschuldiging en probeert mij de schuld te geven omdat ik hem niet steun.'

'Is hij gewelddadig geworden?'

Ze sloeg haar ogen neer. En daarmee beantwoordde ze Deans vraag nog voordat ze vertelde wat er de vorige avond in hun keuken was gebeurd. Ze sprak kalm, met gebogen hoofd, maar ze spaarde zichzelf niet en vertelde de meest intieme details.

Toen ze klaar was vroeg Dean: 'Hebt u hem niet meer gezien sinds hij naar buiten stormde?'

'Nee, maar we hebben elkaar vanmorgen via de telefoon gesproken. Hij bood zijn excuses aan, zei dat hij niet wist wat hem had bezield.'

'Heeft hij zich eerder ruw tegenover u gedragen?'

'Zelfs niet voor de grap. Ik heb hem nog nooit zo gezien.'

Weer een slecht signaal, dacht Dean.

Ze moest de bezorgdheid in zijn blik hebben gezien. Haar ogen vlogen heen en weer tussen Dean en Curtis. 'Er is me nog steeds niet verteld waarom ik hier ben.'

'Mrs. Armstrong,' zei Curtis, 'luistert uw man 's nachts weleens naar de radio?'

'Soms,' antwoordde ze aarzelend.

216

'Is hij ooit eerder verdwenen?'

'Eén keer. Vlak nadat de ouders van zijn patiënte hem hadden beschuldigd van ongewenste intimiteiten met hun dochter. Hij was drie dagen vermist voordat hij werd gevonden en gearresteerd.'

'Waar is hij gevonden?'

'In zo'n motel waar veel mensen vast wonen. Hij zei dat hij zich daar verborgen had gehouden omdat hij bang was dat niemand zíjn versie van het verhaal zou geloven.'

'En deed u dat?' vroeg Dean.

'Hem geloven?' Bedroefd schudde ze haar hoofd. 'Het was niet de eerste keer dat een patiënte of een medewerkster had geklaagd over ongewenste intimiteiten. Verschillende tandartspraktijken, andere steden zelfs, maar dezelfde klacht.

Vóór dat incident gedroeg Brad zich net zo als hij zich de laatste tijd gedraagt. Maar deze keer is zijn gedrag duidelijker. Hij doet geen poging meer om het te verbergen. Hij is uitdagender, en dat maakt hem roekeloos. Daarom was het zo makkelijk om hem te volgen.'

'Bent u hem gevolgd?'

Tegelijk met Deans vraag vroeg Curtis wanneer dat was gebeurd.

'Vorige week, op een avond.' Ze wreef over haar voorhoofd alsof ze zich schaamde voor de bekentenis. 'Ik kan het me niet precies herinneren. Brad had van zijn werk gebeld en gezegd dat hij laat zou thuiskomen. Hij had een of ander smoesje verzonnen, maar ik had het door en heb een buurvrouw gevraagd of ze op mijn kinderen wilde passen.

Ik ben naar zijn praktijk gegaan toen hij nog niet was vertrokken, dus kon ik hem daarvandaan volgen. Hij ging naar een pornoshop met boeken en video's en bleef daar bijna twee uur. Daarna reed hij naar Lake Travis.'

'Waarheen precies?'

'Dat weet ik niet. Ik zou het gebied nooit hebben gevonden als ik hem niet was gevolgd. Het was geen bebouwd gebied. Geen huizen of bedrijfsgebouwen in de buurt. Daarom verbaasde het me daar zoveel mensen te zien. Vooral jongelui. Tieners.'

'Wat deed hij daar?'

'Een hele tijd niets. Hij zat gewoon in zijn auto toe te kijken. Er werd veel gedronken, er werd twee aan twee gerotzooid en er wer-

217

den paartjes gevormd. Uiteindelijk stapte Brad uit en liep naar een meisje toe.' Ze boog haar hoofd. 'Ze praatten een tijdje. Daarna stapte ze bij hem in de auto. En toen ben ik vertrokken.'

'Hebt u hem er niet mee geconfronteerd?'

'Nee,' zei ze met een trieste glimlach. 'Ik voelde me vies. Ik wilde daar weg, ik wilde naar huis en een douche nemen. En dat deed ik ook.'

Uit respect voor haar verwarring zwegen Dean en Curtis. Ten slotte vroeg Curtis: 'Zou u de jonge vrouw herkennen met wie u hem zag?'

Ze dacht even na. Toen schudde ze haar hoofd. 'Ik denk het niet. Het enige dat me opviel, was dat ze waarschijnlijk nog op de middelbare school zat. Het was donker, dus kon ik haar gezicht niet goed zien.'

'Blond of donker haar? Groot, klein?'

'Blond, denk ik. Langer dan ik, maar kleiner dan Brad. Hij is ruim 1.75 meter.'

'Zou ze dít kunnen zijn?' Curtis pakte de foto van Janey Kemp die in de krant had gestaan en liet hem aan haar zien.

Ze keek ernaar en toen naar elk van hen afzonderlijk. 'Nu weet ik waarom u me wilde zien,' zei ze, en er verscheen een angstige blik in haar ogen. 'Ik heb over dit meisje gelezen. De vermiste dochter van een rechter. Dat is het, hè? Dáárom ben ik hier.'

In plaats van te antwoorden, zei Curtis: 'Hebt u ooit tegen uw man gezegd wat u had gezien, dat u hem in uw macht had?'

'Nee. Ik deed net of ik sliep als hij 's nachts binnenkwam. De volgende morgen was hij vrolijk en liefdevol, plaagde de kinderen en maakte plannen met hen voor het weekend. Hij was de volmaakte echtgenoot en vader.'

Ze zat even te peinzen, en Dean voelde dat Curtis op het punt stond haar gedachten met een andere vraag te onderbreken, maar hij gaf de rechercheur een nauwelijks merkbaar teken dat hij moest wachten.

Ten slotte keek Toni Armstrong op en richtte zich tot Dean. 'Soms denk ik dat Brad zijn leugens echt gelooft. Het is alsof hij in een fantasiewereld leeft, waar zijn daden geen consequenties hebben. Hij kan doen wat hij wil zonder angst om gepakt en bestraft te worden.'

Dat was het meest verontrustende dat ze hun had verteld. Dean betwijfelde of ze zich dat realiseerde, maar Curtis besefte het wel.

Toen Dean naar hem keek, zag hij de diepe frons op het voorhoofd van de rechercheur.

Net als Dean wist Curtis dat een van de typische kenmerken van seriemoordenaars en seksuele roofdieren een uitgebreid fantasieleven was dat zó dwingend en werkelijk voor hen was, dat ze zich ernaar gedroegen. Ze dachten vaak dat ze boven de wet stonden van een maatschappij die hen onrecht had gedaan, en ze gehoorzaamden alleen een god die hun perversiteit begreep en zelfs goedkeurde.

Curtis schraapte zijn keel. 'Bedankt voor uw tijd, Mrs. Armstrong. En aangezien het geen makkelijk onderwerp is, ook bedankt voor uw openhartigheid.'

Maar ze liet zich niet zonder meer wegsturen. 'Ik heb u een paar afschuwelijke waarheden over mijn man verteld, maar hij kan niet bij de verdwijning van deze jonge vrouw betrokken zijn.'

'We hebben ook geen enkele reden om te geloven dat hij daarbij betrokken is. Zoals ik al zei, we volgen diverse sporen.' Curtis zweeg even. Toen voegde hij eraan toe: 'Met uw hulp zouden we hem als verdachte kunnen schrappen.'

'Hoe kan ik dan helpen?'

'Door zijn computer door onze experts te laten kraken. Zijn bestanden binnengaan, kijken wat ze vinden. Dat meisje was heel actief op een website met zeer uitgesproken seksuele berichten. Op die manier heeft ze veel contacten gelegd. Als zij en uw man nooit e-mails met elkaar hebben uitgewisseld, is de kans klein dat hij haar kende.'

Ze dacht even na. Toen zei ze: 'Ik geef daar pas toestemming voor als ik Brads advocaat heb geraadpleegd.'

Curtis accepteerde de voorwaarde, maar zo te zien was hij er niet echt blij mee.

Mrs. Armstrong steeg nog meer in Deans achting. Ze liet zich niet overdonderen. Dat had waarschijnlijk niet in haar aard gelegen vóór de moeilijkheden die de verslaving van haar man had veroorzaakt. Ze had zich die eigenschap moeten aanleren om geestelijk gezond te blijven en te overleven.

Curtis hielp haar overeind en bracht haar naar de deur. 'Bedankt dat u ons een dienst hebt bewezen, Mrs. Armstrong. Ik hoop dat uw man spoedig zal worden opgespoord en dat hij de hulp krijgt die hij nodig heeft.'

'Hij kan de man die u zoekt niet zijn.'

'Waarschijnlijk niet. Bovendien zijn we er niet zeker van dat er een misdrijf in het spel is wat Janey Kemp betreft. Maar, zoals u ongetwijfeld weet, komen alle vroegere zedendelinquenten onder verdenking te staan als er een zedendelict wordt vermoed. Uw man koos een slecht tijdstip uit om niet op een afspraak met zijn reclasseringsambtenaar te verschijnen, dat is alles.'

Dat was níet alles, en ze was slim genoeg om dat te beseffen. Maar ze was ook te beleefd om Curtis recht in zijn gezicht te zeggen dat hij een leugenaar was. In plaats daarvan nam ze afscheid.

'Aardige vrouw,' merkte Curtis op toen ze buiten gehoorsafstand was.

'Intelligent ook.' Curtis keek Dean aan voor een nadere verklaring. 'Haar man zit in een neerwaartse spiraal, en dat weet ze. Ze had ook door dat je onzin uitkraamde. Ondanks wat je tegen haar zei, is het duidelijk dat je denkt dat er verband kan zijn tussen Armstrongs verdwijning en die van Janey.'

'Dat is niet uit te sluiten.' Curtis liet zich in zijn bureaustoel zakken en gebaarde Dean op de andere stoel te gaan zitten. Hij pakte een Mars van een glazen schaal op zijn bureau en bood er Dean een aan.

'Nee, dank je.'

Terwijl Curtis de Mars uitpakte, zei hij: 'Armstrongs eigen vrouw heeft gezien dat hij een minderjarige aansprak om seks te bedrijven. Speciaal voor dat doel ging hij naar die afgelegen plek aan het meer. En hoe wist hij dat hij daarheen moest? Er is maar één manier.'

'De Sex Club,' zei Dean.

'Precies. Waarschijnlijk gebruikt hij het mededelingenbord als menukaart. Hij wekt zijn eetlust op door te lezen wat daarop staat en gaat dan op zoek naar het meisje dat de afzender is. En het meisje met wie Toni Armstrong hem zag, beantwoordt aan de algemene beschrijving van Janey Kemp.'

'Heel algemeen,' zei Dean. 'Ze beschreef de helft van de middelbareschoolmeisjes in en rond Austin.'

'In elk geval is het heel toevallig. Ben je dat met me eens?'

Dean haalde zijn handen door zijn haar. 'Ja, ja, ik ben het met je eens.'

Hij had empathie voor Toni Armstrong gevoeld, die bleef geloven in de onschuld van een dierbare in wie ze weinig vertrouwen had.

'Als ze niet uit zichzelf met de computer komt, ga ik om een gerechtelijk bevel verzoeken,' zei Curtis. 'Misschien kan Rondeau Armstrong opsporen via Janeys e-mailadressenboek, maar dat zal langer duren. Intussen heb ik iedereen gewaarschuwd dat ik met dr. Armstrong wil praten zodra hij opduikt. We hebben al een opsporingsbericht voor zijn auto uitgevaardigd.'

'Over auto's gesproken, zijn er al labuitslagen over de auto van Janey?'

Curtis trok een grimas. 'Bewijsmateriaal in overvloed. Ze hebben sporen verzameld van elke vezel, natuurlijk of kunst. Tapijt, kleding, papier. Elk kloteding. Het kost weken om dat allemaal na te trekken.'

'Vingerafdrukken behalve die van Janey zelf?'

'Niet meer dan enkele tientallen. Ze zijn in het systeem aan het zoeken. Misschien hebben we geluk en zit er een van Brad Armstrong bij. Ze hebben ook sporen verzameld van aarde, voedsel, planten. Alles wat los en vast zit. Je kunt het zo gek niet verzinnen of we hebben het gevonden. We kunnen het snel identificeren. Maar als we bewijsmateriaal op een vuilnisbelt hadden verzameld, zou het net zo'n zootje zijn geweest.

Het meisje woonde bijna in haar auto. Volgens haar vriendinnen, zelfs volgens haar eigen ouders, maakte ze er wel zeer intensief gebruik van. Ze zat, dronk, sliep en vrijde erin. We hebben een mensenhaar gevonden, en die is precies gelijk aan een haar die we uit haar haarborstel in de badkamer van haar ouderlijk huis hebben genomen. O, en een beetje opgedroogde ontlasting. Die is geïdentificeerd als hondenpoep, wat aannemelijk lijkt omdat we ook een paar hondenharen hebben verzameld die van de hond van de familie zijn.'

'Ik herinner me niet een hond te hebben gezien of gehoord.'

'Die zit in het washok. De rechter is er allergisch voor.' Curtis nam de laatste hap van zijn Mars, verfrommelde het papier en gooide het in de prullenbak. 'Dat is het tot nu toe.'

'Er is niets gevonden wat licht werpt op wat er met haar is gebeurd,' merkte Dean op.

'Geen teken van een worsteling, zoals gescheurde kleren of schaafplekken aan de binnenkant. Slechts één haar, geen hele pluk die is uitgetrokken. Geen gebroken vingernagels die op verzet zouden wijzen. Geen bloed. De benzinetank was halfvol, dus ze was niet gestrand omdat ze geen benzine meer had. Geen defect aan de motor. Voldoende lucht in alle banden. Klaarblijkelijk is ze op eigen kracht uit de auto gestapt en heeft ze het portier achter zich op slot gedaan.'

'Met de bedoeling om terug te komen,' voegde Dean er peinzend aan toe. 'Hoe zit het met andere bandensporen in dat gebied?'

'Weet je hoeveel mensen in totaal lid zijn geworden van de Sex Club? Een paar honderd. Ik denk dat ze zich daar die avond allemaal hadden verzameld. Stel dat er twee of drie met elkaar in één auto zaten, dan waren er nóg honderd auto's. We hebben een paar sporen en zijn aan het nagaan wat de merken en de types waren, maar het zal dagen duren, zo niet weken, die we niet hebben.

En het vergelijken van DNA-monsters kost tijd, ook als we ze hebben geïsoleerd. Veel tijd. Het kan beslist niet in...' Hij raadpleegde de wandklok. 'Minder dan zesendertig uur.'

'En hoe zit het met de foto die ze aan Gavin heeft gegeven? Geeft die aanknopingspunten?'

'Interessant. Hij is niet afkomstig van een doorsnee fotozaak die foto's in één uur ontwikkelt.'

'Heeft onze man zijn eigen donkere kamer?'

'Of hij gebruikt die van iemand anders. Een paar mensen houden zich met dat aspect bezig. Ze proberen leveranciers van fotografisch papier en chemicaliën op te sporen, maar ook daar...'

'Tijd.'

'Juist. En misschien koopt onze amateur-fotograaf zijn spullen níet in een winkel. Hij kan ze via een postorderbedrijf kopen of via het internet.' Zijn dunner wordende, kortgeknipte haren hoefden niet te worden gladgestreken, maar hij streek erover alsof dat wel zo was. 'Er is nóg iets. Herinner je je Marvin de schoonmaker?'

'Wat is er met hem?'

'Alias Morris Green, Marty Benton en Mark Wright. Naast Marvin Patterson zijn dat de schuilnamen die we kennen.'

'Wat is zijn verhaal?'

'Zijn echte naam is Lancy Ray Fisher. Vele keren beschuldigd van kruimeldiefstal in en buiten de universiteit. Op achttienjarige leeftijd heeft hij in Huntsville gevangengezeten wegens een grote autodiefstal. Strafvermindering doordat hij een celgenoot had verraden die tegen Lancy Ray over een moord had opgeschept. Maar toen hij weer vrij was, volgden er diverse zwaardere misdrijven, waarvoor hij minimale straffen heeft gekregen, gewoonlijk door schuld te bekennen. Meestal ging het om het vervalsen van cheques en het stelen van creditcards.'

'Waar is hij?'

'Geen idee. Net als zijn reclasseringsambtenaar zijn we hem nog steeds aan het zoeken. Hij is ondergedoken toen we van tevoren belden. Griggs en Carson zijn daarvoor uitgekafferd. Hoe dan ook, het feit dat Marvin ons mijdt, doet me geloven dat het schenden van de regels van zijn proeftijd niet zijn enige vergrijp is en het schoonmaken van de toiletten op het radiostation niet zijn enige bron van inkomsten.'

'Of dat hij iets ergers te verbergen heeft,' zei Dean.

'We hadden een aanhoudingsbevel en hebben zijn huis doorzocht. Geen computer.'

'Die kan hij hebben meegenomen.'

'Dat zou kunnen, maar hij heeft andere snoepjes achtergelaten.'

'Zoals?'

Curtis somde een lijst op van elektronica die je niet van een gemiddeld schoonmakerssalaris zou kunnen kopen. 'Voornamelijk geluidsapparatuur. Superkwaliteit. We hebben ook dozen met troep meegenomen die we nog aan het doorzoeken zijn. Maar nu wordt het echt interessant. Een van de misdrijven waar ik het over had, was aanranding. Zijn DNA is geregistreerd.'

'Als je dat kon vergelijken met bewijsmateriaal dat in Janeys auto is gevonden...'

'Als ik daar de tijd voor had, bedoel je.'

Dean deelde de frustratie van de rechercheur. Het was een zaak waarbij alles op z'n kop stond. Ze hadden goede aanwijzingen, maar geen misdaad en geen slachtoffer. Ze waren op zoek naar een ontvoerder zonder zeker te weten dat Janey Kemp was ontvoerd. Ze veronderstelden dat ze tegen haar wil werd vastgehouden, dat haar leven in gevaar was, maar het enige dat ze wisten...

Ineens kreeg Dean een idee. 'Wat als...'

Curtis keek op en spoorde hem aan om door te gaan. 'Zeg het. Op dit moment sta ik open voor alle ideeën.'

'Is het mogelijk dat Janey hier zélf achter zit?'

'Om aandacht te trekken?'

'Of voor de lol. Kan ze een vriend hebben aangezet om Paris te bellen, gewoon voor de lol, gewoon om te zien of ze erin trapte en of ze er iets mee zou doen?'

'Het idee is niet zo vergezocht, maar ook niet zo origineel. Ik ben vanmorgen naar de rechtbank geweest om met de rechter te praten, en...'

'Werkt hij gewoon door?'

'In toga en al,' zei Curtis vol afkeer. 'Hij klampt zich vast aan de gedachte dat Janey dit doet om hem en zijn vrouw te pesten. Gezien de verkiezing in november heeft de rechter geen behoefte aan negatieve publiciteit. Het imago van een onbesproken familie en zo. Hij denkt dat Janey zijn kans om rechter te blijven tot nul probeert te reduceren.'

'Verdomme.'

'Wat?'

'Denk ik nu als rechter Kemp?'

Curtis grinnikte. 'En jullie zouden alle twee gelijk kunnen hebben.'

Na een korte stilte zei Dean: 'Ik denk het niet, Curtis. Valentino heeft me overtuigd. Of Janeys onbekende grappenmaker weet voldoende van psychologie om voor een echte door te gaan, óf hij ís er een.'

'Ik moet ervan uitgaan dat hij er een is.'

'Janey had een afspraak met die vent. Ze ontmoetten elkaar op een aangewezen plek. Zij parkeerde haar auto en reed met hem weg.'

'Daar lijkt het wél op,' zei Curtis.

'En dat komt overeen met Gavins verhaal.'

De rechercheur staarde peinzend naar de punt van zijn glanzend gepoetste laars. 'Gavin kan haar ergens mee heen hebben genomen in zijn auto, zodat ze privacy zouden hebben om te rollebollen.'

'En in plaats daarvan gaf Gavin haar een aframmeling? Is dat wat je denkt?'

Curtis haalde zijn schouders op, alsof hij wilde zeggen: misschien.

'Na kort met Janey te hebben gesproken, sloot Gavin zich bij zijn vrienden aan. Hij heeft je een lijst met namen en telefoonnummers gegeven. Heb je ze gecontroleerd?'

'We zijn ermee bezig.'

Het vage antwoord ergerde Dean nog meer. 'Denk je dat hij zijn stem voldoende kon vervormen om als Valentino te klinken? Denk je dat ik niet in staat ben de stem van mijn eigen zoon te herkennen?'

'Zou je dat dan willen?'

Dean kon goed tegen kritiek. Soms werd zijn analyse van een verdachte, een mogelijke getuige of een politieman die in de problemen zat niet goed ontvangen, en maakte hem niet geliefd bij de rest van het politiepersoneel. Dat was een aanvaard risico van zijn werk.

Maar dit was de eerste keer dat er aan zijn integriteit werd getwijfeld. Dat was nog nooit gebeurd! En het maakte hem ziedend. 'Beschuldig je me van belemmering van de rechtsgang? Denk je dat ik bewijs achterhoud? Wil je een haarlok van Gavin?'

'Later misschien.'

'Wanneer je maar wilt. Laat het me weten.'

'Het was niet kwaad bedoeld. Het punt is dat je veel vóór je houdt, doctor.'

'Bijvoorbeeld?'

'Jij en Paris Gibson. Er is meer aan de hand dan je kwijt wilt.'

'Omdat het je geen barst aangaat, verdomme.'

'En óf het me iets aangaat,' zei Curtis. Zijn woede was bijna even groot als die van Dean. 'Het is allemaal met háár begonnen.' Hij boog zich naar voren en liet zijn stem dalen zodat iemand in het kamertje ernaast hem niet zou horen. 'Jullie tweetjes waren een dynamisch duo tijdens een gijzeling in Houston. Het heeft alle kranten gehaald, het televisiejournaal.'

'Er zijn mensen gestorven.'

'Ja, dat heb ik gehoord. Het heeft je behoorlijk aangegrepen. Je nam een tijd vrij om alles op een rijtje te zetten.'

Dean kookte in stilte.

'Niet lang daarna werd de verloofde van Paris, jouw boezemvriend – iets wat je evenmin hebt verteld – uitgeschakeld. Zij gaat weg bij het journaal en wijdt zich aan zijn verzorging, en jij...'

'Ik ken het verhaal. Hoe kom je aan je informatie?'

'Ik heb vrienden bij de politie van Houston. Ik heb het gevraagd,' antwoordde Curtis zonder verontschuldiging.

'Waarom?'

'Omdat de gedachte bij me opkwam dat dit Valentino-gedoe daaruit voortkomt.'

'Dat is niet zo.'

'Weet je dat zeker? Valentino's obsessie schijnt ontrouwe vrouwen te zijn. Denk je dat een aantrekkelijke en levenslustige vrouw als Paris Jack Donner trouw bleef al die zeven jaar dat ze voor hem zorgde?'

'Dat weet ik niet. Na hun vertrek uit Houston heb ik geen contact meer gehad met haar en Jack.'

'Geen enkel contact?'

'Dat is wat ze wilde.'

'Ik snap het niet. Je zou getuige zijn bij hun huwelijk.'

'Je Houston-bron heeft er werk van gemaakt!'

'Hij heeft me niets verteld dat niet zwart op wit stond. Waarom vroeg Paris je om uit de buurt te blijven?'

'Dat vroeg ze niet, ze stónd erop. Ze hield zich aan wat zij dacht dat Jack zou willen. Jack en ik waren atleten toen we studeerden. Maatjes, met alle fysieke ruwheid die dat met zich meebrengt. Hij zou niet hebben gewild dat ik hem zo zag.'

Curtis knikte alsof het antwoord deugdelijk was, maar niet compleet. 'En er is nóg iets wat ik merkwaardig vind,' zei hij. 'De zonnebril.'

'Haar ogen zijn gevoelig voor licht.'

'Maar ze draagt hem ook in het donker. Ze droeg hem gisteravond toen jullie bij de Wal-Mart arriveerden. Het was midden in de nacht en er was niet eens volle maan.' Curtis wierp hem een doordringende blik toe. 'Het is bijna alsof ze zich ergens voor schaamt, hè?'

.

226

21

Stan had liever geen afspraak met zijn oom Wilkins gehad, want hij wist dat hij op z'n donder zou krijgen.

Ze zouden elkaar ontmoeten in de bar in de lounge van het Driskill Hotel, wat gunstig was voor Stan. Aangezien Wilkins van plan was 's avonds naar Atlanta terug te vliegen, had hij geen suite geboekt. Goddank, dacht Stan terwijl hij het bekende hotel in de binnenstad betrad. Het was onwaarschijnlijk dat zijn oom hem in het openbaar de les zou lezen. Wilkins haatte scènes.

In de lounge was het heel rustig. Door het plafond van gebrandschilderd glas scheen getemperd licht. Je was geneigd om zo stil mogelijk over de marmeren mozaïekvloer te lopen, want je wilde geen enkel glimmend blad in beweging brengen als je een gepotte varenpalm passeerde. Sofa's en stoelen nodigden je uit je in de dikke kussens te nestelen en te genieten van de fluitsolo die door onzichtbare luidsprekers filterde.

Maar in het midden van deze oase van koele sereniteit zat een giftige pad.

Wilkins Crenshaw was verre van lang, en Stan vermoedde dat hij verhogingen in zijn schoenen droeg. Zijn grijze haar had een gelige tint en was zo dun, dat het amper de ouderdomsvlekken op zijn wasbleke schedel bedekte. Zijn neus was te breed en paste bij zijn vlezige lippen, waarvan de onderlip ook nog slap naar beneden hing. Hij leek op een amfibie van de lelijkste soort.

Stan geloofde dat het uiterlijk van zijn oom de voornaamste reden was waarom hij vrijgezel was gebleven. De enige aantrekkingskracht die Wilkins voor het andere geslacht zou kunnen hebben, zou zijn geld zijn, wat de tweede reden was waarom hij ongetrouwd was. Hij was te gierig om ook maar een klein stukje van zijn financiële taart met een echtgenote te delen.

Stan vermoedde ook dat zijn oom een sullige verschoppeling was geweest op de militaire academie waar hij en zijn vader door zijn grootvader naartoe waren gestuurd. Daarna hadden de broers geen andere keus gehad dan The Citadel. Na te zijn afgestudeerd, had elk van hen een tijd bij de luchtmacht gediend. Dus met een titel op zak en na hun patriottische plicht te hebben gedaan mochten ze deelnemen aan het familiebedrijf.

Tijdens de overgang naar volwassenheid was de sullige Wilkins gemeen geworden. Hij had geleerd terug te vechten, maar het wapen dat hij koos was intellectueel vermogen, geen spierkracht. Hij gebruikte niet zijn vuisten, maar had een buitengewone gave om angst in te boezemen. Hij vocht vals en dodelijk.

Hij ging niet staan toen Stan zich bij hem voegde aan de kleine, ronde canapétafel. Hij begroette hem niet eens. Toen de knappe, jonge serveerster naar hen toe kwam, zei Wilkins tegen haar: 'Een sodawater voor hem.'

Stan verfoeide sodawater, maar veranderde de bestelling niet. Hij zou zijn best doen om deze ontmoeting zo pijnloos mogelijk te maken. Hij glimlachte vriendelijk en zei vleiend: 'U ziet er goed uit, oom.'

'Is dat een zijden hemd?'

'Eh, ja.'

Het was een familietrek om zich goed te kleden. Als om zijn fysieke tekortkomingen te compenseren, was Wilkins altijd onberispelijk gekleed en verzorgd. Zijn hemden en pakken werden op maat gemaakt, genadeloos gesteven en gestoomd. Geen kreukel of los draadje te bekennen.

'Doe je je best je als een homo te kleden? Of zie je er van nature zo verwijfd uit?'

Stan zei niets. Hij knikte slechts bij wijze van dank tegen de serveerster toen ze zijn sodawater kwam brengen.

'Je moet de opzichtige manier waarop je je kleedt van je moeder hebben geërfd. Ze hield van ruches en zo. Hoe meer hoe beter.'

Stan ging niet met Wilkins in discussie, hoewel zijn overhemd niet in het minst opzichtig was, noch qua stijl, noch qua kleur. En hij betwijfelde ten zeerste of zijn moeder ooit een ruche had gedragen. Ze had er altijd volmaakt uitgezien en had een uitstekende smaak gehad; voor hem bleef ze de mooiste vrouw die hij ooit had gezien.

Maar het zou zinloos zijn daarover te redetwisten, en daarom veranderde hij van onderwerp. 'Is uw gesprek met de algemeen directeur goed afgelopen?'

'De zaak maakt nog steeds winst.'

Stan vroeg zich af waarom zijn oom dan zo nors keek. 'In de laatste peilingen kwamen we hoog uit,' zei hij. 'Een paar punten hoger dan in de periode ervoor.'

Hij had zijn huiswerk gedaan, zodat hij met die gegevens indruk kon maken op zijn oom. Hij hoopte alleen dat Wilkins hem niet een mondelinge test afnam door naar de data van de laatste periode te vragen of dat hij moest uitleggen hoeveel een punt was.

Zijn oom bromde: 'Daarom is die kwestie met Paris Gibson zo ellendig.'

'Ja, sir.'

'We kunnen niet toestaan dat ons radiostation erbij betrokken is.'

'Het is er niet écht bij betrokken, oom. Slechts zijdelings.'

'Al is het in geringe mate, ik wil niet dat wij in verband worden gebracht met iets wat zo weerzinwekkend is als de verdwijning van een tienermeisje.'

'Absoluut niet, sir.'

'Daarom ruk ik die vervloekte kop van je romp en pis ik in het gat als jij iets met die telefoontjes te maken had.'

Oom Wilkins had behalve gemeenheid nog iets anders geleerd in de tijd dat hij in het leger had gezeten. Hij had geleerd zich uit te drukken in een taal die niet verkeerd kon worden uitgelegd. De grofheid van zijn verklaring werd alleen overtroffen door de doeltreffendheid ervan.

Stan schrok terug. 'Hoe komt u erbij dat ik...'

'Omdat je een prutser bent. Dat ben je al sinds je moeder je heeft gebaard. Vanaf het moment dat je ademde, wist ze dat je een jankend misbaksel was. Ik denk dat ze dáárom gewoon is gaan liggen toen ze ziek werd, en daarna van pure ellende is gestorven.'

'Ze had alvleesklierkanker.'

'Dat gaf haar een goed excuus om zich eindelijk van je te bevrijden. Je vader wist ook dat je absoluut waardeloos was en wenste niet met jou opgezadeld worden. Daarom zoog hij zo hard aan zijn pistool, dat het de achterkant van zijn hoofd wegblies.'

Stans keel kneep dicht. Hij kon geen woord uitbrengen.

Wilkins was meedogenloos. 'Je vader wás al zwak en je moeder maakte hem nóg zwakker. Hij vond het zijn plicht met haar getrouwd te blijven, hoewel het haar persoonlijke doel was met elke man die ze ontmoette het bed in te duiken.'

Zijn oom leefde van wreedheid. Stan had het tweeëndertig jaar lang ondervonden en besefte dat hij eraan gewend zou moeten zijn. Maar dat was hij niet. Hij keek Wilkins met pure haat aan. 'Vader had ook liefdesavonturen. Constant.'

'Meer dan we weten, daar ben ik zeker van. Hij naaide iedere vrouw die hij kon krijgen om zichzelf ervan te overtuigen dat hij het nog steeds kon. Je moeder ontzegde hem de toegang tot haar bed. Het leek of hij de enige man was van wie ze een afkeer had.'

'Behalve van jou.'

Wilkins sloot zijn hand zo stevig om zijn whiskyglas, dat Stan zich afvroeg waarom het kristal niet brak. Hij had raak geschoten, en dat was een goed gevoel. Hij wist precies waar Wilkins' minachting voor zijn moeder vandaan kwam. Talloze keren had Stan haar luchtig horen lachen en zeggen: 'Wilkins, je bent zo'n onaangename pad.'

Omdat zijn moeder het zei, die dol was op mannen, was dat een enorme kleinering geweest. Bovendien had ze nooit angst voor Wilkins getoond, en dat was de ultieme belediging geweest. Hij vond het heerlijk om mensen bang voor hem te maken, maar bij haar had hij jammerlijk gefaald. Stan schiep er behagen in hem daaraan te herinneren.

Wilkins knapte op van een slok whisky. 'Gezien je slecht functionerende ouders,' zei hij, 'is het vrij logisch dat je problemen hebt met seks.'

'Die heb ik niet.'

'Alles wijst op het tegendeel.'

Stans gezicht begon te gloeien. 'Als u het over die vrouw in Florida hebt...'

'Die je een beurt probeerde te geven op haar faxapparaat.'

'Dat is háár versie,' zei Stan. 'Zo was het niet. Zij lag boven op me tot ze bang werd dat er iemand zou binnenkomen.'

'Dat was niet de enige keer dat ik je uit de penarie moest helpen omdat je de rits van je broek niet dicht kon houden. Net als je vader. Als je maar de helft van het talent dat je voor hoereren hebt voor zaken had, zouden we allemaal een stuk rijker zijn.'

Dat, vermoedde Stan, was de kern van de wrok van zijn oom. Hij kon niet aan het enorme fonds komen dat Stans ouders voor hun zoon hadden opgericht. Het omvatte niet alleen wat hij na hun dood had geërfd, maar ook een groot aandeel in de winst van het bedrijf, zolang dat bestond. De bepalingen waren onherroepelijk en onbetwistbaar. Zelfs Wilkins, met al zijn macht en invloed, kon het fonds niet ongeldig maken en Stans vermogen stelen.

'Die keer bij het zwembad van de golfclub, wat probeerde je toen met je exhibitionistische gedrag aan die meisjes te bewijzen? Dat je 'm omhoog kon krijgen?'

'We waren elf. Ze waren nieuwsgierig en smeekten of ze 'm mochten zien.'

'En daarom renden ze zeker schreeuwend naar hun ouders. Het kostte me een paar ruggen om het voorval buiten de publiciteit te houden en te verhinderen dat je niet voorgoed van de club werd uitgesloten. Je bent van de voorbereidingsschool gestuurd omdat je je aftrok in de douche.'

'Dat deed iedereen!'

'Maar alleen jíj werd betrapt, wat wijst op een gebrek aan zelfbeheersing.'

'Bent u van plan me al mijn puberale onbezonnenheden voor te houden? Zo ja, dan bestel ik nog een drankje.'

'We hebben geen tijd om je misstappen de revue te laten passeren. Niet nu, tijdens dit gesprek.' Wilkins keek op zijn horloge. 'Ik moet zo meteen weg. Ik heb tegen de piloot gezegd dat ik om zes uur wilde vliegen.'

Moge je neerstorten en verbranden, dacht Stan.

'Wat ik van je wil,' zei Wilkins, 'is een ontkenning dat je gore telefoontjes met die vrouwelijke dj hebt gepleegd.'

'Waarom zou ik dat doen?'

'Omdat je een zieke kleine smeerlap bent. Het heeft me een vermogen gekost om me door jouw psychiater te laten vertellen wat ik al wist. Je ouders hebben een misbaksel gecreëerd – jóu. En ze scheepten mij ermee op. Ik ben blij dat – tenminste, tot nu toe – al je "onbezonnenheden" met vrouwen zijn geweest.'

'Hou op,' siste Stan.

Hij wilde dat hij het lef had om over de tafel te springen, de korte, dikke hals van zijn oom vast te grijpen en te knijpen tot zijn uitpuilende kikkerogen uit hun kassen sprongen en zijn tong uit zijn dikke lippen stak. Hij zou het heerlijk vinden als hij dood was. Op een groteske, pijnlijke wijze dood.

'Ik heb die belletjes niet gepleegd,' zei hij. 'Dat kán helemaal niet. Ik was met Paris in het gebouw toen die telefoontjes binnenkwamen. Ze waren afkomstig uit openbare telefooncellen die kilometers van het radiostation verwijderd zijn.'

'Ik heb het gecheckt. Het is mogelijk om telefoontjes langs een andere route te sturen en het te doen lijken of ze van de ene telefoon komen terwijl ze in feite van een andere komen. Meestal een mobiele telefoon, eentje die gestolen is misschien. Dat maakt dat de telefoontjes vrijwel niet te traceren zijn.'

Stan was verbijsterd. 'Hebt u gecheckt hoe het kon zijn gedaan nog voor u me vroeg of ík het had gedaan?'

'Ik ben niet gekomen waar ik nu ben door dom en achteloos te zijn, zoals jij. Ik wilde niet dat een van je zogenaamde onbezonnenheden in mijn gezicht zou ontploffen. Ook wil ik niet een zakkenwasser lijken omdat ik erop vertrouwde dat je je pik zou houden op de plek waar hij hoort. Ik moet me nu al verantwoorden bij de raad van bestuur dat ik jou een salaris betaal terwijl je nog geen gloeilamp kunt vervangen.'

Wilkins bleef hem strak aankijken tot Stan zei: 'Ik heb niet met telefoontjes geknoeid.'

'Het enige waar je goed in bent, is prutsen aan snufjes.'

'Ik heb niet geknoeid met telefoontjes,' herhaalde Stan.

Wilkins keek hem scherp aan terwijl hij nog een slok whisky nam. 'Die Paris. Ben je op haar gesteld?'

'Ja, ze is aardig,' zei Stan met een onbewogen uitdrukking op zijn gezicht.

De blik van zijn oom werd harder, gemener, en zoals gewoonlijk zwichtte Stan.

Dat deed hij uiteindelijk altijd. En hij haatte zichzelf erom. Hij wás een jankend misbaksel.

Hij friemelde aan het vochtige servetje onder zijn onaangeraakte sodawater. 'Als u me vraagt of ik ooit seksuele fantasieën over haar heb gehad, dan is het antwoord ja. Af en toe. Ze is aantrekkelijk en heeft een hese, sexy stem, en elke avond brengen we uren alleen met z'n tweetjes door.'

'Heb je het bij haar geprobeerd?'

Hij schudde zijn hoofd. 'Ze heeft duidelijk gemaakt dat ze geen interesse heeft.'

'Dus je hebt het geprobeerd en ze wees je af.'

'Nee, ik heb het nooit geprobeerd. Ze leeft als een non.'

'Waarom?'

'Ze was met iemand verloofd,' zei hij op, een toon waaruit zijn ergernis over de zinloosheid van dit gesprek bleek. 'Hij lag in een exclusieve, privé-kliniek in de buurt van Georgetown, ten noorden van hier. Paris ging elke dag bij hem op bezoek. Mensen hier op het station zeiden tegen me dat ze dat vele jaren heeft gedaan. Hij is niet zo lang geleden gestorven. Ze had er veel verdriet van en is er nog steeds niet overheen. Bovendien is ze niet het type dat zou kunnen, u weet wel...'

'Nee, ik weet het niet. Niet het type dat wát zou kunnen?'

'Dat zou kunnen worden verleid.'

Wilkins staarde hem oneindig lang aan. Toen haalde hij voldoende bankbiljetten uit zijn portemonnee om de rekening te kunnen betalen. Hij legde ze onder zijn lege glas en stond op. Daarna pakte hij zijn diplomatenkoffertje en keek langs zijn brede, afstotelijke neus naar Stan.

'Verleiden is een woord dat betekent dat je een vrouw moet overhalen seks met je te bedrijven. Dat geeft te denken, Stanley.'

Toen zijn oom wegliep, bromde hij: 'Nou, ik ben tenminste niet zo oerlelijk dat ik ervoor moet betalen.'

Stan leerde één ding van deze ontmoeting. Er was niets mis met het gehoor van oom Wilkins.

De stacaravan had zoveel jaren op dezelfde plek gestaan, dat een hoek ervan slagzij maakte. Aan de voorkant omheinde een afrastering van prikkeldraad een kleine tuin, waarin niets groeide behalve kafferkoren en doornstruiken. Het enige dat een beetje aan een echte tuin deed denken waren twee gebarsten lemen potten met verschoten plastic goudsbloemen.

Een buurjongen had een voetbal over de omheining van de tuin geschopt, maar had nooit de moeite genomen hem weer op te halen. De bal was allang leeggelopen. Een driepotige barbecue die jaren geleden op een rommelmarkt was gekocht, stond tegen de buitenmuur van de caravan. De bodem was helemaal verroest. De televisieantenne op het dak stond bijna in een hoek van 90 graden.

Het was vervallen, maar het was een onderkomen.

Een onderkomen voor drie verwaarloosde en slechtgehumeurde katten die nooit zindelijk waren geweest, en een aan koffie en sigaretten verslaafde slons, die constant rookte, ondanks het verrijdbare zuurstofreservoir waarmee ze met een canule was verbonden.

Ze ademde zwaar toen de deur van de caravan knarsend openging, waardoor een straal zonlicht dwars over het beeld op haar televisiescherm liep. 'Ma?'

'Doe de deur dicht, verdomme. Ik kan geen tv kijken als dat licht erop schijnt, en mijn soap is op de buis.'

'Jij en je soaps.' Lance Ray Fisher, alias Marvin Patterson, kwam binnen en deed de deur achter zich dicht, waardoor de kamer in een nevelige duisternis werd gehuld. Het zwart-witte televisiebeeld werd een klein beetje helderder.

Hij liep meteen naar de koelkast en wierp er een blik in. 'Er is niets te eten.'

'Dit is Luby's cafetaria niet, en niemand heeft je uitgenodigd.'

Hij zocht net zolang tot hij een stuk worst vond. Boven op de koelkast lag een wit brood. Hij duwde een van de katten weg zodat hij het brood kon pakken. Daarna belegde hij een oude boterham met worst en vouwde hem dubbel. Hij zou het ermee moeten doen.

Zijn moeder zei niets tot de soap werd onderbroken voor de reclame. 'Wat is er aan de hand, Lancy?'

'Waarom denk je dat er iets aan de hand is?'

Ze snoof en stak een sigaret op.

'Je blaast jezelf nog eens op met je gerook vlakbij die zuurstoftank. Ik hoop alleen dat ik hier dan niet ben.'

'Maak ook maar zo'n boterham voor mij.' Hij deed het. Terwijl hij langs haar liep zei ze: 'Je komt alleen op bezoek als je in de nesten zit. Wat heb je deze keer uitgespookt?'

'Niets. De huisbaas laat mijn appartement opnieuw schilderen. De komende paar dagen moet ik ergens logeren.'

'Ik dacht dat het dik aan was met je nieuwe vriendin. Waarom logeer je niet bij haar?'

'Het is uit.'

'Dat ligt voor de hand. Is ze erachter gekomen dat je een crimineel bent?'

'Ik bén geen crimineel meer. Ik ben een fatsoenlijke burger.'

'En ík ben de koningin van Sheba,' hijgde ze.

'Ik heb schoon schip gemaakt, ma. Kun je dat niet zien?'

Hij hield zijn armen opzij, waarna ze hem van top tot teen opnam. 'Wat ik zie is nieuwe kleding, maar de man eronder is niet veranderd.'

'Jawel.'

'Maak je nog steeds van die onsmakelijke films?'

'Videofilms, ma. Twee. Dat is jaren geleden, en ik deed het alleen om een vriend een dienst te bewijzen.'

Een vriend die hem had betaald met cocaïne, want hij had kunnen snuiven wat hij wilde. Het enige dat hij had hoeven doen was zich uitkleden en naaien. Maar Lancy was zowel op als buiten de set met een van de 'actrices' gaan vrijen. Toen was de jaloerse regisseur gaan klagen over het formaat van zijn geslachtsorgaan. In een medium waar formaat heel belangrijk was voldeed Lancy niet aan de eisen. 'Niets persoonlijks, hoor.'

Maar Lancy had het natuurlijk wel als een persoonlijke belediging opgevat. Ze waren uit elkaar gegaan, maar niet voordat Lance de regisseur had laten bloeden en smeken dat zijn eigen geslachtsorgaan intact werd gelaten.

Dat was lang geleden. Nu gebruikte hij geen harddrugs meer en speelde hij ook niet meer in pornovideofilms. Hij had het roer van zijn leven totaal omgegooid.

Maar zijn moeder geloofde dat blijkbaar niet. 'Je bent net als je vader,' zei ze, terwijl ze smakkend op haar boterham kauwde. 'Hij was een onbetrouwbare schoft, en jij ziet er net zo gluiperig uit. Je praat niet eens normaal. Waar heb je ineens zo deftig leren praten?'

'Ik werk op het radiostation. Ik luister naar mensen op de radio en heb hun spreekstijl overgenomen. Ik heb erin geoefend.'

'Spreekstijl, aan me hoela. Ik vertrouw je voor geen meter.'

Ze ging weer naar haar soap kijken. Lancy liep door de smalle gang, om hopen kattenstront heen, en ging het kamertje binnen waarin hij sliep als hij niet in de gevangenis zat of geen werk had, of als hij, zoals nu, voor een paar dagen moest verdwijnen. Dit was zijn laatste toevluchtsoord.

Hij wist dat zijn moeder de kamer altijd doorzocht wanneer hij was vertrokken. Dus toen hij de losse vinyltegel onder het tweepersoonsbed optilde, was hij bang voor wat hij zou vinden. Of, beter gezegd, níet zou vinden.

Maar het geld, voornamelijk briefjes van honderd dollar, lag in de kleine, metalen doos waarin hij het had opgeborgen. De helft ervan was eigenlijk van een voormalige partner, die voor een ander misdrijf was veroordeeld en nu in de gevangenis zijn straf uitzat. Als hij vrijkwam, zou hij op zoek gaan naar Marty Benton en naar zijn deel van de poet. Maar Lancy zou zich daar pas druk over maken als het zover was, mocht het ooit zover komen.

Het bedrag was al aardig geslonken. Hij had een groot deel van het geld gebruikt om zijn auto te kopen en nieuwe kleren. Hij had een appartement gehuurd... twee, in feite, en had geld geïnvesteerd in de computer die nu in de kofferbak van zijn auto stond.

Zijn moeder zou hem op zijn kop geven en zeggen dat hij zijn goede geld weggooide aan een stom ding als een computer, terwijl zij haar soaps nog in zwart-wit bekeek. Ze begreep niet dat je verstand van computers moest hebben om een onderneming, wettig of niet, te doen slagen. Lancy had zichzelf aangeleerd met de computer om te gaan. Om gezeur van het oude wijf te vermijden, zou hij wachten tot ze sliep. Dan pas zou hij zijn laptop naar binnen brengen en via zijn mobieltje het internet opgaan.

Hij telde zijn geld, stopte een paar bankbiljetten in zijn zak en legde de rest terug in de geheime bergplaats onder de vloer. Dit was zijn noodfonds. Hij vond het heel jammer dat hij er nu gebruik van moest maken, hoewel je dit beslist een noodsituatie kon noemen.

Nadat hij de laatste keer uit de gevangenis was ontslagen, had hij vrij snel een goede baan gekregen, maar was te stom geweest om het te waarderen. Een van de domste dingen die hij ooit had gedaan, was stelen van het bedrijf. Niet dat hij het als stelen had beschouwd, maar zijn baas wél.

Als hij had gevraagd of hij de afgedankte apparatuur voor een zacht prijsje mocht overnemen, zou de baas waarschijnlijk tegen hem hebben gezegd dat hij mocht meenemen wat hij wilde, dat hij rustig zijn gang kon gaan. Maar hij had het niet gevraagd en was in zijn oude gewoonte teruggevallen. Pak wat je krijgen kunt. Gebruik de gelegenheid. Op een avond, voordat hij zijn werkplek verliet, had hij de verouderde apparatuur gegapt. Hij had gedacht dat niemand die zou missen.

Maar iemand had het spul wél gemist, en aangezien hij de enige ex-crimineel op de loonlijst was, had de baas hem als eerste verdacht. Toen hij beschuldigd was, had hij bekend en om een tweede kans gevraagd. Zonder succes. Hij was ontslagen en er werd alleen geen aanklacht tegen hem ingediend omdat hij alles wat hij had meegenomen had teruggegeven.

De ervaring had hem een aantal lessen geleerd, om te beginnen dat je nooit de waarheid moest invullen op een sollicitatieformulier. Dus toen Marvin Patterson naar de baan bij het radiostation

solliciteerde, vulde hij 'nee' in op de vragen over arrestaties en ver-
oordelingen.

Hoe walgelijk het ook was om de rotzooi van andere mensen te
moeten opruimen, was die baan een zegen geweest. Toen hij hem
kreeg, had hij het gevoel gehad dat het lot, zijn goede fee of een of
andere macht buiten hemzelf hem ertoe had aangezet die spullen
te stelen. Als hij niet uit die eerste baan was ontslagen, zou hij niet
vrij zijn geweest om bij 101.3 te werken.

Niet alleen had Lancy als schoonmaker genoeg verdiend om
zijn reclasseringsambtenaar rustig te houden, hij had ook zijn geheime bergplaats niet hoeven leegmaken. En, het belangrijkste,
zijn werk had het mogelijk gemaakt om elke avond dicht bij Paris
Gibson te zijn.

Jammer genoeg kon hij nu niet terugkeren naar die baan. En
ook niet naar zijn appartement, een cheque uitschrijven op Marvin Pattersons naam, of geld trekken uit een geldautomaat. Dat
waren allemaal manieren die direct naar hem zouden leiden.

Zodra die agenten belden om te zeggen dat hij moest blijven
waar hij was, dat ze op weg waren om met hem te praten over
het feit dat Paris Gibson met een ranzig telefoontje was lastiggevallen, had hij geweten dat er een spaak in zijn wiel was gestoken. Van het ene moment op het andere was hij weer een ex-crimineel geworden en had hij ook zo gehandeld. Hij had zijn
mobieltje gepakt, zijn laptop en wat kleren, en was 'm toen gesmeerd.

Eerst was hij naar zijn tweede woning gegaan, een miserabel
onderkomen dat hij onder een valse naam huurde. Wat een onno-
dige luxe had geleken was goed van pas gekomen.

Maar toen hij het parkeerterrein naderde, had hij aan de overkant van de straat een politieauto zien staan. Hij was gewoon
doorgereden. Hij had tegen zichzelf gezegd dat het waarschijnlijk
toeval was, en dat de agenten in een onopvallende auto zouden
zitten als ze zaten te wachten tot hij kwam opdagen. Maar hij had
geen risico genomen.

Hij had de valse identiteitspapieren van Marvin Patterson ver-
nietigd. Hallo, Frank Shaw.

Hij had het nummerbord van zijn wagen verwisseld met een
bord dat hij maanden geleden had gestolen.

Wat iemand ook zei over rehabilitatie en reclassering, geen smeris, geen rechter, geen fatsoenlijke, ordelievende burger zou een

ex-crimineel het voordeel van de twijfel geven. Je kon op de bijbel zweren dat je veranderd was, je kon smeken voor een kans om jezelf te bewijzen, of beloven een actief lid van de gemeenschap te worden, het maakte niet uit. Niemand gaf een crimineel een tweede kans. Noch de politie, noch de maatschappij, noch de vrouwen.

Vooral de vrouwen. Ze bedreven op allerlei manieren seks met je, maar ze werden overdreven kieskeurig als ze hoorden dat je een strafblad had. Dan deden ze moeilijk. Daar trokken ze de grens. Dat sloeg toch nergens op?

Tenminste, dat vond Lancy. Maar of het redelijk was of niet, dat was de regel. En aangezien hij zich niet naar de regel voegde, had hij geprobeerd zichzelf te veranderen in een man die dat wel deed. Hij kleedde zich beter, sprak netter en ging als een gentleman met vrouwen om.

Tot nu toe had de metamorfose hem niet echt iets opgeleverd. Hij had wel een paar veelbelovende contacten gehad, maar uiteindelijk waren die net zo afgelopen als zijn andere relaties. Het was alsof hij gebrandmerkt was, op een manier die alleen voor vrouwen zichtbaar was.

Het lukte hem gewoon niet om vriendschap en respect bij vrouwen af te dwingen. Te beginnen bij zijn eigen moeder.

22

'We zijn er wel wat laat mee, maar we hopen dat je met ons gaat dineren.'

Paris keek van Dean naar Gavin. In zeven jaar was hij lang, mager en knap geworden. Zijn haar was een beetje donkerder en zijn gezicht volwassener, maar ze zou hem meteen hebben herkend.

'Dit is een cliché,' zei ze, 'en je zult het afschuwelijk vinden dat ik het zeg, maar ik kan niet geloven dat je zo volwassen bent.' Ze nam een van zijn handen tussen de hare. 'Het is geweldig je weer te zien, Gavin.'

Met een mengeling van gêne en verlegenheid zei hij: 'Het is ook leuk om u te zien, miss Gibson.'

'Toen je negen was, noemde je me terecht miss Gibson. Maar als ik het je nu hoor zeggen, klinkt het net of ik stokoud ben. Van nu af aan ben ik Paris, afgesproken?'

'Afgesproken.'

'Hoe zit het met het etentje?' vroeg Dean.

'Ik ben het avondeten al aan het klaarmaken.'

Hij trok vol verwachting zijn wenkbrauwen op. Ze had geen andere keus dan te zeggen: 'Er is genoeg als jij en Gavin er geen bezwaar tegen hebben om aan te schuiven.'

'Het is een welkome verandering.' Dean duwde Gavin zachtjes de kamer in. 'Wat eten we?'

'Je ontfutselt me een uitnodiging en nu ben je kieskeurig?'

'Ik lust alles, behalve lever of koolraap.'

'Pasta met varkenshaas en groente. Geen koolraap.'

'Ik zit al te watertanden. Hoe kunnen we je helpen?'

'Eh.' Plotseling stond ze met haar mond vol tanden. Het was zo lang geleden dat ze gasten had gehad, dat ze niet meer wist hoe ze hen bezig moest houden. 'We zouden eerst een drankje kunnen nemen.'

'Klinkt goed.'

'Ik heb een fles wijn…' Ze wees naar de achterkant van het huis.

'Wijs me de weg,' zei Dean.

In de keuken gaf ze hem opdracht de chardonnay te openen, terwijl zij cola voor Gavin inschonk en er een paar ijsblokjes aan toevoegde. Dean deed alsof hij thuis was. Zij en Gavin voelden zich minder op hun gemak. 'In de zitkamer staat een cd-speler,' zei Paris tegen Gavin. 'Maar ik weet niet of ik muziek heb die jij mooi vindt.'

'Vast wel. Ik luister af en toe naar je programma.'

Daar was ze blij mee. Ze vertelde hem waar hij haar cd-speler kon vinden, en hij liep van de keuken naar de zitkamer. Zodra hij buiten gehoorsafstand was, zei ze tegen Dean: 'Moet ik iets over de blauwe plek op zijn gezicht zeggen of niet?'

'Niet.'

Het was onmogelijk de donkere plek en de lichte zwelling onder Gavins rechteroog niet te zien, en natuurlijk had ze zich afgevraagd hoe hij aan zo'n pijnlijk uitziende kwetsuur was gekomen, maar Dean leek er boos over te zijn, dus veranderde ze van onderwerp en vroeg hoe Gavins gesprek met Curtis was afgelopen.

'Curtis zei dat Gavin zich aan zijn oorspronkelijke verhaal hield en hem niets vertelde dat hij mij niet had verteld. Hij en Janey maakten ruzie. Daarna sloot hij zich aan bij een groep vrienden, en Janey heeft hij nooit meer gezien.'

'Gelooft Curtis hem?'

'Hij houdt zich op de vlakte. Hij heeft Gavin niet in preventieve hechtenis genomen, wat ik als een positief teken opvat. Ook is het een gegeven dat Valentino een volwassen stem heeft. Ik denk niet dat het Gavin zou lukken om zo te klinken, áls hij het al zou proberen. En waar zou Gavin een meisje in gijzeling moeten houden? Hij heeft geen eigen huis. Hij zou haar die avond hebben moeten ombrengen en – jemig, moet je míj horen!'

Hij leunde op de rand van het aanrecht en staarde in de fles wijn.

'Gavin heeft niets met Janeys verdwijning te maken. Dat wéét ik gewoon, Dean.'

'Ik denk ook niet dat hij het heeft gedaan. Maar ik zou ook nooit hebben gedacht dat hij dat ándere deed. Het is verontrustend, zacht uitgedrukt, te ontdekken dat mijn zoon een geheim leven heeft geleid.'

'Dat doen alle tieners toch enigszins?'

'Dat zal wel, maar ik heb het makkelijk voor hem gemaakt. Ik wilde dat hij het leuk vond om bij me te wonen, dus heb ik het niet zo nauw genomen met de discipline. Niet dat ik toegevend ben geweest, maar ik ben niet altijd even alert en consequent geweest als ik had moeten zijn. Gavin heeft daar gretig gebruik van gemaakt.'

Hij draaide zich naar haar om en voegde eraan toe: 'Ik, als psycholoog, had me toch moeten realiseren dat ik belazerd werd?'

Op dat moment riep Gavin uit de zitkamer: 'Is Rod Stewart goed?'

'Fantastisch,' riep Paris terug. Toen zei ze tegen Dean: 'Wees niet zo streng voor jezelf. Het is de plicht van een kind te proberen zijn ouders te misleiden. En wat discipline betreft, technieken uit een lesboek gaan voor het échte leven niet altijd op.'

'Maar hoe kan het dan zo moeilijk zijn om het goed te doen?'

Ze lachte zacht. 'Als het makkelijk was, als er één systeem was dat bij elk kind werkte, zouden veel zogenaamde experts werkloos zijn. Waar moeten ze dan over discussiëren in al die praatprogramma's op de televisie? Denk aan de chaos, om maar te zwijgen over de economische crisis, die welgemanierde, gehoorzame kinderen zouden scheppen.'

Hij moest glimlachen om haar grapje. Toen werd ze ernstig. 'Ik vat je bezorgdheid niet licht op, Dean. In feite is het bewonderenswaardig. Gavin heeft weliswaar de verkeerde weg bewandeld, maar het komt allemaal weer goed met hem.'

Hij schonk wijn in de twee glazen die ze had neergezet en gaf er een aan haar. 'Laten we het hopen.' Ze proostten.

Ze keek hem over de rand van haar glas aan terwijl ze een slok nam. 'Het gaat hem gemakkelijk af, weet je.'

'Wat?'

'Gavin is niet de enige meestermanipulator in de familie Malloy.'

'O?'

'Heel slim van je om hier met hem te komen opdagen nadat ik al een uitnodiging voor een etentje had afgeslagen.'

'Het heeft gewerkt, nietwaar?'

'Hoe zou je als psycholoog een man noemen die zijn kind ge-

bruikt om door een vrouw te worden uitgenodigd om te blijven
eten?'

'Een zielenpoot.'

'Wat vind je van iemand die van twee walletjes eet?'

Deans glimlach verdween. 'Je doelt op Liz.'

'Heb je haar verteld dat je van plan was vanavond uit eten te
gaan?'

'Ik heb tegen haar gezegd dat ik tijd met Gavin moest doorbrengen.'

'Maar je hebt het niet over míj gehad.'

'Nee.'

'Ze leek recht te hebben op je avonden.'

'Dat recht heeft ze gehad, ja.'

'Het alleenrecht?'

'Ja.'

'Hoe lang?'

'Een paar jaar.'

Dat was een onaangename verrassing. 'Wow! Destijds in Houston duurden je liefdesaffaires niet langer dan een paar weken.'

'Omdat de vrouw die ik wilde bezet was.'

'Daar hebben we het niet over, Dean.'

'En óf we het daarover hebben!'

'We hebben het over jou en Liz. Een relatie van twee jaar betekent…'

'Niet wat je denkt.'

'En wat denkt Líz?'

'Pa?' Gavin stoorde hen. Hij stond aarzelend in de deuropening
en stak Dean een mobieltje toe. 'Hij gaat over.'

'Bedankt.' Dean pakte de telefoon aan en keek naar de nummerweergave. 'Gavin, jij moet Paris helpen,' zei hij.

Hij verliet de keuken om het telefoontje te beantwoorden. Paris
vroeg zich af of Liz had gebeld.

'Wat wil je dat ik doe?' bood Gavin aan.

'De tafel dekken?'

'Oké. Dat liet mijn moeder me altijd doen.'

Ze glimlachte tegen hem. 'Ik herinner me dat dat jouw taak was
als Jack en ik bij Dean kwamen eten en jij ook aanwezig was.'

'Nu je zijn naam noemt, ik… ik heb niet de gelegenheid gehad
het tegen je te zeggen. Ik vind het heel erg dat hij is overleden.'

'Dank je, Gavin.'

'Ik mocht hem graag. Hij was aardig.'

'Inderdaad. Goed,' zei ze bruusk, 'vind je dat we de eetkamer moeten gebruiken of zullen we hier in de keuken eten?'

'De keuken vind ik prima.'

'Mooi zo.' Ze liet hem zien waar de servetten, het serviesgoed en het bestek waren opgeborgen, waarna hij de tafel begon te dekken terwijl zij de groente klaarmaakte en het vlees braadde. 'Verheug je je op het komende schooljaar?'

'Ja. Nou, ik bedoel, het gaat wel. Het zal moeilijk zijn, want ik ken niemand.'

'Daar weet ik alles van. Mijn vader was beroepsmilitair.' Ze vulde een pan met water om de pasta te koken. 'We hebben door het hele land gewoond en ik heb op drie verschillende basisscholen en op twee middenscholen gezeten. Gelukkig ging hij met pensioen, dus heb ik maar één middelbare school gehad. Maar ik herinner me hoe moeilijk het was om de nieuweling te zijn.'

'Het is goed waardeloos.'

'Jij past je heel snel aan. Ik weet nog dat je halverwege het honkbalseizoen van team moest veranderen. In plaats van een Pirate werd je een ...'

'Cougar. Herinner je je dat nog?'

'Heel goed. Je coach moest ermee ophouden.'

'Hij werd voor zijn werk overgeplaatst naar Ohio of zo.'

'Dus alle jongens van zijn team werden onder de andere teams verdeeld. Je was er helemaal niet blij mee, maar het bleek het beste te zijn dat je kon overkomen. De Cougars hadden een goede korte stop nodig, en jij vulde die plaats op. Het team werd uiteindelijk kampioen van het district.'

'Alleen van de stad,' zei hij bescheiden.

'Nou, als je je vader erover hoorde praten, was het het Amerikaanse kampioenschap honkbal. Wekenlang hoorden Jack en ik niets anders dan: "Gavin deed dit, Gavin deed dat. Je had Gavin moeten zien gisteravond." We werden er gek van. Hij was zo trots op je.'

'Ik maakte een fout in een van de play-offs waardoor het andere team een run kon maken.'

'Ik heb die wedstrijd gezien.'

'Daarom ging het zo slecht! Pa had jullie allemaal uitgenodigd naar me te komen kijken. Ik ben er zeker van dat hij me had kunnen vermoorden en daarna zou sterven van schaamte.'

243

Ze wendde haar blik af van het fornuis en keek hem aan. 'Dean was toen apetrots op jou, Gavin.'

'Omdat ik de boel had verknald?'

'Hmm. Bij de volgende slagbeurt sloeg je een tweehonkslag, die een runner binnenbracht.'

'Dat zal het wel hebben goedgemaakt.'

'Nou, ja, voor de fans en voor je teamgenoten. Maar toen Jack op je vaders rug timmerde en tegen hem zei dat je het had goedgemaakt, zei Dean dat je het had goedgemaakt door meteen weer aan de wedstrijd mee te doen. Hij was trotser op de manier waarop je met de fout omging dan op het feit dat je een dubbelslag sloeg.'

Ze concentreerde zich weer op het fornuis en deed de pasta in het kokende water. Toen ze zich weer omdraaide, stond Gavin nog steeds sceptisch te kijken. Ze knikte. 'Echt waar.'

En terwijl ze dat zei, ervoer ze een moment van bewustwording. Hoor nou wat je zegt, dacht ze. Na het maken van een fout had Gavin meteen weer deelgenomen aan de wedstrijd. Hij was niet naar de dug-out geslopen om de rest van de innings op de bank door te brengen en de noppen van zijn schoenen in het stof te drukken terwijl hij zich over zijn fout zat op te vreten.

Gisteravond had Dean gezegd dat hij niet had gewild dat wroeging en spijt de rest van zijn leven bepaalden. Hij had het losgelaten.

Misschien kon ze nog een lesje leren van deze Malloy-mannen.

Dean kwam terug naar de keuken en onderbrak haar verwarrende gedachten. 'Dat was Curtis.' Hij keek naar Gavin alsof hij aarzelde om in zijn bijzijn over de zaak te praten, maar ging verder zonder Gavin te vragen of hij wilde vertrekken. 'Hij is de zaak beu.'

'Wat doen ze op dit moment?'

'Hij laat agenten van de inlichtingendienst proberen Lance Fisher op te sporen.'

'Wie?'

'Jij kent hem als Marvin Patterson.' Hij gaf hun een korte samenvatting van Marvins kleurrijke, criminele loopbaan. 'Hij wordt gezocht voor een verhoor, evenals Bradley Armstrong, een veroordeelde zedendelinquent die zich niet aan de regels van zijn proeftijd heeft gehouden en ertussenuit is geknepen. Hij laat andere agenten de telefoontechnische kant van de zaak bekijken om te zien of ze kunnen uitvissen hoe Valentino telefoontjes langs een andere route kan leiden. En Rondeau...'

Hij zweeg even en keek naar Gavin, die zijn hoofd boog.

'Die werkt nog steeds aan de computertechnische kant van de zaak. Ze hebben geen computer in Marvins huis gevonden, maar wel diskettes en cd's, dus zeer waarschijnlijk heeft hij een computer meegenomen. Kortom, Curtis zit vast. Aangezien er niets nieuws boven water is gekomen, stelde ik hem voor dat we proberen Valentino uit te dagen.'

'Om wat te doen?'

'Zijn nek uit te steken.'

'Hoe?'

'Via jou.'

'Via míj? In de uitzending?'

'Dat is de bedoeling, ja. Als je Janey overdreven veel lof toezwaait, haar tot slachtoffer maakt, belt hij je misschien om zich te rechtvaardigen. Misschien praat hij dan langer en geeft hij ons onbedoeld een aanwijzing over zijn verblijfplaats of zijn identiteit.

Het gaat erom dat je het accent op Janey blijft leggen,' vervolgde hij. 'Maak een echt mens van haar, geen object. Herhaal regelmatig haar naam. Zorg dat hij haar beschouwt als een individu, niet alleen als zijn gevangene.'

Paris keek Dean twijfelachtig aan. 'Denk je dat die tactiek bij Valentino zal werken?'

'Niet helemaal, nee. Maar het zal ook zijn ego krenken als het allemaal over háár gaat in plaats van over hém. Hij wil de ster zijn, degene over wie iedereen het heeft. Dus als we haar tot het middelpunt maken, kan hij het misschien niet laten om tevoorschijn te komen en te zeggen: "Hé, ik ben er ook nog."'

Paris wierp een blik op de klok.

Dean sprak haar gedachte hardop uit. 'Juist, ja. We hebben iets meer dan vierentwintig uur om hem te weerhouden zijn dreigement uit te voeren. Misschien hebben we vanavond de laatste kans om hem op andere gedachten te brengen. Hij moet niet worden aangespoord iets extreems te doen, wat tragische gevolgen zou kunnen hebben, maar misschien kun je hem overhalen haar vrij te laten.'

'Dat is geen gemakkelijke opgave, Dean. Er is een dunne lijn tussen aansporen en overhalen.'

Hij knikte somber. 'Om die reden heb ik er bijna spijt van dat ik met het idee op de proppen ben gekomen.'

'Wat vindt Curtis?'

'Hij was razend enthousiast. Maar ik heb hem getemperd en gezegd dat het alleen zou gebeuren als jij er voor honderd procent achter staat.'

Hij ging dichter bij haar staan. 'Voor je een besluit neemt, moet je ook nog iets anders bedenken. Het is niet onbelangrijk. In feite is het heel belangrijk. Valentino was boos op je. Hij doet dit om zowel jou te straffen als de vrouw die hem onrecht deed. Als je druk op hem begint uit te oefenen, op welk niveau en op welke manier ook, zal hij waarschijnlijk nog bozer worden en dan zul jij het doelwit zijn. Hij heeft al één verholen dreigement geuit.'

'Probeer je het me uit het hoofd te praten?'

'Zo klinkt het wel, hè?' zei hij met een spottend lachje. 'Wees niet bang dat je Curtis of mij teleurstelt. Het nemen van risico's maakt deel uit van ons werk, maar jíj hebt er niet voor getekend. Dit moet jóuw telefoontje zijn, Paris. Als jij nee zegt, gaat het feest niet door. Denk erover na. Na het eten kun je me je antwoord geven.'

'Ik hóef er niet over na te denken. Ik zal alles doen of zeggen wat nodig is om te zorgen dat dat meisje veilig thuiskomt. Maar ik zal jouw hulp nodig hebben.'

Hij pakte haar hand en gaf er een geruststellend kneepje in. 'Ik zal dicht bij je zijn en je aangeven wat je moet zeggen. Trouwens, ik zou hoe dan ook bij je zijn.'

Ze was zich ervan bewust dat Gavin vol belangstelling naar hen stond te kijken. Daarom wendde ze zich van Dean af en zei: 'De pasta is klaar.'

'Hallo? Brad, ben jij dat? Zo ja, zeg dan alsjeblieft iets tegen me.'

Hij had niet van tevoren bedacht wat hij zou zeggen als de telefoon in zijn huis werd opgenomen, maar hij móest gewoon bellen, al was het maar om zich ervan te verzekeren dat zijn gezin er nog steeds was. Zodra hij een van hun lieve stemmetjes hoorde, zou hij wel iets verzinnen om te zeggen.

Maar toen hij de trilling in de smeekbede van zijn vrouw hoorde, kon Brad Armstrong geen woord uitbrengen. Haar duidelijke ontzetting maakte hem van streek. Zijn keel kneep dicht, hij kon niet praten. Hij klemde de hoorn in zijn zweterige hand en overwoog op te hangen.

'Brad, zeg iets. Alsjeblieft. Ik weet dat jij aan de andere kant van de lijn bent.'

Half snikkend, half zuchtend zei hij: 'Toni.'

'Waar ben je?'

Waar was hij? In de hel! Deze sjofele kamer had geen van de voorzieningen van het gezellige onderkomen dat ze voor hem en de kinderen had gemaakt. Er was geen zonlicht in deze kamer en er hingen geen lekkere geurtjes. Hier waren de jaloezieën dicht, waardoor al het licht werd tegengehouden. Het was donker, op het zwakke schijnsel van de lamp na, en de kamer stonk, voornamelijk naar zijn eigen wanhoop.

Maar zijn omgeving was niet het ergste van alles. De échte hel was zijn gemoedstoestand.

'Je moet naar huis komen, Brad. De politie is naar je op zoek.'

'O, God.' Dat had hij gevreesd, maar nu zijn bange vermoeden werd bewaarheid, draaide zijn maag om.

'Ik ben vanmiddag naar het politiebureau gegaan.'

'Wát?' zei hij boos. 'Toni, waarom heb je dat gedaan?'

'Mr. Hathaway moest je rapporteren bij de reclassering.' Ze vertelde hoe ze in het kantoor van een rechercheur was beland, maar Brad was zo radeloos, dat hij slechts een deel hoorde van wat ze zei.

'Heb je met de politie over je eigen man gesproken?'

'In een poging je te helpen.'

'Me te helpen? Door me naar de gevangenis te sturen? Is dat wat je wilt voor mij en onze kinderen?'

'Is dat wat jíj voor hén wilt? Jíj bent degene die ons gezin kapotmaakt, Brad. Niet ik.'

'Je neemt wraak op mij, hè? Daar gaat het om. Je bent nog steeds boos.'

'Ik was niet boos.'

'Hoe noem je het dan?'

'Bang.'

'Bang?' snoof hij. 'Omdat ik wilde vrijen? Moet ik je van nu af aan van tevoren waarschuwen dat ik seks wil hebben?'

'Het was geen seks, en het was zeker geen liefdesspel, Brad. Het was agressie.'

Hij wreef over zijn voorhoofd. Zijn vingers werden nat van het zweet. 'Je probeert niet eens me te begrijpen, Toni. Dat heb je nooit gedaan.'

'Het gaat niet om mij en mijn tekortkomingen als echtgenote en als mens. Het gaat om jou en je verslaving.'

'Goed, goed, het is duidelijk. Ik zal weer naar de bijeenkomsten van de groepstherapie gaan. Oké? Bel de politie en zeg dat je je vergist hebt. Zeg dat we ruzie hadden en dat dit jouw manier was om het me betaald te zetten. Ik zal met Hathaway praten. Als ik hem vlei, zal hij inschikkelijk zijn.'

'Het is te laat voor excuses en beloften, Brad.'

De beslistheid en de overtuiging waarmee zij sprak, maakten dat hij zich nóg ongeruster voelde.

'Je hebt al meer kansen gekregen dan je verdient,' vervolgde ze. 'Bovendien is het niet langer in mijn handen of in die van Mr. Hathaway. Nu is het een politiezaak, en ik heb geen andere keus dan met hen samen te werken.'

'Door wat te doen?'

'Hun toegang tot je computer te geven.'

'O, God, je hebt wél een andere keus, Toni. Snap je niet dat je me zult ruïneren? Alsjeblieft, schat, doe dat alsjeblieft niet.'

'Als ik hun geen toestemming geef, zullen ze met een gerechtelijk bevel komen of een bevel tot huiszoeking of wat er ook voor nodig is. Ik kan het echt niet tegenhouden.'

'Je zou... Luister, ik zou je kunnen vertellen hoe je het moet verwijderen, zodat ze niets kunnen vinden. Alsjeblieft, Toni? Het is niet moeilijk. Een paar klikjes met de muis, dat is alles. Ik vraag je niet een bank te beroven of zoiets. Wil je dat voor me doen, schat? Alsjeblieft. Ik smeek het je.'

Ze zweeg even, en hij hield hoopvol zijn adem in. Maar vanavond overviel zijn vrouw hem met de ene nare verrassing na de andere.

'Vorige week ben ik je op een avond gevolgd naar Lake Travis, Brad.'

Hij liep rood aan terwijl zijn boetvaardigheid in razernij veranderde. 'Je hebt me bespioneerd! Dat wist ik. Je geeft het toe.'

'Ik zag je met een middelbareschoolmeisje. Je stapte met haar in je auto. Ik kan slechts aannemen dat je seks met haar had.'

'Nou en of!' schreeuwde hij. 'Omdat mijn vrouw ineenkrimpt wanneer ik haar aanraak. Wie zou me kwalijk kunnen nemen dat ik neuk waar en wanneer ik maar kan?'

'Heb je het ooit gedaan met het meisje dat vermist is? De dochter van de rechter. Janey Kemp?'

Hij hoorde zelf dat hij abnormaal snel ademde, en hij vroeg zich af of het ook zo klonk voor Toni – of voor iemand anders die misschien meeluisterde. Die mogelijkheid joeg hem angst aan. Waarom vroeg ze naar Janey Kemp?

'Heeft de politie de telefoon afgetapt?'

'Wat? Nee. Natuurlijk niet.'

'Terwijl je met de smerissen aanpapte, hebben jullie toen een plan gemaakt om me te pakken te krijgen? Luisteren ze dit gesprek af? Wordt dit telefoontje getraceerd?'

'Brad, je praat onzin.'

'Mis, ik praat helemáál niet.'

Hij verbrak de verbinding. Daarna liet hij de mobiele telefoon vallen, alsof hij zich eraan had gebrand. Hij begon heen en weer te lopen door de muffe, benauwende kamer. Ze wisten het van hem en Janey. Ze hadden het ontdekt, precies zoals hij had gevreesd.

Die... die Curtis. Brigadier Curtis. Had Toni niet gezegd dat ze vanmiddag met die man had gesproken? Had hij niet de leiding over het onderzoek naar Janeys verdwijning?

Brad was daar bang voor geweest. Toen hij haar foto op de voorpagina van zijn ochtendkrant zag staan, had hij geweten dat het slechts een kwestie van tijd was voordat de politie naar hem op zoek zou gaan. Iemand had hem waarschijnlijk met Janey gezien en had de politie daarvan op de hoogte gebracht.

Nu moest hij heel goed uitkijken waar hij heen ging. Als hij werd gezien, kon hij worden gearresteerd. Dat mocht niet gebeuren. Dat kón niet gebeuren. In de gevangenis deden andere gevangenen verschrikkelijke dingen met mannen als hij. Hij had verhalen gehoord. Zijn eigen advocaat had hem het een en ander verteld over de verschrikkingen die een zedendelinquent in de gevangenis te wachten stonden.

God, hij zat diep in de nesten! En dat had hij te danken aan Janey Kemp, dat sletterige kreng. Iedereen was tegen hem. Janey. Zijn vrouw, de woedende zeurkous. Hathaway, die niet zou weten wat hij met een stijve moest doen. Als hij er tenminste ooit een had, wat niet waarschijnlijk was. De reclasseringsambtenaar was jaloers op Brads succes bij vrouwen. Uit kwaadaardigheid zou hij hem graag met handboeien om aan de politie willen overleveren om hem meteen naar de gevangenis te brengen.

Maar Brads woede duurde slechts kort. Zijn angst keerde terug, overmande hem. Hevig zwetend, en kauwend op de binnenkant van zijn wang, ijsbeerde hij doelloos door de kamer. Dat gedoe met Janey zou hem ernstig in de problemen kunnen brengen.

Hij had zich niet met haar moeten bemoeien. Dat zag hij nu duidelijk in. Nog voor ze hem de eerste keer benaderde, wist hij van haar reputatie. Hij had haar berichten op de website gelezen. Hij wist dat op seksueel gebied niets haar te ver ging. Hij wist ook dat ze een verwend, rijk kreng was dat ex-minnaars als vuil behandelde en de draak met hen stak op het mededelingenbord van de website.

Maar hij had zich gevleid gevoeld omdat een van de meest begeerde meisjes in de Seks Club naar hem toe was gekomen. Wat werd hij geacht te doen, haar afwijzen? Welke man zou dat kunnen? Al wist hij dat hij zichzelf misschien verdoemde, hij had geen weerstand kunnen bieden aan haar aantrekkingskracht. Het was het gevaar dat het samenzijn met haar vormde waard.

Het toegeven aan zijn fantasieën bracht aanvaarde risico's met zich mee. Hij wist dat hij de goden verzocht telkens wanneer hij een middelbareschoolmeisje oppikte, of een patiënte onzedelijk betastte, of zich aftrok in een videowinkel, maar het risico om betrapt te worden droeg bij aan de opwinding.

Hij daagde zichzelf voortdurend uit om te kijken hoever hij kon gaan zonder te worden gestraft. Het leek tegenstrijdig, maar hoe groter de bevrediging was, hoe verder hij wilde gaan, en hoe verder zijn escapades hem voerden, hoe dieper hij die wilde onderzoeken. Het nieuwe was algauw van iets af. Er was altijd een andere grens om over te steken, nóg een stap om te zetten.

Maar nu hij in opperste verwarring was, besefte hij dat hij met déze fantasie één stap te ver was gegaan.

23

'Boe!'

Paris, die juist vanuit het keukentje de donkere gang inliep, schrok zo, dat ze warme thee op haar hand morste. 'Verdorie, Stan! Dat was heus niet grappig.'

'Het spijt me. Jeetje, het was echt niet mijn bedoeling je te laten schrikken.' Hij stoof het keukentje in en scheurde wat keukenpapier af. 'Heb je boter nodig? Zalf? De eerstehulppost?'

'Nee, dank je,' zei ze terwijl ze haar hand droogmaakte.

'Ik kan je ogen niet zien, maar ik heb de indruk dat je boos kijkt.'

'Dat was een domme streek van je.'

'Waarom ben je zo prikkelbaar?'

'Waarom ben jíj zo onvolwassen?'

'Ik heb gezegd dat het me speet. Ik ben vanavond gewoon in een jubelstemming.'

'Hoe komt dat?'

'Oom Wilkins is op de terugweg naar Atlanta. Telkens wanneer er een paar staten tussen ons in zijn, is er een reden om feest te vieren.'

'Gefeliciteerd. Maar, even voor de duidelijkheid, ik vind het niet prettig als iemand me laat schrikken. Ik kan er de lol niet van inzien.' Stan volgde haar terwijl ze terugliep naar de studio. Toen ze eenmaal in het licht waren zag ze de blauwe plek. 'O, Stan, wat is er met je gezicht gebeurd?'

Voorzichtig raakte hij de plek naast zijn mond aan. 'Oom heeft me een klap gegeven.'

'Je maakt een grapje, hè?'

'Nee.'

'Heeft hij je geslágen?' riep ze uit. Toen luisterde ze vol ontzetting terwijl hij haar over hun ontmoeting in de lobby van het Driskill vertelde.

Aan het eind van zijn relaas haalde hij onverschillig zijn schouders op. 'Wat ik zei maakte hem woest. Het is niet de eerste keer. Geen probleem, hoor.'

Paris was het niet met hem eens, maar Stans relatie met zijn oom ging haar niets aan. 'Vandaag worden er overal om me heen mannen geslagen,' bromde ze, en dacht aan Gavins blauwe plek. Ze ging op haar kruk zitten, keek naar de logmonitor en zag dat ze nog iets meer dan vijf minuten muziek voorhanden had.

Onuitgenodigd nam Stan op de andere kruk plaats. 'Ben je bang door dat Valentino-gedoe?'

'Zou jíj dan niet bang zijn?'

'Oom Wilkins vroeg of ík je mysterieuze beller was.'

Ze wierp hem een blik toe terwijl ze een heleboel zoetjes in haar thee deed. 'Dat is niet zo, hè?'

'Het idee!' antwoordde hij. 'Hoewel ik een seksuele afwijking heb. Tenminste, volgens oom Wilkins.'

'Waarom denkt hij dat?'

'Slechte genen. Moeder was een slet. Vader was een geile beer. Oom huurt hoertjes in. Maar hij gelooft dat niemand dat weet. Hij zal wel denken dat de appel niet ver van de boom valt. Maar afgezien van het feit dat ik pervers ben, vindt hij me een gigantische knoeier.'

'Zei hij dat tegen je?'

'Met zoveel woorden.'

'Je bent een volwassen man! Je hoeft zijn gezeur niet te pikken, en je hoeft je zeker niet door hem te laten slaan.'

Stan keek haar aan alsof ze geestelijk gestoord was. 'Hoe zou ik dat volgens jou moeten laten stoppen?'

Hij maakte dat ze hem de ene minuut wilde wurgen en hem de volgende minuut een bemoedigend klopje geven. Er hadden veel sappige roddels de ronde gedaan toen Stans vader zelfmoord had gepleegd. Als er enige grond van waarheid in zat, zaten er inderdaad een aantal draadjes los bij de Crenshaw-familie. In allerlei opzichten. Het was niet verbazingwekkend dat Stan psychologische problemen had die ontward moesten worden.

Tijdens de laatste song gaf ze hem een teken om stil te zijn en zette haar microfoon aan.

'Dat was Neil Diamond. Daarvóór zong Juice Newton over *The Sweetest Thing*. Ik hoop dat je hebt geluisterd, Troy. Dat lied heeft Cindy voor je aangevraagd. Jullie kunnen tot twee uur een plaat aanvragen. En als je iets op je hart hebt, nodig ik je uit het met mij en mijn luisteraars te delen. Bel alsjeblieft.'

Daarna ging ze meteen over naar een reclameblok van twee minuten.

'Denk je dat hij vanavond belt?' vroeg Stan nadat ze haar microfoon had uitgezet.

'Ik neem aan dat je Valentino bedoelt. Ik weet het niet. Het zou me niet verbazen.'

'Geen enkele aanwijzing over zijn identiteit?'

'De politie onderzoekt diverse mogelijkheden, maar ze heeft weinig houvast. Brigadier Curtis hoopt dat hij vanavond zal bellen en dan misschien iets zegt wat hun nieuwe aanknopingspunten geeft.' Ze keek naar de knipperende knoppen van de telefoonlijnen op het bedieningspaneel. 'Ik weet dat een nieuw telefoontje van hem waardevol zou zijn, maar ik vind het doodeng om met hem te praten.'

'Nu heb ik écht spijt dat ik je heb laten schrikken. Ik plaagde je maar een beetje.'

'Ik zal het wel overleven.'

'Roep me als je me nodig hebt.' Hij liep naar de deur.

'O, Stan, dr. Malloy komt zo dadelijk. Wil je de voordeur in de gaten houden en hem binnenlaten?'

Stan maakte rechtsomkeert en liep terug naar de kruk. 'Wat hébben jij en die sexy psychiater met elkaar?'

Paris maande hem tot zwijgen en drukte de knop van een van de telefoonlijnen in. 'Je spreekt met Paris.'

De mannelijke beller vroeg een lied aan van Garth Brooks, uit de soundtrack van de film *Hope Floats*. 'Voor Jeannie.'

'Jeannie boft maar.'

'Jíj hebt ons samengebracht.'

'Ik?'

'Jeannie kreeg een baan aangeboden in Odessa. We hadden elkaar nooit onze gevoelens verteld. Jij ried haar aan niet te vertrekken voordat ze tegen me had gezegd wat ze voor me voelde. Dat deed ze, en ik zei tegen haar dat ik hetzelfde voelde, dus bleef ze hier en hield gewoon haar baan. Volgend jaar gaan we trouwen.'

'Ik ben blij dat het zo goed is afgelopen.'

'Ja, ik ook. Bedankt, Paris.'

Ze voerde *Make You Feel My Love* in de logcomputer in en beantwoordde een andere lijn. De beller vroeg of ze een gelukwens naar de jarige Alma wilde sturen. 'Negentig? Lieve help! Heeft ze een favoriete song?'

Het was een lied van Cole Porter. Paris had het binnen een paar seconden opgespoord in de computergestuurde muziekbibliotheek, en zette het achter de Brooks-ballade.

Daarna keek ze naar Stan. 'Ben je er nog?'

'Ja, en mijn vraag blijft van kracht. En zeg niet tegen me dat jij en Malloy oude vrienden uit Houston zijn.'

'Dat is precies wat we zijn.'

'Hoe hebben jullie elkaar ontmoet?'

'Via Jack. Hun vriendschap overleefde de universiteit.'

'Maar jou niet.' Ze draaide zich snel naar hem om. 'Aha, een schot in het wilde weg, maar het is raak, zie ik.'

'Donder op, Stan.'

'Ik neem aan dat dit een gevoelig onderwerp is.'

Ze wist dat hij erover door zou zeuren tot ze duidelijkheid verschafte. 'Wat wil je weten?' vroeg ze geërgerd.

'Als Malloy zo'n goede vriend van jou en Jack was, vraag ik me af waarom ik tot gisteravond nooit van hem heb gehoord.'

'We vervreemdden van elkaar toen ik Jack hierheen verhuisde.'

'Waarom verhuisde je Jack hierheen?'

'Omdat Meadowview de beste kliniek voor hem was. Jack was niet in staat een vriendschap te onderhouden. Ik had het druk, want ik moest erop toezien dat hij goed werd verzorgd en ik moest me inwerken in deze baan. Dean had zijn eigen drukke leven in Houston, inclusief een jonge zoon. Het gebeurt, Stan. Omstandigheden hebben invloed op vriendschappen. Ben jij een aantal van je vrienden in Atlanta ook niet uit het oog verloren?'

Hij liet zich niet afleiden en zei: 'Was Jack de reden waarom je een carrière bij het televisiejournaal opgaf en bij dit stomme radiostation ging werken?'

'Rond de tijd van zijn ongeluk ben ik van loopbaan veranderd. Oké? Tevreden? Dat is het hele verhaal.'

'Dat denk ik niet,' zei hij, terwijl hij haar met samengeknepen ogen aankeek. 'Het klinkt logisch, aannemelijk zelfs, maar het is al te gemakkelijk. Ik denk dat je de nuances weglaat.'

'Nuances?'

'De nuances die voor een echt goed verhaal zorgen.'

'Ik heb het druk, Stan.'

'Bovendien, niets van wat je me hebt verteld verklaart de elektriciteit die gisteravond tussen jou en Malloy vonkte. Mijn wenkbrauwen werden er bijna door verschroeid. Toe nou, Paris, vertel op,' flikflooide hij. 'Ik zal niet geschokt zijn. Je kent nu de walgelijke details van mijn familie. Niets kan schandelijker zijn. Wat is er tussen jullie drieën gebeurd?'

'Dat heb ik al verteld. Als je me niet gelooft, is dat jóuw probleem. Wanneer je nuances wilt, moet je die zelf maar verzinnen. Het kan me niet schelen zolang het je bezighoudt. Maar kun je intussen niet iets productiefs gaan doen?'

Ze richtte haar aandacht weer op het bedieningspaneel, de telefoonlijnen, de logmonitor en de nieuwsmonitor waarop een nieuw weerbericht van een plaatselijke meteoroloog te zien was.

Stan zuchtte gelaten en liep opnieuw naar de deur. Paris riep over haar schouder: 'Raak niets breekbaars aan!'

Zodra hij was vertrokken, verdween haar luchthartigheid. Ze goot haar thee, die nu lauw was en bitter, in de afvalbak. Ze wilde Stan vermoorden omdat hij verontrustende herinneringen had doen herleven.

Maar ze kon er niet lang bij blijven stilstaan. Ze moest haar werk doen. Ze zette haar microfoon aan en zei: 'Nogmaals, Alma, van harte gefeliciteerd. Haar verzoek heeft ons een paar generaties teruggevoerd, maar elk liefdeslied is een klassieker hier op 101.3 FM. Hier is Paris Gibson, jullie presentatrice tot twee uur vannacht. Ik hoop dat jullie bij me zullen blijven. Ik vind het leuk dat jullie me gezelschap houden en vind het ook leuk om jullie verzoekplaten te draaien. Bel me.'

Zij en Dean hadden afgesproken dat ze zich tot Deans komst niet tegen Valentino zou richten of Janeys naam noemen. Ze hadden gelijktijdig haar woning verlaten, maar hij wilde eerst Gavin naar huis brengen. Daarna zou hij naar het radiostation komen.

De avondmaaltijd was goed verlopen, en alsof ze dat stilzwijgend hadden afgesproken, hadden ze niet gepraat over de zaak waarbij ze allemaal betrokken waren geraakt. In plaats daarvan hadden ze het over films, muziek en sport gehad, en gelachen om gedeelde herinneringen.

Toen ze vertrokken had Gavin haar beleefd voor de maaltijd bedankt. 'Pa is een kok van niks.'

'Ik ben ook geen meesterkok.'

'Je kunt beter koken dan hij.'

Ze had kunnen zien dat Dean blij was dat zij en Gavin het zo goed met elkaar konden vinden en dat er zo'n relaxte sfeer was geweest tijdens de maaltijd. Ze had zich heel ontspannen gevoeld. Ze had slechts een half glas chardonnay gedronken – haar limiet als ze 's avonds moest werken. Het enige dat het een beetje bedierf, was de wetenschap dat ze hen die avond uit de buurt van Liz Douglas had gehouden.

Gedurende het volgende reclameblok nam ze telefoontjes aan. Wanneer ze een knipperende knop indrukte, was ze angstig, wat haar boos maakte op Valentino. Hij had ervoor gezorgd dat ze bang was om het werk te doen dat haar redding was geweest. Deze baan had haar met beide benen op de grond gehouden tijdens de zeven jaren waarin ze toezicht hield op Jacks verzorging. Ze had de oneindig lange dagen die ze in het ziekenhuis doorbracht kunnen doorstaan omdat ze wist dat ze 's avonds naar het radiostation kon ontsnappen.

Ze kreeg een telefoontje van een jonge vrouw die Joan heette. Ze kwam zo energiek over, dat Paris besloot haar uit te zenden. 'Je zegt dat je een fan bent van Seal.'

'Ik heb hem één keer gezien, in een restaurant in L.A. Hij zag er te gek uit. Zou je *Kiss From a Rose* kunnen draaien?'

Paris zette het nummer achter drie liedjes die al waren ingeprogrammeerd.

Ze vroeg zich af waar Dean bleef. Hij deed wel flink, maar ze was er zeker van dat hij zich ernstig zorgen maakte over Gavins relatie met Janey Kemp. Elke ouder die van zijn kind hield zou bezorgd zijn, maar Dean zou zichzelf de schuld geven van Gavins wangedrag en vinden dat híj had gefaald.

Net zoals hij de schuld op zich had genomen toen Albert Dorries onderhandelingen met de politie van Houston vastliepen en de gijzeling op een tragedie uitliep.

Daar had je het weer. Opnieuw een herinnering. Hoezeer ze ook haar best deed om het te vermijden, ze dacht er steeds aan terug. Aan die avond.

Dean verscheen bij haar flat. Het was achttien uur nadat Mr. Dorrie wezen van zijn drie kinderen had gemaakt door eerst zijn ex-vrouw te vermoorden en daarna zichzelf.

Dean arriveerde onaangekondigd. 'Sorry, Paris. Ik had eerst moeten bellen voordat ik hierheen kwam,' zei hij zodra ze de deur opende.

Hij zag eruit alsof hij in de afgelopen achttien uur niet had gezeten, laat staan had geslapen. Zijn ogen waren weggezonken in de donkere kringen eromheen, en hij had een stoppelbaard.

Paris zelf had heel weinig geslapen. Het grootste deel van de dag had ze doorgebracht in de redactiekamer, waar ze een globaal overzicht van het incident voor de avondjournaals had samengesteld.

Tragisch genoeg was het verhaal niet zo ongewoon. In andere steden kwamen dergelijke incidenten regelmatig voor, en zelfs in Houston was er al eens zo'n voorval geweest. Maar het was háár nog nooit overkomen. Ze was nooit persoonlijk getuige van iets dergelijks geweest. Om op de plek des onheils te zijn en het zelf mee te maken was heel wat anders dan erover in de krant te lezen of met een half oor naar het televisiejournaal te luisteren terwijl je met iets anders bezig bent.

Zelfs haar uitgeputte cameraman was aangedaan geweest. Zijn ongeïnteresseerde houding was veranderd in een sombere stemming toen hun busje de ambulance volgde die de twee lijken naar het lijkenhuis bracht.

Maar niemand die het had meegemaakt had zich de rampspoed zo aangetrokken als Dean. Zijn wanhoop had in zijn gezicht diepe lijnen getrokken. Paris liet hem binnen en zei: 'Kan ik iets voor je halen? Een borrel?'

'Dank je.' Hij liet zich op de rand van haar sofa zakken terwijl zij voor elk van hen een glas whisky inschonk. Ze gaf hem een glas en ging naast hem zitten. 'Stoor ik je?' vroeg hij mat.

'Nee.' Ze wees naar haar witte badjas. Haar gezicht was schoongeboend en ze had haar haar laten drogen na lang in het bad te hebben liggen weken. Hij had haar nog nooit zo gezien, maar ze maakte zich geen zorgen over haar uiterlijk. Dingen die vierentwintig uur geleden nog belangrijk hadden geleken, waren onbeduidend geworden.

'Ik weet niet waarom ik hierheen ben gekomen,' zei hij. 'Ik wilde niet onder de mensen zijn, maar wilde ook niet alleen zijn.'

'Ik heb hetzelfde gevoel.'

Ze had geweigerd de avond met Jack door te brengen. Hij had haar dolgraag willen opvrolijken en haar helpen te vergeten wat ze had meegemaakt. Maar ze was nog niet klaar om opgevrolijkt te worden. Ze wilde tijd hebben om na te denken, en bovendien was ze doodop. Naar de bios of een restaurant gaan leek net zo ver weg als naar de maan vliegen. Zelfs voor een oppervlakkig gesprek met Jack zou energie nodig zijn geweest die ze niet had.

Praten leek niet het doel van Deans bezoek te zijn, want na de paar openingszinnen die hij had uitgesproken staarde hij nagenoeg alleen maar voor zich uit. Af en toe nam hij een slok whisky en vulde de stilte niet met zinloze conversatie. Ze wisten van elkaar hoe ellendig de ander zich voelde over de manier waarop de gijzeling was geëindigd. Ze vermoedde dat hij, net als zij, troost putte uit de nabijheid van iemand die de tragedie had gedeeld.

Het duurde een halfuur voordat hij zijn whisky had opgedronken. Hij zette het lege glas op de salontafel, keek er even naar en zei toen: 'Ik moet gaan.'

Maar ze kon hem niet laten vertrekken zonder hem troost te bieden. 'Je hebt alles gedaan wat je kon, Dean.'

'Dat zegt iedereen tegen me.'

'Omdat het waar is. Je hebt je best gedaan.'

'Maar het was niet genoeg, hè? Er zijn twee mensen gestorven.'

'Drie zijn er nog in leven! Als jij er niet was geweest, zou hij de kinderen waarschijnlijk ook hebben omgebracht.'

Hij knikte, maar zonder overtuiging. Ze ging staan toen hij opstond en volgde hem naar de deur, waar hij zich naar haar omdraaide. 'Bedankt voor de whisky.'

'Niets te danken.'

Er gingen een paar seconden voorbij voordat hij zei: 'Ik heb je verslag gezien op het journaal van zes uur.'

'O ja?'

'Het was goed.'

'Gewoon.'

'Nee, ik meen het. Het was góed.'

'Dank je.'

'Niets te danken.'

Zijn ogen lieten de hare niet los, ze leken haar te smeken. Ze wist dat haar eigen ogen dat ook deden. Emoties die ze niet kon ontkennen en die ze maandenlang streng in toom had gehouden barstten in haar los. Toen Dean zijn handen naar haar uitstak, bood ze haar lippen al aan om zijn kus te ontvangen.

Later, toen ze het herbeleefde en in staat was genadeloos eerlijk tegen zichzelf te zijn, besefte ze dat ze had gewild dat hij haar kuste. Als hij het initiatief niet had genomen, zou zíj dat hebben gedaan.

Ze moest hem aanraken of sterven. Zo wezenlijk was haar behoefte aan hem.

Dean moest hetzelfde gevoeld hebben, en zijn mond nam hongerig bezit van de hare. Van het doen alsof en van de beleefdheid bleef niets over. De beperkingen van het geweten knapten en opgebouwde spanning van maanden werd de vrije loop gelaten.

Ze vlocht haar vingers door zijn haar. Hij maakte het koord van haar badjas los. En toen hij zijn handen naar binnen liet glijden, protesteerde ze niet, maar ging op haar tenen staan om haar lichaam naar het zijne te voegen. Ze pasten. De volmaaktheid ervan maakte een tijdelijk einde aan hun kus. Ze hielden elkaar slechts stevig vast.

Paris' hele lichaam tintelde. Het koude metaal van de gesp van zijn broekriem tegen haar buik. De stof van zijn broek tegen haar blote dijen. Het fijne katoen van zijn overhemd tegen haar borsten. Zijn lichaamswarmte op haar huid.

Zijn lippen zochten de hare opnieuw. Terwijl ze elkaar kusten ging zijn hand naar haar borst en streek zijn duim over haar gezwollen tepel. Daarna boog hij zijn hoofd om de tepel in zijn mond te nemen en begon er gretig aan te zuigen. Hijgend fluisterde ze zijn naam en drukte zijn hoofd tegen zich aan.

Toen hij haar op de vloer liet zakken maakte ze de knoopjes van zijn overhemd los en schoof het over zijn schouders, maar verder kwam het niet, want hij kuste haar wéér. Ze voelde hem tussen haar dijen, worstelend met zijn riem en zijn ritssluiting.

Het topje van zijn penis wreef over haar schaamhaar en stootte toen bij haar naar binnen. Zijn volheid verwijdde en vulde haar. Hij ging op haar liggen en ze klemde zijn heupen tussen haar dijen. De druk was ongelofelijk lekker. De geluiden die opwelden uit haar borst waren een vreugdevolle mengeling van lachen en huilen.

Hij kuste de tranen weg die uit haar ooghoeken stroomden. Daarna hield hij haar hoofd tussen zijn sterke handen en legde zijn voorhoofd tegen het hare. Hij bewoog haar hoofd zacht heen en weer terwijl hij in haar was en ze elkaars lucht inademden.

'God helpe me, Paris,' zei hij met schorre stem. 'Ik moest gewoon ín je zijn.'

Ze legde haar handen onder zijn kleren en drukte tegen zijn billen zodat hij nóg dieper in haar was. Hijgend begon hij te bewegen. Met elke ritmische stoot nam de intensiteit van het genot toe, evenals de veelzeggendheid ervan. Hij omvatte haar kin met zijn ene hand en tilde haar gezicht op voor een kus.

Hij kuste haar nog steeds toen ze klaarkwam, zodat haar zachte kreten in zijn mond verstomden. Binnen een paar seconden kreeg ook hij een orgasme. En ze bleven zich aan elkaar vastklampen.

Uiteindelijk lieten ze elkaar geleidelijk en met tegenzin los. Terwijl de fysieke extase zich terugtrok, rukte de morele betekenis op van wat ze hadden gedaan. Paris probeerde het op een afstand te houden. Ze wilde fel protesteren tegen de oneerlijkheid ervan. Maar het was onverbiddelijk.

'O, God,' kreunde ze. Ze ging op haar zij liggen, met haar rug naar hem toe.

'Ik weet het.' Hij sloeg zijn arm om haar middel en trok haar tegen zijn borst. Daarna gaf hij haar een vluchtige kus in de nek en streek haar lokken van haar vochtige wangen.

Zijn hand verstijfde op het moment dat haar telefoon overging.

Eerder had ze haar antwoordapparaat aangezet, zodat ze kon horen wie er belde, en nu schalde Jacks stem uit de speaker, waardoor hij de derde aanwezige was in de kamer.

'Hallo, liefje. Ik bel alleen om te kijken of het goed met je gaat. Als je slaapt, hoef je me niet terug te bellen. Maar als je wakker bent en wilt praten, je weet dat ik bereid ben om te luisteren. Ik maak me zorgen om je. Ook om Dean. Ik heb hem de hele avond gebeld, maar hij neemt geen van zijn telefoons op. Je weet hoe hij is. Hij zal denken dat het zijn schuld is dat de gijzeling zo is afgelopen. Ik weet zeker dat hij vanavond een vriend zou kunnen gebruiken, dus blijf ik proberen hem aan de lijn te krijgen. Hoe dan ook, ik hou van je. Slaap lekker. Dag.'

Lange tijd bewoog geen van beiden zich. Toen maakte Paris zich van Dean los en kroop naar de salontafeltje, waar ze haar hoofd tegen het hout drukte, zó hard dat het pijn deed.

'Paris...'

'Ga weg, Dean.'

'Ik voel me net zo ellendig als jij.'

Ze keek hem aan over haar blote schouder. Haar badjas sleepte achter haar aan, als de sleep van een bruid, en ze trok hard aan de mouw om de welving van haar blote borst te bedekken. 'Je kunt je onmogelijk zo ellendig voelen als ik. Ga alsjeblieft weg.'

'Ik heb medelijden met Jack, ja. Maar ik verdom het om er spijt van te hebben dat ik de liefde met je heb bedreven. Het was voorbeschikt dat het zou gebeuren, Paris. Ik wist het zodra ik je voor het eerst zag, en jij wist het ook.'

'Nee, nee, dat is niet waar.'

'Je liegt,' zei hij kalm.

Ze lachte spottend. 'Een onbeduidend vergrijp vergeleken bij een vrijpartij met de getuige van mijn verloofde.'

'Je weet dat het dat niet was. Het zou veel makkelijker voor ons zijn als het niet meer was geweest dan dat.'

Dat was waar. Achter de schaamte zat de wanhoop van het weten dat het nooit weer zou gebeuren. Misschien had ze zichzelf een simpele uitglijer kunnen vergeven, een hormonale aandrang, een tijdelijk moment van zwakte. Maar het was te betekenisvol geweest om het weg te wuiven en te vergeven.

'Ga weg, Dean,' snikte ze. 'Alsjeblieft. Verdwijn.'

Ze legde haar hoofd weer op het tafeltje en sloot haar ogen. Hete tranen rolden over haar wangen terwijl ze luisterde naar het geritsel van zijn kleren, het gerinkel van de gesp van zijn riem, het gerasp van zijn rits en de gedempte voetstappen op het tapijt terwijl hij naar de deur liep. Ze doorstond een martelende stilte tot ze hoorde dat hij de deur opende en rustig achter zich dichttrok.

'Paris?'

Geschrokken keek ze achterom naar de studiodeur. Daar stond Dean, alsof hij als een geest uit haar geheugen was opgedoken.

Ze was zó diep in gedachten verzonken geweest, dat het even duurde voor ze besefte dat dit het hier en nu was, geen verlenging van haar mijmering. Ze vermande zich en gebaarde dat hij binnen mocht komen. 'Het is in orde. Mijn microfoon staat uit.'

'Crenshaw zei dat ik naar binnen kon gaan als ik geen lawaai maakte.'

Hij ging op de kruk naast de hare zitten. Even, één krankzinnig moment, had ze zin om zich op hem te storten en verder te gaan met waar ze in haar herinnering waren opgehouden. Zijn stoppelbaard had die avond rode plekken op haar huid achtergelaten die binnen een paar dagen weer verdwenen zouden zijn. Maar de sen-

261

suele herinneringen waren nooit verdwenen. De kus van de vorige avond had aangetoond hoe levendig en precies ze waren.

'Nog niets van Valentino gehoord?'

Ze schudde haar hoofd om zijn vraag te beantwoorden, maar ook om het te bevrijden van de voortdurende sensuele druk. 'Heb je Gavin thuisgebracht?'

'Met het bevel dat hij het huis niet mag verlaten. Ik denk niet dat hij vanavond ongehoorzaam zal zijn. De ondervraging heeft hem geschokt. Tijdens het eten zette hij zijn beste beentje voor en probeerde hij je natuurlijk te imponeren.'

'Nou, dat is hem gelukt, want ik wás onder de indruk. Hij is fantastisch, Dean.'

Hij knikte peinzend. 'Ja.'

Ze keek naar hem en zag de diepe frons op zijn voorhoofd. 'Maar?'

Hij keek haar aan. 'Maar hij liegt tegen me.'

24

Brigadier Robert Curtis maakte overuren in zijn kamertje in het Centrale Onderzoeksbureau. Er was nóg een rechercheur, die een diefstal probeerde op te lossen en tot diep in de nacht zat te werken.

De radio op Curtis' bureau was afgestemd op 101.3 FM en hij luisterde naar de stem van Paris Gibson. Intussen las hij de informatie over haar afgebroken televisiecarrière en haar vertrek naar Houston. Zijn vrienden bij de politie van Houston waren grondig te werk gegaan en hadden hem alles gefaxt wat ooit over Paris, Jack Donner en Dean Malloy was gepubliceerd. Het was interessante stof.

Het doorzoeken van het appartement van Lancy Ray Fisher, alias Marvin Patterson, had ook een aantal verrassingen opgeleverd, met name een doos met cassettebandjes, allemaal van het radioprogramma van Paris Gibson.

Curtis vroeg zich af waarom een doodgewone schoonmaker zoveel belangstelling voor Paris had, dat hij opnames van vroegere programma's verzamelde terwijl hij haar elke avond live kon horen.

Van Lancy's moeder was hij niets wijzer geworden.

Een agent van de inlichtingendienst had haar opgespoord nadat hij zich een weg had gebaand door eindeloze bureaucratische formaliteiten en massa's rapporten. Ze woonde in een caravanpark in San Marcos, een stad ten zuiden van Austin.

Curtis was er zelf naartoe gereden, een ritje van een halfuur. Hij had een andere rechercheur kunnen sturen om de vrouw te ondervragen, maar hij had uit de eerste hand willen horen waarom de zoon van Mrs. Fisher, Lancy, die leefde onder de naam Marvin Patterson, mogelijk een obsessie voor Paris Gibson had.

Het interieur van Mrs. Fishers stacaravan was nog erger dan de buitenkant deed vermoeden, en zíj zag er even onverzorgd en ongastvrij uit als haar thuis. Toen Curtis haar zijn legitimatiebewijs liet zien, was ze eerst wantrouwend, daarna strijdlustig en ten slotte grof.

'Waarom sodemieter je niet op? Ik heb niets tegen een smeris te zeggen, verdomme!'

'Is Lancy onlangs bij u geweest?'

'Nee.'

Curtis wist dat ze loog, maar hij had de indruk dat er geen liefde was tussen moeder en zoon en dat ze blij zou zijn met een kans om haar klachten te uiten. In plaats van de oprechtheid van haar antwoord aan te vechten, bleef Curtis kalm. Hij probeerde de kattenharen van zijn broek te plukken terwijl zij zat te roken tot ze besloot te spuien.

'Lancy is vanaf zijn geboorte een doorn in mijn oog geweest,' begon ze. 'Hoe minder ik hem zie, hoe beter het is. Hij leeft zijn leven en ik het mijne. Bovendien is hij verwaand geworden.'

'Verwaand?'

'Zijn kleren en zo. Hij rijdt in een nieuwe auto, en denkt dat hij beter is dan ik.'

Wat niet veel zegt, dacht Curtis. 'Wat is het merk van zijn auto en wat voor model is het?'

Ze snoof. 'Ik zie het verschil niet tussen de ene Jap en de andere.'

'Wist u dat hij bij een radiostation werkte?'

'Hij heeft me verteld dat hij de boel daar schoonmaakt. Hij moest die baan aannemen nadat hij wegens diefstal uit zijn vorige baan was ontslagen. Het was een goede baan, maar hij heeft het daar verknald. Hij is een dommerik en een nietsnut.'

'Wist u dat hij een andere naam gebruikte?'

'Dat zou me niets verbazen, na wat die jongen allemaal heeft gedaan. Hij is aan cocaïne verslaafd geweest.' Ze boog voorover en fluisterde hijgend: 'Daarom maakte hij die vieze films. Om aan dope te komen.'

'Vieze films?'

'Mijn buurvrouw? Twee rijen verderop? Op een avond, niet zo lang geleden, kwam ze hierheen gerend. Ze zei dat ze mijn zoon Lancy met zijn ding had zien zwaaien in een gore film die ze in de videotheek had gehuurd. Ik schold haar uit voor leugenaar, maar ze zei dat ik zelf maar moest komen kijken.'

Ze ging rechtop zitten en nam de deugdzame houding aan van iemand die pas was bekeerd en neerkeek op de ongelovigen. 'En ja hoor, daar was hij, spiernaakt. Hij deed dingen die ik nooit eerder had gezien. Het was om je dood te schamen.'

Curtis veinsde medeleven met een moeder wier zoon het verkeerde pad op was gegaan. 'Is hij nog steeds werkzaam in de... eh... filmindustrie?'

'Nee. En hij gebruikt ook geen drugs meer. Tenminste, dat zegt hij. Het is lang geleden. Hij was nog een kind, maar toch.' Ze stak weer een sigaret op. Curtis zou bij vertrek het gevoel hebben dat hij drie pakjes had gerookt en er ook naar stonk.

'Wat voor naam gebruikte hij toen hij de films maakte?'

'Dat kan ik me niet herinneren.'

'Hoe heten de films waarin hij speelde?'

'Dat weet ik niet meer en ik wil het niet weten ook. Vraag het maar aan mijn buurvrouw. Trouwens, hoe komt het dat een oude vrouw als zij naar dat soort vuiligheid kijkt? Ze zou zich moeten schamen.'

'Heeft Lancy veel vriendinnen?'

'Je luistert niet zo goed, hè? Hij vertelt me niks. Hoe zou ik nou iets over vriendinnen moeten weten?'

'Heeft hij ooit de naam Paris Gibson genoemd?'

'Wie? Is dat een jongen of een meisje?' Ze reageerde zo verbaasd, dat het niet anders dan echt kon zijn.

'Het doet er niet toe.' Curtis stond op. 'Weet u, Mrs. Fisher, dat medeplichtig zijn een misdrijf is?'

'Ik heb niemand geholpen. Ik heb u al verteld dat Lancy hier niet is geweest.'

'Dan zult u er vast geen bezwaar tegen hebben dat ik even rondkijk.'

'Hebt u een huiszoekingsbevel?'

'Nee.'

Ze blies een rookwolk in zijn richting. 'Ach, wat kan het ook schelen. Ga uw gang.'

Het was geen grote woning, dus had hij niet veel tijd nodig om erdoorheen te lopen, al moest hij sissende katten en hun uitwerpselen ontwijken. Ook had hij niet veel tijd nodig om vast te stellen dat er iemand in de logeerkamer had geslapen. Het smalle bed was niet opgemaakt en op de vloer lag een paar sokken. Toen hij neerknielde om een van de sokken op te rapen, zag hij de losse vloertegel onder het bed. Hij tilde hem met behulp van zijn zakmes makkelijk op.

Nadat hij wat hij daar had gevonden weer precies zo had teruggelegd, voegde hij zich weer bij Mrs. Fisher in wat doorging voor de zitkamer en vroeg van wie de sokken waren.

'Lancy moet ze hebben achtergelaten de laatste keer dat hij hier was. Lang geleden. Hij ruimt nooit zijn eigen rotzooi op.'

Wéér een leugen, maar het was zonde van de tijd om erover te redetwisten. Ze zou blijven liegen. 'Weet u of Lancy een computer heeft?'

'Hij denkt dat ik het niet weet, maar ik weet het wél.'

'En een cassetterecorder?'

'Dat weet ik niet, maar al die moderne apparaten zijn geldverspilling, als u het mij vraagt.'

'Ik zal mijn visitekaartje bij u achterlaten, Mrs. Fisher. Als Lancy hier komt, wilt u me dan bellen?'

'Wat heeft hij gedaan?'

'Hij is een ondervraging uit de weg gegaan.'

'Waarover? Dat kan niets goeds zijn.'

'Ik wil alleen maar met hem praten. Als u iets van hem hoort, zou u hem een dienst bewijzen door mij daarvan in kennis te stellen.'

Ze nam zijn visitekaartje aan en legde het op het rommelige tafeltje naast haar leunstoel. Hij verstond niet precies wat ze langs de sigaret tussen haar lippen bromde, maar het klonk niet als een belofte om te doen wat hij vroeg.

Hij snakte ernaar om in de frisse lucht te zijn, weg van de mogelijkheid dat hij aan stukken werd gereten als haar zuurstofreservoir ontplofte. Maar bij de deur bleef hij staan om haar nog één vraag te stellen. 'U zei dat Lancy wegens diefstal uit een goede baan was ontslagen.'

'Dat is wat ik zei, ja.'

'Waar werkte hij?'

'Bij Bell, de telefoonmaatschappij.'

Zodra Curtis in zijn auto zat, nam hij contact op met de politie van San Marcos. Hij legde de situatie uit en vroeg of ze de stacaravan van Mrs. Fisher onder bewaking wilden houden. Daarna gaf hij een rechercheur van zijn eigen afdeling opdracht het dossier van Lancy Ray Fisher bij de telefoonmaatschappij door te nemen.

Het verkeer dat op autosnelweg 35 naar het noorden ging

moest heel langzaam rijden vanwege wegwerkzaamheden. Dus toen Curtis het hoofdbureau van politie bereikte, was de informatie waar hij om had gevraagd al beschikbaar. In Fishers dossier bij Bell stond zijn echte naam. Hij was een uitstekende werknemer geweest tot hij betrapt was op het stelen van apparatuur.

'Indertijd was dat geavanceerd technisch spul,' vertelde de rechercheur. 'Nu is het min of meer verouderd, want de technologie verandert razendsnel.'

'Maar is het nog steeds bruikbaar?'

'Volgens de expert wel.'

Voorzien van deze informatie zette Curtis Lancy Ray Fisher op de verdachtenlijst en richtte zijn aandacht op alles wat hem uit Houston was toegestuurd.

Er zaten ook kopieën bij van krantenartikelen, teksten van televisiejournaals en materiaal dat van het internet afkomstig was. Ze vertelden een tragisch verhaal en vulden een paar leemten die Malloy niet had willen vullen.

Nu begreep Curtis bijvoorbeeld waarom Paris Gibson een zonnebril droeg. Ze was aan haar ogen verwond geraakt bij het auto-ongeluk dat Jack Donner van zijn leven had beroofd, op een kloppend hart en een minimale hersenfunctie na.

Paris had op de passagiersplaats gezeten, met haar gordel om. Toen de auto met hoge snelheid tegen het bruggenhoofd botste, deden de airbags hun werk. Maar ze beschermden niet tegen het rondvliegende glas van de voorruit, dat veiligheidsglas hoorde te zijn, maar het niet was. Vooral niet toen de vijfentachtig kilo wegende chauffeur van het voertuig erdoorheen werd geslingerd.

Jack Donner had zijn gordel niet om. De airbag vertraagde zijn lancering uit de auto, maar voorkwam die niet. Hij liep ernstig hoofdletsel op. De schade was onherstelbaar en zeer groot, en hij was voor de rest van zijn leven fysiek hulpeloos.

Zijn geestelijke vermogens waren beperkt tot het reageren op visuele, tastbare en auditieve prikkelingen. De reacties waren zwak, op het niveau van een pasgeborene, maar voldoende om te verhinderen dat hij 'hersendood' werd verklaard. Niemand kon de stekker eruit halen.

Naar men zei was zijn vriend, dr. Dean Malloy van de politie van Houston, het eerst ter plekke geweest. Hij was in zijn eigen auto achter Donner aan gereden, was getuige geweest van het ongeluk en had met zijn mobiele telefoon 911 gebeld. Naar ieders mening was hij een zorgzame, zelfopofferende vriend, die in de dagen na het ongeluk de wacht hield buiten de ziekenhuiskamer van Miss Gibson en de intensive care-afdeling waar Donner lag.

In het laatste vervolgverhaal over het tragische lot van Jack Donner stond dat Paris Gibson herstelde van haar lichte verwondingen. Ze nam ontslag bij het televisiestation en liet Donner overbrengen naar een privé-kliniek.

Ze bedankte alle vrienden, collega's en fans die bloemen en kaarten hadden gestuurd om haar en haar verloofde het beste toe te wensen. Ze zou haar werk missen en alle fantastische mensen in Houston, maar haar leven had een onverwachte wending genomen, en nu moest ze een nieuw pad volgen.

Wat hem opviel, was dat er in het slotverhaal niets over Dean Malloy werd gezegd. Als er iemand van het radarscherm van een sterke, duurzame vriendschap verdween, moest er een goede reden voor zijn.

Er was geen diep, donker mysterie. Hij had gezien hoe Malloy naar Paris Gibson keek en vice versa. Met een ik-wil-je-naakt-zien blik vol begeerte.

Maar ook het vermijden van elkaars blik had een hunkering verraden die dieper ging dan alleen het fysieke verlangen. Het was de vermijding die hen beschuldigde. Als dit voor hém zichtbaar was, na hen slechts twee dagen te hebben gekend, moest het voor Jack Donner overduidelijk zijn geweest.

Conclusie: in een liefdesverhouding was drie er een te veel.

Terwijl hij naar het programma van Paris Gibson luisterde, werd hij steeds bozer.

Ze noemde hém, Valentino, niet.

Maar ze sprak eindeloos over Janey Kemp. Ze vertelde hoe graag Janeys ouders wilden dat ze ongedeerd naar hen terugkeerde, vertelde over Janeys vrienden, die zich zorgen maakten over haar veiligheid, en stak de loftrompet over Janeys deugden.

Wat een klucht! Janey had hem verteld dat ze een bloedhekel aan haar ouders had, en dat het gevoel wederzijds was. Vrienden? Ze maakte veroveringen, geen vrienden. En wat deugden betrof, die had ze niet.

Maar als je Paris hoorde was Janey Kemp een heilige. Een mooi, charmant, vriendelijk, Amerikaans ideaal.

'Als je haar nou eens kon zien, Paris,' zei hij zacht grinnikend.

Hij vond Janey nu zo weerzinwekkend, dat hij vandaag maar heel kort bij haar was gebleven. Ze zag er niet langer mooi en verleidelijk uit. Haar haar, ooit zijdezacht en veerkrachtig, hing slap om haar hoofd, en haar gezicht had een grauwe tint. De ogen, die naar willekeur zwoel of minachtend konden zijn, waren nu dof en levenloos. Ze had amper zijn aanwezigheid in de kamer opgemerkt en met een lege blik voor zich uit gestaard, zelfs toen hij vlak voor haar neus met zijn vingers knipte.

Ze leek halfdood en zag er nog erger uit. Een douche zou het een en ander verbeteren, maar hij had geen zin om haar naar de badkamer te dragen en haar te wassen.

Hij had nergens zin in, behalve ervoor te zorgen dat hij uit de problemen kwam waarin hij was geraakt. Hij had niet veel tijd meer om tot een uitvoerbare oplossing te komen en Paris een deadline van tweeënzeventig uur gegeven. En als hij enig karakter, enig eergevoel had, moest hij zich aan dat tijdschema houden.

Janey was meer een blok aan het been geworden dan hij had verwacht, en er was ook nog de vraag wat hij met Paris moest doen.

Hij had niet echt verder gekeken dan Janey hierheen te brengen en haar te gebruiken zoals ze smeekte om gebruikt te worden. Ze was een hoer die adverteerde met haar bereidheid alles te proberen, en hij had haar uitdaging aangenomen, dat was alles. Ze had terecht opgeschept en had bewezen dol te zijn op vernedering.

Hij had niet echt gepland dat dit met haar dood zou eindigen, net zomin als hij had gepland om Maddie Robinson te doden. Zijn relatie met Maddie had zich gewoon ontwikkeld. Ze had gezegd dat ze hem niet meer wilde zien, en hij had ervoor gezorgd dat ze hem niet meer kón zien. Nooit meer. Als je het zo bekeek, had zíj haar lot bepaald, niet híj.

Wat Paris betrof, had hij niet veel verder gedacht dan het eerste telefoontje te plegen en tegen haar te zeggen dat hij actie had ondernomen tegen de vrouw die hem onrecht had gedaan. Hij had Paris bang willen maken, haar op stang willen jagen en haar hopelijk bewust willen maken van haar onuitstaanbare zelfvoldaanheid. Wie was zíj om advies te geven over liefde en leven, seks en relaties?

Wat hij niet had verwacht, was dat zijn telefoontje een politieonderzoek op gang zou brengen en zo'n mediagebeurtenis zou worden. Wie had er nou gedacht dat iedereen zich zo druk zou maken over Janey terwijl ze precies kreeg waar ze om had gevraagd?

Nee, het was uitgegroeid tot iets wat veel groter was dan hij had verwacht. Hij had het gevoel dat hij de controle over de situatie verloor, en om te overleven moest hij die controle terugkrijgen. Maar waar moest hij beginnen?

Hij zou Janey kunnen vrijlaten.

Ja, dat kon hij doen. Hij kon haar dicht bij het huis van haar ouders uit de auto zetten. Ze kende zijn naam niet. Hij kon zijn biezen pakken, zodat, als ze de politie naar de 'plaats van het misdrijf' bracht, hij allang verdwenen zou zijn. Hij zou niet meer naar de ontmoetingsplaatsen van de Sex Club kunnen gaan of het risico nemen door haar gezien te worden, maar een sekspartner vinden was nooit een probleem. De Sex Club was slechts één middel.

Het was geen volmaakt plan, maar waarschijnlijk de beste weg die nog voor hem openstond. Hij zou Paris vanavond op de vastgestelde tijd bellen en tegen haar zeggen dat hij alleen een grap met haar had willen uithalen, om haar te laten beseffen dat ze niet met de gevoelens van mensen moest spelen en hun een ondoordacht advies geven. Ik had nooit gedacht dat je me serieus zou nemen, Paris. Kun je niet tegen een grapje? Vergeven en vergeten, oké?

Ja, dat was absoluut een uitvoerbaar plan.

'... hier op 101.3 FM,' hoorde hij Paris zeggen. Ze onderbrak zijn gedachten. 'Blijf luisteren tot twee uur. Ik heb net een telefoontje gekregen van Melissa, Janeys hartsvriendin.'

Melissa.

'Melissa, wil je iets tegen de luisteraars zeggen?' vroeg Paris.

'Ja, ik wil alleen dat Janey veilig terugkeert,' zei ze. 'Janey, als je dit kunt horen en alles is in orde met je, kom dan naar huis. Niemand zal boos zijn. En als er iemand is die mijn vriendin tegen haar wil vasthoudt, wil ik zeggen dat ik dat allesbehalve gaaf vind. Laat haar gaan. Alsjeblieft. Wij willen alleen Janey terug. Nou... dat is het, denk ik.'

'Dank je, Melissa.'

Wacht even, werd hij verondersteld de schurk in dit stuk te zijn? Hij had niets met Janey Kemp gedaan wat ze niet had gewild. En Paris was ook geen sneeuwwitje, zoals ze iedereen wilde laten geloven. Ze was niet beter dan ieder ander.

Hij toetste een nummer in dat hij uit zijn hoofd kende, en wist dat dit telefoontje niet naar zijn mobieltje zou leiden. Daar had hij zich van verzekerd.

'Je spreekt met Paris.'

'Het onderwerp van vanavond is Dean Malloy.'

'Valentino? Laat me met Janey praten.'

'Janey is niet in de stemming om te praten,' zei hij, 'en ik ook niet.'

'Janeys ouders wilden dat ik je vroeg...'

'Hou je mond en luister naar me. Als jij en je vriendje niet snel zijn, zullen jullie de dood van twee mensen op jullie geweten hebben. Die van Janey. En die van Jack Donner.'

'Ik zou me beter voelen als je in mijn huis sliep tot dit voorbij is. Ik heb een logeerkamer. Niets bijzonders, maar comfortabel genoeg. En veilig.'

Dean had erop gestaan achter haar aan naar haar huis te rijden en haar naar binnen te brengen. Valentino's telefoontje was ook nu afkomstig geweest van een verlaten telefooncel, die geen aanknopingspunten gaf. De politie was er inmiddels van overtuigd dat hij nooit in de buurt van die telefooncellen kwam.

Dit telefoontje was zeer verontrustend geweest omdat hij nog bozer en nerveuzer had geklonken dan voorheen. En hij had opnieuw een toespeling gemaakt op Janeys dood. En de zinspeling op Dean en Jack was natuurlijk een onrustbarend, nieuw element geweest. Valentino kon óf uitstekend raden, óf hij wist met zekerheid dat zij en Dean iets met Jacks dood te maken hadden.

'Bedankt voor het aanbod, maar ik zal hier veilig zijn.' Ze liep voor hem uit door de voordeur. Eenmaal binnen deed hij een tafellamp aan, maar ze deed hem onmiddellijk weer uit. 'Ik voel me net een goudvis met het licht aan. Ze kunnen naar binnen kijken.'

Dean keek naar de patrouilleauto die langs haar stoeprand stond. 'Griggs heeft vervanging, zie ik.'

'Hij heeft vrij vannacht. Curtis zei tegen me dat het personeel anders zou zijn, maar dat dit team even waakzaam was.' Toen Dean de deur sloot, vroeg ze: 'Hoe zit het met Gavin?' Valentino had met zoveel minachting over Dean gesproken, dat ze niet alleen bezorgd waren voor de veiligheid van Dean en Paris, maar ook voor die van Gavin.

'Daar is voor gezorgd. Curtis heeft een patrouilleauto naar mijn huis gestuurd. Ik heb Gavin gebeld en hem gezegd wat hij kon verwachten.'

'Liz?'

'Ik dacht niet dat er politie nodig was, maar ik heb haar gebeld en gezegd dat ze goed moest opletten. Dat ze zich ervan moest verzekeren dat haar alarminstallatie was ingeschakeld en me moest bellen als er iets ongewoons gebeurde.'

'Misschien zou zíj in je logeerkamer moeten slapen.'

In plaats van de handschoen op te nemen, zei hij: 'Dat is een andere discussie, Paris.'

Ze draaide zich om en liep naar de keuken. Hij volgde. Het was halfdrie in de morgen, maar ze waren te gespannen om te slapen. 'Ik ga een beker warme chocola maken,' zei ze. 'Wil jij ook?'

'Buiten is het dertig graden.'

Ze wierp hem een graag-of-niet blik toe.

'Sap?' vroeg hij.

Terwijl haar water in de magnetron werd verhit, schonk ze een glas sinaasappelsap voor hem in en haalde een pak koekjes uit de voorraadkast. 'Waarover denk je dat hij liegt?'

'Valentino?'

'Gavin. Eerder vanavond zei je dat je dacht dat hij tegen je loog. We kregen het toen druk met alle binnenkomende telefoontjes en kwamen er niet aan toe het gesprek af te maken.'

Hij staarde even in zijn glas en zei toen: 'Dat is het 'm nou juist. Ik weet niet waaróver hij liegt, ik weet alleen dát hij liegt.'

Na een zakje instantcacao in haar beker met warm water te hebben geleegd, gebaarde ze hem de koekjes mee te nemen en haar naar de zitkamer te volgen. Ze ging in de ene hoek van de sofa zitten, hij in de andere. Het pak koekjes lag op het kussen tussen hen in. De lamp bleef uit, maar het schijnsel van de verandalampen viel door de ramen naar binnen, dus konden ze voldoende zien. Ze zette haar zonnebril af.

'Denk je dat hij liegt over zijn activiteiten van die avond?' vroeg ze.

'Door iets weg te laten, misschien. Ik ben bang dat er meer achter zijn ontmoeting met Janey steekt dan hij wil vertellen.'

'Bijvoorbeeld dat ze seks hadden?'

'Misschien, en hij wil niet dat iemand dat weet.'

'Omdat het zijn verhaal dat hij haar verliet om zich bij zijn vrienden te voegen minder geloofwaardig zou maken?'

'Precies.' Dean kauwde op een koekje. 'Maar als je het reëel bekijkt, hoe zou hij Valentino kunnen zijn? Zijn stem klinkt anders. Hij weet het niet van ons.' Hij keek haar aan. 'Dat deel, in elk geval. Hij heeft niet de technische vaardigheden om telefoongesprekken langs een andere route te sturen.'

'Ik heb Stan gevraagd hoe die technologie werkt.'

'Hoe zou hij dat nou kunnen weten?'

'Hij houdt van snufjes, dure speeltjes. Kijk me niet zo aan,' zei ze toen hij zijn wenkbrauw vragend optrok. 'Hij is Valentino niet. Hij heeft er het lef niet voor. Stan zei dat het niet moeilijk was. Iemand die toegang heeft tot bepaalde apparatuur zou waarschijnlijk via het internet kunnen leren hoe je dat moet doen.'

'En iemand die voor de telefoonmaatschappij heeft gewerkt?'

'Voor zo iemand zou het vermoedelijk een kleinigheid zijn. Hoezo?'

'Voordat Marvin Patterson schoonmaker werd was hij monteur bij Bell.'

Dean was vanaf het radiostation achter haar aan naar haar huis gereden en had tijdens de rit met Curtis een lang telefoongesprek gevoerd. Nu vertelde hij haar alles wat de rechercheur over Lancy Fisher te weten was gekomen.

'Had hij een verzameling cassettebandjes? Van mijn show? Wat zou dat kunnen betekenen?'

'Dat weten we niet,' antwoordde Dean. 'Daarom heeft Curtis jongens van de inlichtingendienst naar al hun tipgevers gestuurd om te proberen de schichtige Mr. Fisher te vinden. We hebben een hoop vragen voor hem. De eerste is: waarom hij zo op jóu is gefixeerd.'

'Dat is een grote schok voor me. Hij heeft nooit enige belangstelling voor me getoond, hield steeds zijn hoofd gebogen en deed zelden zijn mond open.'

'Vreemd gedrag voor een voormalige acteur.'

'Acteur? Marvin?'

'Hij heeft – poedelnaakt – in een paar pornofilms gespeeld.'

'Wat!' riep Paris uit. 'Weet je zeker dat we het over dezelfde man hebben?'

Hij vertelde haar wat Curtis van de moeder van Lancy Fisher had gehoord. 'Maar dat alles verklaart niet waarom hij elke avond je show op een bandje opnam. Tenminste, zo lijkt het. In totaal had hij tweeënnegentig cassettebandjes. Van vrij slechte kwaliteit, zei Curtis. Waarschijnlijk direct van de radio opgenomen. Uren vol liefdesliedjes en de sexy stem van Paris Gibson. Misschien trok Marvin zich af terwijl hij naar jou zat te luisteren. Dat moet hem aardig wat tijd hebben gekost.'

'Bespaar me dat beeld, alsjeblieft.'

'Heeft hij ooit...'

'Niets, Dean. Hij heeft nooit meer dan een paar woorden tegen me gebromd. En voorzover ik me kan herinneren heeft hij me zelfs nooit aangekeken.'

'Dan is hij wat deze zaak betreft misschien zo onschuldig als een pasgeboren kind. Misschien is hij alleen verdwenen omdat hij een ex-crimineel is en daardoor een natuurlijke afkeer van politiever- horen heeft, ook al heeft hij niets te verbergen.'

Hij zweeg even en keek haar aandachtig aan. Zo lang, dat ze ten slotte vroeg: 'Wat is er?'

'Curtis is als een echte Sherlock Holmes in ons verleden gedo- ken.'

Ze blies op haar warme chocola, maar plotseling had ze er geen trek meer in. 'Wat is het goede nieuws?'

'Dat is er niet. Hij zei recht voor z'n raap dat hij de feiten ach- ter je vertrek uit Houston kende. Het ongeluk. Jacks hoofdletsel. Je ontslagneming bij de tv. Enzovoort.'

'Is dat alles?'

'Nou, daar stopte hij, maar zijn nieuwsgierigheid en insinuatie waren hoorbaar in de stilte.'

'Laat hem insinueren zoveel hij wil.'

'Dat héb ik gedaan.'

Ze zette haar beker op het salontafeltje. Daarna legde ze met een diepe zucht haar hoofd op het kussen van de sofa. 'Ik verbaas me niet over zijn nieuwsgierigheid. Uiteindelijk is hij rechercheur. En erg diep heeft hij niet hoeven graven. Een beetje gewroet aan de oppervlakte en daar is mijn leven, voor iedereen zichtbaar.'

'Het spijt me.'

Ze glimlachte flauwtjes. 'Het geeft niet. Andere aspecten hier- van zijn belangrijker. Met name Gavin.' Zonder haar hoofd van het kussen op te tillen draaide ze het opzij om Dean aan te kijken. 'Wat is er vandaag met zijn gezicht gebeurd?'

'Ik heb hem niet geslagen, als je daarop doelt.'

Gekrenkt door zijn toon en zijn woorden vloog ze overeind.

'Daar "doelde" ik helemaal niet op.' Ze pakte haar beker chocola en liep boos de kamer uit terwijl ze zei: 'Trek de deur achter je dicht als je weggaat.'

25

Met schokkerige, boze bewegingen spoelde Paris haar beker om. Daarna deed ze de lamp boven het aanrecht uit. Toen ze zich omdraaide, stond Dean in de deuropening. Ze zag zijn silhouet tegen het zwakke licht dat uit de zitkamer kwam.

'Het spijt me dat ik tegen je snauwde.'

'Dat is niet wat me boos maakte,' zei ze. 'Het is dat je denkt dat ík zou denken dat je Gavin had geslagen.'

'Maar dat héb ik gedaan, Paris.'

De bekentenis deed haar sprakeloos staan van verbazing.

'Niet vandaag,' vervolgde hij. 'Een paar dagen geleden. Hij provoceerde me. Ik verloor mijn zelfbeheersing en gaf met de rug van mijn hand een klap op zijn mond.'

Haar woede verdween even snel als hij was opgekomen. 'O. Dan raakte ik een snaar, hè?' Even later voegde ze er zacht aan toe: 'Ik weet wat er toen op Tech is gebeurd.'

Hij keek haar scherp aan. 'Heeft Jack het je verteld?'

'Hij vertelde me voldoende. Maar pas nadat ik een opmerking over je ijzeren zelfbeheersing had gemaakt.'

Hij leunde tegen de deurpost en sloot zijn ogen. 'Nou, mijn zelfbeheersing liet me in de steek, laatst bij Gavin en vandaag bij Rondeau.'

'Rondeau?'

Hij vertelde haar wat hij had gezien toen hij de ruimte van de herentoiletten binnenging. 'Hij duwde Gavins gezicht hard tegen de spiegel. Vandaar die blauwe plek op zijn wang. Ik wilde die vent vermoorden.'

'Dat zou ík ook hebben gewild. Waarom zou Rondeau zoiets doen?'

'Hij zei dat hij een moeder en een zus had, en dat de grove berichten die Gavin op de website had achtergelaten hem zo kwaad hadden gemaakt, dat hij door het lint ging toen hij Gavin zag. Een armzalige uitvlucht waar geen donder van deugde.'

'Is Curtis hiervan op de hoogte?'

'Ik heb het hem niet verteld, en Rondeau zal het heus niet bekennen.'

'Laat je de zaak verder rusten?'

'Nee. Verdomme, nee. Maar ik zal Rondeau op mijn eigen manier aanpakken, zonder tussenkomst van Curtis.' Hij lachte schamper. 'Om terug te keren naar onze vriend de rechercheur, hij is zo vasthoudend als een terriër. Hij zal pas opgeven als hij alles weet over ons "gezellige triootje" zoals hij het noemde.'

'En daarmee bedoelt hij jou, mij en Jack.'

'Hij is niet dom, Paris. Hij weet dat er meer achter het verhaal steekt dan wat in de media werd vermeld, en dat er veel, veel meer is dat we voor hem verzwijgen.'

'Het gaat hem niets aan.'

'Hij vindt van wel. Hij denkt dat het iets met de beweegredenen van Valentino te maken kan hebben.'

'Het staat los van wat er nu gebeurt.'

'Los van de zaak Valentino, ja. Maar het staat niet los van wat er tussen óns gebeurt.'

Ze probeerde zich af te wenden, maar hij stak een hand uit en draaide haar weer om. 'We moeten hierover praten, Paris. Dat hadden we zeven jaar terug al moeten doen. Dan was Jack die avond misschien niet dronken geworden. We hadden naar hem toe moeten gaan, tegen hem zeggen dat hij moest gaan zitten en hem vervolgens vertellen...'

'Dat we hem hadden verraden.'

'Dat we verliefd waren geworden, dat geen van ons het had voorzien, maar dat het ons was overkomen. En dat is precies zoals het was.'

'Sorry, Jack. Pech gehad. Tot ziens.'

'Zo zou het niet geweest zijn, Paris.'

'Nee, het zou erger zijn geweest.'

'Erger dan wát in godsnaam? Erger dan hoe het eindigde?'

Hij haalde diep adem en vervolgde op een rustiger, redelijker toon: 'Jack was scherpzinniger dan jij dacht. En veel fijngevoeliger. Hij merkte dat we elkaar meden. Wist je niet dat hij de oorzaak daarvan wilde weten?'

Hij had natuurlijk gelijk. Ze had Jack tekortgedaan door te denken dat, als zij net deed of er niets was veranderd, hij nooit te weten zou komen dat álles was veranderd. Zijn verloofde en zijn boezemvriend hadden de liefde met elkaar bedreven. Hun relaties – die van haar met Jack, de zijne met Dean en die van haar met Dean – waren onomkeerbaar veranderd. Ze konden de klok niet terugdraaien. Het was naïef van haar geweest om te denken dat ze dat konden.

'Ik dacht... dacht...' Ze boog haar hoofd en wreef over haar slaap. 'Ik weet niet meer wat ik dacht, Dean. Ik kon gewoon niet naar hem toe gaan en zeggen: "Herinner je je de avond na de gijzeling? En dat ik tegen je zei dat ik alleen wilde zijn? Nou, Dean kwam naar mijn huis en we hebben op het tapijt van de zitkamer gevrijd?"'

In plaats daarvan was ze op een subtielere manier te werk gegaan, en telkens wanneer Jack probeerde Dean en haar samen te brengen, had ze nee gezegd. Haar excuses waren steeds slapper geworden. 'Uiteindelijk zei Jack dat hij per se wilde weten waarom ik je niet meer aardig vond.'

'Ik had ook zo'n gesprek met hem,' zei Dean. 'Hij vroeg of jij en ik tijdens de gijzeling de degens met elkaar hadden gekruist. Had de crisis de politieman in mij en de reporter in jou wakker geroepen en ons zo uit elkaar gedreven? Ik zei tegen hem dat hij er helemaal naast zat, dat we elkaar mochten en veel respect voor elkaar hadden. En toen testte hij dat uit met dat onverwachte dineetje.'

Ja, dat noodlottige diner, dacht ze. Jack had geregeld dat ze elkaar in een van hun lievelingsrestaurants zouden ontmoeten. Zij en Dean waren ieder apart gearriveerd, zonder te verwachten de ander daar te zien.

Om voor het eerst sinds die avond oog in oog met hem te staan was net zo gênant geweest als ze had gevreesd. Oogcontact maken was moeilijk, maar ze had zich er niet van kunnen weerhouden naar Dean te kijken. En telkens wanneer ze dat deed, had ze hem erop betrapt dat hij stiekem naar haar keek. Maar hun gesprek was gekunsteld en formeel geweest.

'Dat dineetje was een beproeving voor me,' zei Dean. 'Jij had al mijn pogingen om met je te praten afgewezen.'

'Het moest een radicale breuk zijn, Dean. Ik vertrouwde het mezelf zelfs niet toe door de telefoon met je te praten.'

'God, ik stierf vanbinnen. Ik moest weten wat je dacht. Of alles goed met je was. Of je zwanger was.'

'Zwanger?'

'We hadden niets gebruikt.'

'Ik was aan de pil.'

'Maar dat wist ík niet.' Hij wierp haar een trieste glimlach toe. 'Het was egoïstisch van me, maar ik hoopte dat je zwanger was geraakt.'

Zelfs nu kon ze niet toegeven dat ze zich aan dezelfde ijdele hoop had vastgeklampt en teleurgesteld was geweest toen ze ongesteld werd. Een baby zou haar hebben gedwongen Jack de waarheid te vertellen. Het zou de rechtvaardiging voor haar en Dean zijn geweest om hem pijn te moeten doen. Maar het was niet gebeurd. 'Ik zat vreselijk in over de toestand waarin je verkeerde toen ik je die avond verliet,' zei hij. 'En plotseling zat je tegenover me, op ruim een meter afstand. Aan de andere kant van de tafel. En ik kon nog steeds niet vragen of zeggen wat ik wilde.

En dat was niet alles. Het misleiden van Jack maakte me kapot. Telkens wanneer hij een mop vertelde, of zijn arm om me heen sloeg en me zijn maatje noemde, voelde ik me net Judas.'

'Hij deed zijn best om er een leuke avond van te maken. Altijd de goede gastheer.'

Het had geleken of Jack vastbesloten was de spanning tussen hen te negeren. Hij had te veel gedronken, te luid gepraat, te hard gelachen. Maar tijdens het dessert had hij het eindelijk opgegeven en gezegd dat hij per se wilde weten wat er aan de hand was.

'Luister, ik ben jullie tweeën zat,' zei hij. 'Ik wil weten, en wel nú, wat er is gebeurd dat jullie je niet bij elkaar op je gemak voelen. Ik denk dat jullie hebben gekibbeld gedurende die gijzeling. Of dat jullie achter mijn rug iets met elkaar hebben. Dus vertel me waar de ruzie over ging of biecht jullie relatie op.'

Bij de gedachte dat hij een slimme grap had gemaakt, kruiste hij zijn armen voor zijn borst en schonk hun om beurten een glimlach.

Dean beantwoordde Jacks glimlach niet. En Paris had het idee dat haar gezicht zou barsten als ze een poging tot een glimlach deed. Hun stilzwijgen sprak boekdelen, maar toch duurde het even voordat Jack dat besefte. En toen het tot hem doordrong, was het pijnlijk om te zien. Zijn glimlach verstarde. Hij keek eerst naar Paris, bijna vragend. Daarna keek hij naar Dean, alsof hij hem dwong te lachen en iets te zeggen als: 'Doe niet zo belache-lijk.'

Maar toen geen van hen iets zei, besefte hij dat zijn grap de waarheid had onthuld. 'Rotzak,' zei hij. Hij kwam overeind en sis-te tegen Dean: 'Jij betaalt de rekening, vriend.'

Blijkbaar had Dean haar gedachten gevolgd, want hij zei: 'Ik zal nooit vergeten hoe hij keek toen hij zijn conclusies trok.'

'Ik zal het ook nooit vergeten.'

'In mijn haast om hem naar buiten te volgen en te proberen hem ervan te weerhouden achter het stuur van zijn auto te kruipen, gooide ik mijn stoel omver. Toen ik hem overeind had gezet, wa-ren jij en Jack verdwenen,' zei Dean.

'Ik herinner me niet dat ik door het restaurant achter hem aan ben gerend,' zei ze. 'Maar ik kan me nog levendig herinneren dat ik hem inhaalde op het parkeerterrein. Hij schreeuwde tegen me dat ik hem met rust moest laten.'

'Maar dat deed je niet.'

'Nee, ik smeekte hem het me te laten uitleggen. Hij keek me woedend aan en zei: "Heb je met hem geneukt?"'

Dean streek met een hand over zijn gezicht, maar daarmee kon hij niet de spijt van zijn gelaatstrekken verwijderen. 'Dat hoorde ik hem zeggen terwijl ik helemaal aan de andere kant van het par-keerterrein was. Ik hoorde jou tegen hem zeggen dat hij niet moest autorijden, dat hij te dronken en te boos was.'

Jack had zich niets van haar smeekbeden aangetrokken en was in zijn auto gestapt. Ze was naar de passagierskant gerend, waar het portier gelukkig niet op slot was geweest. 'Ik stapte in, maar Jack beval dat ik weer uit moest stappen. Maar ik weigerde en maakte mijn veiligheidsgordel vast. Hij startte de motor en gaf gas.'

Ze waren even stil, verloren in de herinneringen aan die afschu-welijke avond. Dean was de eerste die zijn mond opendeed.

'Hij had het recht om kwaad op ons te zijn omdat we samen naar bed waren geweest. Als de rollen omgekeerd waren geweest, dan... God, ik weet niet wat ik zou hebben gedaan. Ik had hem waarschijnlijk in stukken gescheurd. Hij was gekwetst en boos, en als hij een einde aan zijn leven wilde maken, hadden we werkelijk niets kunnen doen om hem tegen te houden, die avond of daarna. We hebben hem onrecht gedaan, Paris. Daar zullen we tot aan onze dood mee moeten leven. Maar hij deed jóu onrecht toen hij in die auto met je wegreed.'

Hij legde zijn handen om haar hals en streelde haar met zijn vingertoppen. 'Dat neem ik hem kwalijk. Hij had je kunnen doden.'

'Ik denk niet dat het zijn bedoeling was om iemand te doden.'

'Weet je dat zeker?' vroeg hij zacht. 'Wat zeiden jullie tegen elkaar gedurende die twee minuten tussen het parkeerterrein en dat bruggenhoofd?'

'Ik zei tegen hem dat het me speet dat we hem pijn hadden gedaan. Dat we alle twee van hem hielden en dat het maar één keer was gebeurd, een fysieke bevrijding na een traumatische ervaring, en dat het nooit meer zou gebeuren als hij het ons kon vergeven.'

'Geloofde hij je?'

Er biggelde een traan over haar wang. 'Nee,' zei ze met schorre stem.

'Geloofde jíj jezelf?'

Ze sloot haar ogen en perste er verse tranen uit. Langzaam schudde ze haar hoofd.

Dean haalde diep adem. Toen trok hij haar tegen zijn borst en streelde haar haar.

'Misschien had ik meer moeten zeggen,' zei ze.

'Tegen hem liegen?'

'Dat had hem misschien gered. Hij was razend. Buiten zinnen. Ik probeerde hem over te halen te stoppen en mij te laten rijden, maar in plaats daarvan ging hij nóg harder rijden. Hij verloor de macht over het stuur en is niet expres tegen dat bruggenhoofd op gereden.'

'Jawel, Paris.'

'Nee,' zei ze doodongelukkig. Ze wilde het niet geloven.

'Als een chauffeur de macht over het stuur verliest, trapt hij in een reflex op de rem. Ik reed vlak achter jullie, maar zijn remlichten zijn niet aangegaan.' Hij hield haar hoofd achterover en dwong haar hem aan te kijken. 'Jack hield van je. Daar twijfel ik geen moment aan. Hij hield genoeg van je om je tot vrouw te willen. Hij hield genoeg van je om stikjaloers te worden toen hij ontdekte dat je met mij had gevrijd.

Maar,' zei hij met nadruk, 'als hij van je had gehouden op de manier zoals had gemóeten, onzelfzuchtig en onvoorwaardelijk, kon hij nooit hebben overwogen je samen met hem om te brengen. Hoe zielig zijn laatste jaren ook waren, ik heb hem nooit vergeven dat hij je probeerde te doden.'

Hem dat te horen zeggen, maakte dat ze des temeer van hem

hield. En ze hield van hem! Vanaf hun eerste ontmoeting had ze beseft dat haar liefde voor Dean Malloy onvermijdelijk was. Maar toen was het onmogelijk geweest eraan toe te geven, en nu was het ook onmogelijk. Er hadden altijd andere mensen tussen hen in gestaan. Jack. En nu Liz.

Ze maakte zich van hem los en zei: 'Nu moet je gaan.'

'Ik blijf vannacht hier.'

'Dean…'

'Ik zal op de sofa in de zitkamer slapen.' Hij stak in overgave zijn handen op. 'Als je me niet vertrouwt en denkt dat ik niet van je af kan blijven, doe je je slaapkamerdeur maar op slot. Maar ik laat je niet alleen zolang er buiten een gek is die een wrok tegen je koestert.'

'Ik snap niet hoe hij wist dat ik Jacks dood op mijn geweten heb.'

'En ik ook niet.'

'Wat er tussen jou en mij gebeurde is absoluut een geheim. Ik heb er nooit met iemand over gesproken.'

'Waarschijnlijk heeft hij onderzoek naar je verricht en de oorzaak van Jacks ongeluk geraden, net zoals Curtis.'

'Jacks ongeluk kon door een aantal gebeurtenissen zijn veroorzaakt.'

'Maar slechts een zou onze vriendschap hebben verpest. Het is niet zo moeilijk om dat te bedenken, Paris. Valentino wilde wraak nemen op ontrouwe vrouwen. Als hij tot de slotsom kwam dat jij Jack met mij bedroog, dan vertegenwoordig jij die vrouwen en neemt hij wraak op jóu. Al is het een verkeerde veronderstelling, Valentino heeft het tot zijn realiteit gemaakt en daar zal hij naar handelen.' Hij schudde koppig zijn hoofd. 'Ik blijf.'

Hij dutte op de sofa tot de nieuwe dag aanbrak. Toen liep hij stilletjes het huis uit. Hij zwaaide naar de twee agenten in de patrouillewagen die nog steeds langs de stoeprand stond. Zo verzekerde hij zich ervan dat ze zich bewust waren van zijn vertrek.

Hij had nauwelijks geslapen. Hij zag eruit alsof hij het grootste deel van de nacht op was geweest, en zo voelde hij zich ook. Maar dit kon echt niet wachten. Hij wilde het niet uitstellen, zelfs niet om naar huis te gaan en zich eerst te douchen en te scheren.

Hij drukte twee keer op de bel voordat hij het nachtslot aan de andere kant van de deur hoorde klikken. Liz tuurde slaperig door de smalle kier. Toen sloot ze de deur even om de ketting van het koperen kettingslot los te maken.

'Het is onvergeeflijk dat ik op dit uur van de morgen aan je deur verschijn,' zei hij terwijl hij naar binnen ging.

'Ik vergeef het je.' Ze sloeg haar armen om zijn middel en nestelde zich tegen hem aan. 'In feite is dit een heerlijke verrassing.'

Hij gaf haar een knuffel. Onder de zijden ochtendjas, het enige dat ze aanhad, voelde haar lichaam warm, zacht en vrouwelijk aan. Maar hij was niet in het minst opgewonden.

Ze boog zich naar achteren om naar zijn gezicht te kijken, terwijl haar onderlichaam intiem tegen het zijne gedrukt bleef. 'Je ziet er gehavend uit. Lange nacht?'

'Dat zou je kunnen zeggen.'

'Heb je nieuws over Gavin?' vroeg ze, duidelijk bezorgd.

'Nee. Hij is nog niet uit de gevarenzone, en tot die tijd zal ik ongerust zijn, maar ik ben hier niet vanwege Gavin.'

Haar vermogen om mensen te doorgronden had haar ver gebracht in haar loopbaan, en nu liet het haar ook niet in de steek. Na hem nog even te hebben bestudeerd, zei ze: 'Ik was van plan je liefde en aandacht aan te bieden, maar ik denk dat ik je in plaats daarvan moet aanbieden koffie voor je te zetten.'

'Doe geen moeite. Ik kan niet lang blijven.'

Als om haar trots te ondersteunen, liet ze haar armen zakken, rechtte haar rug en schudde haar verwarde haren naar achteren. 'Wel lang genoeg om te gaan zitten?'

'Natuurlijk.'

Ze leidde hem naar de sofa in haar zitkamer, waar ze met opgetrokken benen in een hoek ging zitten. Dean nam ook plaats op de sofa en leunde met zijn ellebogen op zijn knieën. Op weg hierheen had hij diverse manieren uitgeprobeerd om het onderwerp aan te snijden, maar uiteindelijk had hij besloten dat er geen elegante manier was. Hij had te veel respect voor haar om te liegen en had besloten openhartig te zijn.

'Al heel lang – maanden in elk geval – heb ik je laten geloven dat we uiteindelijk zouden trouwen, maar dat zal niet gebeuren, Liz. Het spijt me.'

'Juist, ja.' Ze haalde diep adem en ademde toen langzaam uit. 'Krijg ik wel het waarom te horen?'

'Aanvankelijk dacht ik dat ik een klassiek geval van koudwatervrees had. Na vijftien jaar vrijgezel te zijn geweest, dacht ik dat het idee om te hertrouwen me in paniek bracht. Dus zei ik niets en hoopte maar dat de onzekerheid zou verdwijnen. Ik wilde er niet over ruziën of je onnodig van streek maken.'

'Ik stel je fijngevoeligheid ten aanzien van mijn gevoelens zeer zeker op prijs.'

'Bespeur ik daar enig sarcasme?'

'Absoluut.'

'Ik veronderstel dat ik het verdien,' zei hij. 'Ik heb zojuist iets verbroken wat gelijk staat aan een verloving. Je hoeft niet aardig te zijn.'

'Ik ben blij dat je er zo over denkt, omdat ik steeds bozer word en bijna plof van woede.'

'Daar heb je recht op.'

Ze keek hem kwaad aan, maar toen keerde de hooghartigheid weer terug. 'Bij nader inzien ga ik geen ruzie met je maken. Theatraal gedoe zou het makkelijker voor je maken om naar buiten te stormen en nooit meer achterom te kijken. In plaats daarvan zal ik je het vuur na aan de schenen leggen, want ik vind dat ik een volledige verklaring verdien.'

In feite had hij inderdaad op een ruzie gehoopt, waarbij ze elkaar scheldwoorden naar het hoofd zouden slingeren die de liefde die ze ooit voor elkaar hadden gevoeld zou vernietigen. Een ruzie zou sneller, radicaler, zijn geweest, minder pijnlijk voor haar en makkelijker voor hem. Maar Liz had die laffe uitweg afgesneden.

'Ik weet niet zeker of ik het kan uitleggen.' Hij spreidde zijn handen om aan te geven hoe zinloos het was om het te proberen. 'Het gaat niet om jou. Jij bent net zo intelligent, zo mooi en begeerlijk als op de dag dat ik je voor het eerst zag. Nog meer zelfs.'

'Bespaar me alsjeblieft de ik-ben-jou-niet-waard toespraak.'

'Dat is het niet,' zei hij kregelig. 'Ik meen alles oprecht. Het gaat niet om jou. Het gaat om óns. Jij en ik samen... dat is er niet, Liz.'

'Dat hoef je mij niet te vertellen. De laatste tijd waren je gedachten ergens anders als we de liefde bedreven.'

'Gek, ik heb je niet horen klagen.'

'Je probeert opnieuw ruzie uit te lokken,' zei ze streng. 'Niet doen. En wees niet gekwetst door de kritiek. Het is niet je geslachtsdeel waar het om gaat. Het is je emotionele afstandelijkheid.'

'Wat ik erken.'

'Is het vanwege Gavin en dat hij bij je is komen wonen? De extra aanslag op je tijd?'

'Gavin gaf me een goed excuus om me uit de relatie terug te trekken,' bekende hij. 'Ik ben er niet trots op dat ik hem gebruikte.'

'En terecht. Maar het gaat ook niet om hém, hè?'

'Nee.'

'Om iemand anders?'

Hij keek haar recht in de ogen. 'Ja.'

'Ben je met iemand anders op stap geweest?'

'Nee. Zoiets is het niet.'

'Wat dan, Dean? Wat is het dán?'

'Ik hou van iemand anders.'

De eenvoud van zijn verklaring bracht haar tot zwijgen. Ze staarde hem aan terwijl ze het tot zich liet doordringen. 'O. Je houdt van iemand anders. Heb je ooit van mij gehouden?'

'Ja. In veel opzichten doe ik dat nog steeds. Je bent een heel belangrijk deel van mijn leven geweest.'

'Alleen niet de grote passie van je leven.'

'Toen we pas met elkaar omgingen, dacht ik echt... ik hoopte dat... ik probeerde...'

'Je probeerde,' zei ze met een bitter lachje. 'Precies wat elke vrouw wil horen.'

Het sarcasme was terug, maar het was geforceerd. Ze pakte een sierkussentje en drukte het tegen haar borst, waardoor ze letterlijk en figuurlijk iets had om zich aan vast te houden. Hij besefte dat hij moest gaan voordat zijn genadeloze oprechtheid haar trots nog meer krenkte.

Maar zodra hij opstond om te vertrekken zei ze zacht: 'De vrouw met de zonnebril. Degene met wie je op het politiebureau zat te praten. Paris?' Ze keek naar hem op. 'Kom nou, Dean, kijk niet zo geschokt. Als ik blind was zou ik ook hebben geweten dat jij en zij minnaars waren geweest.'

'Jaren geleden. Slechts één keer, maar...'

'Maar je bent er nooit helemaal van hersteld,' zei ze met een trieste glimlach.

Hij beantwoordde haar glimlach en zei: 'Nee, nooit.'

'Ik vraag het alleen uit nieuwsgierigheid, maar wanneer ben je begonnen weer met haar om te gaan?'

'Eergisteren.'

Haar mond viel open van verbazing.

'Het is waar. Die vervreemding van gevoelens, bij gebrek aan een betere term, begon lang voordat zij op het toneel verscheen. Toen ik haar zag werd er slechts bevestigd wat ik al wist.'

'Dat je niet met mij wilde trouwen.'

Hij knikte.

'Goddank.' Ze smeet het kussen weg en kwam overeind. 'Ik wil niet iemands tweede keus zijn.'

'Dat moet ook niet.' Hij pakte haar hand en gaf er een kneepje in. 'Het spijt me dat ik je twee jaar van je biologische klok heb gekost.'

'O, waarschijnlijk is het zo het beste,' zei ze luchthartig. 'Wat zou ik met een baby moeten beginnen als ik op zakenreis ging? Het kind in mijn diplomatenkoffertje meenemen?'

Ze deed luchtig, maar hij wist dat ze diep teleurgesteld was. Misschien zelfs diepbedroefd. Ze was te trots om zich belachelijk te maken door te huilen. En misschien, heel misschien, gaf ze zoveel om hem dat ze hem geen schuldgevoel wilde bezorgen.

'Je hebt veel charme, klasse en stijl, Liz.'

'O, ja. Meer dan genoeg.'

'Wat ga je doen?'

'Vandaag? Ik denk dat ik mezelf op een massage trakteer.'

Hij glimlachte. 'En morgen?'

'Ik heb mijn huis in Houston niet verkocht toen ik me hier vestigde.'

'O nee?'

'Jij nam aan dat ik het wel had gedaan, en ik heb je nooit verteld hoe en wat. Misschien had ik een voorgevoel dat ik een vangnet nodig zou hebben. Hoe dan ook, zodra het kan ga ik terug.'

'Je bent bijzonder, Liz.'

'Jij ook,' antwoordde ze nors.

Hij boog naar voren, kuste haar wang en liep naar de deur. Toen draaide hij zich om. 'Het ga je goed.' Daarna vertrok hij.

26

'Hallo?'

'Spreek ik met Gavin?'

'Ja.'

'Met brigadier Curtis. Heb ik je wakker gemaakt?'

'Min of meer.

'Sorry dat ik stoor. Ik kon je vader niet bereiken op zijn mobiele telefoon. Daarom bel ik naar zijn huis. Kan ik hem even spreken, alsjeblieft?'

'Hij is er niet. Hij heeft de nacht in het huis van Paris doorgebracht.' Gavin had al spijt van zijn woorden op het moment dat hij ze uitsprak. Wantrouwig als hij was, zou Curtis de verkeerde conclusie trekken.

'We hebben gisteravond bij haar gegeten,' legde hij uit. 'Pa vond dat ze niet alleen moest zijn na afloop van haar programma, vanwege Valentino's laatste telefoontje.'

'Haar huis wordt door agenten bewaakt.'

'Ik denk dat mijn vader dat niet genoeg vond.'

'Kennelijk.'

Gavin besloot hier verder maar niet op in te gaan, bang dat hij misschien te veel zou zeggen. Trouwens, het ging Curtis toch niets aan waar zijn vader de nacht doorbracht?

'Goed, dan zal ik proberen hem daar te bereiken,' zei de rechercheur. 'Ik heb haar geheime telefoonnummer.'

'Ik zou een boodschap aan hem kunnen doorgeven,' bood Gavin aan.

'Bedankt, maar ik moet hem persoonlijk spreken.'

Dat beviel Gavin niet. Moest Curtis zijn vader persoonlijk spreken over iets wat met hem, met Gavin, verband hield? 'Nog nieuws over Janey?'

'Ik vrees van niet. Ik spreek je nog wel, Gavin.'

De rechercheur hing op voordat Gavin dag kon zeggen. Gavin stond op en liep naar de badkamer. Toen hij door een raam aan de voorkant van het huis keek, zag hij dat de politieauto nog steeds langs de stoeprand stond.

Was hij de enige die besefte hoe ironisch het was dat ze hem tegen Valentino beschermden terwijl ze hem er tegelijkertijd van verdachten Valentino te zíjn?

Het was nog te vroeg om op te staan, dus kroop hij weer onder de wol. Maar hij kwam tot de ontdekking dat hij niet meer kon slapen. Tot Janey werd gevonden zou hij thuis in quarantaine worden gehouden. Daar kon hij zich maar beter bij neerleggen. Maar het kon erger. Als zijn vader er niet was geweest, hadden ze hem waarschijnlijk in de gevangenis gestopt.

Gezien het feit dat zijn vader hem op diverse leugens had betrapt en ontdekt had dat hij lid was van de Sex Club, was hij er nog genadig afgekomen. Gisteravond, met zijn pa en Paris, was het best gezellig geweest.

Hij had er bijna tegenop gezien om Paris na zoveel jaar weer te ontmoeten. Wat als ze veranderd was en zich als een oude vrouw gedroeg? Hij was bang geweest dat ze een chic, stijf kapsel zou hebben en te veel sieraden, overdreven sentimenteel zou doen, zou blijven zaniken dat hij zo groot was geworden, en ze een hele drukte over hem zou maken zoals zijn moeders bloedverwanten altijd deden op familiebijeenkomsten.

Maar Paris was perfect geweest, precies zoals hij zich haar herinnerde. Ze was vriendelijk, maar overdreef niet, zoals Liz. Ze had ook niet neerbuigend tegen hem gepraat. Al had hij haar vroeger gekend, ze had hem behandeld als een gelijke, niet als een kind.

Jack had hem altijd aangesproken met Schipper, Padvinder of Maatje, iets grappigs, en hij had op luidruchtige toon tegen hem gesproken, alsof hij een baby was die moest worden vermaakt. Jack was aardig geweest, maar Gavin had meer om Paris gegeven dan om Jack.

Hij had Paris ook leuker gevonden dan de meisjes met wie zijn vader toen omging. Hij herinnerde zich dat hij dacht: stel dat Jack er niet was, wat zou het dan geweldig zijn als mijn vader Paris als vriendin wilde hebben.

Zijn moeder had gedacht dat dat misschien zo was.

Ze had er natuurlijk nooit met hem over gesproken, maar hij had haar eens tegen een vriendin horen zeggen dat ze dacht dat Dean iets voor Paris Gibson voelde, en dat hij alleen met andere vrouwen omging omdat Paris van Jack Donner was.

Destijds was Gavin te jong geweest om te begrijpen wat dat precies betekende, en hij was ook niet erg geïnteresseerd geweest in de relaties tussen volwassenen. Maar nadat hij de vorige avond had gezien dat zijn vader gespannen was toen ze naar haar huis reden, en hij zichzelf in het achteruitkijkspiegeltje had bekeken voordat ze de auto verlieten, dacht hij dat zijn moeder misschien gelijk had gehad. Hij had nooit meegemaakt dat zijn vader vóór een ontmoeting met Liz een blik in de spiegel wierp.

Zolang hij zich kon herinneren waren zijn ouders gescheiden. Als kind was hij geleidelijk aan gaan begrijpen dat zijn familie niet zo was als die van de reclamespotjes, waar de mama en de papa samen ontbeten, hand in hand op het strand liepen, in dezelfde auto reden en zelfs in hetzelfde bed sliepen. Hij merkte dat in andere huizen van zijn blok de vader altijd aanwezig was.

Hij stelde vragen aan beide ouders, en nadat ze de betekenis van een scheiding hadden uitgelegd, had hij vurig gehoopt dat zijn ouders weer zouden gaan samenwonen, in hetzelfde huis. Maar hoe ouder hij werd, hoe meer hij had begrepen en geaccepteerd dat de kans op verzoening heel klein was. Dom kind als hij was, was hij hoop blijven koesteren.

Zijn vader had met veel vrouwen een relatie gehad. Gavin was hun namen grotendeels vergeten, omdat het nooit lang had geduurd. Hij had gehoord dat zijn moeder en zijn oma het over 'het snoepje van de week' hadden, en hij had geweten dat ze zinspeelden op de vriendinnen van zijn vader.

Zijn moeder had lang niet zoveel relaties gehad, dus was het verrassend geweest dat zíj hertrouwde. Haar nieuwe huwelijk had een einde gemaakt aan zijn hoop dat zijn ouders op de een of andere wonderbaarlijke wijze weer bij elkaar zouden komen. En toen was hij echt boos op zijn moeder geworden en had hij besloten haar leven met haar nieuwe echtgenoot te vergallen.

Achteraf gezien had hij zich stom en kinderachtig gedragen. Hij was een echte oen geweest. Zijn moeder moest wel van die vent houden, anders zou ze niet met hem zijn getrouwd. Ze hield niet meer van zijn vader. Dat had Gavin haar ook tegen zijn oma horen zeggen. 'Ik zal altijd van Dean houden omdat hij me Gavin heeft geschonken,' had ze gezegd, 'maar we hebben de juiste beslissing genomen om vroeg uit elkaar te gaan.'

Hij geloofde dat zijn vader ook niet van zijn moeder hield, en misschien nooit van haar had gehouden. Hij probeerde zich zijn ouders als een paar voor te stellen, maar dat lukte gewoon niet. Zoals twee stukjes van verschillende puzzels pasten ze niet bij elkaar. Het had niet gewerkt en zou dat ook nooit doen. Leg je er maar bij neer, Gavin, dacht hij.

Zijn moeder was gelukkig in haar tweede huwelijk, en zijn vader verdiende het om ook gelukkig te zijn. Maar Gavin dacht niet dat Liz degene was die hem gelukkig zou maken.

Hij doezelde weg terwijl hij aan al die dingen lag te denken, maar voordat hij helemaal in slaap was, ging de deurbel.

Jemig! Waarom was iedereen vanmorgen zo vroeg op?

Hij liep naar de voordeur en deed hem open. Jammer genoeg keek hij niet eerst wie er had aangebeld voordat hij de deur opende. John Rondeau stond op de veranda.

Gavins blik vloog naar de patrouilleauto bij de stoeprand. Toen hij zag dat de wagen er nog steeds stond was hij enigszins gerustgesteld. De agenten die erin zaten waren donuts aan het eten. Ongetwijfeld afkomstig van Rondeau.

'Maak je geen zorgen, Gavin, je beschermers zijn op hun post.'

Hij liet zich niet misleiden door de vriendelijke toon waarop Rondeau sprak. Geen seconde. Zijn jukbeen was eindelijk opgehouden met kloppen, maar het deed nog steeds pijn en zou dagenlang verkleurd blijven. Rondeau was ongeveer dertig pond zwaarder dan hij. Hij wist uit de eerste hand dat de schoft in staat was tot gewelddadigheid, maar piekerde er niet over om terug te deinzen.

'Ik maak me nergens zorgen over,' antwoordde hij. 'En zeker niet over jou. Wat wil je?'

'Ik wilde iets toevoegen aan wat ik gisteren tegen je zei.'

'Als mijn vader erachter komt dat je hier bent, slaat hij je bont en blauw.'

'Daarom is dit zo'n goed tijdstip, want ik weet dat hij niet thuis is.' Hij glimlachte, dus voor iemand die naar hen keek, inclusief de agenten die het zoete glaceersel van hun vingers likten, zou dit een gesprek tussen vrienden lijken. 'Als je besluit iemand in te lichten over mijn...'

'Misdaden.'

Zijn glimlach werd nog breder. 'Ik wilde zeggen: buiten het werk plaatsvindende activiteiten. Als jij daar met iemand over praat, zul jij niet degene zijn achter wie ik aanzit.'

'Ik ben niet bang voor je.'

Rondeau negeerde dat en zei: 'Ik zal je overslaan en meteen je ouweheer aanpakken.'

'Moet dat een grap voorstellen? Omdat het verdomde grappig is.' Gavin lachte spottend. 'Je bent een computersul, die alleen maar achter de computer zit.'

'Ik probeer van die afdeling weg te komen en bij het Centrale Onderzoeksbureau te gaan werken.'

'Het kan me niet schelen, al maken ze je chef, maar je hebt niet het lef voor een confrontatie met mijn vader.'

'Ik bedoelde niet dat ik hem zélf zou aanpakken. Dat zou stom zijn, omdat hij daarvoor op zijn hoede is. Maar wat dacht je van een psychotische bajesklant die hij moet ondervragen?

Malloy gaat voortdurend gevangeniscellen binnen,' vervolgde hij overdreven vriendelijk. 'Hij praat dan met junkies, verkrachters en moordzuchtige maniakken, en probeert informatie van hen los te krijgen en ze te manipuleren om te bekennen. Wat als een van hen een tip kreeg dat dr. Malloy achter zijn vrouw aanzat en haar probeerde te versieren terwijl haar man in de gevangenis zat?'

'Je wordt steeds grappiger.'

'Zoals de manier waarop hij Paris Gibson van zijn beste vriend, Jack Donner, afpikte.'

Gavins volgende gevatte antwoord verstarde op zijn lippen. 'Wie zegt dat?'

'Curtis, om te beginnen. Dat zegt iedereen met een greintje verstand die twee en twee bij elkaar kan optellen. Je vader naaide de verloofde van zijn beste vriend, waardoor Jack Donner zelfmoord probeerde te plegen.'

'Dat verzin je maar.'

'Als je me niet gelooft, vraag het hem dan.' Rondeau klakte met zijn tong. 'Het is een afschuwelijk verhaal, hè? Maar het voedt het gerucht dat ik onder de gevangenen ga verspreiden dat dr. Malloy ondanks zijn goede-maatjes-tactiek niet kan worden vertrouwd, vooral niet met een eenzame, gevoelige vrouw.

Voel je wat ik bedoel, Gavin? Het is heel gewoon dat politiemannen elkaar verraden. We zijn menselijk, weet je, en maken onderling vijanden. Het gebeurt,' zei hij schouderophalend. 'Hij zou het niet zien aankomen, maar hij zou dood zijn en jij vaderloos.'

De schrik sloeg Gavin om het hart. 'Maak dat je wegkomt,' zei hij met schorre stem.

Rondeau liet zonder haast de deurpost los. 'Goed, ik zal je nu alleen laten. Maar denk heel goed na over wat ik heb gezegd. Je bent niets. Je bent hondenpoep onder mijn schoenzool, mijn tijd en mijn moeite niet waard. Maar als je me verraadt,' zei hij, terwijl hij hard met de knokkel van zijn wijsvinger in Gavins blote borst prikte, 'gaat Malloy eraan.'

Paris' ogen gingen langzaam open, maar toen ze Dean op de rand van haar bed zag zitten, vloog ze overeind. 'Wat is er gebeurd?'

'Niets nieuws. Het was niet mijn bedoeling je te laten schrikken.'

Ze was opgelucht dat er geen slecht nieuws was, maar haar hart bonsde nog steeds, eerst van schrik en nu omdat Dean op haar bed zat. Ze was nog een beetje buiten adem toen ze vroeg: 'Hoe was de sofa?'

'Kort.'

'Heb je wel geslapen?'

'Een beetje. Niet veel. Ik heb voornamelijk gewerkt, aantekeningen over Valentino's profiel gemaakt.'

Ze was doodop geweest, maar toch had het lang geduurd voor ze in slaap was gevallen, omdat ze wist dat hij in de aangrenzende kamer was. Die wetenschap had door haar onderbewustzijn gespookt en haar verhinderd rustig te slapen. 'Ik heb zin in koffie.'

Hij knikte, maar bewoog niet. Zij evenmin. De stilte strekte zich uit terwijl ze elkaar aanstaarden over de smalle strook bed die hen scheidde.

'Had ik dan toch mijn slaapkamerdeur op slot moeten doen?' fluisterde ze.

'Absoluut. Omdat ik, zoals blijkt, niet van je kan afblijven.'

Hij stak zijn hand naar haar uit en ze boog zich naar hem toe, maar voordat hun lippen elkaar raakten, zei ze: 'Liz...'

'Is niet aan de orde.'

'Maar...'

'Vertrouw me, Paris.'

Dat deed ze. Ze gaf zich over aan zijn kus, zijn onverbiddelijke, bezitterige, heerlijke kus, en legde haar handen op zijn stoppelige wangen. Toen kuste ze hem vol passie en lokte zo meer intimiteit uit. Hij duwde de deken en het laken weg die haar bedekten, drukte haar op de kussens en ging naast haar liggen.

Hij draaide zich op een zij om naar haar te kijken. Bij het zien van haar eenvoudige T-shirt en korte broek zei hij: 'Chique nachtkleding.'

'Bedoeld om iemand in vuur en vlam te zetten.'

'Het werkt,' bromde hij terwijl hij zacht met zijn middel tegen haar dij duwde.

Ze liet haar vingertoppen over zijn gezicht glijden en streek over zijn wenkbrauwen en de rechte lijn van zijn neus. Daarna volgde ze de vorm van zijn lippen en raakte het kuiltje in zijn kin aan.

'Je haar is grijzer,' merkte ze op.

'Jij draagt het jouwe korter.'

'Ik denk dat we alle twee zijn veranderd.'

'Sommige dingen wel.' Zijn blik ging naar haar borsten. En toen hij haar door het T-shirt heen liefkoosde, werd haar tepel hard. 'Dit niet. Dit herinner ik me.'

Hij kuste haar opnieuw, nog hartstochtelijker dan voorheen, en terwijl hij zijn hand onder haar billen legde, drukte hij haar tegen zijn erectie aan.

Een golf van vloeibare hitte verspreidde zich door haar onderlichaam en haar dijen. Het was jaren geleden dat ze voor het laatst dat hevige verlangen had gevoeld om te worden gevuld. Ze zuchtte van genot toen ze het wéér voelde. Ze kreunde, hunkerend naar bevrediging.

'We hebben lang genoeg gewacht,' zei hij terwijl hij zich even van haar losmaakte om zijn gulp open te maken. 'Te lang, verdomme.'

Maar ze moesten nog langer wachten, want haar telefoon ging over.

Beiden verstijfden. Ze keken elkaar aan. Ze wisten zonder iets te zeggen dat Paris de telefoon moest opnemen. Er stonden te veel dingen op het spel. Dean ging weer op zijn rug liggen. De verf op het plafond bladderde af door zijn verwensingen.

Paris streek haar verwarde haren uit haar ogen. Daarna stak ze een hand uit naar de draadloze telefoon op haar nachtkastje. 'Hallo?' Ze maakte Dean duidelijk dat het Curtis was. 'Nee... nee, ik was wakker. Is er nieuws?'

'Min of meer,' zei de rechercheur bruusk. 'Niet direct over Valentino of Janey. Brad Armstrong en Marvin Patterson zijn nog steeds op vrije voeten. Maar eigenlijk bel ik voor Malloy. Ik heb begrepen dat hij bij jou is.'

Kalmer dan ze zich voelde zei ze: 'Momentje. Ik zal hem roepen.'

Ze legde een hand over de hoorn terwijl ze Dean de telefoon aanreikte. Hij keek haar nieuwsgierig aan, maar ze trok haar schouders op. 'Hij zei niet waar het over ging.'

Hij nam de hoorn van haar aan en wenste de rechercheur goedemorgen. Paris stond op en ging naar de badkamer, waar ze de deur achter zich sloot. Ze nam snel een douche en trok een ochtendjas aan voordat ze terugging naar de slaapkamer. Dean was er niet meer, en de telefoon stond weer op de oplader.

Ze volgde de geluiden in de keuken, waar Dean gemalen koffie in een koffiefilterzakje schepte. Toen hij haar achter zich hoorde, keek hij over zijn schouder en zei: 'Je ruikt lekker.'

'Wat wilde brigadier Curtis?'

'Over een paar minuten is de koffie klaar.'

'Dean?'

'Gavin heeft hem verteld dat ik hier was. Hij had naar mijn huis gebeld omdat hij me niet op mijn mobieltje kon bereiken. Toen ik vanmorgen vertrok om met Liz te praten...'

'Ben je vanmorgen bij Líz geweest?'

'Bij het krieken van de dag. Ik had mijn mobieltje uitgezet en was vergeten het weer aan te zetten. Uit respect voor haar wilde ik niet dat een telefoontje onderbrak wat ik haar te zeggen had.'

Paris zei niets, maar ze voelde de druk van een tiental vragen die gesteld wilden worden. Hij pakte rustig twee koffiebekers uit haar kast, en pas toen draaide hij zich naar haar om. 'Namelijk dat ik een punt achter onze relatie zette.'

Ze vermande zich. 'Was ze van streek?'

'Matig. Maar niet geschokt. Ze had het zien aankomen.'

'O.'

Hij moest haar gedachten hebben gelezen, want hij zei kalm: 'Geef jezelf niet de schuld van de scheiding, Paris. Het zou tóch zijn gebeurd.'

'Voel je je er goed bij?'

'Opgelucht. Het was niet eerlijk van me om het zo lang te laten voortduren.'

Het koffiezetapparaat pruttelde, het teken dat de koffie bijna klaar was. Nu kon ze op een elegante manier van onderwerp veranderen. 'Wat wilde Curtis?'

'Hij wilde me alleen vertellen hoe de stand van zaken was.'

'Van de kwestie Valentino?'

'Nee, van mijn baan bij de politie van Austin. Ik ben voor onbepaalde tijd geschorst.'

27

'Hallo, ma, je spreekt met Lancy.'
  'Jemig, hoe laat is het?'
  'Bijna negen uur.'
  'Waar zit je?'
  Gisteravond was hij door een achterhek naar het caravanpark teruggegaan en had er zijn auto geparkeerd, twee rijen voorbij het pad waaraan zijn moeder woonde. Terwijl hij blaffende honden riskeerde en nerveuze buren die blij zouden zijn met een kans om eerst te schieten en dan pas vragen te stellen, was hij tussen de dicht op elkaar staande caravans door geslopen.
  Zijn verkenning leek een beetje melodramatisch, maar het was maar goed dat hij de voorzorgsmaatregel had getroffen. Hij zag de onopvallende politieauto onmiddellijk. De wagen was ongeveer dertig meter van zijn moeders tuintje neergezet. Iemand die in de eenvoudige sedan zat had een onbelemmerd uitzicht op haar voordeur. Het was maar goed dat hij naar haar caravan was gegaan en geld uit zijn spaarvarken had gepakt toen het nog kon.
  Hij was teruggeslopen naar zijn auto en naar Austin teruggegaan omdat hij niet wist waar hij anders heen moest. Hij had een buurman gebeld, die even betrouwbaar was als wie ook van de paar kennissen die Lancy had, en hij had bevestigd wat Lancy vermoedde – de politie had zijn huis doorzocht. 'Ik heb ze dozen met spullen naar buiten zien dragen,' had de buurman gezegd.
  De bandjes van de shows van Paris Gibson zouden in die dozen zitten. Verdomme!
  Hij negeerde zijn moeders vraag, en vroeg: 'Is er een smeris bij je op bezoek geweest?'
  'Een vent die Curtis heet. Uit Austin.'
  'Wat heb je tegen hem gezegd?'

'Niets,' bromde ze, 'omdat ik niets weet.'

'Heeft hij de caravan doorzocht?'

'Hij heeft rondgesnuffeld en vond je sokken.'

'Heeft hij ze meegenomen?'

'Waarom zou hij je vieze sokken willen hebben?'

'Ga naar het raam en kijk naar links, naar het eind van het pad.'

'Ik lig in bed,' jammerde ze.

'Alsjeblieft, ma. Doe het voor mij. Kijk of er aan het eind van het pad een donkere auto staat.'

Ze mopperde en vloekte, en de telefoon kletterde toen ze hem kennelijk op haar nachtkastje liet vallen. Ze bleef een eeuwigheid weg. Toen ze eindelijk terugkeerde, piepte ze als een doedelzak.

'Hij staat er.'

'Bedankt, ma. Ik spreek je later wel.'

'Ik wil niets met je problemen te maken hebben, Lancy Ray. Begrepen, zoon?'

'Dat is nooit anders geweest.'

Hij legde de vettige hoorn weer op de haak van de munttelefoon. Met de handen in zijn zakken en opgetrokken schouders liep hij door de overdekte passage van het motel. Onder de klep van zijn honkbalpet keken zijn ogen heimelijk uit naar patrouilleauto's die elk moment konden verschijnen. Met piepende remmen en geschreeuw van de politie dat hij zich niet mocht verroeren.

Toen hij wist dat hij zich niet in zijn moeders caravan kon verbergen, was hij teruggegaan naar zijn geheime appartement om er de nacht door te brengen. Hij was er eerst een keer langs gereden en had geen politieauto aan de overkant van de straat zien staan.

Hij kwam binnen zonder te worden ontdekt, maar het was niet echt een comfortabel toevluchtsoord. Het stonk en het was er smerig. Het maakte dat hij zich vies voelde.

Hij was de hele nacht op geweest. En de nacht had lang geduurd.

'Deze keer ben je de pineut, Lancy Ray,' mompelde hij terwijl hij de deur opendeed en opnieuw het bedompte, donkere hol van een door de politie gezochte man binnenging.

Curtis leunde met zijn glanzende cowboylaarzen op zijn bureau. Hij had zijn benen over elkaar geslagen en concentreerde zich op de met de hand bewerkte punt van een laars toen een geel schrijfblok er vlak naast belandde. Hij draaide zich om en zag dat Paris

Gibson achter hem stond. Hoewel ze haar zonnebril droeg, kon hij aan haar lichaamstaal zien dat ze over haar toeren was.

'Goedemorgen,' zei hij.

'Ben je van plan voor die superegoïstische dwaas door het stof te gaan?'

Hij haalde zijn voeten van het bureau en gebaarde haar te gaan zitten. Ze wees het aanbod af en bleef staan. Hij zei: 'Die dwaas is een machtige districtsrechter.'

'Die de politie in zijn zak heeft.'

'Het was niet míjn beslissing om Malloy te schorsen. Dat zou ik niet eens kunnen als ik dat wilde. Hij is namelijk hoger in rang dan ik. Ik was slechts de boodschapper.'

'Laat ik het anders uitdrukken,' zei ze. 'Rechter Kemp heeft de láffe politie in zijn zak.'

Curtis negeerde de belediging en zei: 'De rechter is rechtstreeks naar de top gegaan met zijn klacht. Nadat hij en Mrs. Kemp jou gisteravond op de radio over hun dochter hoorden praten, was hij des duivels. Tenminste, dat is me verteld. Hij belde de chef, de hoofdcommissaris, thuis op, haalde hem uit bed, en eiste dat Malloy werd ontslagen wegens het publiekelijk belasteren van zijn dochter, het door het slijk halen van de familienaam en het verkeerd aanpakken van een delicate familiekwestie die in het geheim had moeten worden behandeld. Hij voerde ook belangenverstrengeling aan, aangezien Gavin Malloy voor verhoor was opgepakt.'

'Hoe wist hij dat?'

'Hij heeft spionnen binnen het politiekorps. Hoe dan ook, hij dreigde alles en iedereen voor het gerecht te dagen als Malloy niet van deze zaak werd afgehaald en werd ontslagen. De chef wilde niet zo ver gaan, maar hij stemde in met een tijdelijke schorsing. Tot de storm was gaan liggen.'

'Alleen om de rechter tot bedaren te brengen.'

Curtis gaf met een schouderophalen toe. 'Vanmorgen, nog vóór het ochtendgloren, kreeg ik de order van de chef. Hij vroeg me – nee, hij bevál me – Malloy in te lichten, aangezien ík hem bij de zaak had betrokken. Dat was mijn straf, denk ik.'

'We hebben gisteravond alleen maar vleiende dingen over Janey gezegd,' zei Paris. 'In feite heb ik mijn best gedaan om geen toespeling te maken op haar slechte reputatie en de internetclub en zo. We probeerden haar een menselijker gezicht te geven voor Valentino, haar af te schilderen als een hulpeloos slachtoffer, met vrienden en familie die van haar houden.'

'Maar de Kemps wilden de media vermijden, weet je nog? Ze wilden zelfs niet dat Janeys verdwijning bekend werd. Dus toen jij op Deans advies op de radio over haar sprak, leek het of je hun wensen aan je laars lapte.'

'Dean zei tegen me dat jij heel enthousiast was over het idee.'

'Dat heb ik ook toegegeven aan de chef.'

'Waarom eiste de rechter dan niet dat jij ook werd ontslagen?'

'Omdat hij niet de hele politiemacht tegen zich in het harnas wil jagen. Hij weet dat ik veel vrienden heb bij het korps. Malloy is hier niet lang genoeg geweest om dat soort loyaliteit op te bouwen.

Bovendien wilde de rechter het jou ook betaald zetten. Jij en Malloy gingen min of meer als een team naar zijn huis. Hij had niet het lef je in het openbaar te bekritiseren, vanwege je populariteit. Het zou slecht voor zijn imago bij de kiezers zijn om zich tegen Paris Gibson uit te spreken.'

'En dus is Dean tot zondebok gemaakt,' besloot ze. 'Is zijn schorsing al bekend bij de media?'

'Geen idee. Als het uitlekt, kun je er donder op zeggen dat Kemp er gebruik van zal maken.'

Paris ging zitten, maar niet omdat ze gekalmeerd was. Dat kon Curtis aan haar vastberaden gelaatsuitdrukking zien toen ze naar voren boog en op scherpe toon zei: 'Je gaat naar je chef en zegt tegen hem dat ik erop sta dat hij Deans schorsing intrekt. Onmiddellijk. En als een verhaal hierover vandaag het nieuws haalt, zal ik vanavond op de radio over de politiek spreken die alleen uit is op eigenbelang en deze politiemacht aanstuurt.

Ik zal de luisteraars vertellen dat agenten smeergeld ontvangen als ze iemand laten lopen en niet arresteren, en dat de politie de rijken en machtigen schaamteloos bevoorrecht.

In vier uur tijd kan ik veel schade aanrichten. Nog meer dan rechter Kemp zou kunnen doen, denk ik. Wat zijn arrogantie betreft, ik betwijfel of een paar honderdduizend mensen van hem hebben gehoord. Maar zóveel trouwe luisteraars heb ík, elke avond opnieuw. Wie denk je dat de meeste invloed heeft, brigadier Curtis?'

'Je hebt geen politiek programma. Je hebt het nog nooit als zeepkist gebruikt.'

'Dat zou ik vanavond wél doen.'

'En morgen zou Wilkins Crenshaw je ontslaan.'

'Dat zou me nog meer publieke steun en medeleven opleveren. Het zou een mediavuur worden dat ik wekenlang zou aanwakkeren, en de politie van Austin zou het zwaar hebben om het vertrouwen van het publiek terug te winnen.'

Curtis had moeite om haar ogen achter de getinte glazen te zien. Ze knipperden niet eens. Ze meende wat ze zei.

'Als ik moest beslissen...' Hij stak machteloos zijn handen op. 'Maar de chef houdt misschien voet bij stuk.'

'Als hij weigert, beleg ik een persconferentie, en dan ben ik om twaalf uur vanmiddag op de tv. "Paris Gibson treedt in de openbaarheid" "Voor het eerst sinds zeven jaar weer op de buis." "Het gezicht achter de stem onthuld." Ik kan de leuzen al horen.'

Curtis ook. 'Het nieuws over Malloy is misschien al bekend geworden.'

'Dan moet je chef een persbericht laten uitgaan waarin staat dat het een enorm misverstand was, al te enthousiaste berichtgeving van iemand die verkeerd was geïnformeerd, enzovoort.'

'Heeft Malloy je gestuurd om voor zijn zaak op te komen?' Ze verwaardigde zich niet te antwoorden, en hij nam haar dat niet kwalijk. Malloy zou zich niet tot zoiets verlagen. Hij had dat goedkope schot alleen afgevuurd omdat hij geen echte munitie had tegen haar argumenten. 'Goed dan, ik zal kijken wat ik kan doen.'

'Neem dit mee,' zei ze terwijl ze het schrijfblok naar hem toe schoof.

'Wat is dat?'

'Het werk dat Dean vannacht heeft gedaan. Hij is het grootste deel van de nacht opgebleven om een profiel van Janeys kidnapper en verkrachter te maken, terwijl de rechter plannen smeedde om hem in opspraak te brengen en te ontslaan.

Het zal interessant zijn om te lezen. Je chef zal beseffen wat een aanwinst dr. Malloy is en wat voor kolossale fout het zou zijn om hem van deze zaak te halen. Natuurlijk, misschien zegt Dean wel dat jullie allemaal naar de maan kunnen lopen. Dat zou ik best begrijpen. Maar je kunt proberen hem over te halen terug te komen.'

'Je bent vrij zeker van onze inschikkelijkheid.'

'Ik weet alleen zeker hoe wijs je wordt als het een kwestie is van je indekken.'

'Ik zal erover nadenken en dan bel ik je terug.' Dean maakte een einde aan het telefoontje door de knop van zijn mobiele telefoon in te drukken. 'Intussen,' voegde hij er zacht aan toe, 'kun je mijn reet likken.' Toen hij Gavins verbaasde reactie over zijn taalgebruik zag, grinnikte hij. 'Jouw generatie heeft de zin niet verzonnen, weet je.'

Ze zaten laat in een cafetaria te ontbijten toen de hoofdcommissaris zelf belde om Deans schorsing op te heffen.

'Eerder vanmorgen was hij bereid me te ontslaan,' zei Dean tegen Gavin terwijl hij zich weer op zijn omelet stortte. 'Nu ben ik een aanwinst voor de politie. Zowel een uitstekende psycholoog als een zeer ervaren, hoogopgeleide politieman. Een kruising tussen Sigmund Freud en Dick Tracy.'

'Zei hij dat?'

'Het was bijna net zo belachelijk.'

'Als je je weer met de zaak bemoeit, zal Janeys vader dan niet woedend zijn?'

'Ik weet niet hoe de politie het verkoopt aan de rechter, en het kan me ook niks schelen.'

'Wil je daar blijven werken?'

'Wil jíj dat?'

'Ik?'

'Heb je het hier naar je zin, Gavin?'

'Doet dat ertoe?'

'Ja.'

Gavin zat doelloos met een plastic rietje in zijn glas melk te roeren. 'Het is oké. Ik bedoel, het is zo slecht nog niet om hier te wonen.'

Dean wist dat dat het positiefste geluid was dat hij van Gavin zou krijgen. 'Ik zou het niet leuk vinden om op te houden met dit werk voordat ik het een eerlijke kans had gegeven,' gaf hij toe. 'Ik denk dat ik hier veel goeds kan doen. Austin is een stad waar het allemaal gebeurt. Ik hou van de stad, de vitaliteit ervan. Geweldige muziek. Lekker eten. Heerlijk klimaat. Maar ik vind het ook fijn dat jij bij me woont, en ik wil dat dat zo blijft. Kunnen we een deal maken?'

Gavin keek hem behoedzaam aan. 'Wat voor deal?'

'Als ik de baan uitprobeer, probeer jij dan de middelbare school uit? Ik bedoel niet dat je alleen maar de lessen volgt, Gavin. Ik bedoel dat je écht je best doet, vrienden maakt, aan schoolactiviteiten deelneemt. Jij moet net zoveel energie in je school steken als ik in mijn werk. Afgesproken?'

'Mag ik mijn computer terug?'

'Zolang ik altijd toegang heb tot je computer. Van nu af aan zal ik controleren hoeveel tijd je eraan besteedt, en wat je ermee doet. Daar valt niet over te onderhandelen. Een andere voorwaarde is dat je moet deelnemen aan een schoolactiviteit of een sport gaat beoefenen. Het kan me niet schelen wát je doet, al speel je croquet, zolang je niet al je vrije tijd in je slaapkamer doorbrengt of een beetje rondhangt.'

Gavin wierp Dean een vluchtige blik toe. Daarna sloeg hij zijn ogen weer neer. 'Misschien kan ik gaan basketballen.'

Dean was blij om dat te horen, maar hij wilde niet te enthousiast reageren en de zaak verpesten. 'Aan de achterkant van het huis is een ideale plek om doelpunten te maken. Wat vind je ervan als we een basket ophangen zodat je kunt oefenen met schieten?'

'Dat zou fijn zijn.'

'Goed. We begrijpen elkaar. En, 't is maar dat je het weet, ik heb het uitgemaakt met Liz.'

Gavin keek op. 'Echt waar?'

'Vanmorgen vroeg.'

'Dat was nogal plotseling, hè?'

'Ik liep er al een tijdje mee rond.'

Gavin begon opnieuw met het rietje te spelen. 'Ging je relatie niet goed vanwege míj? Omdat ík nu bij je woon?'

'Nee, omdat ik niet zoveel van haar hield als had gemoeten.'

'Je wilde niet twee keer dezelfde vergissing maken.'

Het deed Dean pijn dat zijn zoon zijn huwelijk met Pat als een vergissing beschouwde, hoewel de jongen de spijker op zijn kop sloeg. 'Zo zou je het kunnen zeggen.'

Na een korte stilte zei Gavin: 'Heeft Paris er een rol bij gespeeld?'

'Een zeer grote rol.'

'Ja, dat dacht ik al.'

'Kun je daarmee leven?'

'Natuurlijk, ze is fantastisch.' Hij haalde het rietje uit zijn glas en begon het te verbuigen. 'Ben je met haar naar bed geweest terwijl ze met Jack was verloofd?'

'Wát?'

'Wil je dat ik het herhaal?'

'Dat is een heel persoonlijke vraag.'

'Dat betekent: ja.'

'Dat betekent dat ik niet van plan ben er met je over te praten.'

Gavin ging rechtop zitten en keek hem verontwaardigd aan. 'Maar jij mag je wel met míjn seksleven bemoeien. Ik moet je vertellen wát ik heb gedaan en met wíe.'

'Ik ben een ouder en jij bent minderjarig.'

'Het is en blijft niet eerlijk.'

'Eerlijk of niet, je... verdomme!' zei Dean toen zijn telefoon opnieuw overging.

Hij keek wie de beller was, zag Curtis' nummer in de display staan en overwoog niet op te nemen. Maar Gavin zat ineengedoken in de hoek van de bank en staarde met een nors gezicht uit het raam. Waarschijnlijk zou het vanaf nu toch maar een eenzijdig gesprek worden.

Toen de telefoon vier keer had gerinkeld nam Dean op. 'Malloy.'

'Heb je met de chef gesproken?' vroeg Curtis.

'Ja.'

'En? Blijf je?'

Hoewel Dean zijn besluit al had genomen, zag hij geen reden om direct toe te geven. 'Ik ben erover aan het nadenken.'

'Of je het doet of niet, je moet hierheen komen.'

'Ik zit met Gavin te ontbijten.'

'Breng hem mee.'

Deans hart sloeg over. 'Waarom? Wat is er gebeurd?'

'Hoe eerder je hier bent, hoe beter. Ik heb slecht nieuws.'

Curtis draaide er niet omheen. 'Je vriend Valentino heeft zich niet aan zijn deadline gehouden. Het lichaam van Janey Kemp is een halfuur geleden ontdekt. In Lake Travis.'

Peinzend pakte Dean Paris' hand en hield hem stevig vast. Hij was verbaasd geweest toen hij haar in Curtis' kamertje zag staan op het moment dat hij en Gavin binnenkwamen. Ze vertelde dat ze net als hij was opgeroepen, met dezelfde verklaring als hij had ontvangen.

Curtis was een paar minuten na hen gearriveerd. Hij had aan Gavin gevraagd of hij in een van de verhoorkamers op hem wilde wachten, in gezelschap van een andere rechercheur. Zodra zijn zoon was meegenomen, had Dean een akelig voorgevoel gekregen. Terecht, zoals bleek.

Janey Kemp was dood.

'Twee vissers hadden haar naakte lichaam in Lake Travis gevonden. Het lag gedeeltelijk onder water tussen de wortels van een groepje cipressen. Ik werd onmiddellijk gebeld en ben hierheen gevlogen. Zij is het, al is ze nog niet officieel geïdentificeerd.

De technische recherche kamt de plek uit, en de lijkschouwer is het lichaam aan het onderzoeken, nog voor hij het verplaatst. Hij hoopt iets te vinden. Ze is behoorlijk toegetakeld,' zei Curtis met een diepe zucht. 'Blauwe plekken op gezicht, hals, romp, armen en benen. Het lijkt of ze gebeten is…' Hij keek Paris aan. 'Op diverse plaatsen.'

'Hoe is ze gestorven?' vroeg Dean.

'Dat weten we pas na de autopsie. De lijkschouwer schatte dat ze niet langer dan zes, zeven uur in het water heeft gelegen. Waarschijnlijk is ze er gisteravond ingegooid.'

'Als je moest gissen…'

'Dan zou ik zeggen wurging, zoals bij Maddie Robinson. De blauwe plekken op Janeys hals zijn dezelfde als die Maddie had. Aan de andere kant zou het kunnen dat er geen verband tussen hen is.'

'Verkrachting?'

'Dat zal de lijkschouwer eveneens bepalen. Nogmaals, als ik moest gissen, zou ik zeggen: hoogstwaarschijnlijk.'

Ze zwegen even. Toen vroeg Paris zacht: 'Zijn de Kemps al ingelicht?'

'Daarom was ik hier zo laat. Ik ben naar hun huis gegaan. De rechter ziedde nog van woede over het herziene besluit van de chef en dacht dat ik was gekomen om het weer goed te maken. Toen ik hun van het lijk vertelde, stortte Mrs. Kemp in, maar ze wilde zich niet door hem laten troosten.

Ze gaven elkaar de schuld. Ze schreeuwden beschuldigingen tegen elkaar. Het was een afschuwelijke vertoning. Op het moment dat ik vertrok, waren ze nóg bezig. Over een uur ontmoet ik ze in het lijkenhuis om een positieve identificatie te krijgen, en daar verheug ik me echt niet op.'

Curtis staarde even voor zich uit. Toen zei hij: 'Ik kan niet zeggen dat ik dol op ze ben, maar ik moet toegeven dat ik wel medelijden met ze heb. Hun enig kind is grof en met geweld bejegend en vermoord. God weet wat ze heeft moeten doorstaan voor ze stierf. Ik dacht onwillekeurig aan mijn eigen dochter, hoe ík me zou voelen als iemand haar dat aandeed en haar dan in een meer gooide, als voer voor de vissen.'

Dean zag uit zijn ooghoek dat Paris haar vingers tegen haar mond drukte, als om haar emoties in bedwang te houden. 'Waarom wilde je Gavin zien?' vroeg hij aan Curtis.

'Zou hij meewerken aan een leugendetectortest?'

'Slecht moment voor een grap, brigadier.'

'Ik maak geen grap. We tasten niet langer in het duister. Ik heb een dood meisje en zal dan ook de duimschroeven moeten aandraaien.'

'Bij mijn zoon?'

'Hij was een van de laatsten die haar levend hebben gezien.'

'Behalve degene die haar ontvoerde en vermoordde. Heb je Gavins alibi nagetrokken?'

'Zijn vrienden, bedoel je? Ja, een aantal van hen hebben we opgespoord.'

'En?'

'Unaniem stonden ze voor Gavin in, zeiden dat hij bij hen was. Maar ze waren dronken en stoned, dus waren hun herinneringen vaag. Niemand kon precies zeggen hoe laat Gavin zich bij hen voegde of hen verliet.'

'Je onderwerpt Gavin hier alleen maar aan omdat hij de enige verdachte is die je hebt,' zei Dean boos.

'Helaas heb je gelijk,' gaf de rechercheur geërgerd toe. 'Tot nu toe is er geen spoor van Lancy Ray Fisher geweest, hoewel we bij zijn woning en die van zijn moeder posten. Maar op zijn bankafschrift is iets interessants gevonden. Er waren enkele ingetrokken cheques die uitgeschreven waren op naam van een zekere Doreen Gilliam, een middelbareschooldocente die drama en spraakles geeft.'

Hij keek hen veelbetekenend aan voor hij eraan toevoegde: 'Miss Gilliam verdient wat bij door thuis privé-les te geven. Lancy alias Marvin heeft spraakles gehad. '

'Spraakles?' riep Paris uit. 'Hij sprak vrijwel nooit.'

Curtis haalde zijn schouders op.

'Om zijn stem te vervormen, misschien?' vroeg Dean.

'Dat dacht ik ook al,' zei Curtis.

'Hij werkte voor de telefoonmaatschappij en zou moeten weten hoe hij telefoontjes langs een andere route moet leiden,' peinsde Dean hardop. 'En hij is gefixeerd op Paris. Waarom zou hij anders al die bandjes hebben verzameld?'

'Een van de eerste dingen die ik hem ga vragen als hij wordt opgepakt,' zei Curtis. 'Nu er een lijk is gevonden, wordt niemand meer met fluwelen handschoentjes aangepakt. Niemand. Ik had niets meer vernomen van Toni Armstrong, dus heb ik een huiszoekingsbevel bemachtigd. Ik heb Rondeau persoonlijk verantwoordelijk gemaakt voor het kraken van Brad Armstrongs computer. Volgens mij is de kans groot dat Armstrong onze man is. Zijn vrouw verklaarde dat ze hem op het oppikken van een tienermeisje had betrapt.

Ook ik heb de districtspolitie ingeschakeld, en de Texas Rangers en de Highway Patrol. Elke ordehandhaver in de stad en de omgeving is op zoek naar Armstrong én Lancy Ray Fisher. Hoe dan ook, we pakken niet alleen Gavin aan.'

'Moet me dat een beter gevoel geven?' vroeg Dean. 'Dat mijn zoon op één hoop wordt gegooid met een zedendelinquent en een pornoster? En aangezien je hen niet kunt vinden eis je dat Gavin zich aan een leugendetectortest onderwerpt.'

'Ik eis het niet, ik verzóek het.'

Paris legde haar hand op Deans arm. 'Misschien kun je er beter mee instemmen, Dean. Het zal zijn onschuld bewijzen.'

Dean wilde geloven dat het zo zou aflopen, maar Gavin hield iets achter. Het was slechts een instinctief gevoel, maar sterk genoeg om hem bang te maken voor het geheim dat Gavin verzweeg.

Curtis keek met gefronst voorhoofd naar de map op zijn bureau. Dean vermoedde dat daarin de foto's van Janey Kemps lijk zaten, genomen op de plaats van het misdrijf. 'Wat we over Gavin hebben, is indirect bewijs, geen hard bewijs. Je zou in je recht staan als je de test weigert.' Hij keek Dean aan, die de uitdaging in die blik duidelijk zag.

'Laat maar, verdomme! Gavin doet die vervloekte test wel.'

28

'Paris, je spreekt met Stan.'

'Stan?'

'Je klinkt verbaasd. Je hebt me maanden geleden het nummer van je mobiele telefoon gegeven, weet je nog?'

'Maar je hebt er nooit gebruik van gemaakt.'

'Alleen in noodgevallen, zei je. Ik heb net het nieuws over Janey Kemp op het journaal gehoord en bel je om te vragen of alles in orde is met je.'

'Ik kan niet beschrijven hoe afschuwelijk ik me voel.'

'Waar ben je?'

'Op het politiebureau in de binnenstad.'

'Daar is het vast en zeker een gekkenhuis. Heeft het lijk nog aanwijzingen over de dader gegeven?'

'Het spijt me dat ik je moet teleurstellen, Stan, maar het enige walgelijke detail dat ik weet, is dat ze dood is.'

'Ben je van plan vanavond je programma te doen?'

'Waarom niet?'

'De algemeen directeur heeft oom Wilkins over het lijk ingelicht. Ze hebben erover gepraat en dachten dat je, na alles wat er gebeurd is, vanavond misschien vrij wilde nemen. Dan zouden ze een oude show uitzenden.'

'Later zal ik de algemeen directeur bellen en zelf met hem praten. Maar als iemand ernaar vraagt, zeg dan dat ik het programma live zal doen, net als altijd. Ik laat me niet bang maken door Valentino.'

'Hij heeft gedaan wat hij zei dat hij zou doen, Paris. Denk je dat hij opnieuw zal bellen?'

'Dat hoop ik. Hoe meer hij met me praat, hoe meer kans we hebben om hem te identificeren.'

'Jammer dat jullie hem niet hebben kunnen oppakken vóór hij haar vermoordde.' Na een korte stilte voegde hij eraan toe: 'Maar eigenlijk had ik je daar niet aan moeten herinneren, hè? Je voelt je vast al rot genoeg, omdat jij hem uiteindelijk tot het kwaad hebt aangezet.'

'Ik moet ophangen, Stan.'

'Ben je boos? Je klinkt boos.'

'Ik wil er op dit moment niet meer over praten, oké? Tot vanavond.'

Ze verbrak de verbinding. Hij wilde dat hij haar langer had kunnen laten praten, want dan was zijn telefoonlijn bezet. En als zijn oom steeds de in gesprektoon hoorde, raakte hij misschien ontmoedigd en hield hij op met bellen.

Sinds hij wist dat het lijk van Janey Kemp was ontdekt had oom Wilkins hem vaak gebeld. Hij deed net of hij zich zorgen maakte over de betrokkenheid van het station, maar Stan kende de reden van de regelmatige telefoontjes – oom Wilkins was hem aan het controleren.

Hij had nooit moeten toegeven dat hij zich tot Paris aangetrokken voelde. Je zou denken dat dat het enige was dat zijn oom tijdens hun ontmoeting had gehoord, want sindsdien had hij er telkens toespelingen op gemaakt.

Tijdens hun laatste telefoongesprek had Wilkins op zijn meest dreigende toon gezegd: 'Als je iets slechts of onbehoorlijks hebt gedaan...'

'Ik heb me hier als een koorknaap gedragen. Dat zweer ik bij God.'

Hoe zou hij zich anders hebben kunnen gedragen ten opzichte van Paris? Ze was niet grof of onbeleefd, maar ze leek nooit echt blij te zijn om hem te zien. Als ze met hem praatte, maakte ze soms een afwezige indruk, alsof ze aan iets dacht dat belangrijker en interessanter was dan hij.

Hij was er zeker van dat ze hem een kopje kleiner zou maken als hij een poging deed om haar te versieren. Ze had nooit met hem geflirt. In feite keek ze vaak door hem heen, alsof hij er niet was. Net als zijn ouders behandelde ze hem met een achteloosheid die even pijnlijk was als een regelrechte afwijzing. Hij werd geduld, meer niet.

Zijn kans op een liefdesavontuur met Paris was altijd heel klein geweest.

Maar toen Dean Malloy op het toneel verscheen, had hij helemaal geen kans meer gehad. Malloy was een arrogante klootzak, overtuigd van zichzelf en zijn aantrekkingskracht voor het andere geslacht. Hij zou nooit een secretaresse hoeven dwingen haar rok op te tillen of haar moeten overhalen om hem te pijpen.

Zo was het nu eenmaal: mannen als Malloy hadden het gewoon makkelijker.

En vrouwen als Paris voelden zich aangetrokken tot dat soort mannen.

Mensen als Paris en Malloy waren nooit afgewezen. Het zou nooit bij hen opkomen dat anderen niet zo makkelijk liefde en genegenheid kregen als zij. Ze straalden als heldere, kleine planeten, en ze wisten werkelijk niet hoe het was iemand te zijn die alleen maar om hen heen kon cirkelen. Ze hadden er geen idee van hoeveel moeite iemand zich moest getroosten om de genegenheid te krijgen die zíj vanzelfsprekend vonden.

Geen flauw idee.

Gavin had zijn hoofd zo diep gebogen, dat zijn kin bijna zijn borst raakte. 'In het meer?'

'Haar lijk is naar het lijkenhuis gebracht, waar een autopsie moet uitwijzen wat de doodsoorzaak is.'

Gavin bracht zijn hoofd omhoog. Hij was bleek geworden toen hij hoorde dat Janey dood was en had moeite om zich te vermannen. 'Pa, ik... Je moet me geloven. Ik heb het niet gedaan.'

'Dat geloof ik. Maar ik geloof ook dat jij iets voor me verzwijgt.'

Gavin schudde zijn hoofd.

'Wat het ook is, wil je het me niet liever vertellen dan dat het er tijdens een leugendetectortest uitkomt? Wát mag ik niet weten?'

'Niets.'

'Je liegt, Gavin. Daar ben ik zeker van.'

De jongen kwam overeind, met gebalde vuisten. 'Je hebt niet het recht om iemand van liegen te beschuldigen. Jíj bent de grootste leugenaar die ik ken.'

'Waar heb je het over? Wanneer heb ik tegen je gelogen?'

'Mijn hele leven!' Dean keek ontzet toe hoe de ogen van zijn zoon zich met tranen vulden. Boos veegde Gavin ze met zijn vuisten weg. 'Jij. Ma. Jullie zeiden altijd tegen me dat jullie van me hielden. Maar ik weet wel beter.'

'Waarom zeg je dat, Gavin? Waarom denk je dat we niet van je houden?'

'Jullie wilden me niet,' schreeuwde hij. 'Je maakte haar ongewild zwanger, is het niet? En dat is de enige reden waarom jullie zijn getrouwd. Waarom hebben jullie me niet gewoon laten weghalen?'

Dean en Pat hadden nooit met elkaar besproken wat ze tegen Gavin zouden zeggen als hij deze vraag ooit stelde. Misschien hadden ze dat moeten doen. Pat was er niet, dus kon Dean haar niet raadplegen en moest hij in z'n eentje antwoord geven op de kwellende vragen van zijn zoon. Al zou het Pat en hemzelf in verlegenheid kunnen brengen, hij besloot dat Gavin de volle waarheid verdiende.

'Ik zal je alles vertellen wat ik weet, maar pas als je gaat zitten en ophoudt naar me te kijken alsof je op het punt staat me naar de keel te vliegen.'

Gavin aarzelde even. Toen plofte hij neer op zijn stoel terwijl hij strijdlustig bleef kijken.

'Je hebt gelijk. Je moeder was zwanger toen we trouwden. Je was verwekt tijdens een feestweekend van het studentencorps in New Orleans.'

Gavin lachte bitter. 'Jemig. Het is nog erger dan ik dacht. Waren jullie wel minnaars?'

'We waren een paar keer samen uit geweest.'

'Maar ze was niet iemand van wie je... niet iemand die veel voor je betekende.'

'Nee,' gaf Dean kalm toe.

'Dus was ik een vergissing.'

'Gavin...'

'Waarom hebben jullie niets gebruikt? Waren jullie dronken of alleen maar dom?'

'Alle twee een beetje. Je moeder was niet aan de pil. Ik had me meer verantwoordelijk moeten gedragen.'

'Je was zeker woedend toen ze het je vertelde.'

'Ik moet toegeven dat het een grote schok was. Zowel voor je moeder als voor mij. Ze stond op het punt af te studeren en haar carrière te starten. Ik was ook bijna afgestudeerd. Haar zwangerschap was een obstakel waar geen van ons op had gerekend in die fase van ons leven. Maar – en ik wil dat je dit gelooft, Gavin – we hebben nooit een abortus overwogen.'

Aan Gavins gelaatsuitdrukking kon hij zien dat hij dat dolgraag wilde geloven, maar het nog steeds moeilijk vond om te accepteren. Dean snapte het wel. Misschien hadden hij en Pat er verkeerd aan gedaan dit niet met Gavin te bespreken zodra hij oud genoeg was om te begrijpen hoe vrouwen zwanger werden. Als ze het aan hem hadden uitgelegd, zou hij geen onzekerheden over zijn eigenwaarde hebben ontwikkeld en zo'n wrok tegen hen hebben gekoesterd.

'Er werd ook niet over adoptie gesproken, want vanaf het begin wilde Pat jou hebben en houden. Goddank had ze de goedheid me te vertellen dat ik een kind had verwekt. En toen ze dat deed, stond ik erop dat je mijn naam zou dragen. Ik wilde deel uitmaken van je leven. Geen van ons beiden wilde met de ander trouwen, maar ik wilde dat je wettelijk van mij was. Ten slotte stemde ze in met een huwelijk.

We hielden niet van elkaar, Gavin. Ik wilde dat ik iets anders kon zeggen, maar het zou niet de waarheid zijn, en daar vroeg je om. En ik denk dat je het verdient om de waarheid te horen. We vonden elkaar aardig, hadden het gezellig met elkaar en respecteerden elkaar. Maar we hielden niet van elkaar.

We hielden wél van jou. Toen ik je voor het eerst vasthield, was ik vol ontzag en in de zevende hemel, en bij je moeder was dat ook zo. Zij en ik woonden samen tot je werd geboren.

Gedurende die tijd probeerden we onszelf wijs te maken dat er uiteindelijk liefde tussen ons zou ontstaan en we zouden gaan beseffen dat we de rest van ons leven met elkaar wilden delen. Maar dat dat niet zou gebeuren, wisten we eigenlijk alle twee.

We huilden op de dag dat we het met elkaar eens werden dat bij elkaar blijven zou leiden tot drie ongelukkige mensen en het uitstellen van iets wat onvermijdelijk was. Voor jou was het het beste dat we zo gauw mogelijk uit elkaar gingen, voordat je je iets kon herinneren. Dus toen je drie maanden oud was, vroeg ze een echtscheiding aan.'

Hij spreidde zijn handen. 'Dat is het, Gavin. Ik denk dat het zal helpen als je hier ook met je moeder over praat. Het is te begrijpen dat ze niet wilde dat je het wist, want ze wilde niet dat je haar verkeerd beoordeelde, en ik wil dat ook niet. Ze was geen meisje dat met iedere vent op de campus de koffer indook. Dat weekend was het laatste studentenfeest dat we ooit zouden bijwonen, omdat we beiden op het punt stonden af te studeren. We gingen helemaal uit ons dak en... toen gebeurde het.

311

Je moeder heeft veel offers gebracht om jou als alleenstaande moeder groot te brengen. Ik weet dat je nu boos op haar bent omdat ze hertrouwd is. Dat is verdomde jammer. Pat is niet alleen je moeder, ze is een vrouw. En als je de kinderlijke angst hebt dat haar man je zal vervangen in haar leven, vergis je je. Geloof me, dat zou hij niet kunnen. Dat kan niemand.'

'Zo denk ik niet,' zei Gavin met neergeslagen blik. 'Ik ben geen idioot! Ik weet dat ze liefde nodig heeft en zo.'

'Hou dan eens op met mokken en zeg tegen haar dat je het begrijpt.'

Gavin haalde zijn schouders op. 'Ik wilde dat je het me eerder had verteld. Maar goed, ik wist het toch wel.'

'Nou, als je het toch wel wist en het geen belangrijk verschil in je leven maakte, waarom gebruik je het nu dan als excuus?'

Zijn hoofd ging met een ruk omhoog. 'Excuus?'

'Het is niet zo dat een duurzaam huwelijk garant staat voor een gelukkige jeugd, Gavin. Veel kinderen die met beide ouders in één huis wonen, hebben een veel slechtere jeugd gehad dan jij. En geloof me, ik weet het.

Je gebruikt het feit dat je ongewild bent verwekt als excuus om je als een eikel te gedragen. Dat is een lafhartige uitvlucht. Je moeder en ik zijn ook maar mensen. We waren jong en roekeloos en begingen een fout. Maar is het niet tijd dat je ophoudt over ónze fouten te peinzen en verantwoordelijkheid voor die van jezelf gaat nemen?'

Gavin kreeg een kleur van woede. Hij haalde zwaar adem door zijn neus. Maar opnieuw waren er tranen in zijn ogen.

'Ik hou van je, Gavin, met heel mijn hart. Ik ben dankbaar voor de "fout" die je moeder en ik die nacht hebben begaan. Ik ben bereid voor je te sterven. Maar ik weiger te accepteren dat je de omstandigheden van je geboorte gebruikt om me af te leiden van wat op dit moment noodzakelijker en veel crucialer is. '

Hij zette zijn stoel dichter bij die van zijn zoon en legde zijn hand op Gavins schouder. 'Ik heb eerlijk met je gesproken, van man tot man. Nu wil ik dat jij je als een man gedraagt en me vertelt wat je hebt verzwegen.'

'Niets.'

'Onzin! Er is iets wat je me niet vertelt.'

'Niet waar.'

'Je liegt.'

'Laat me met rust, pa!'

'Pas als je het me vertelt.'

Gavins gelaatstrekken weerspiegelden zijn innerlijke verwarring terwijl hij worstelde met zijn angst en misschien met zijn geweten. Ten slotte flapte hij eruit: 'Goed, wil je het weten? Ik was die avond met Janey in haar auto.'

Paris keek op haar horloge. Ze had meer dan een uur buiten het Centrale Onderzoeksbureau zitten wachten. Deans advocaat, die ze herkende van de dag ervoor, was gearriveerd en door de ingang verdwenen. Behalve dat wist ze niets van wat er gaande was. Ze wist niet of ze al dan niet met Gavins leugendetectortest waren begonnen.

Haar slaapgebrek begon op te spelen. Ze leunde met haar hoofd tegen de muur achter de bank en sloot haar ogen, maar ze kon nog steeds niet slapen. Talloze gedachten spookten door haar hoofd. Janey Kemp was dood. Een ziek, gestoord mens had haar gedood, maar Paris voelde zich gedeeltelijk verantwoordelijk.

Zoals Stan haar er zo tactloos aan had herinnerd, had haar advies aan Janey Valentino tot zijn daad aangezet. Als ze die avond Janeys telefoontje niet had uitgezonden, zou Valentino het niet hebben gehoord.

Maar triest genoeg had hij het wél gehoord. Wat had ze anders kunnen doen toen hij eenmaal had gedreigd Janey te zullen straffen? Wat had ze kunnen zeggen om te voorkomen dat hij de laatste stap zette en haar vermoordde?

'Miss Gibson?'

Ze opende haar ogen. Voor haar stond een tengere vrouw die duidelijk in nood was. Haar knappe gezicht was getekend en ze hield haar handtas in een dodelijke greep. Haar huid spande zich zo strak om haar knokkels dat haar botten zichtbaar waren. Angst had haar gereduceerd van tenger tot mager, en hoewel ze zich moedig voordeed, zag ze er even sterk uit als de pluis van een paardebloem.

Paris probeerde onmiddellijk de onbekende vrouw met een glimlach gerust te stellen. 'Ja, ik ben Paris.'

'Ik dacht al dat u het was. Mag ik naast u komen zitten?'

'Natuurlijk.' Paris maakte plaats op de bank en de vrouw ging zitten. 'Het spijt me, ik... Kennen wij elkaar?'

'Mijn naam is Toni Armstrong. Mrs. Bradley Armstrong.'

Paris herkende de naam natuurlijk, en ze begreep meteen waarom de vrouw in verwarring was. 'Dan weet ik waarom u hier bent, Mrs. Armstrong,' zei ze. 'Dit moet ontzettend moeilijk voor u zijn. Ik wou dat we elkaar onder prettiger omstandigheden hadden ontmoet.'

'Dank u.' Toni stond op het punt van instorten, maar het lukte haar tóch haar zelfbeheersing te bewaren. Daar had Paris respect voor. 'Toen de politie ons huis doorzocht hebben ze dít over het hoofd gezien.' Toni haalde een cd uit haar handtas. 'Aangezien ze Brads computer in beslag hebben genomen, dacht ik dat ik dit ook moest geven. Er zou iets belangrijks op kunnen staan.'

Een verwarrende gedachte maakte dat Paris haar voorhoofd fronste. 'Mrs. Armstrong, hoe herkende u me?'

Al hadden de media veel aandacht aan het nieuws van Janeys verdwijning besteed, Paris' foto was buiten de publiciteit gehouden. Wilkins Crenshaw had zich er persoonlijk mee bemoeid. Hij had druk uitgeoefend op de plaatselijke media om haar foto niet te gebruiken. Paris liet zich niet misleiden; hij was niet bezorgd voor haar. Hij wilde de goede naam van het radiostation beschermen. Hoe dan ook, de lokale media hadden daarin toegestemd, collega's onder elkaar. Ze was er niet zeker van hoe lang hun edelmoedigheid zou duren.

Toni Armstrong streek nerveus met het puntje van haar tong over haar lippen en boog haar hoofd. 'Deze cd van Brads computer was slechts het excuus dat ik mezelf gaf om naar brigadier Curtis te gaan. De échte reden is dat ik hem gisteren niet alles heb verteld.'

Paris zei niets, maar haar stilzwijgen nodigde Toni Armstrong uit verder te gaan.

'Brigadier Curtis vroeg me of Brad 's avonds laat weleens naar de radio luisterde. Ja, soms, zei ik. Toen vroeg hij iets anders. Hij is nooit op dat onderwerp teruggekomen. Uw naam werd niet genoemd, dus zei ik niet uit mezelf dat wij – Brad en ik – u kenden uit de tijd dat we in Houston woonden.'

Haar ogen smeekten, bijna alsof ze Paris dwong het zich uit zichzelf te herinneren, zodat zíj niet hoefde te vertellen onder welke omstandigheden ze aan elkaar waren voorgesteld.

'Het spijt me, Mrs. Armstrong. Ik kan me niet herinneren u ooit hebben ontmoet.'

en ik hebben elkaar niet écht ontmoet. U was een patiënte Louis Baker.'

314

Plotseling ging er bij Paris een lichtje branden. Hoe kon ze zich zijn naam niet hebben herinnerd? Natuurlijk, Armstrong was een doodgewone naam. Maar Curtis noch Dean had gezegd dat hun verdachte Brad Armstrong tandarts was.

'Is uw man tandarts? Díe tandarts?'

Toni Armstrong knikte.

Paris haalde diep adem. 'Het spijt me ontzettend.'

'U hoeft u niet bij me te verontschuldigen, miss Gibson. Wat er gebeurde was uw schuld niet. Ik verweet het u niet. U deed wat u moest doen. Brad dacht er anders over, natuurlijk. Hij zei dat u... dat u met hem had geflirt, hem had verleid.' Ze glimlachte droevig. 'Dat zegt hij altijd. Maar ik heb geen moment gedacht dat u hem had aangemoedigd te doen wat hij deed.'

Paris was naar dr. Louis Baker gegaan voor een tandheelkundige behandeling, maar toen ze bij de kliniek aankwam, was er tegen haar gezegd dat hij was weggeroepen vanwege een noodgeval in de familie. Ze had de keus gehad: een nieuwe afspraak maken of zich door een van zijn collega's laten behandelen. De afspraak was twee keer uitgesteld geweest, en ze was er al, dus had ze voor de andere tandarts gekozen.

Ze herinnerde zich Brad Armstrong als een knappe, innemende man. Aangezien het de bedoeling was dat er verscheidene handelingen werden verricht, waarvan sommige onaangenaam zouden kunnen zijn, had hij voorgesteld lachgas te gebruiken om haar te helpen ontspannen.

Ze had toegestemd, in de wetenschap dat lachgas geen duurzaam effect had zodra je ophield het in te ademen en dat het veilig was als het in een kliniek werd toegediend. Bovendien, als er een verdovende injectie nodig was, wilde ze liever niet weten wanneer die werd toegediend.

Algauw had ze zich helemaal ontspannen en zorgeloos gevoeld, alsof ze zweefde. Aanvankelijk had ze gedacht dat ze het zich slechts inbeeldde dat haar borsten werden aangeraakt, want de streling was vederlicht geweest. Het was natuurlijk slechts verbeelding, als gevolg van de euforische staat waarin ze verkeerde.

Maar toen het nog een keer gebeurde, was de druk duidelijker en direct op haar tepel gericht. Er was geen misverstand over mogelijk. Ze had haar ogen geopend, had daarna het kleine masker van haar neus gehaald en haar lethargie van zich afgeschud.

Brad Armstrong had glimlachend op haar neergekeken, en zijn wellustige blik had haar ervan overtuigd dat ze zich niets had verbeeld.

'Wat bezielt u in godsnaam?'

'Doe maar niet of je het niet lekker vond,' had hij gefluisterd. 'Je tepel is nog steeds hard.'

Al had ze achterovergelegen in de tandartsstoel, ze was eraf gevlogen. Daarbij had ze een metalen blad met instrumenten omvergegooid, dat op de vloer was gekletterd. Een assistente, die Brad had weggestuurd voor een verzonnen boodschap, was de behandelkamer binnengestormd. 'Miss Gibson, wat is er aan de hand?'

'Zeg maar tegen dr. Baker dat hij me belt zodra het hem schikt,' had Paris geroepen voordat ze naar buiten stormde.

De tandarts had haar later die dag gebeld en zijn bezorgdheid geuit. Ze had verteld wat er was gebeurd. Toen ze klaar was met haar verhaal had hij geërgerd gezegd: 'Ik schaam me te moeten zeggen dat ik dacht dat die andere vrouw loog.'

'Heeft hij het al eerder gedaan?'

'Ik verzeker u, miss Gibson, dat dit de laatste keer zal zijn. Het spijt me verschrikkelijk en ik bied u mijn excuses aan. Ik zal dit probleem onmiddellijk aanpakken.'

Dr. Armstrong was ontslagen. Nog een paar dagen had Paris van afkeer gehuiverd als ze aan het voorval dacht, maar na verloop van tijd was het uit haar geheugen verdwenen en had ze er niet meer aan gedacht. Tot nu.

'Ik neem aan dat uw man mij de schuld gaf van zijn ontslag.'

'Ja. Hoewel hij sindsdien voor gelijksoortige incidenten uit andere praktijken is ontslagen, is hij altijd wrok tegen u blijven koesteren. Toen u nog in Houston was zette hij de televisie uit als u op de buis verscheen en schold hij u uit voor van alles en nog wat. En toen uw verloofde gewond raakte, zei hij dat u het verdiende.'

'Wist hij het van Jack, het ongeluk?'

'En van dr. Malloy. Volgens hem was het een driehoeksverhouding.'

'O,' riep Paris zacht uit.

'Toen we hierheen verhuisden en Brad ontdekte dat u op de radio was, stak zijn haat de kop weer op.' Mrs. Armstrong boog haar hoofd en frunnikte aan de riem van haar handtas. 'Ik had dit gisteren aan brigadier Curtis moeten vertellen, maar ik was bang dat ze zouden denken dat Brad bij die zaak van dat vermiste meisje betrokken was.'

'Ze is niet langer vermist.' Toen Paris haar vertelde dat het lijk van Janey Kemp was ontdekt, verloor Toni Armstrong eindelijk haar dappere strijd tegen de tranen.

29

Telkens wanneer John Rondeau het pad van Dean Malloy kruiste gedroeg hij zich uiterst vriendelijk. Maar Malloy behandelde hem met duidelijke vijandigheid. Dat was Curtis niet ontgaan. Rondeau had hem aan Malloy horen vragen wat het probleem was, en Malloy had nors geantwoord: 'Niets.' Daarna had Curtis geen druk op hem uitgeoefend.

Wat Rondeau betrof, kon Malloy hem kwaad aankijken tot hij een ons woog. Het was Cúrtis die hij wilde paaien, niet Malloy. De psycholoog was hoger in rang, maar het was Curtis die Rondeau voor het Centrale Onderzoeksbureau kon aanbevelen.

Wat de zoon van Malloy betrof, die was doodsbang, precies wat Rondeau wilde. Het resultaat van de leugendetectortest was gunstig geweest voor de jongen en had hem in principe van verdenking gezuiverd. Je zou je dus kunnen afvragen waarom hij nog steeds zo nerveus was.

Gavin zat met opgetrokken schouders in een stoel vlak bij Curtis' bureau, in een verdedigende houding. Eén bonk zenuwen; hij kon niet stilzitten. Zijn ogen flitsten angstig heen en weer, en hij zag eruit of hij zou instorten als iemand hard 'boe' tegen hem riep.

Alleen Rondeau wist waarom de jongen nog steeds zo bang leek, maar hij vertelde het niet, en Gavin evenmin. Rondeau was er zeker van dat de jongen zou zwijgen. Hij had hem zoveel angst aangejaagd, dat de jongen hem niet zou verraden. Briljant idee om zijn vader te bedreigen, niet hém. Dat had uitstekend gewerkt.

Het was vol in Curtis' kamertje, waar ze zich allemaal voor een brainstormsessie hadden verzameld. Curtis was er natuurlijk, Malloy, Gavin. En Paris Gibson.

Rondeau was blij met elke gelegenheid om in haar nabijheid te zijn. Hoewel het moeilijk voor haar was om hem op te merken nu Malloy rondstampte en tot walgens toe herhaalde dat hij vreesde dat zij de volgende op Valentino's lijstje zou zijn.

Rondeau was door toeval in deze bijeenkomst verzeild geraakt toen hij Curtis kwam melden wat hij had gevonden op de cd die Mrs. Armstrong aan Paris had overhandigd. Het was niet wereldschokkend, maar hij greep alles aan om indruk op Curtis te maken en zijn kans om bij het Centrale Onderzoeksbureau te komen te vergroten.

Paris – onschuldig, natuurlijk – had het gras voor zijn voeten weggemaaid. Wat Toni Armstrong voor hem had verzwegen toen hij haar huis doorzocht, had ze wél aan Paris verteld – dat haar man Paris had geliefkoosd toen ze zijn patiënte was.

Als Mrs. Armstrong dit met hém had gedeeld en híj het onder Curtis' aandacht had gebracht, zou het zíjn verdienste zijn geweest, maar nu zou hij moeten proberen op een andere manier uit te blinken.

'Ik heb geen goed gevoel over die man,' zei brigadier Curtis over de tandarts. 'Heeft hij vandaag contact met zijn vrouw opgenomen?' vroeg hij aan Paris.

'Ze zei van niet. Al haar pogingen om hem te bereiken zijn vergeefs geweest.'

'Als hij haar met zijn mobieltje belde, zouden we zijn positie via de satelliet kunnen bepalen,' merkte Malloy op.

'Ik weet zeker dat hij het om die reden níet heeft gedaan,' zei Rondeau. Hij hoopte maar dat hij de opmerking van Malloy dwaas had laten klinken. Zijn hals deed nog steeds pijn omdat er de vorige dag zo hard op was gedrukt. Hij en Malloy zouden nooit vrienden zijn, maar dat beschouwde hij niet als een groot verlies.

'Heb je al gecheckt welke nummers hij gebeld heeft het afgelopen jaar?' vroeg Malloy.

'Daar zijn we mee bezig,' antwoordde Curtis. 'Het zal er slecht voor hem uitzien als hij herhaaldelijk telefoontjes met het radiostation heeft gepleegd.' Hij wendde zich weer tot Paris en vroeg: 'Herkende Mrs. Armstrong zijn stem op de bandjes?'

'Ze is die opnieuw aan het afluisteren, maar ik vraag me af hoe betrouwbaar haar inbreng zal zijn. Ze is erg van streek. Toen ik haar over Janey vertelde, stortte ze in en kwam alle opgekropte spanning eruit.'

'Zou je Brad Armstrong herkennen als je hem zag?'

Paris fronste haar voorhoofd. 'Dat denk ik niet. Het voorval heeft lang geleden plaatsgevonden. Ik heb hem alleen die ene keer gezien, en toen was ik bedwelmd door lachgas.'

'Zou een foto kunnen helpen?' vroeg Rondeau. Hij duwde Malloy zachtjes opzij en drong zich naar het midden van de kamer.

'Misschien,' zei Paris.

Hij toonde de cd die Toni Armstrong van huis had meegebracht en aan Paris had gegeven. 'Blijkbaar scande Brad Armstrong foto's en brandde ze op cd's. Op de cd's die we tijdens de huiszoeking vonden, stonden pornofoto's uit tijdschriften.

Maar op deze laatste staan familiekiekjes. Ik heb hem meegenomen, zodat hij kan worden teruggegeven aan Mrs. Armstrong, maar misschien komt hij nu van pas. Misschien wordt je geheugen erdoor opgefrist, Paris.'

'Het kan geen kwaad ernaar te kijken,' zei Curtis. Hij startte de computer op zijn bureau op en deed daarna een stap opzij, zodat Rondeau kon gaan zitten. Rondeau was zich ervan bewust dat Paris vlak achter hem ging staan om een beter zicht op het computerscherm te hebben en hij ving een vleugje op van een frisse geur, iets van shampoo.

Hij voerde de noodzakelijke handelingen uit, en binnen een paar seconden vulde een foto het scherm. Het gezin van vier personen poseerde voor een attractie in een themapark. Ouders en kinderen droegen Amerikaanse kleren en glimlachten. Het toonbeeld van de Amerikaanse Droom.

Rondeau draaide zich naar Paris om. 'Komt hij je bekend voor?'

Even bestudeerde ze de man op de foto. 'Eerlijk gezegd niet. Als ik hem in een menigte had gezien, zou ik hem niet meteen hebben herkend als de man die me streelde. Het is té lang geleden.'

'Weet je zeker dat je hem de laatste tijd niet hebt gezien?' vroeg Malloy. 'Als hij zo'n wrok tegen je koestert als Mrs. Armstrong beweert, heeft hij je misschien achtervolgd.'

'Als ik hem gezien mocht hebben, dan is dat niet echt tot me doorgedrongen.'

Curtis, die nog steeds aandachtig naar de foto van de familie Armstrong stond te kijken, zei: 'Ik vraag me af wie de foto heeft genomen.'

'Hij waarschijnlijk,' zei Rondeau. 'Een man die een scanner heeft en een fotoalbum op cd maakt...'

'Is dol op camera's,' maakte Curtis de zin voor hem af. Hij wendde zich tot Gavin. 'Janey zei tegen je dat haar nieuwe vriend die foto van haar had genomen, klopt dat?'

De jongen verbleekte onder de aandacht van alle aanwezigen in de kamer. Zijn linkerknie trilde hevig. 'Ja, sir. Toen ze me de foto gaf, zei ze dat híj hem had genomen, en ook nog een heleboel andere. Ze zei dat hij bijna evenveel van fotograferen hield als van seks.'

'Ik herinner me niet dat er fotoapparatuur gevonden is tijdens de huiszoeking,' zei Rondeau. 'Maar hij moet speciale apparatuur hebben, anders zou hij deze familiefoto's niet hebben kunnen maken. Sommige zijn genomen met een groothoek- of een telelens.'

'Heeft het lab iets gevonden op de foto die Janey aan Gavin heeft gegeven?' vroeg Malloy.

Curtis schudde zijn hoofd. 'Er zaten alleen vingerafdrukken van Janey en Gavin op.'

'Brigadier Curtis?' Griggs onderbrak hen en stak zijn hoofd om de hoek van de deur.

'Een minuutje,' zei de rechercheur.

'Hoe zit het met de plaatselijke fotozaken?' vroeg Malloy.

'Dat wordt nog onderzocht,' zei Curtis. 'Het opsporen van hun klanten is een tijdrovend proces.'

'Je zou niet denken dat er zoveel mensen zijn die een eigen donkere kamer hebben,' zei Malloy.

'Klanten van postorderbedrijven. Gefaxte bestellingen. Mensen die via het internet bestellen. Het is een hele klus.'

Griggs onderbrak hen voor de tweede keer. 'Brigadier Curtis, dit is belangrijk.'

Maar Curtis' geest was maar op één ding gericht en hij wendde zich tot de rechercheurs die zich buiten zijn kamer hadden verzameld. Sommigen hielden zich niet met moordzaken bezig, maar Curtis had alle rechercheurs gevraagd om hun medewerking en hun tijd, als ze die konden missen.

'Iemand moet nagaan of er een donkere kamer is in het huis van Brad Armstrong. Garage, zolder, gereedschapsschuurtje, extra badkamer. Het kan me niet schelen hoe primitief.' Een van de rechercheurs maakte zich snel los van de groep en vertrok.

'We hebben zo gauw mogelijk een lijst nodig van de telefoontjes die vanuit het huis van Brad Armstrong zijn gepleegd. Zoek eens uit waarom dat zo lang duurt.' Een andere rechercheur liep weg om die opdracht uit te voeren.

'Druk een foto van hem af – geen familieleden, alleen híj – en breng die foto snel naar alle televisiestations, zodat ze hem tijdens hun eerste avondjournaal kunnen laten zien. Hij wordt gezocht voor ondervraging, begrepen? Ondervráging,' zei hij met nadruk tegen de rechercheur die een hand uitstak naar de cd die Rondeau behulpzaam uit Curtis' computer haalde.

'Verspreid hem ook onder de agenten die fotozaken controleren,' riep Curtis. 'Fax hem naar alle andere instanties die ons helpen zoeken.'

Toen dat doeltreffend was afgehandeld, zei Rondeau: 'Sir, het spijt me dat ik niet eerder op dat idee ben gekomen.'

'Het geeft niet. Zonder jou zouden we nog steeds niet weten dat Armstrong "amateurfotograaf" is.' Curtis wendde zich nu tot Paris. 'Zijn vrouw zal onze beste inlichtingenbron zijn. Weet je zeker dat ze wil meewerken?'

'Absoluut. Of hij Valentino is of niet, ze wil dat hij wordt gevonden, en ze heeft beloofd op alle mogelijke manieren haar medewerking te verlenen.'

Curtis knikte naar een politievrouw in burger. 'Ga een praatje met Mrs. Armstrong maken en vraag als terloops wie hun familiefoto's maakt.'

Terwijl iedereen werd afgeleid, keek Rondeau naar Gavin Malloy en gaf hem een knipoog. De jongen bewoog geluidloos zijn lippen. *Krijg de klere.* Rondeau grijnsde.

'Brigadier?' Griggs was nog steeds lastig. 'Neem me niet kwalijk, maar…'

Eindelijk wendde Curtis zich tot hem en gromde: 'Wat is er in godsnaam?'

'I… iemand die met u wil praten, sir,' stotterde hij. 'En… en met miss Gibson.'

'Iemand? Wíe?'

Griggs wees naar de andere kant van de afdeling. Curtis en Paris volgden hem door de doolhof van identieke kamertjes naar de dubbele deuren van de hoofdingang, waar twee geüniformeerde politieagenten een man met handboeien om vasthielden.

'Marvin!' riep Paris uit.

Lancy Ray Fisher zat aan de tafel in een van de verhoorkamers. Paris zat tegenover hem terwijl Curtis aan het ene eind stond en Dean aan het andere. Hoewel hun voornaamste aandacht op dr. Brad Armstrong gericht was geweest, bleef de man die Paris kende als Marvin Patterson een mogelijke verdachte.

Hij was het politiebureau binnengelopen en had zich aan de agenten voorgesteld. Aangezien ze hem onmiddellijk hadden herkend, hadden ze hem handboeien omgedaan voordat hij met de lift naar de derde verdieping werd gebracht. Hij had zich totaal niet verzet. Telkens wanneer Paris en hij oogcontact maakten, wendde hij snel zijn blik af. Het leek of hij zich ergens schuldig over voelde.

Het verbaasde haar hoe leuk hij eruitzag zonder zijn flodderige overall en de honkbalpet die hij altijd op zijn werk droeg. Ze had zijn gezicht nooit bij daglicht gezien en hij het hare ook niet, bracht ze zich in herinnering. Misschien waren de blikken die hij op haar wierp niet alleen schuldbewust, maar ook nieuwsgierig.

'Heb ik een advocaat nodig?' vroeg hij aan Curtis.

'Dat weet ik niet. Wat denk je zélf?' antwoordde de rechercheur koeltjes. 'Jíj hebt deze vergadering belegd en erop gestaan dat Paris er ook bij was. Jíj moet zeggen of je een advocaat nodig hebt.'

'Nee. Omdat ik u meteen kan vertellen, en het is de zuivere waarheid, dat ik niets met die ontvoering en de moord op dat meisje te maken heb.'

'We hebben je er ook niet van beschuldigd daar iets mee te maken te hebben.'

'Waarom grepen die kerels beneden me dan vast en deden ze me deze dingen om?' Hij stak Curtis zijn geboeide handen toe. Onbewogen antwoordde Curtis: 'Ik zou denken dat je eraan gewend bent, Lancy. Je hebt ze vaak genoeg omgehad.'

De jongeman liet zich weer in zijn stoel zakken, een erkenning dat het waar was.

'Marvin,' zei Paris om zijn aandacht te trekken, 'ze hebben bandjes van mijn shows in je appartement gevonden. Een groot aantal bandjes. Ik wil graag weten waarom je die had.'

'Mijn echte naam is Lancy.'

'Het spijt me, Lancy. Waarom heb je al die bandjes verzameld?'

Dean zei: 'Wij hebben het idee dat je een obsessieve belangstelling voor haar hebt.'

'Ik zweer het, het is niet wat u denkt.'

'Wat dénk ik dan?' vroeg Dean.

'Dat het om een of andere perverse reden is. Dat is niet zo. Ik... ik heb haar bestudeerd.' Hij keek beurtelings naar hun verbijsterde gezichten. 'Ik, eh, ik wil zijn zoals zíj. Doen wat zíj doet, bedoel ik. Ik wil bij de radio werken.'

Als hij had gezegd dat hij een atoomduikboot door de ronde koepel van het Capitool wilde loodsen, hadden ze niet verbaasder kunnen zijn.

Paris was de eerste die weer bijkwam. 'Wil je een carrière bij de radio?'

'Dat vindt u natuurlijk idioot, gezien mijn strafblad en zo.'

'Ik vind het niet idioot. Ik ben alleen verbaasd. Wanneer heb je voor die loopbaan gekozen?'

'Een paar jaar terug, toen ik uit Huntsville kwam en 's avonds naar u begon te luisteren.'

'Waarom Paris, waarom geen andere dj?'

'Omdat ik hield van de manier waarop ze met mensen praatte,' zei hij tegen Dean. Daarna richtte hij zich weer tot Paris. 'Het leek of u écht geïnteresseerd was in de mensen die belden, alsof u écht geïnteresseerd was in hun problemen.' Hij zag er opgelaten uit terwijl hij eraan toevoegde: 'Een tijd lang had ik het bepaald niet gemakkelijk. Het viel niet mee om weer terug te zijn in het leven buiten de gevangenis. U was als het ware mijn enige vriend.'

Curtis staarde hem sceptisch aan, met gefronst voorhoofd. Ook Dean fronste. Maar Paris wierp hem een glimlach toe die hem aanmoedigde om verder te gaan.

'Op een avond belde er een vent. Hij zei tegen u dat hij was ontslagen en geen andere baan kon vinden. U zei dat u het gevoel had dat zijn zelfvertrouwen een deuk had opgelopen en dat je in dat geval naar het hoogste moest streven, naar het verste moest reiken.

Ik volgde de raad op die u hem gaf, stopte mijn pogingen om slechtbetaalde baantjes te krijgen en solliciteerde bij de telefoonmaatschappij. Ze namen me in dienst. Ik verdiende goed, genoeg voor spraaklessen, betere kleren en een goede auto. Maar ik werd hebberig. Ik jatte apparatuur waarvan ik wist dat ik die snel zou kunnen verpatsen. Ze dienden geen aanklacht tegen me in, maar ontsloegen me.'

Hij zweeg abrupt, alsof hij zichzelf kwalijk nam dat hij zo'n beoordelingsfout had gemaakt. Paris keek Dean aan, die zijn schouders ophaalde, alsof hij wilde zeggen dat Lancy óf de waarheid zei óf een kolossale leugen opdiste.

'Na een paar weken zonder werk te hebben gezeten,' vervolgde Lancy, 'kon ik mijn geluk niet op toen ik in de krant de advertentie voor een baan bij het radiostation zag staan. Het kon me niet schelen dat ik de plees... eh, de toiletten moest schoonmaken. Ik wilde hoe dan ook in die omgeving zijn, zodat ik naar u kon kijken, zien hoe u werkte. Misschien zelfs iets van de technologie kon oppikken.

Thuis stelde ik een cassetterecorder zo af, dat elke radioshow van u werd opgenomen. Overdag luisterde ik de bandjes herhaaldelijk af en probeerde uw manier van praten na te doen. Ik oefende om uw uitspraak en uw ritme onder de knie te krijgen, en ik nam spraakles om mijn accent kwijt te raken.'

Hij wierp haar een grijns toe. 'Zoals u kunt horen, zal dat nog heel wat tijd en energie kosten. Natuurlijk weet ik dat ik nooit zo goed zal zijn als u, hoe hard ik er ook aan werk. Maar ik ben vastbesloten er mijn uiterste best voor te doen. Ik wilde... ik móest, hoe noemen ze dat?'

'Jezelf opnieuw uitvinden?' gokte ze.

Zijn gezicht klaarde op. 'Ja, dat is het. Daarom gebruikte ik een schuilnaam. Aan mijn echte naam kun je te goed horen waar ik vandaan kom.'

Curtis gooide een map op de tafel, en toen Lancy zag dat het zijn strafblad was, kromp hij ineen. 'Ik weet dat het er niet best uitziet, maar ik zweer bij God dat ik dat leven achter me heb gelaten.'

'Het is een lange lijst van vergrijpen, Lancy. Heb je in Huntsville Jezus gevonden of zo?'

'Nee, sir. Ik wilde de rest van mijn leven gewoon geen uitschot meer zijn.'

Curtis schraapte zijn keel, niet overtuigd.

Lancy keek om zich heen en moest zich hebben gerealiseerd dat ze nog steeds sceptisch waren. Hij bevochtigde zijn lippen en zei met wanhoop in zijn stem: 'Ik zou Paris nooit kwaad doen. Ze is mijn idool. Ik heb geen bedreigende telefoontjes gepleegd. En wat het meisje dat dood is aangetroffen betreft, ik weet van níets.'

Curtis ging op een punt van de tafel zitten en richtte zich op een bedrieglijk vriendelijke manier tot de jongeman. 'Hou je van middelbareschoolmeisjes, Lancy Ray?'

'Sir?'

'Je bent op je zestiende al van school gegaan.'

'Ik heb in de gevangenis mijn diploma gehaald.'

'Maar je hebt alle pret van het middelbareschoolleven gemist. Misschien ben je dat aan het inhalen.'

'Met de meisjes bedoelt u?'

'Ja, dat bedoel ik.'

Hij schudde heftig zijn hoofd. 'Ik pik geen minderjarige meisjes op om met ze te vrijen. Ik ben niet volmaakt, maar dát is mijn stijl niet.'

'Verkies je vrouwen?'

'Boven mannen bedoelt u? Nou en of!'

'Je hebt een knap gezicht en bent goedgebouwd. Het kan heel eenzaam worden in de gevangenis.'

Lancy wierp een verlegen blik op Paris. Daarna boog hij zijn hoofd en bromde: 'Ze lieten me met rust, want ik stak een van hen met een vork in zijn... in zijn ballen. Ik moest er een jaar langer voor zitten, maar daarna vielen ze me niet meer lastig.'

Paris voelde zich opgelaten. Ze hoopte dat Curtis zou ophouden, maar ze was bang dat als ze tussenbeide kwam hij haar zou vragen te vertrekken, en ze wilde dit per se horen.

Curtis zei: 'Gisteren heb ik je moeder ontmoet.'

Lancy hief zijn hoofd op en keek de rechercheur recht in de ogen. 'Ze is een rotwijf.'

'Hoorde u dat, dr. Malloy? Klonk dat als latente vijandigheid ten opzichte van een vrouw? Een wrok...'

'Ik mag mijn moeder niet,' zei Lancy fel, 'maar dat heeft geen invloed op mijn seksleven. Als ze úw moeder was, zou u haar dan mogen?'

Curtis bleef aandringen. 'Heb je een vriendin?'

'Nee.'

'Wil je er een?'

'Soms.'

'Soms,' herhaalde Curtis. 'Als je naar een vriendin verlangt, wat doe je dan?'

'Hoe bedoelt u?'

'Kom nou, Lancy Ray.' Curtis tikte met zijn wijsvinger op de map. 'Je bent veroordeeld wegens verkrachting.'

'Het wás geen verkrachting.'

'Dat zeggen alle verkrachters.'

'Die vent, die filmproducent...'

'Een pornograaf.'

'Precies. We maakten drie pornofilms voor boven de achttien. In zijn garage. Hij werd boos toen zijn meisje met me flirtte. We hadden er geen problemen mee om... je weet wel, terwijl zijn camera liep. Maar niet privé. Dus kregen hij en ik ruzie, en...'

'En bracht jij hem ernstige verwondingen toe.'

'Het was zelfverdediging.'

'Dat geloofde de jury niet, en ik evenmin,' zei Curtis. 'Toen je met hem klaar was, begon je met het meisje.'

'Nee, sir!'

Hij ontkende het zó heftig en verontwaardigd, dat Paris wel móest geloven dat hij de waarheid sprak. 'Híj was het. Híj tuigde haar af!' Hij wees naar de map. 'Alle dingen die haar werden aangedaan deed híj.'

'Ze vonden jouw DNA.'

'Omdat zij en ik eerder die dag hadden gevrijd. Hij betrapte ons, en daardoor ontstond de ruzie.'

'Zijn getuigenis werd onder ede bevestigd door twee cameramannen en het meisje zelf.'

'Ze waren allemaal junks die hij van dope voorzag. En ík had hun niets te bieden in ruil voor het vertellen van de waarheid.'

Dean vroeg: 'Waarom zouden wij jouw versie van het verhaal moeten geloven, Lancy?'

'Omdat ik al mijn andere misdaden beken. Ik heb afschuwelijke dingen gedaan, maar ik heb nog nooit een vrouw in elkaar geslagen.'

Paris boog zich over de tafel naar hem toe. 'Waarom ging je ervandoor toen de agenten belden om te zeggen dat ze je wilden ondervragen? Waarom zei je niet tegen hen wat je nu tegen ons zegt?'

Hij zuchtte diep en bracht zijn geboeide handen omhoog om over zijn voorhoofd te wrijven. 'Ik raakte compleet in paniek. Ik ben een ex-crimineel, en dat maakt me automatisch tot een verdachte. En ik wist dat als ze ontdekten dat ik uw show had opgenomen, ze me zonder enige twijfel zouden inrekenen.'

'Waarom liet je de bandjes dan achter?'

Hij glimlachte verlegen. 'Omdat ik dom ben. Ik werd bang, sloeg op de vlucht en vergat de bandjes. Misschien ben ik mijn criminele instinct kwijt. Dat hoop ik maar.'

Hij had een manier van doen die Paris leuk vond, maar dat leek bij Curtis niet het geval te zijn.

'Als je dit eergisteren had bekend, zouden we je misschien eerder hebben geloofd.'

Lancy keek naar Paris en zei ernstig: 'Ik spreek de waarheid. Ik weet niets over die Valentino of die telefoontjes. Ik weet niets over Janey Kemp, behalve wat ik op het journaal heb gehoord. Het enige waaraan ik schuldig ben, is dat ik wilde leren wat ú doet.'

'Je hebt maanden op het station gewerkt,' zei ze zachtjes, 'maar je hebt nooit een gesprek met me gevoerd. Waarom ben je niet naar me toegekomen om met me over je ambitie te praten? Om advies te vragen? Leiding?'

'Dat kán toch niet!' riep hij uit. 'U bent een ster, en ik ben de schoonmaker. Ik had niet de moed om met u te praten. En als ik dat wel had gedurfd, zou u me hebben uitgelachen.'

'Dat zou ik nooit hebben gedaan.'

Hij zocht haar ogen achter de brillenglazen. 'Nee, misschien niet. Dat zie ik nu in.'

'Waar ben je al die tijd geweest?' vroeg Curtis. 'Je bent niet naar je moeders caravan of naar je appartement teruggegaan.'

'Ik heb een... een zogeheten...'

'Stekkie?' zei Curtis.

Lancy keek beschaamd. 'Ja, sir. Ik zal u het adres geven. U mag het gerust doorzoeken.'

'Dat zullen we zeker doen,' zei Curtis, terwijl hij Lancy's arm beetpakte en hem uit de stoel trok. 'En terwijl wij daarmee bezig zijn, zul jij híer wonen, bij ons.'

30

Het was een fantastische bar om iemand op te pikken.

De bar bevond zich op de oever van het meer. Een café met cederhouten dakspanen, heel bekend bij de plaatselijke bevolking. Vissers zouden het toevallig kunnen ontdekken, maar het was geen kroeg die toeristen of leden van de golfclub aantrok. Meestal waren de klanten arbeiders, cowboys en motorrijders. Het was dus hoogst onwaarschijnlijk dat Brad Armstrong hier door een bekende zou worden gezien.

Pindadoppen kraakten onder zijn voeten terwijl hij zich een weg door de schemerige bar baande. De ruimte was slechts verlicht door neonborden, waarop een Amerikaanse vlag met één ster en een biermerk stonden. De afgeschermde lampen boven de biljarttafels zorgden voor extra verlichting, maar dat licht werd versluierd door tabaksrook.

De glimmende Wurlitzer-jukebox in de hoek verspreidde een ronddraaiende regenboog van pastelkleuren, maar er was niets subtiels aan de schallende muziek die eruitkwam. Het was oude countrymuziek, het scherpe, jammerende, naargeestige soort, vóór Garth, MacGraw en dergelijke.

Klanten dronken bier uit het flesje, whisky of tequila. Dat dronk ook het meisje toen Brad naast haar aan de bar ging zitten.

Hij herkende haar meteen. Dat ze hier was vandaag was een kosmisch teken dat hij niets verkeerds deed.

Hij keek naar de twee lege whiskyglazen die voor haar stonden. Daarna wenkte hij de barman om twee tequila's te bestellen. 'Een voor mij en een voor de dame met de tepelpiercing.'

Ze keek hem aan. 'Hoe weet jij…. O, hallo, een paar avonden geleden, hè?'

Hij grijnsde. 'Ik ben blij dat jij het je herinnert.'

'Jij bent de vent met al die porno.'

Hij keek teleurgesteld. 'Ik hoopte dat jij je mij zou herinneren vanwege mijn andere gedenkwaardige kwaliteiten.'

Ze liet haar tong langs haar bovenlip glijden en glimlachte. 'Dat ook.'

'Ik zou jou niet in een tent als deze verwachten,' zei hij. 'Het is beneden je niveau.'

'Ik kom hier af en toe.' Ze kraakte een pindadop tussen haar tanden en at de pinda's bevallig op. 'Voordat de Sex Club bijeen begon te komen.' Ze liet de dop op de vloer vallen en veegde haar handen af. 'Jij past hier ook niet echt.'

'Ik denk dat we waren voorbestemd elkaar weer te zien.'

'Te gek,' zei ze.

Ze had zich zwaar opgemaakt om oud genoeg te lijken om wettig te mogen drinken. De barman was erin getuind of, waarschijnlijker, het kon hem niets schelen dat ze minderjarig was. Hij serveerde de tequila die Brad had besteld.

'Waar zullen we op drinken?'

Ze keek met haar grote, donkere ogen naar het plafond, alsof het antwoord in de chemisch verontreinigde laag rook stond die daar hing. 'Wat denk je van body-piercing?'

Hij boog voorover en fluisterde: 'Ik krijg al een stijve als ik eraan denk.' Hij tikte zijn glas tegen het hare en ze sloegen gelijktijdig de scherpe drank achterover.

Dit is verdomde gemakkelijk, dacht hij. Waarschuwden moeders hun dochters niet meer tegen het praten met vreemden? Zeiden ze niet dat ze nooit mochten meegaan met een man die ze niet kenden? Waar ging het allemaal heen in deze wereld? Het maakte hem bang om zijn dochters.

Maar het denken aan zijn gezin verpeste de stemming, dus stopte hij de gedachte eraan veilig weg en bestelde nog een rondje tequila.

Daarna kwamen ze overeen te vertrekken, en hij glimlachte zelfvoldaan terwijl ze langs de biljarttafels liepen. Hij werd beneden afgunstig bekeken door stoere mannen met tatoeages op hun armen en messen aan hun brede, leren riemen. Wat hun kennelijk niet was gelukt, was hem wel gelukt. Misschien omdat zijn haar schoon was.

'Je heet toch Melissa?' zei hij terwijl hij het portier van zijn auto voor haar openhield.

Haar glanzende, rode lippen glimlachten omdat hij haar naam nog wist. 'Waar gaan we heen?'

'Ik heb een kamer.'

'Super.'

Belachelijk gemakkelijk.

Het was niet zo verstandig van hem geweest om vanavond naar buiten te gaan, maar als hij nog één minuut langer opgesloten had gezeten zou hij gek zijn geworden. Hij kon niet naar huis teruggaan. De hele dag door had Toni om het kwartier gebeld en hem gesmeekt om terug te komen. De politie wilde alleen maar met hem práten, had ze gezegd. Ja, had hij gedacht, ze willen met me praten nadat ze me achter de tralies hebben gezet.

Hij had zijn telefoon niet opgenomen en had haar niet gebeld, in het besef dat de politie zijn mobieltje via een satelliet kon traceren. De ontdekking van Janeys lijk was een slecht voorteken voor hem. Verslaggevers hadden gezegd dat er een lijkschouwing plaatsvond, en toen hij dat hoorde, was hij bijna over de rooie gegaan.

Hij had gepiekerd, geijsbeerd, gescholden op zijn vrouw omdat ze hem niet begreep, en op Janey omdat ze een opgeilster was die hij niet kon weerstaan, en zelfs op zijn moeder die hem in zijn kinderjaren zwaar had gestraft omdat hij zich aftrok.

Eigenlijk herinnerde hij zich dat niet, maar psychologen hadden hem tijdens therapiesessies gevraagd of hij om die reden was gestraft. Hij had ja gezegd, omdat dat de verwachte en aanvaarde verklaring voor zijn seksuele verslaving leek te zijn.

Toen de nieuwsberichten nog slechter werden en zelfs zijn naam werd genoemd, was zijn ongerustheid toegenomen. Hij had geprobeerd zichzelf af te leiden door zijn pornografische tijdschriften te bekijken en de brieven en de 'echte' ervaringen van abonnees te lezen. Maar dat was hem algauw gaan vervelen, omdat ze niets nieuws meer boden. Bovendien zou zijn verlangen er niet door worden bevredigd.

Hij was opgewonden geweest en had verlichting nodig gehad. Gezien de druk waaronder hij stond, kon niemand hem dat toch kwalijk nemen? Hij had besloten dat verlichting niet naar hém toe kwam, maar dat hij ernaar op zoek moest gaan.

En dat was gelukt.

'De vorige keer reed je in een andere auto,' merkte Melissa op terwijl ze van de ene radiozender naar de andere ging, tot ze een radiostation vond dat een eentonige rapsong uitzond.

De politie zou zijn auto hebben herkend, dus had hij telefonisch een auto besteld bij een autoverhuurbedrijf dat de wagens aan huis bezorgde. Geen grote firma die tot een keten behoorde en bij wie je allerlei documenten moest overleggen, maar een bedrijf dat, volgens de advertentie in de Gouden Gids, contant geld accepteerde. Volgens Brad betekende het dat het verhuurbedrijf niet zwaar tilde aan regels en bepalingen. De enige beloofde voorziening was een goede airco in al hun auto's.

In afwachting van de komst van de auto had hij zich gedoucht en aangekleed. Daarna had hij zich rijkelijk met Aramis besproeid. Vervolgens had hij een voorraad condooms in zijn broekzak gestopt.

Zoals hij had verwacht, had de man die de auto afleverde eruitgezien alsof hij als volgende klus een winkel ging beroven. Brad had hem een vluchtige blik op zijn rijbewijs laten werpen en valse informatie op een formulier ingevuld. Hij had de vereiste waarborgsom neergeteld, plus tien dollar fooi. De man had gebroken Engels gesproken. Het had hem zo te zien niets kunnen schelen op welke dag Brad de tien jaar oude auto naar het bedrijf terug zou brengen.

'Hadden we elkaar eerder ontmoet?' vroeg Melissa hem nu, 'vóór die eerste avond, bedoel ik. Je komt me zo bekend voor.'

'Ik ben een beroemde filmster.'

'Dat moet het zijn,' giechelde ze.

Om haar van dat spoor af te leiden zei hij: 'Zie je er altijd zo sensationeel uit?'

'Vind je dat?'

In feite zag ze eruit als een hoer. Haar punkkapsel was nog hoger dan de vorige keer, en buiten het zwakke licht van de bar zag haar make-up er nóg opzichtiger uit. Haar topje was gemaakt van een dunne stof waarachter hij haar zilveren tepelpiercing kon zien bungelen. De meeste tafelservetten waren groter dan haar topje.

Kortom, ze vroeg erom. Ze moest hem eigenlijk bedanken omdat hij haar redde van een groepsverkrachting door de arbeiders in de bar.

Hij vestigde haar aandacht op zijn schoot. 'Kijk nou wat je met me doet.'

Ze taxeerde de bobbel in zijn broek. Toen zei ze: 'Is dat het beste wat je kunt?' en leunde achterover tegen het portier. Ze streek traag over de tepel met de piercing.

Het meisje verstond haar vak en zijn erectie werd groter. 'Ik kan niet naar je kijken en rijden tegelijk.'

Ze gaf een plagerig rukje aan de tepelpiercing.

Hij kreunde. 'Je bent dodelijk voor me, weet je dat?'

'Maar je zult gelukkig en tevreden sterven.'

Hij liet zijn hand onder haar rokje glijden, voelde het strookje kant tegen zijn vingers, schoof het opzij en begon haar te strelen.

'Hmm. Daar, ja.' Melissa sloot haar ogen. 'Pas op dat je niet wordt aangehouden voor te hard rijden. Tenminste, tot ik ben klaargekomen.'

Gavin zat buiten het Centrale Onderzoeksbureau te wachten toen Dean, Paris en brigadier Curtis naar buiten kwamen. Zijn hoop was op Lancy Ray Fisher gevestigd. Hij vloog overeind en vroeg: 'Was híj de dader?'

'Dat weten we nog niet,' zei zijn vader tegen hem. 'Brigadier Curtis houdt hem hier en gaat hem nog meer vragen stellen.'

Paris keek op haar horloge. 'Als het niet lastig is, wil ik graag naar huis voordat ik naar het station ga. Ik ben vanmorgen halsoverkop vertrokken.'

'Ik zal je erheen brengen en Gavin onderweg bij ons huis afzetten,' zei Dean. 'We laten onze mobieltjes aan, Curtis. Als er iets gebeurt...'

'Dan bel ik meteen,' verzekerde Curtis hem. 'Ik ga bij Lancy Ray de duimschroeven aandraaien.'

'Met alle respect, ik geloof niet dat hij Valentino is,' zei Paris.

De rechercheur knikte. Gavin vond dat hij er erg moe uitzag, en zijn roze wangen waren bedekt met blonde stoppels. 'Ik gok nog steeds op dr. Armstrong,' zei hij tegen hen, 'maar ben nog niet bereid om Lancy Fisher op te geven. Ik hou contact met jullie.'

Ze draaiden zich om naar de liften, en op dat moment riep Curtis Gavins naam.

Gavins eerste gedachte was: wat nu? Maar hij zei: 'Ja, sir?'

'Het spijt me dat ik je vandaag die test moest laten ondergaan. Ik weet dat het niet leuk was.'

'Het geeft niet,' zei Gavin, maar dat meende hij niet. Het gaf wél wat. Door hen had hij zich schuldig gevoeld terwijl hij dat niet was. 'Ik hoop dat jullie erachter komen wie dat Janey heeft aangedaan. Ik had u vanaf het begin moeten vertellen dat zij en ik in haar auto waren, maar ik was bang dat u zou denken... nou... wat u dacht. Ik denk dat ze haar moordenaar heeft ontmoet nadat ze zich van mij had bevrijd.'

'Daar ziet het wel naar uit. Ben je er absoluut zeker van dat ze nooit iets heeft gezegd over degene met wie ze na jou een afspraak had? Een naam? Een beroep?'

'Ik weet het zeker.'

'Nou, bedankt,' zei Curtis. 'Ik stel je medewerking op prijs.'

Zijn vader duwde hem naar de liften en ze vertrokken. Gavin zat op de achterbank tijdens de rit naar huis. Niemand zei iets; iedereen leek in zijn eigen gedachten te zijn verzonken. Toen ze arriveerden, stond er al een patrouilleauto met twee agenten erin voor het huis geparkeerd. Inwendig kreunde Gavin. Hij had meer dan genoeg van politiemannen. Het liefst zou hij er nooit meer eentje willen zien, afgezien van zijn vader natuurlijk.

'Ik heb geen babysitters nodig, pa. Of heb ik nog steeds huisarrest?'

'Je hebt huisarrest, maar de agenten zijn er om je te beschermen. Ze blijven tot Valentino is opgepakt.'

'Hij zal niet...'

'Ik neem geen enkel risico, Gavin. Bovendien zijn de bewakers hier in opdracht van Curtis, niet van mij.'

'Je zou ze kunnen wegsturen als je dat wilde.'

'Dat wil ik niet. Begrepen?' Als zijn vader zo'n gezicht trok, was de discussie gesloten. Gavin knikte schoorvoetend. Toen stak zijn vader een hand uit en legde hem op zijn schouder. 'Ik was trots op de manier waarop je je vandaag gedroeg.'

'Op gevaar af dat ik bevoogdend klink, ik was ook trots, Gavin,' zei Paris tegen hem.

'Bedankt.'

'Bel me onmiddellijk als er iets gebeurt. Beloof me dat je dat zult doen.'

'Dat beloof ik, pa.' Hij stapte de auto uit. 'Tot ziens, Paris.'

'Dag. We zien elkaar gauw weer, goed?'

'Ja, dat zou fantastisch zijn.'

Gavin liep het pad af, en Dean en Paris vertrokken pas toen hij het huis was binnengegaan. In tegenstelling tot zijn vader en moeder, leken die twee goed bij elkaar te passen. Hij hoopte maar dat het goed zou gaan tussen hen.

Hij zwaaide naar hen voordat hij de voordeur sloot en vergrendelde, en in feite zijn eigen cipier werd.

'Een cent voor je gedachten.'

Paris keek naar Dean. 'Ik dacht aan Toni Armstrong. Ik heb met haar te doen. Ik mag haar.'

'Ik ook. Dappere dame.'

'Ik denk dat ze van haar man houdt. Innig. Dat moet onder deze omstandigheden heel tegenstrijdig zijn.' Nieuwsgierig vroeg ze: 'Wanneer wordt iemand vanuit een klinisch standpunt als een seksverslaafde beschouwd?'

'Lastige vraag.'

'Ik ben er zeker van dat u hem kunt beantwoorden, dr. Malloy.'

'Goed dan. Als een man twaalf keer per dag een stijve krijgt, zou ik hem feliciteren en hem waarschijnlijk aansporen een dertiende keer te proberen. Als zijn leven twaalf erecties per dag tot doel heeft, vind ik dat een beetje overmatig en zouden we een probleem kunnen hebben.'

'Je maakt een grapje.'

'Een beetje, maar er zit een kern van waarheid in.' Zijn grijns verdween en hij werd serieus. 'Seks wordt een verslaving zoals ieder andere verslaving. Als de dwang zwaarder weegt dan gezond verstand en behoedzaamheid. Als de activiteit een negatieve uitwerking begint te krijgen op iemands werk, familieleven, relaties. Als het de sturende kracht wordt en het enige middel tot persoonlijke voldoening.'

Hij keek haar aan. Met een knikje spoorde ze hem aan verder te gaan. 'Het is hetzelfde punt waarop een gezelligheidsdrinker alcoholicus wordt. De mens verliest zijn controle over de hunkering, en de hunkering krijgt controle over de mens.'

'Zodat hij bereid is zijn vrouw en gezin op te offeren om zijn kick te krijgen.'

'Dat betekent niet dat Brad Armstrong niet van zijn vrouw houdt,' zei Dean. 'Waarschijnlijk geeft hij wél om haar.'

Terwijl Paris daarover nadacht, staarde ze door de voorruit. Zelfs achter haar zonnebril moest ze met de ogen knipperen tegen de zon, die prachtig onderging. Ze vroeg zich af wat rechter Kemp en zijn vrouw Marian nu aan het doen waren. Voor deze spectaculaire zonsondergang zouden ze wel geen oog hebben.

'Ze moeten regelingen treffen voor een begrafenis.'

'Wat?' vroeg Dean.

'Ik dacht hardop. Aan de Kemps.'

'Ja,' zei hij met een zucht. 'Ik kan me niet voorstellen hoe verschrikkelijk het is om een kind te verliezen. Ik heb politiemensen begeleid die dat hadden meegemaakt, maar elk woord dat ik tegen hen zei klonk me als flauwekul in de oren. Als er iets met Gavin gebeurde...' Hij zweeg abrupt, alsof hij de afschuwelijke gedachte niet onder woorden kon brengen. Toen zei hij kalm: 'Ik wil een goede ouder voor hem zijn, Paris.'

'Dat weet ik.'

'Vanwege mijn eigen vader.'

'Ook dát weet ik.'

'Hoeveel heeft Jack je verteld?'

'Genoeg.'

Jack had haar verteld dat Deans relatie met zijn vader oppervlakkig was geweest. Mr. Malloy was een driftkop, en Dean had er het zwaarst onder te lijden gehad, want soms waren zijn vaders driftbuien met geweld gepaard gegaan.

'Heeft je vader je geslagen, Dean?' vroeg ze.

'Hij kon het me lastig maken, ja.'

'Is dat zacht uitgedrukt?'

Hij haalde zijn schouders op met een onverschilligheid waarvan ze wist dat die geveinsd was. 'Ik kon er wel tegen,' zei hij. 'Maar hij begon mijn moeder uit te schelden, en dáár kon ik níet tegen.'

Volgens Jack had het belangrijke voorval plaatsgevonden toen Deans ouders een weekend bij hem waren toen hij studeerde aan Texas Tech. Op een feest in de studentenclub had Deans vader ruzie gemaakt met Dean. Dean had geprobeerd het te negeren, maar zijn vader was steeds harder gaan schelden en had niet van ophouden willen weten.

Zijn moeder, die zich opgelaten had gevoeld, had geprobeerd tussenbeide te komen, maar toen was Deans vader háár gaan kleineren. Zijn woorden waren vernederend en wreed geweest. Zonder acht te slaan op zijn vrienden en andere ouders die toekeken, had Dean het voor zijn moeder opgenomen. Zijn vader had hem toen een vuistslag gegeven. Binnen de kortste keren had Dean schrijlings op de borstkas van Mr. Malloy gezeten en hij had erop los gebeukt, in Jacks bewoordingen.

Na die avond was hun relatie nóg vijandiger geworden, en dat was tot zijn vaders dood zo gebleven.

'Ik werd toen een beetje gek,' zei Dean. 'Ik was nog nooit zo geweest, en sindsdien heb ik mijn zelfbeheersing niet meer verloren. Als Jack en een paar andere jongens me niet van mijn vader hadden afgetrokken, had ik hem misschien gedood. Ik wilde hem vermoorden.

Ik vond het vreselijk dat het gebeurde, vanwege de gêne van mijn moeder. Maar het zorgde er in elk geval voor dat mijn vader wel twee keer nadacht voor hij haar opnieuw aanpakte, vooral als ik in de buurt was.' Hij keek haar aan. Ze had hem nog nooit zo kwetsbaar gezien. 'Maar het maakte me heel bang, Paris. Ik kan het niet eens beschrijven. Een rood waas van woede? De woede verteerde me en overheerste alles.

Mijn vader kreeg steeds van die driftbuien. Die avond kwam ik erachter dat, hóé het ook kwam dat hij zo was, het ook in míj zat. Het kwam er die ene keer uit, maar ik ben zo bang dat het opnieuw gebeurt.'

Ze legde haar hand op zijn arm. 'Hij provoceerde je op een supergemene manier en jij reageerde. Maar dat betekent niet dat je die latente woede in je hebt die opeens kan ontbranden. Je bent niet als hij, Dean,' zei ze met nadruk. 'Dat ben je nooit geweest en dat zou je nooit kunnen zijn.

En wat Gavin betreft, je mag best boos op hem worden. Kinderen maken je woest en stellen teleur en maken hun ouders gek. Dat doen ze nu eenmaal. Dat hoort bij het kind-zijn. En als Gavin dat doet, is het prima als jij boos op hem wordt.

In feite zou Gavin kunnen betwijfelen of je van hem houdt als je niet boos op hem werd. Hij moet weten dat je genoeg om hem geeft om boos te worden. Hij zal je vaak op de proef stellen, alleen maar om zich ervan te vergewissen dat je nog steeds om hem geeft.' Toen lachte ze. 'Moet je mij horen. Jíj bent de psycholoog en de ouder, ik ben geen van beide.'

'Maar alles wat je zegt is waar, en ik heb er behoefte aan het te horen.'

Ze glimlachte tegen hem. 'Zolang je hem net zoveel prijst, zo niet meer, als je hem straft, red je het wel.'

Hij dacht er even over na. Toen gaf hij haar een knipoog en zei: 'Intelligent én mooi. Je bent een gevaarlijke vrouw, Paris.'

'Inderdaad. Een echte femme fatale.'

'Misschien is dat wat Lancy Ray Fisher aantrok. Je geheimzinnigheid appelleerde aan zijn criminele instinct.'

Ze rolde met haar ogen. 'Hij wil mijn baan.'

'Dat zegt hij.'

'Denk je dat hij liegt?'

337

'Zo ja, dan is hij overtuigend. Hij is óf oprecht óf een verdomd goeie bedrieger.'

'Dat was mijn indruk ook.'

'Hoe is het om iemands idool te zijn?'

Ze wierp hem een droeve glimlach toe. 'Ik raad niemand aan mijn leven tot voorbeeld te nemen.'

Op dat moment ging Deans mobiele telefoon, en hij nam met één hand op. 'Malloy...'

'Over de duivel gesproken... Nee, Paris en ik hadden het juist over hem.' Hij maakte duidelijk dat het Curtis was. Ze knikte.

'Hoe zit het met Lancy's schuilplaats?' Hij luisterde even. Toen zei hij: 'Waarschijnlijk geen slecht idee.' Curtis had hem nog meer te vertellen. Ten slotte eindigde Dean met: 'Oké, we houden contact.'

Na de verbinding te hebben verbroken stelde hij Paris op de hoogte van het laatste nieuws. 'Hij heeft Lancy Ray goed door de wringer gehaald, om Curtis' woorden te gebruiken. Maar Lancy blijft bij zijn verhaal.'

Agenten die naar het appartement waren gestuurd waar hij zich had schuilgehouden, hadden gerapporteerd dat Lancy daar was geweest, maar dat het er niet naar uitzag dat er nóg iemand was geweest.

'Geen spoor van Janey die daar gevangen werd gehouden?' vroeg Paris.

'Niets. Geen donkere kamer van een amateur-fotograaf. Niets pikanters dan een exemplaar van *Playboy*. Dus Curtis is er nu nog meer op gebrand om Armstrong in handen te krijgen. Hij staat op het punt een openhartig gesprek met Toni Armstong te voeren.'

'Hmm, wat een dilemma voor haar. Aan de ene kant wil ze dat haar man wordt gearresteerd, zodat hij hulp kan krijgen, maar aan de andere kant beschuldigt ze hem.'

'Dat doet hij zélf!'

'Dat weet ik. Ik probeer in haar huid te kruipen. Ze houdt van hem en wil dat hij geneest. Maar als hij niet te genezen is, hoe lang mag je dan van haar verwachten dat ze haar man steunt?'

'Goede vraag, Paris.'

Te laat besefte ze dat wat ze over Toni Armstrong had gezegd ook voor haarzelf kon gelden.

Dean stopte langs de stoeprand voor haar huis, zette de motor af en draaide zich naar haar toe om iets te zeggen, maar ze was hem voor.

'Jack had me nodig.'

'Ik heb je nodig.'

'Niet op dezelfde manier.'

'Dat klopt. Je was bij hem omdat je dat verplicht was. Ik wil dat je ervoor kíest om bij me te zijn.' Hij hield haar blik even vast. Toen duwde hij zijn portier open en stapte uit.

Toen ze het pad opliepen, bleef ze staan om haar post te verzamelen. Dat had ze de afgelopen twee dagen niet gedaan. Zodra ze binnen waren, gooide ze de stapel op de tafel in de hal. 'Joost mag weten wanneer ik daaraan toe kom. Mijn bureau op mijn werk is...'

Meer tijd om iets te zeggen had ze niet voordat Dean haar in zijn armen sloot en haar kuste. Intussen pakte hij haar zonnebril, legde hem op de tafel en omhelsde haar toen innig. Hij trok haar dicht tegen zich aan en ze reageerde onmiddellijk. Ze sloeg haar armen om hem heen en drukte haar vingertoppen in de spieren van zijn rug.

Toen zijn mond met de hare samensmolt, tilde hij haar rok op tot hij haar naakte dij kon strelen. Ze voelde zich week worden vanbinnen, maar ze maakte een einde aan de kus en hijgde: 'Dean, ik heb maar een uur.'

'Dat zal een record voor ons zijn. Tot nu toe hebben onze seksuele ontmoetingen niet langer dan drie minuten geduurd.' Hij begroef zijn gezicht in haar haar. 'Deze keer wil ik je naakt zien.'

Met een lach die diep uit haar keel kwam bewoog ze haar hoofd tegen het zijne. 'Wat als het je niet bevalt wat je ziet?'

'Volstrekt uitgesloten!'

Hij stak zijn handen in haar slipje en pakte haar billen vast. Ze maakte een laag geluid van genot, maar de stem van het gezonde verstand was luider. 'Wat doen we als Curtis belt?'

'Ik heb geleerd met teleurstelling te leven. Maar des temeer reden voor ons om aan de slag te gaan.'

Hij pakte haar hand en trok haar vastberaden mee naar de slaapkamer. Er welde een meisjesachtig gegiechel op in Paris' borst, en haar hart begon te bonzen. Ze voelde zich uitermate ondeugend en heerlijk, verrukkelijk levend.

Dean lachte ook terwijl hij zich bezighield met de weerbarstige knoopjes van haar topje. 'Wat een rotdingen!'

Maar zij was handiger, en zijn hemd was binnen de kortste keren open. Ze drukte een kus op de warme huid onder zijn linkertepel en ze voelde zijn hart tegen haar lippen kloppen.

Op het moment dat hij eindelijk klaar was met de knoopjes trok hij haar topje uit, maakte de voorsluiting van haar bh los en begonnen zijn sterke vingers haar borsten te liefkozen.

Ze keek naar zijn gezicht. Zijn blik was gepassioneerd en teder tegelijk toen hij haar tepels op de aanraking van zijn vingertoppen zag reageren. Zijn ogen ontmoetten de hare heel even voordat hij zijn hoofd boog en een tepel in zijn mond nam.

Ze maakte zijn riem los, trok zijn ritssluiting naar beneden en stak daarna haar hand in zijn onderbroek. Hij was fluweelzacht, hard, kloppend van leven. Ze streek met haar duim over zijn eikel, en hij huiverde.

'Paris, hou op,' zei hij terwijl hij achteruitstapte. 'Als je... Dat moet je niet doen. Dan kom ik klaar. En ik wil dat dit lang duurt.'

Ze verwijderde haar bh, maakte haar rok los, schoof hem over haar heupen naar beneden en stapte eruit. Koortsachtig liet hij zijn blik over haar dwalen. In één snelle beweging trok hij zijn broek en zijn slip uit. Ze bekeek hem met oprechte bewondering, maar toen ze haar hand naar hem uitstak, hield hij haar op een afstand. Hij knielde neer en kuste haar door haar zijden broekje heen. Zijn handen spreidden zich over haar billen terwijl hij haar tegen zijn gezicht drukte. De hitte en het vocht van zijn ademhaling die door de stof filterden maakten haar zwak. Hij kuste haar opnieuw. En opnieuw. Ze sloot haar ogen en gebruikte zijn schouders om zich schrap te zetten.

Ineens leek de zijde te zijn opgelost, want de barrière was verdwenen. Zijn lippen waren heet en snel voordat ze zijn tong voelde, scheidend, zoekend en strelend. Ze gaf zich over aan het genot, en dat was onmetelijk.

Maar ze had nog genoeg controle over zichzelf om hem te smeken op te houden toen het kritiek werd.

Hij kwam overeind en omarmde haar, en ze hielden elkaar stevig vast. Haar borsten drukten tegen zijn borstkas en zijn penis drukte tegen haar zachte buik.

Ten slotte gingen ze met hun gezichten naar elkaar toe op haar bed liggen, dat tot nu toe maagdelijk was. Haar hand gleed over zijn lichaam en langs zijn navel tot in het dikke schaamhaar en bleef op zijn penis rusten. Hij bedekte hem met zíjn hand en leidde hem op en neer. 'God,' kreunde hij.

'Ik kan niet geloven dat dit gebeurt.'

'Ik ook niet.' Hij kuste haar tepel en liefkoosde hem met zijn tong. 'Ik blijf denken dat ik wakker zal worden.'

'Als je dat doet, laat mij dan alsjeblieft verder dromen.'

Hij spreidde haar benen en ging ertussen liggen. Daarna kwam hij bij haar binnen, stukje bij beetje, terwijl hij haar lichaam de tijd gaf om zich aan hem aan te passen. Af en toe stopte hij om elke nieuwe gewaarwording te testen voor hij dieper in haar kwam, tot haar vagina zijn penis helemaal omhulde.

Dronken van genot trachtten ze zich zo lang mogelijk niet te bewegen, maar het werd nóg beter toen hij zich terugtrok en daarna in haar stootte.

31

Dean schudde het water uit zijn oor terwijl hij zijn mobiele telefoon oppakte. 'Malloy.'

'Curtis.'

'Wat is er aan de hand?'

'Wat is dat voor geluid?'

'De douche,' antwoordde Dean. Hij draaide zich om en knipoogde naar Paris, die de shampoo uit haar haar spoelde. Met haar hoofd achterovergeworpen liet ze het zeepwater over haar borsten en tussen haar benen stromen. God, ze was betoverend.

'Ben je aan het douchen?'

'Zodat ik er net zo fris uit kan zien als jij. Wat is er aan de hand?' herhaalde Dean.

'Een van de andere rechercheurs heeft een babbeltje met Lancy Ray gemaakt. Weet je nog dat Paris hem vroeg waarom hij niet gewoon naar haar toe was gekomen om met haar te praten?'

'Hij was verlegen.'

'Ja... en hij wilde zich niet op het terrein van iemand anders begeven.'

'Over wie heb je het?'

Paris keek hem verward aan terwijl ze onder de douche vandaan kwam. Hij gaf haar een handdoek.

'Over Stan Crenshaw.'

Dat was misschien de enige verklaring die zijn aandacht van Paris' naakte lichaam kon hebben afgeleid. 'Wát?'

'Lancy Ray ging er ten onrechte van uit dat Stan en Paris minnaars waren.'

'Hoe kwam hij daarbij?'

'Van Crenshaw gehoord.'

Dean staarde een paar seconden voor zich uit. Toen legde hij een hand over het mondstuk van zijn mobieltje en zei tegen Paris dat ze moest opschieten en zich snel moest aankleden. Kennelijk gaf zijn toon aan dat er écht haast bij was, want ze rende terug naar de slaapkamer. 'Vertel op,' zei Dean tegen Curtis.

'Crenshaw zei tegen de schoonmaker dat hij haar niet mocht lastigvallen. Hij verzon allerlei flauwekul, dat het het beleid van het bedrijf was dat hij als enige toegang tot haar had, dat ze er niet van hield dat mensen haar aanstaarden vanwege haar zonnebril, dat ze van de duisternis hield om redenen die niemand iets aangingen.

Lancy Ray wilde zijn baan houden, dus ging hij ermee akkoord. Hij hield afstand en zei zelden iets tegen haar, uit angst dat Crenshaw jaloers zou worden en hem de laan uit zou sturen. Hij zei dat de man jaloers was op iedereen die in haar buurt kwam.'

'Waarom heeft Lancy ons dat niet verteld?' vroeg Dean terwijl hij worstelde om zich met één hand aan te kleden.

'Hij beschouwde het als vanzelfsprekend dat iedereen wist dat ze een stel waren.'

'Verdomme. Er klopt iets niet bij Crenshaw. Ik wist het op de avond dat ik hem voor het eerst zag. Hij nam bij mij ook een bezitterige houding aan, maar ik vond hem gewoon een sukkel.'

'Misschien is hij dat ook.'

'Misschien niet. Ik wil dat hij binnenstebuiten wordt gekeerd, Curtis. Ik wil alles over hem weten. Het kan me geen barst schelen wie zijn oom is of hoeveel geld hij heeft.'

'Oké. Deze keer sla ik oom Wilkins over. We gaan rechtstreeks naar de politie van Atlanta, de officier van justitie, de gouverneur van Georgia, als het moet. Gelukkig gaat hij gewoon door met zijn werk. Hij is op het radiostation. Griggs en Carson zijn daar ook. Ze hebben net gebeld.'

'We vertrekken hier zo gauw mogelijk. Zeg tegen die groentjes dat ze hem moeten tegenhouden als hij probeert de benen te nemen. Hebben jullie nagekeken welke telefoontjes hij de afgelopen maanden heeft gepleegd?'

'Zijn we mee bezig.'

'Wie trekt zijn verleden na?'

'Rondeau heeft zich vrijwillig aangemeld.'

'Rondeau.' Dean deed geen enkele poging om zijn ongenoegen te verbergen.

'Hij zal de computer grondig onderzoeken.'

'Dat zou hij al gedaan moeten hebben.'

'Ik zei tegen hem dat hij deze keer dieper moest graven.'

'Het zou fijn zijn geweest als hij dat de eerste keer had gedaan.'

'Wat is er tussen jou en hem? Ik voel spanning.'

'Hij is veel te zelfvoldaan.'

'Is dat het? Staat zijn persoonlijkheid je niet aan?'

'Zoiets ja. Luister, we moeten opschieten.'

'Misschien zou Paris vanavond haar show niet moeten doen en ons een kans geven om Crenshaw na te trekken.'

'Zeg dat maar tegen haar. Ze is vastbesloten. Bovendien wijk ik niet van haar zijde. Tot ziens.'

Voordat de rechercheur nog iets kon zeggen hing Dean op en werkte Paris het huis uit. Toen ze eenmaal onderweg waren vroeg ze naar details. 'Ik kreeg de indruk dat jullie het over Stan hadden.'

Hij vertelde haar wat Lancy Ray Fisher had onthuld. Ze lachte. 'Ik kan het niet geloven.'

'Het is niet grappig.'

'Nee, het is hysterisch.'

'Dat vind ik niet.'

'Dean,' zei ze, terwijl ze teder naar hem glimlachte, 'gezien recente, hmm, gebeurtenissen kan ik je machogedrag begrijpen. Ik voel me gevleid. Ik wilde dat er een draak was die je voor me kon doden. Maar verspil geen energie aan Stan, alsjeblieft. Hij ís Valentino niet.'

'Dat weten we niet.'

'Dat weet ík wél. Hij is een eikel, zoals je al zei. En het ergert me dat hij Marvin-Lancy heeft misleid, en Joost mag weten wie nog meer. Maar hij heeft niet het brein of het lef om Valentino te zijn.'

'Dat zullen we spoedig zien,' zei hij, terwijl hij zijn auto het parkeerterrein van het radiostation opreed.

Griggs en Carson zwaaiden vanaf de voorbank van de patrouilleauto toen Paris de deur met haar sleutel opendeed. Zoals gewoonlijk was het gebouw donker en waren de kantoren verlaten. Harry, de dj die 's avonds werkte, stak zijn duim op toen ze langs het raam van de studio liepen. Dean had de plattegrond van het gebouw uit zijn hoofd geleerd en leidde hen door de halfduistere gangen.

Toen ze haar kantoor bereikten, zagen ze dat Stan achter haar bureau zat. Hij had zijn voeten op een hoek van het bureaublad gelegd en zat haar post te bekijken.

'Stan Crenshaw, jou wilde ik nét zien,' zei Dean terwijl hij binnenkwam.

Stan haalde zijn voeten van het bureau, maar ze hadden amper de vloer geraakt toen Dean de voorkant van Stans overhemd beetpakte en hem uit de stoel trok.

'Hé!' protesteerde Stan. 'Wat is dit in godsnaam?'

'We moeten een klein gesprekje met elkaar voeren, Stan.'

'Dean.' Paris legde een waarschuwende hand op zijn arm, waarna hij Stans overhemd losliet.

'Je hebt leugens verspreid over Paris.'

Stan nam dit niet. Hij rechtte zijn rug en streek zijn verkreukelde hemd glad. Maar hij had net zogoed kunnen proberen een stevige eik uit te dagen, en dat leek hij zich te realiseren. Zijn blik dwaalde af naar Paris. 'Waar heeft je vriend het over?'

'Lancy zei dat jij hem had verteld dat...'

'Wie is Lancy, verdomme?'

'Marvin Patterson.'

'Heet hij Láncy?'

'Je hebt tegen hem gezegd dat jij en Paris het bed deelden.'

Stan wendde zich weer tot Dean. 'Nee, dat heb ik niet gezegd.'

'Heb je niet geïnsinueerd dat jij en zij meer dan collega's zijn? Heb je hem niet gewaarschuwd en gezegd dat hij zich koest moest houden, haar met rust moest laten en zelfs niet met haar mocht praten?'

'Omdat ik weet hoe ze is,' zei Stan.

'Is dat zo?'

'Ja, dat is zo. Ik weet dat ze erg op zichzelf is. Ze houdt er niet van om door andere mensen lastig te worden gevallen, vooral niet als ze zich op haar werk concentreert.'

'Dus zei je tegen hem dat hij haar met rust moest laten om haar privacy te beschermen. Is dát het?'

'Zo zou je het kunnen stellen.'

'Het is niet nodig dat jij de mensen screent met wie ik omga, Stan,' zei Paris. 'Daar heb ik je niet om gevraagd, en ik vind het niet prettig dat je het hebt gedaan.'

'Jeetje, nou, het spijt me. Ik probeerde een vriend te zijn.'

'Alleen maar een vriend? Dat denk ik niet,' zei Dean. 'Ik denk dat je over Paris hebt zitten fantaseren. Je hebt je ingebeeld dat er ergens in de toekomst een liefdesrelatie tussen jullie is, en je bent jaloers op elke man die belangstelling voor haar toont, al is het een platonische.'

'Hoe weet u dat Marvins belangstelling platonisch is?'

'Dat zei hij.'

'O, en u vindt hem geloofwaardiger dan mij? Een schoonmaker die een schuilnaam gebruikt?' Hij snoof verachtelijk. 'U bent degene die zich iets inbeeldt, doctor.' Hij liep naar de deur, maar Deans volgende woorden deden hem stoppen.

'Die bezitterigheid zou een sterk motief kunnen zijn.'

Stan draaide zich snel om. 'Waarvoor?'

'Om een onhoudbare situatie te scheppen waarvoor Paris gedeeltelijk verantwoordelijk zou worden gesteld. Haar baan op het spel zetten. Haar leven in gevaar brengen. Moet ik verder gaan?'

'Hebt u het over dat Valentino-gedoe?' vroeg Stan boos. 'Paris heeft zich dat zélf op de hals gehaald.'

'Juist, ja. Het is háár schuld dat Valentino een zeventienjarig meisje ontvoerde en vermoordde.'

'Een meisje dat om moeilijkheden vroeg.'

Met bedrieglijke kalmte ging Dean op een hoek van het bureau zitten. 'Dus in feite heb je een lage dunk van vrouwen.'

'Dat heb ik niet gezegd.'

'Nee, je hebt het niet met zoveel woorden gezegd, maar ik voel dat er diep in je ziel een grote brok vijandigheid jegens het schone geslacht zit, Stan. Het is als een pitje tussen twee kiezen. Het irriteert je mateloos, maar je kunt het er niet uit krijgen.'

'O, nee.' Stan zwaaide met een vinger voor Deans gezicht. 'Bespaar me die psychologische hocus-pocus. Er is niets mis met me.'

Deans kaken verstrakten zich van woede, maar zijn stem bleef kalm. 'Moet ik dan geloven dat al je relaties met vrouwen absoluut normaal en probleemloos zijn geweest?'

'Heeft een man ooit een normale en probleemloze relatie met een vrouw gehad? Hebt ú dat gehad, Malloy?' Hij richtte zijn blik op Paris. 'Ik denk het niet!'

'Jij bent Dean niet,' zei Paris rustig. 'Hij heeft jouw verleden niet.'

Zijn spottende zelfvoldaanheid verdween. Op slag werd hij witheet. 'Heb je hem over die ongewenste intimiteiten verteld?'

Dean wendde zich tot haar. 'Wát?' vroeg hij.

'In zijn vorige baan heeft een werkneemster Stan van ongewenste intimiteiten beschuldigd.'

Deans blik gaf aan dat hij niet kon geloven dat ze deze infor-

matie niet eerder met hem had gedeeld, en ze besefte dat het verkeerd van haar was geweest om dat niet te doen. Waarschijnlijk
had ze hem ook moeten inlichten over Stans ouders, die willekeurige seksuele relaties hadden, en over de wreedheid van zijn domi-
nante oom.

Dean wendde zich weer tot Stan. 'Kennelijk heb je problemen
met vrouwen, Stan.'

'Ze was de hoer van het kantoor!' riep hij uit. 'Ze is met elke andere man die daar werkte naar bed geweest, en tijdens een nieuwsuitzending pijpte ze de presentator onder de tafel. Ze bleef zich
ook aan mij opdringen en toen ik eindelijk op haar aanbod inging,
veranderde ze in een Vestaalse maagd.'

'Waarom?'

'Omdat ze meer hebberig dan hitsig was. Ze zag een manier om
de hand op een deel van het familiekapitaal te leggen. Ze
schreeuwde moord en brand, en mijn oom betaalde haar om te
zwijgen en weg te gaan.'

Dean dacht daar even over na. Toen zei hij: 'Laten we teruggaan
naar het tijdstip waarop je "op haar aanbod inging", zoals jij het
noemde.'

'Wacht even, waarom moet ik uw vragen beantwoorden?'

'Omdat ik van de politie ben.'

'Of omdat u Paris zelf een beurt hebt gegeven?'

Deans ogen vernauwden zich tot spleetjes. 'Omdat, als je geen
antwoord geeft op mijn vragen, ik je naar het bureau breng en je
opsluit tot je gaat praten. Dat is mijn officiële, professionele antwoord. Mijn onofficiële, persoonlijke antwoord is dat, als je nog
één keer zoiets over Paris zegt, ik je meeneem naar het parkeerterrein en je knappe smoel tot moes sla.'

'Bedreigt u me?'

'Nou en of! Kom op, vertel me wat ik wil weten!'

Deans optreden was echter niet voor honderd procent officieel,
en hij ondervroeg Stan niet op de kalme, vertrouwenwekkende
manier die hij gewoonlijk bij verdachten gebruikte. Maar waarschijnlijk zou Stan niet op zijn gebruikelijke benadering hebben
gereageerd. Een hardere aanpak leek wél te werken.

Stan keek Dean boos aan, wierp Paris vernietigende blikken toe
en kruiste zijn armen voor zijn borst als om zich te beschermen. 'Ik
ga een aanklacht indienen wegens bruut optreden van de politie.
Mijn oom zal...'

'Je oom zal zich om andere dingen drukker moeten maken dan om mij als blijkt dat jij Valentino bent.'

'Ik bén Valentino niet! Luistert u helemaal niet?'

'Toen die vrouw nee tegen je zei, ben je toen gewoon je gang gegaan en heb je seks met haar gehad?'

Stans ogen flitsten heen en weer tussen hen. 'Nee. Ik bedoel, ja. Min of meer.'

'Nou, wat is het? Ja, nee of min of meer?'

'Ik dwong haar niet als u dat bedoelt.'

'Maar je hebt wel seks met haar gehad?'

'Zoals ik zei, ze was de...'

'De hoer van het kantoor. Dus vroeg ze erom.'

'Inderdaad.'

'Ze vroeg erom dat je haar verkrachtte.'

'U blíjft me woorden in de mond leggen!' schreeuwde Stan.

'En jij gaat met me mee naar het bureau. Nú.'

Stan deinsde terug. 'U kunt niet...' Hij keek wanhopig naar Paris. 'Dóe iets. Als je dit laat gebeuren, zal mijn oom je ontslaan.'

Ze overwoog niet eens Dean iets te vragen. Eerlijk gezegd was ze nu bang voor Stan, en misschien had ze zich in hem vergist. Ze had hem altijd beschouwd als een waardeloze, onaangepaste kluns van wie niets te duchten viel. Maar misschien was hij werkelijk in staat de misdrijven tegen Janey Kemp te begaan.

Als bleek dat hij Valentino niet was, zou ze de toorn van Wilkins Crenshaw onder ogen moeten zien, en zonder enige twijfel zou het haar haar baan kosten. Maar ze verloor liever haar baan dan haar leven.

Dean pakte Stan bij de arm en nam hem mee naar de deur. Stan begon zich te verzetten, en Dean had zijn handen vol om hem zonder handboeien in bedwang te houden. Toen zijn mobieltje ging, wierp hij het naar Paris, zodat zij het telefoontje voor hem kon aannemen.

'Hallo?'

'Paris?'

Ze kon amper iets horen boven de grove scheldwoorden die Stan tegen Dean schreeuwde. 'Gavin?'

'Ik moet met mijn vader praten, Paris. Het is een noodgeval.'

Gavin had zijn tijd besteed met televisie kijken, het enige voorrecht dat zijn vader niet had ingetrokken. Hij had zijn favoriete film in de videorecorder gestopt, maar de uitdagingen waaraan Mel Gibson het hoofd moest bieden, stelden niets voor vergeleken bij wat er in Gavins eigen leven gebeurde.

Hij maakte zich zorgen om zijn vader en Paris.

Hij was lang niet zo laatdunkend geweest als hij zich had voorgedaan toen zijn vader zei dat Valentino misschien achter hen aan zou komen. Die rukker kon werkelijk van plan zijn hem kwaad te doen, en hij leek niet bang om het te proberen. Hij moest niet worden onderschat. Wie zou hebben gedacht dat hij Janey zou vermoorden?

Toen de huistelefoon ging, was hij blij met de afleiding en nam snel op, zonder op de nummerweergave te kijken wie er belde. 'Hallo?'

'Waarom heb je je mobiele telefoon niet opgenomen?'

'Met wie spreek ik?'

'Met Melissa.'

Melissa Hatcher? Fantastisch. 'Ik had hem niet aangezet. Het is nogal hectisch geweest...'

'Gavin, je moet me helpen.'

Huilde ze? 'Wat is er aan de hand?'

'Ik moet je spreken, maar er staat een patrouilleauto voor je huis geparkeerd, dus ben ik erlangs gereden. Je móet me ergens ontmoeten.'

'Ik moet hier blijven.'

'Gavin, dit is geen flauwekul!' gilde ze.

'Kom dan hierheen.'

'Met die smerissen voor je deur? Dat denk ik niet.'

'Waarom niet? Ben je high?'

Ze snotterde en snoof. Toen zei ze: 'Kan ik via de achterkant het huis binnensluipen?'

Hij wilde niets te maken hebben met haar crisis, wat die ook was. Door het ondergaan van een leugendetectortest ging je helder denken en andere prioriteiten stellen. Hij had zichzelf beloofd dat hij, als hij redelijk ongedeerd uit deze warboel kwam, een nieuwe vriendenkring zou opbouwen.

Nog één zware overtreding en hij was terug in Houston. Hij wilde niet terug naar het huis van zijn moeder. Nu hij en zijn vader alles hadden uitgesproken, verheugde hij zich erop bij hem te blijven, misschien wel tot na het behalen van zijn middelbare-schooldiploma.

Het was absoluut het beste om tegen Melissa te zeggen dat hij het druk had en dan op te hangen. Maar ze klonk echt doorgedraaid. 'Goed dan,' zei hij schoorvoetend. 'Zet je auto in de straat achter ons en loop tussen de huizen door. Er is geen omheining en ik zal je via de terrasdeur binnenlaten. Hoe snel kun je hier zijn?'

'Over twee minuten.'

Hij verzekerde zich ervan dat beide agenten in de patrouilleauto zaten en dat geen van hen zijn ronde om het huis maakte. Daarna liep hij de keuken in en wachtte op Melissa. Toen ze opdook uit de heg van oleanderstruiken die de twee huizen van elkaar scheidde, zag ze er verschrikkelijk uit.

Tranen hadden sporen van zwarte mascara op haar wangen achtergelaten en haar kleren leken meer op een kostuum dan op iets wat normaal wordt gedragen. Het was hem een raadsel dat iemand kon hardlopen op de plateauschoenen die ze aanhad, maar het lukte haar. Ze liep dicht langs de rand van het zwembad en kloste over het kalkstenen terras. Hij deed de glazen schuifdeur open. Toen wierp ze zich in zijn armen.

Hij trok haar naar binnen, sloot de deur en droeg haar bijna de televisiekamer in, waar hij haar in een stoel liet zakken. Terwijl ze onsamenhangend praatte, bleef ze zich aan hem vastklampen.

'Melissa, rustig. Ik begrijp niets van wat je zegt. Vertel me wat er aan de hand is.'

Ze wees naar het barmeubel aan de andere kant van de kamer. 'Ik moet eerst iets te drinken hebben.'

Toen ze overeind probeerde te komen, duwde Gavin haar weer terug. 'Vergeet het maar. Je kunt water krijgen.'

Hij pakte een fles uit de minikoelkast, en terwijl ze eruit dronk zei hij: 'Je ziet er niet uit! Wat is er gebeurd?'

'Ik was... was bij hem.'

'Bij wie?'

'Die vent... de... de tandarts. Die Armstrong.'

Gavins mond viel open. 'Wat? Waar?'

'Waar? Eh...'

Ze keek om zich heen alsof Brad Armstrong in een hoek van de kamer zou kunnen staan, en Gavin had zin om haar een klap te geven. Hoe kon iemand zo vervloekte dom zijn?

'Wáár, Melissa?'

'Schreeuw niet zo tegen me.' Ze wreef over haar voorhoofd, alsof ze het antwoord eruit probeerde te masseren. 'Een motel. Op het uithangbord stond een cowboy, of een zadel of zoiets.'

Een motel in Austin met het Wilde Westen als thema. Daar waren er maar een paar honderd van, dacht hij sarcastisch. 'Als je hem daar ontmoette...'

'Nee, dat is niet zo. Hij pikte me op in een bar aan het meer en bracht me naar het motel. Ik was straalbezopen; ik had mijn verdriet over Janey zitten verdrinken. Plotseling was hij daar en trakteerde me op een drankje.'

'En ben je toen met hem naar een motel gegaan?'

'Hij was geen onbekende voor me. Een paar avonden eerder was ik ook al bij hem en toen vlogen de vonken eraf!'

'Waar was dat?'

'Dat, eh, o, je weet wel. Waar we allemaal weleens heen gaan.' Hij gebaarde haar verder te gaan.

'We deden het in zijn auto.'

'Wat voor auto?'

'Vandaag, of toen? Ze waren verschillend.'

'Vandaag.'

'Rood, denk ik. Of misschien blauw. Ik heb er beide keren niet zo op gelet. Hij was aardig, en op een gegeven moment raakte hij opgewonden door mijn tepelpiercing. Iets nieuws.' Ze grijnsde tegen hem en tilde trots haar haltertopje op.

'Leuk.'

In feite vond hij dat ze belachelijk was. Hij had haar nooit zo gemogen en had zich nooit tot haar aangetrokken gevoeld, maar nu walgde hij van haar. En hij begon zich ook af te vragen of ze echt hysterisch was of dat het allemaal komedie was, een list om in zijn huis te komen, of nog méér. Ze was jaloers op Janey en probeerde ook aandacht te krijgen, net als haar vermoorde vriendin.

Hij trok haar topje weer naar beneden. 'Weet je zeker dat het Brad Armstrong was, Melissa?'

'Geloof je me niet? Denk je dat ik met opzet uitga terwijl ik er zo uitzie?'

Daar zat wat in. 'Wanneer ontdekte je dat het de man was die door de politie werd gezocht?'

'We reden naar het motel en belandden in bed. Hij was als een gek aan het pompen toen ik toevallig naar de televisie aan de andere kant van de kamer keek. De tv stond aan, maar het geluid was gedempt, en op het scherm was zijn foto te zien. Levensgroot! Iedereen is naar hem op zoek, en hij neukt míj!'

'Wat deed je toen?'

'Wat denk je? Ik duwde hem van me af en zei dat ik weg moest, dat ik me plotseling herinnerde dat ik een afspraak had. Hij begon tekeer te gaan en probeerde me over te halen te blijven. Hoe meer hij sprak, hoe gekker hij werd. Eerst noemde hij me een plaaggeest, daarna zei hij dat ik een gemeen kreng was en toen raakte hij helemaal door het dolle heen. Hij pakte me vast, schudde me heen en weer en zei dat ik pas kon gaan als hij helemaal klaar met me was.'

Ze stak haar armen uit om Gavin de blauwe plekken te laten zien die erop begonnen te verschijnen. 'Ik zeg je, Gavin, hij werd stapelgek. Hij sloeg me, noemde me een trut en zei dat ik net zo'n trut was als Janey Kemp was geweest. Voor mij was de maat vol, en ik begon moord en brand te schreeuwen, waarna hij me losliet. Ik pakte mijn kleren en maakte dat ik wegkwam.'

'Hoe lang is het geleden?'

'Dat ik naar buiten rende? Een uur, misschien. Ik begon te zwaaien, waarop een man in een pick-up stopte en me een lift naar mijn auto gaf. Daarna ben ik rechtstreeks hierheen gereden en zag ik de politiewagen. Al die tijd probeerde ik je via je mobieltje te bereiken. Uiteindelijk herinnerde ik me je telefoonnummer thuis. En de rest weet je.' Ze keek hem smekend aan. 'Ik ben er slecht aan toe, Gavin. Eén borrel, alsjeblieft?'

'Ik heb nee gezegd.' Hij hurkte voor haar neer. 'Heb je met hem over Janey gesproken?'

'Denk je dat ik gek ben? Ik wil niet net zo eindigen als zij.'

'Heb je daar foto's van haar gezien?'

'Hij had de kranten.'

'Nog normale foto's?'

'Nee. Maar toen ik er pas was, lette ik er niet op, en later wilde ik alleen maar maken dat ik wegkwam.'

'Je zei dat hij je bekend voorkwam toen je hem eerder deze week ontmoette. Had je hem ooit samen met Janey gezien?'

'Dat weet ik niet zeker. Misschien heb ik hem alleen maar in de menigte zien staan. Hij bezoekt de website van de Sex Club, en...'

'Zei hij dat?'

'Ja. En de vorige keer had hij een enorme verzameling porno. Hij is dol op seks.'

Toen Gavin de draadloze telefoon pakte en cijfers begon in te toetsen, sprong ze overeind. 'Wie bel je?'

'Mijn vader.'

Ze pakte de telefoon van hem af. 'Hij is een smeris. Ik wil niets met de politie te maken hebben. Dank je feestelijk.'

'Waarom ben je dan naar míj toe gekomen?'

'Ik had een vriend nodig. Ik had hulp nodig, en ik dacht dat jíj me zou kunnen helpen. Natuurlijk wist ik niet dat je zo'n saaie lul was geworden sinds de laatste keer dat ik je zag. Geen drank, geen…'

'De politie houdt een drijfjacht op die man.' Boos pakte Gavis de telefoon terug. 'Als hij de moordenaar van Janey is, moet hij worden opgepakt.'

Ze begon te jammeren en haar handen te wringen. 'Wees niet boos op me, Gavin. Ik weet dat ze hem moeten oppakken, maar jeetje…'

Hij kalmeerde. 'Melissa, de reden waarom je uitgerekend naar míj toe kwam, is omdat je wist dat ik mijn vader zou bellen. Diep vanbinnen wilde je juist handelen.'

Ze beet op haar onderlip. 'Ja, misschien wel. Maar geef me tijd om stuff door de wc te spoelen. Ik heb geen zin om te worden gearresteerd omdat ik drugs in mijn bezit heb. Waar is de wc?' Hij wees naar het damestoilet in de gang terwijl hij opnieuw het nummer van zijn vaders mobieltje intoetste. De telefoon ging vier keer over voordat er werd opgenomen.

Hij kon amper het 'hallo' horen boven het geschreeuw uit en iets wat klonk als een knokpartij op de achtergrond.

'Paris?'

'Gavin?'

'Ik moet mijn vader spreken, Paris. Het is een noodgeval.'

32

'Hier is Paris Gibson. Ik hoop dat jullie van plan zijn de volgende vier uur met mij door te brengen hier op 101.3. Ik zal klassieke liefdesliedjes draaien en jullie kunnen een verzoekplaat aanvragen. De telefoonlijnen staan open. Bel me.

Laten we beginnen met een hit van The Stilistics. Het gaat over het gevoel dat bij verliefd zijn hoort. *You Make Me Feel Brand New*.'

Ze zette haar microfoon af. De knoppen van de telefoonlijnen begonnen al te knipperen en de eerste beller vroeg *Hooked on a Feeling* van B.J. Thomas aan. 'Aangezien het thema van vanavond is hoe we ons voelen als we verliefd zijn.'

'Bedankt voor het bellen, Angie. Ik zal het lied straks draaien.'

'Dag, Paris.'

Ze volgde de normale procedure, hoewel het verre van een normale avond was. Bijna een uur geleden was Dean haastig vertrokken om Gavin en Melissa Hatcher op het hoofdbureau in de binnenstad te ontmoeten.

Na het telefoontje met Gavin had Dean onmiddellijk het nummer van Curtis gedraaid en Melissa's verhaal beknopt weergegeven. Curtis had hem zoveel mogelijk informatie ontlokt, en daarna was hij meteen in actie gekomen.

'Het zal niet lang duren of we hebben hem te pakken,' zei Dean tegen Paris na afloop van zijn gesprek met Curtis. 'We kunnen beginnen bij de bar waar hij Melissa oppikte. Ze weet ongeveer hoeveel tijd Armstrong nodig had om van de bar naar het motel te rijden, dus dan kunnen we binnen die straal zoeken. Het is een groot gebied, maar niet zo groot als voorheen.'

Paris vroeg of iemand Toni Armstrong van deze ontwikkeling op de hoogte had gebracht.

Hij knikte somber. 'Curtis was bij haar toen hij mijn telefoontje kreeg. Hun advocaat had zich bij haar gevoegd.' Toen omhelsde hij Paris. 'Hij zal spoedig achter slot en grendel zitten en dan ben je veilig. Dan is het voorbij.'

'Behalve de herinnering aan wat hij Janey heeft aangedaan.'

'Ja.' Hij slaakte een diepe zucht, maar zijn geest draaide op volle toeren door, want hij bleef politieman. 'Curtis zei dat de patrouilleauto voor het radiostation blijft staan tot we Armstrong hebben. Bovendien beschouwt Griggs zichzelf vrijwel als je persoonlijke lijfwacht.'

Hij keek naar Stan, die even was vergeten. 'Ik denk dat dit je van verdenking ontheft, Crenshaw.'

'U zult spijt krijgen van de manier waarop u me hebt behandeld.'

'Dat heb ik al. Ik wou dat ik je een pak slaag had gegeven toen ik nog een goed excuus had.' Hij kuste Paris vluchtig op haar mond en rende daarna weg.

Stan liep achter hem aan haar kantoor uit. Hij was duidelijk nijdig, maar Paris liet hem gaan zonder iets te zeggen. Hij zou mokken, maar hij zou overleven, en intussen moest ze een programma voorbereiden. Het weer goedmaken met Stan kon wachten tot ze meer tijd had en hij er meer voor openstond.

Ze zette haar microfoon aan. 'Na de reclame ben ik terug met meer muziek. Als je een verzoeknummer hebt of als je iets dwarszit dat je wilt delen, bel me dan.'

Ze zette haar microfoon weer af, voelde dat er iemand in de buurt was en draaide haar kruk om. Stan stond achter haar. 'Ik heb je niet horen binnenkomen.'

'Ik ben naar binnen geslópen.'

'Waarom?'

'Ik bedacht dat zolang jij en je vriendje me als een griezel beschouwen, ik me eigenlijk ook zo zou moeten gedragen.'

Die kinderachtige, gemelijke opmerking was typisch iets voor Stan. 'Het spijt me dat Deans beschuldigingen je gevoelens hebben gekwetst, Stan. Maar je moet toegeven dat je even een plausibele verdachte leek.'

'Van verkrachting en moord?'

'Ik zei dat het me speet.'

'Ik dacht dat jij me beter kende.'

'Ik dacht ook dat ik je beter kende,' zei ze. Haar geduld met hem raakte op. 'Als je gedrag onberispelijk was geweest zou niemand je hebben verdacht. Maar afgezien van de aanklacht wegens ongewenste intimiteiten in Florida, heb je leugens over me verspreid. Je hebt gezegd dat we minnaars waren.'

'Alleen tegen Marvin, of hoe hij ook heten mag. En niet met zoveel woorden.'

'Wát je ook zei, het lukte je jouw boodschap over te brengen. Waarom wilde je dat iemand laten geloven?'

'Waarom denk je?'

Zijn stem sloeg over, en plotseling leek hij op het punt te staan in tranen uit te barsten. Zijn zichtbare emotie maakte dat ze medelijden met hem kreeg. 'Ik had geen idee dat je dat soort gevoelens voor me koesterde, Stan.'

'Nou, dat had je eigenlijk wél moeten weten!'

'Ik heb je nooit gezien als een… in termen van romantiek.'

'Misschien verhindert die vervloekte zonnebril dat je ziet wat overduidelijk zou moeten zijn.'

'Stan…'

'Je zag me alleen als een flikker en als een incompetente zondebok voor mijn oom.'

Die onaangename waarheid kon ze niet ontkennen. Ze bood haar excuses aan. 'Het spijt me.'

'Alsjeblieft zeg, dat is de derde keer dat je "het spijt me" zegt. Maar je meent het niet echt. Als je je gevoelens ten opzichte van mij wilde veranderen, zou je dat kunnen doen. Maar je wilt het niet. Vooral niet nu je je vriend terug hebt. Hij doet overdreven lief tegen je, hè? En jij, die altijd afstand houdt, bent plotseling loops. Ben je rechtstreeks uit bed hierheen gekomen? Wanneer ben je ooit met natte haren op je werk verschenen? Heb je lol, Paris? Is het niet fijn dat er deze keer geen hinderlijke verloofde is die uit de weg geruimd moet worden?'

'Dat is een smakeloze, uiterst ongevoelige opmerking.'

Hij boog zich grijnzend naar haar toe. 'Heb ik ervoor gezorgd dat je geweten knaagt?'

Ze moest haar handen tot vuisten ballen om zich ervan te weerhouden hem een klap te geven. 'Je weet niets over dat onderwerp of over mij. Discussie gesloten, Stan.'

Ze richtte haar aandacht weer op het bedieningspaneel, controleerde de aftelklok en keek naar de knipperende knoppen van de telefoonlijnen. Een ervan drukte ze in. 'Je spreekt met Paris.'

'Hallo, Paris. Ik heet Georgia.'

'Hallo, Georgia.' Ze haalde langzaam en rustig adem in een poging te kalmeren en zich op haar werk te concentreren.

'Ik twijfel een beetje aan mijn vriend,' zei Georgia.

Paris luisterde terwijl de jonge vrouw over de bindingsangst van haar vriend klaagde. Tijdens de monoloog keek Paris over haar schouder. De studio was leeg. Stan was even heimelijk vertrokken als hij was binnengekomen.

'We hebben hem!' schreeuwde Curtis uit zijn kleine kamer in het Centrale Onderzoeksbureau. 'Binnen tien minuten zijn ze hier.'

Dean ontmoette de rechercheur in de smalle gang tussen de kamers. 'Heeft hij verzet geboden?'

'De agenten die hem arresteerden lieten de motelmanager de deur van zijn kamer openmaken. Armstrong zat op het bed, met zijn hoofd in zijn handen, en huilde als een baby. "Wat heb ik gedaan?" zei hij steeds maar weer.'

Dean liep naar de uitgang. 'Ik wil het aan Gavin vertellen.'

'Bedank hem namens mij. De aanwijzing die hij gaf heeft het speelveld aanzienlijk verkleind. En blijf in de buurt, wil je? Ik wil graag dat je bij het verhoor aanwezig bent.'

'Dat ben ik wel van plan. Ik ben zo terug.'

Gavin en Melissa Hatcher zaten buiten het Centrale Onderzoeksbureau op de bank waarop hij en Paris ook hadden gezeten... Wanneer was dat? Gisteren nog maar? God, sindsdien was er zoveel gebeurd, met de zaak, met hén.

Toen de dubbele deuren achter hem dichtgingen stak hij een duim op naar Gavin en Melissa. 'Hij is net gearresteerd. Ze brengen hem hierheen. Goed gedaan, zoon.' Hij sloeg een arm om Gavins schouder en gaf hem een knuffel. 'Ik ben trots op je.'

Gavin bloosde bescheiden. 'Ik ben blij dat ze hem hebben opgepakt.'

Dean wendde zich tot het meisje en zei: 'Jij ook bedankt, Melissa. Er was veel moed voor nodig om je verhaal te doen.'

Toen Dean op het politiebureau was gearriveerd, hadden Melissa en Gavin al bij Curtis gezeten. Hij en een paar andere rechercheurs hadden geluisterd naar haar gedetailleerde verslag van de tijd die ze met Brad Armstrong had doorgebracht.

Hoewel ze ervan leek te genieten dat ze in het middelpunt van de aandacht stond, had ze er als een vogelverschrikker uitgezien. Sindsdien had ze de zwarte mascarastrepen van haar gezicht gewassen en haar haren geborsteld, zodat ze niet meer rechtovereind stonden. Iemand, waarschijnlijk een agente, had een gebreid vestje voor haar gebracht om over haar dunne haltertopje aan te trekken. Het topje had afleidend gewerkt, zelfs bij doorgewinterde rechercheurs.

Nu straalde ze vanwege Deans compliment. 'Móet ik hem zien?' zei ze, terwijl ze nerveus haar lippen bevochtigde.

'Het is nodig dat je hem officieel identificeert als de man die je aanrandde.'

'Het was niet écht aanranding. Ik was dronken, maar wist wat ik deed toen ik samen met hem de bar verliet.'

'Je bent minderjarig, en hij heeft gemeenschap met je gehad. Dat is een misdrijf. Hij heeft je ook geslagen en geprobeerd je tegen je wil vast te houden. Op grond van die beschuldigingen kunnen we hem in hechtenis houden terwijl we wachten op Janeys autopsierapport. Ik weet dat het niet makkelijk voor je zal zijn om hem weer te zien, maar je hulp is heel belangrijk. Zijn je ouders al aangekomen?'

'Nog niet. Ze werden hysterisch toen ik ze belde, maar ze waren niet zo witheet als ik had gedacht. Omdat ik ook dood had kunnen zijn, denk ik. Is het goed dat Gavin bij me blijft?'

'Als je dat wilt, Gavin?'

Gavin haalde zijn schouders op, bij wijze van instemming. 'Goed, hoor.'

'Oké, dr. Malloy,' zei Melissa. 'Kom maar op met die perverse vent. Ik zal zo lang blijven als u me nodig hebt.'

'Je spreekt met Paris.'

'Ik ben het.'

Alleen al het geluid van Deans stem deed haar hart bonzen en bracht een dwaze glimlach op haar gezicht. 'Ben je het nummer van mijn directe lijn kwijt dat ik je heb gegeven? Waarom bel je op deze lijn?'

'Ik wilde eens zien hoe het is om een gewone luisteraar te zijn.'

'Misschien ben je een luisteraar, maar je bent beslist níet gewoon!'

'Nee? Fijn om te horen,' zei hij vrolijk. Maar algauw klonk hij ernstig. 'Ze hebben Armstrong gearresteerd. Hij kan hier elk moment arriveren.'

'Goddank.' Ze was opgelucht, maar haar hart ging onmiddellijk uit naar Armstrongs vrouw. 'Heb je Toni gezien?'

'Een paar minuten geleden. Ze is bezorgd, maar ik denk dat ze ook blij is dat we hem hebben opgepakt voordat hij nóg iemand kwaad kon doen.'

'Of zichzelf.'

'De mogelijkheid van zelfmoord is ook bij míj opgekomen. Je begint net zo goed in mijn vak te worden als ik.'

'Op geen stukken na. O, wacht even. Ik moet een ander telefoontje afhandelen.' Nadat ze dat had gedaan kwam ze weer aan de lijn. 'Goed, ik heb een paar minuten.'

'Ik zal je niet ophouden. Ik had beloofd te zullen bellen zodra ik iets wist.'

'Dat stel ik zeer op prijs. Ik zal veel beter kunnen werken nu ik weet dat hij is opgepakt. Ik kon me niet concentreren, en telkens wanneer ik de telefoon aannam hield ik mijn adem in, bang dat hij het zou zijn.'

'Daar hoef je je nu geen zorgen meer over te maken.'

'Is Gavin nog bij je?'

'Hij houdt Melissa gezelschap. Wat hij deed was geweldig, hè?'

'Dat vind ik wel.'

'Ik ook. Het getuigt van volwassenheid en verantwoordelijkheidsgevoel.'

'En vertrouwen in jou, Dean. Dat is de belangrijkste doorbraak.'

'Na een paar ontsporingen zitten we nu op de goede weg, denk ik.'

'Daar ben ik zeker van.'

'Over ontspoorde jongeren gesproken, Lancy Ray Fisher is vrijgelaten.'

'Ik overweeg hem in te huren.'

'Wát?'

Ze lachte om de verbijstering in zijn stem. 'Ik heb nog nooit met een producer gewerkt, hoewel de directie me er een heeft aangeboden. Voor Lancy zou het een goede manier zijn om te leren en ervaring op te doen.'

'Wat zou Stan daarvan vinden?'

'De beslissing is niet aan hém.'

'Heeft hij nog gereageerd op wat er eerder is gebeurd?'

Ze aarzelde, en zei toen: 'Hij loopt rond met een gezicht als een oorwurm, maar dat gaat wel weer over.'

Dean had genoeg aan zijn hoofd zonder dat zij hem over haar laatste woordenwisseling met Stan vertelde. Ze voelde zich erdoor in verlegenheid gebracht. Konden ze, na alles wat er was gezegd, vrede sluiten en weer prettig met elkaar samenwerken? Dat was niet waarschijnlijk.

Maar het vooruitzicht van onenigheid op de werkplek maakte haar niet van streek, zoals het een week geleden nog wél zou hebben gedaan. Toen had haar leven om haar baan gedraaid. Alles wat haar werk betrof had veel invloed op haar gehad, omdat het alles was geweest wat ze had. Dat was nu veranderd.

Alsof hij haar gedachten kon lezen, zei Dean: 'Ik wil vannacht bij je zijn.'

Die verklaring riep herinneringen op aan de korte maar kostbare tijd die ze eerder die avond met elkaar in bed hadden doorgebracht, en ze begon over haar hele lichaam te tintelen, tot in haar tenen. 'Ik hoor de telefoonverbinding te verbreken met bellers die dat soort dingen zeggen.'

Hij grinnikte en zei: 'Ik wil bij je slapen, maar jammer genoeg weet ik niet hoe lang ik hier nog nodig ben.'

'Doe wat je moet doen. Je weet dat ik het begrijp.'

'Dat weet ik,' zei hij met een zucht. 'Maar het duurt verdomde lang om tot morgennacht te wachten.'

Paris dacht er net zo over. Zo professioneel mogelijk zei ze: 'Heb je een verzoek, beller?'

'Inderdaad.'

'Ik luister.'

'Hou van me, Paris.'

Ze sloot haar ogen en hield even haar adem in. Toen zei ze zacht maar duidelijk: 'Ik hou van je.'

'Ik hou ook van jou.'

John Rondeau nam liever de trap dan dat hij op de lift wachtte. Hij had e-mails uitgewisseld met een collega van de politie van Atlanta, en dat had nieuwe informatie over Stan Crenshaw opgeleverd. Rondeau popelde om het nieuws met Curtis te delen. In plaats van via een e-mail of een telefoontje wilde Rondeau het persoonlijk doorgeven.

Toen hij het Centrale Onderzoeksbureau bereikte, gonsde het van de bedrijvigheid. Gezien de vele medewerkers die door elkaar liepen, had het midden op de dag kunnen zijn in plaats van rond middernacht. Toen een politievrouw langs hem rende pakte hij haar arm vast en bracht haar abrupt tot stilstand. 'Wat is er aan de hand?'

'Waar heb jij gezeten?' zei ze. Ze keek hem dreigend aan terwijl ze haar arm lostrok. 'We hebben Armstrong te pakken. Ze kunnen hem elk moment binnenbrengen.'

Rondeau zag dat Dean Malloy in gesprek was met Toni Armstrong en een man in een grijs pak, onmiskenbaar een advocaat. Hij vond Curtis in zijn kamer, achter zijn bureau, waar hij zat te telefoneren en constant over zijn kalende hoofd wreef.

Hij zei: 'Nee, rechter, hij heeft niet bekend, maar er is veel indirect bewijs dat op hem wijst. We hopen dat de autopsie DNA zal opleveren, hoewel het lijk was gewassen...'

Hij hield op met praten. Blijkbaar werd hij onderbroken. Hij wreef nog een beetje harder over zijn hoofd. 'Ja, ik weet heel goed hoeveel tijd DNA-onderzoek kost, maar misschien bekent Armstrong als hij weet dat we zijn DNA met die van de dader vergelijken. Dat zal ik beslist doen, rechter. In elk geval. Zodra ik meer weet. Nogmaals mijn condoleances voor Mrs. Kemp. Goedenavond.'

Curtis hing op, staarde even naar de hoorn, en keek toen Rondeau aan. 'Wat is er?'

Rondeau hield de dossiermap die hij bij zich had omhoog. 'Stan Crenshaw. Sinds de lagere school gedraagt de man zich abnormaal. Keek meisjes onder hun rokjes. Openbare schending van de eerbaarheid. Interessante lectuur.'

'Dat geloof ik graag, maar hij is Valentino niet.'

'Wat moet ik hiermee doen? Weggooien?'

Curtis ging staan, trok zijn manchetten recht, die voorzien waren van een monogram, en streek zijn das glad. 'Leg maar op mijn bureau.'

'Iemand zou ernaar moeten kijken,' zei Rondeau met klem.

Een plotselinge verandering in de atmosfeer gaf aan dat er iets heel belangrijks achter de muren van Curtis' kamer gebeurde. Rondeau volgde Curtis naar buiten, waar ze zich naar het midden van het Centrale Onderzoeksbureau begaven.

Rondeau herkende dr. Brad Armstrong van de familiekiekjes op de cd. Hij werd geflankeerd door twee politiemannen in uniform. Hij had handboeien om en hield zijn hoofd gebogen, als een verslagen man. Vervolgens werd hij een verhoorkamer ingeduwd. Malloy, de advocaat en Toni Armstrong drongen zich naar binnen. Curtis ging als laatste de kamer in en deed de deur achter zich dicht.

Rondeau, die zich afgewezen voelde, tikte met de map tegen zijn open handpalm. Als Curtis dacht dat hij Valentino had, moest hij de zaak waarschijnlijk verder laten rusten en Stan Crenshaw vergeten.

Maar als Curtis na Armstrong te hebben verhoord nou eens tot de conclusie kwam dat ze de verkeerde man hadden? Wat als het resultaat van de autopsie het indirecte bewijs tegen hem weerlegde? Wat als zijn DNA niet paste bij de monsters die ze van Janeys stoffelijke overschot hadden genomen? Vooropgesteld dat dat lukte, aangezien haar lijk met een bijtend, chemisch middel was gewassen.

Rondeau nam een besluit en verliet haastig het Centrale Onderzoeksbureau. Toen hij door de dubbele deuren liep, zag hij Gavin Malloy en een meisje op een bank in de hal zitten. Hij had ze niet gezien toen hij binnenkwam. Vanaf de open trap was hij rechts afgeslagen om het Centrale Onderzoeksbureau binnen te gaan. Ze zaten links van de trap. Bij het horen van het geluid van de deuren die gesloten werden, draaide het meisje haar hoofd in zijn richting.

Verdomme!

Hij kende haar naam niet, maar had haar heel vaak gezien. Als ze hem herkende, zat hij zwaar in de problemen.

John Rondeau haastte zich naar de trap.

'Hé, Gavin, wie is die vent?'

'Hè?'

De afgelopen dagen hadden hun tol geëist, en Gavin had met zijn hoofd tegen de muur geleund zitten dutten.

Melissa stootte hem zachtjes aan. 'Vlug! Kijk!'

'Waar?'

Hij tilde zijn hoofd op, knipperde met zijn slaperige ogen en keek in de richting van Melissa's wijzende vinger. Door de metalen leuning van de trap heen ving hij op de overloop nog net een glimp op van het hoofd van John Rondeau voordat hij verdween.

'Hij heet John Rondeau.'

'Is hij een smeris?'

'Computerfraude,' bromde hij. 'Hij is degene die de Sex Club ontdekte.'

'Echt waar? Ik heb hem namelijk ergens gezien. Eerlijk gezegd denk ik dat ik met hem heb geneukt.'

Fantastisch, dacht Gavin. Als ze Rondeau herkende als iemand die in de buurt van middelbareschoolmeisjes rondhing en met hen vrijde, en als ze daarover kletste, dacht Rondeau misschien dat híj degene was die hem had verlinkt.

'Dat kan niet! Hij heeft zo'n gezicht dat je altijd aan iemand anders doet denken.' Het was geen bijzonder goede verklaring, maar meer kon hij niet bedenken.

Melissa fronste peinzend haar voorhoofd. 'Ik zou zijn pik moeten zien om het zeker te weten. Maar ik zou zweren...'

Op dat moment hoorden ze een kort tinkelend geluid, het teken dat er een lift in aantocht was. Ze draaiden zich om en zagen een knap, goed gekleed paar hun kant opkomen.

Melissa ging staan.

'Je ouders?' vroeg Gavin, verbaasd dat ze er zo presentabel en respectabel uitzagen. Hij had zoiets als de familie Flodder verwacht.

Onhandig kloste Melissa op haar plateauschoenen naar haar toe terwijl ze verlegen haar korte rok omlaag trok. 'Hallo, mam. Hallo, pap.'

De timing van hun aankomst had niet beter kunnen zijn. Gavin wilde niets meer met Rondeau te maken hebben; hij wilde zelfs niet meer over hem praten. Hij haatte het om het smerige geheim van hem te bewaren, maar hij was niet vergeten dat Rondeau zijn vader bedreigde, en daarom zou hij dat geheim meenemen in zijn graf.

33

'Het spijt me, Toni. Het spijt me. Zul je me ooit kunnen vergeven?'
Dr. Brad Armstrong leek zich meer zorgen te maken over wat zijn vrouw van hem dacht dan over de ernstige aantijgingen tegen hem, die hem het leven zouden kunnen kosten. Hij deed op een klagende, een beetje zielige toon een beroep op haar.

'Eerst dit maar, Brad. Later zullen we tijd genoeg hebben om over vergeving te praten.'

Ze was stoïcijns, haar stem was heel kalm, wat verbazingwekkend was gezien de beproeving waaraan ze werd blootgesteld. Ze werd waarschijnlijk bijeengehouden door het emotionele equivalent van doorschijnend plakband, maar ze hield zich staande. Dean gaf haar een 'hou vol'-knikje toen ze uit de verhoorkamer vertrok en haar man alleen achterliet bij Dean, de advocaat en Curtis.

Curtis noemde omwille van de cassetterecorder de namen van alle aanwezigen. Daarna begon hij Bradley Armstrong te vertellen wat ze over hem wisten en waarom hij werd verdacht van het kidnappen en vermoorden van Janey Kemp.

'Ik heb dat meisje niet ontvoerd.'

Zijn heftige ontkenning bracht Curtis niet van zijn stuk. 'Ik kom er later nog op terug. Laten we eerst praten over de tijd waarin u Paris Gibson lastigviel.' Armstrong trok een grimas. 'Ik zie dat u zich het voorval herinnert,' zei Curtis. 'Tot op de dag van vandaag bent u boos op miss Gibson, is het niet?'

'Door haar ben ik uit een winstgevende praktijk ontslagen.'

'Ontkent u haar op ongepaste wijze te hebben aangeraakt?'

Brad boog zijn hoofd en schudde van nee.

'Geef luid en duidelijk antwoord, alstublieft, voor de cassetterecorder.'

'Nee, ik ontken het niet.'

'Hebt u onlangs naar haar radioshow gebeld?'

'Nee.'

'Ooit?'

'Misschien.'

'Als ik u was, dr. Armstrong, zou ik niet om de makkelijke vragen heen draaien,' adviseerde Curtis. 'Hebt u haar weleens gebeld terwijl ze haar programma uitzond? Ja of nee?'

De tandarts hief zijn hoofd en zuchtte. 'Ja, ik heb haar gebeld. Ik heb iets grofs tegen haar gezegd en toen opgehangen.'

'Wanneer was dat?'

'Lang geleden. Kort nadat we naar Austin waren verhuisd en ik besefte dat ze een radioprogramma had.'

'Alleen die ene keer?' vroeg Dean.

'Dat zweer ik.'

'Wist u dat er een relatie was tussen miss Gibson, dr. Malloy en een man die Jack Donner heette?'

Dean keek naar Curtis en stond op het punt hem te vragen wat die vraag er in godsnaam mee te maken had. Maar voor hij daar de kans toe kreeg gaf Armstrong al antwoord. 'Dat is in Houston op het journaal geweest.'

Toen realiseerde Dean zich waarom Curtis die vraag had gesteld. Valentino had gezegd dat ze Jacks dood op hun geweten hadden en daarmee aangegeven dat hij van hun verleden op de hoogte was.

'Waar belde u vandaan toen u haar belde?'

'Vanuit mijn huis, met mijn mobiele telefoon. Ik weet heel zeker dat ik haar nooit over Janey Kemp heb gebeld.'

Curtis had vernomen dat er op de registratielijsten van Armstrongs mobiele telefoon en op zijn huistelefoon geen telefoontjes naar het radiostation stonden, maar hij had alleen gevraagd om de lijsten van de afgelopen paar maanden. Armstrong zou de waarheid kunnen spreken. Hij kon een telefooncel hebben gebruikt om de Valentino-telefoontjes te plegen, maar kon ook een mobieltje hebben dat niet te traceren was.

Curtis vroeg of hij zijn stem had vervormd op het moment dat hij belde.

'Dat was niet nodig. Ze zou mijn stem niet hebben herkend. We hebben elkaar slechts die... die ene keer ontmoet.'

'Zei u toen tegen haar wie u was?' vroeg Curtis.

'Nee. Ik zei alleen "val dood", of iets dergelijks. Daarna hing ik op.'

'Hoe komt u aan de naam Valentino?'

Brad keek naar zijn advocaat, en toen naar Dean, alsof hij een verklaring zocht.

'Wát?'

'Valentino,' herhaalde Curtis.

De media hadden de telefonische waarschuwingen aan Paris Gibson het belangrijkste element in de zaak genoemd, maar de naam van de beller was achterwege gelaten om te voorkomen dat allerlei zogenaamde bekentenissen het onderzoek met valse aanwijzingen zouden vertragen.

'Hebt u de naam gepikt van die acteur uit de tijd van de stomme film?' vroeg Curtis. 'En waarom tweeënzeventig uur? Is die deadline uit de lucht gegrepen? Waarom geen achtenveertig uur, wat dichter bij de waarheid was, hè?'

Armstrong wendde zich tot zijn advocaat. 'Waar heeft hij het over?'

'Laat maar. Ik kom er nog op terug,' zei Curtis. 'Vertel ons eens over Janey Kemp. Waar hebt u haar ontmoet?'

Terwijl zijn advocaat aandachtig luisterde, bekende Armstrong dat hij regelmatig de website van de Sex Club had bezocht en uiteindelijk naar de speciale ontmoetingsplaatsen was gegaan om contact met de leden te zoeken. 'Ik verzon allerlei redenen om het huis te verlaten.'

'U loog tegen uw vrouw.'

'Dat is geen misdrijf,' zei de advocaat.

'Maar seks met minderjarigen wél,' vuurde Curtis terug. 'Wanneer hebt u Janey voor het eerst ontmoet, dr. Armstrong?'

'De exacte datum herinner ik me niet. Een paar maanden geleden.'

'Wat waren de omstandigheden?'

'Ik wist al wie ze was. Ze had mijn aandacht getrokken. Toen ik navraag naar haar deed, hoorde ik dat haar gebruikersnaam voor de website "De gelaarsde kat" was. Ik had de boodschappen gelezen die ze op het bord had achtergelaten, wist dat ze…' Hij struikelde over het volgende woord en drukte zich anders uit. 'Ik wist dat ze seksueel actief was en bereid vrijwel alles te doen.'

'Met andere woorden: ze was een prooi voor roofdieren als u.'

De advocaat beval Brad niet te reageren.

Curtis maakte een half verontschuldigend handgebaar. 'Hebt u seks met Janey gehad op de avond waarop u haar voor het eerst ontmoette?'

'Ja.'

'Janey Kemp was zeventien,' merkte de advocaat op.

'Amper,' zei Curtis.

Met angst in zijn stem zei Armstrong: 'U moet begrijpen dat die meisjes daar voor de seks waren. Ze kwamen het zoeken. Ik heb nooit een van hen hoeven dwingen seks met me te hebben. Eentje – niet Janey, een ander meisje – vroeg honderd dollar voor vijf minuten van haar tijd. En daarna ging ze meteen naar haar volgende klant. Ze zei dat ze werkte om een Vuitton-tas te kunnen kopen.'

'Hebt u daarvan een bewijs?'

'Zeker, ze gaf me een kwitantie,' antwoordde Armstrong op sarcastische toon.

Curtis zag er de humor niet van in en zijn gezicht bleef onbewogen. Dean geloofde dat de tandarts de waarheid zei over de prostitutie, omdat het overeenstemde met hetgeen Gavin tegen hem had gezegd.

Curtis ging verder met zijn verhoor. 'Op de avond waarop u Janey leerde kennen had u seks met haar. Waar?'

'In een motel.'

'Waar u vanavond bent aangetroffen?'

Hij knikte. 'Ik heb daar een eenvoudig appartement.'

'Dat u speciaal voor dat doel huurt?'

'Niet reageren,' beval de advocaat.

'Hebt u foto's van Janey genomen?' vroeg Curtis.

'Foto's?'

'Foto's. Van een andere orde dan het soort dat u van uw familievakanties maakt,' voegde de rechercheur er droogjes aan toe.

'Misschien. Ik kan het me niet herinneren.'

Curtis vernauwde zijn ogen tot spleetjes. 'Uw sekshol wordt op dit moment doorzocht. Waarom vertelt u ons niet wat we zouden kunnen vinden? Dat zou ons allemaal tijd besparen.'

'Ik heb pornotijdschriften. Video's. Nu en dan heb ik foto's genomen van… van vrouwen. Dus misschien zijn er ook een paar foto's van Janey.'

'Ontwikkelt u die foto's daar in uw geïmproviseerde donkere kamer?'

Brad keek oprecht verbijsterd. 'Ik weet niet hoe je een filmrolletje moet ontwikkelen.'

'Waar liet u dan uw foto's van "vrouwen" ontwikkelen?'
'Ik stuurde het filmrolletje naar een lab buiten de stad.'
'Wat voor lab?'
'Het heeft geen naam. Alleen een postbusnummer. Dat kan ik u geven.'
'Ontwikkelen ze daar speciaal foto's voor klanten als u?'
Hij knikte beschaamd. 'Ik maak er niet vaak gebruik van, maar heb het wel gedaan.'

Armstrongs antwoorden op deze vragen strookten niet met wat Janey aan Gavin had verteld over de passie voor fotografie van haar nieuwe vriend. Óf hij sprak de waarheid óf hij wist hoe hij overtuigend moest liegen.

Curtis moest dat ook hebben gedacht, want voorlopig liet hij het onderwerp rusten en vroeg wanneer Armstrong Janey voor het laatst had gezien.

'Drie avonden geleden. Ik denk dat het de avond was waarop ze is verdwenen.'

'Waar hebt u haar gesproken?'
'Op een plek aan de oever van Lake Travis.'
'Ging u daarheen om haar te ontmoeten?'

Armstrong antwoordde bevestigend voor zijn advocaat hem kon waarschuwen dat hij zijn mond moest houden. Te laat zag Armstrong de opgestoken hand van zijn advocaat. 'Het is geen misdrijf een afspraak te maken en zich daaraan te houden,' zei Brad tegen Curtis.

De advocaat richtte zich tot Curtis. 'Ik laat mijn cliënt alleen maar in detail treden omdat hij alles ten stelligste ontkent, behalve dat hij gemeenschap had met het slachtoffer, een meerderjarige. Dit moet niet worden beschouwd als een bekentenis op een beschuldiging van ontvoering of moord.'

Curtis knikte en gebaarde Armstrong door te gaan.

'Janey zat in haar auto op me te wachten.'

'Hoe laat was het toen?' vroeg Dean. Hij herinnerde zich dat Gavin had gezegd dat hij ook in Janeys auto was geweest en dat het had geleken of ze op de komst van iemand anders zat te wachten.

'Ik kan het me niet precies herinneren,' zei Armstrong. 'Rond tien uur, misschien.'

Curtis vroeg: 'Wat deden jullie in haar auto?'
'We hadden seks.'

'Coïtus?'

'Fellatio.'

'Hebt u een condoom gebruikt?'

'Ja.'

'Wat gebeurde er daarna?'

'Ik… ik wilde nog een tijd bij haar blijven, maar ze zei dat ze nog iets te doen had. Ik denk dat ze op iemand wachtte.'

'Op wie dan?'

'Een andere man. Ze stond erop dat ik wegging, maar beloofde me de volgende avond weer te ontmoeten, zelfde plek, zelfde tijd. Toen ik vertrok zat ze in haar auto naar een cd te luisteren. Ik ben er de volgende avond opnieuw heen gegaan, maar ze was er niet. Ik wist niets van haar verdwijning tot ik het bericht las en haar foto in de krant zag staan.'

'Waarom hebt u zich toen niet bij ons gemeld?'

'Ik was bang. Zou ú dat niet zijn?'

'Dat weet ik niet. Zeg het me. Zou ík dat zijn?'

'Ik had me niet aan de regels van mijn proeftijd gehouden en een meisje met wie ik een paar keer seks had gehad was vermist.' Brad trok zijn schouders op, in een hulpeloos gebaar. 'Reken maar uit.'

Curtis grijnsde. 'Dat heb ik gedaan, dr. Armstrong. Mijn optelsom zegt dat u die avond meer van Janey wilde dan ze bereid was u te geven. Het liep uit de hand. U hebt de neiging gewelddadig te worden als een vrouw niet geeft wat u wilt en wannéér u het wilt. Klopt dat of niet?'

'Soms word ik boos, maar dat gaat ook weer over.'

'Niet snel genoeg. Intussen maakte uw woede zich van u meester en voor u het wist was u Janey aan het wurgen. Misschien stierf ze ter plekke, misschien raakte ze slechts bewusteloos en overleed ze later.

Hoe dan ook, u raakte in paniek. U nam haar mee naar de prachtige kamer die u in dat flutmotel hebt en probeerde te bedenken wat u met haar moest doen. Ten slotte gooide u haar lijk in het meer, kroop terug in uw schuilplaats en hoopte maar dat u er ongestraft van af zou komen.'

'Nee! Ik zweer dat ik haar nergens toe heb gedwongen en ik heb haar absoluut niet vermoord!'

De advocaat wreef in zijn oogkassen alsof hij zich afvroeg hoe hij in godsnaam een verweer moest maken van de hevige ontkenningen van zijn cliënt. Curtis zag er hard en onbuigzaam uit, als een houten indianenbeeld bij de deur van een sigarenwinkel.

'Ik denk niet dat u het met opzet deed,' zei Dean kalm.

Armstrong draaide zich naar hem om met het wanhopige gezicht van een man die verdrinkt en op zoek is naar een reddingslijn.

Dean kreeg de rol van 'goeierik' omdat hij er ook zo uitzag, en Curtis moest de 'slechterik' spelen. De volgende paar minuten zou Dean Brad Armstrongs beste vriend en zijn enige bron van hoop zijn. Dean legde zijn armen op tafel en leunde erop.

'Mocht je Janey, Brad? Ik neem aan dat je het goed vindt dat ik je Brad noem?'

'Natuurlijk.'

'Mocht je haar? Als mens, bedoel ik.'

'Eerlijk gezegd niet zo erg. Begrijp me goed, ze was fantastisch.' Plotseling voorzichtig wierp hij een blik op zijn advocaat.

'Sexy en gewillig?' souffleerde Dean. 'Het soort meisje met wie we op de middelbare school allemaal uit wilden?'

'Ja, zo was ze precies. Maar ik hield niet zo van haar persoonlijkheid.'

'Waarom niet?'

'Zoals de meeste meisjes die zo knap zijn als zij was ze verwaand en egocentrisch, en ze behandelde mensen als oud vuil. Of je speelde haar spel of ze speelde helemaal níet.'

'Heeft ze je ooit afgewezen?'

'Eén keer.'

'Voor een andere man?'

Brad schudde zijn hoofd. 'Ze zei dat ze ongesteld moest worden en niet in de stemming was.'

Dean glimlachte tegen hem, als mannen onder elkaar. 'Dat hebben we allemaal weleens meegemaakt.'

Toen leunde hij achterover en kruiste zijn armen voor zijn borst. Zijn glimlach verdween. In plaats daarvan fronste hij zijn voorhoofd. 'Het punt is, Brad, dat de meeste mannen zich erbij neerleggen. O, ze zijn natuurlijk wel gefrustreerd en gaan misschien tekeer, maar uiteindelijk drinkt de gemiddelde man een paar biertjes, kijkt naar een honkbalwedstrijd en vindt misschien een meisje dat inschikkelijker is. Maar jij neemt afwijzing zwaar op. Jij kunt het niet verdragen, jij gaat slaan, hè?'

Brad vermande zich en bromde: 'Soms.'

'Zoals vanavond bij Melissa Hatcher.'

'Ik heb geen tijd gehad om met mijn cliënt over Melissa Hatcher te praten,' zei de advocaat. 'Daarom kan ik hem niet toestaan iets over haar te zeggen.'

'Hij hoeft niets te zeggen,' zei Dean. 'Ik praat tegen hem.' Zonder op de toestemming van de advocaat te wachten vervolgde hij: 'Dit meisje maakt reclame voor haar koopwaar. Ze heeft dat bij mij gedaan, bij brigadier Curtis, en bij alle rechercheurs van deze afdeling. Iedere man zou de manier waarop ze zich kleedt als een uitnodiging opvatten.'

'Wie kan mij dan kwalijk nemen dat...'

'Hou je mond,' snauwde de advocaat.

Dean negeerde de advocaat en hield zijn aandacht op Armstrong gericht. 'Jammer voor jou, Brad, maar de staat van Texas neemt het je kwalijk. Als je het geslachtsorgaan, de mond of de anus van een kind penetreert, heet dat ontucht en aanranding. Is dat juist?' vroeg hij terwijl hij zich omdraaide naar de advocaat, die kort knikte.

'Hoe oud is Melissa?' vroeg Brad.

'Zestien. In februari wordt ze zeventien,' zei Dean. 'Ze beweert dat jullie geslachtsgemeenschap hadden.'

'En als het nou eens met wederzijds goedvinden was?' vroeg Armstrong. Hij leek doof te zijn voor de waarschuwingen van zijn advocaat, die hem beval te zwijgen.

'Maakt niet uit,' antwoordde Curtis. 'Je bent een veroordeelde zedendelinquent. Volgens artikel tweeënzestig maakt dat je onverdedigbaar.'

Armstrong begroef zijn hoofd in zijn handen.

Dean zei: 'Je eerdere veroordeling wegens ongewenste intimiteiten met een minderjarige was een derdegraads vergrijp. Deze keer is het ernstiger. Dit is een eerstegraads vergrijp.'

'Om maar te zwijgen over moord,' kwam Curtis tussenbeide.

Dean negeerde Curtis' opmerking en ging verder. 'Je hebt duur betaald voor je ongepaste, onwettige gedrag. Je hebt banen verloren, het respect van je collega's en je loopt gevaar je gezin te verliezen.'

Brad snikte; zijn schouders schokten.

'Maar ondanks de kostbare gevolgen van je onacceptabele gedrag ben je er niet mee gestopt.'

'Ik heb het geprobeerd,' riep Brad uit. 'God weet dat ik het heb geprobeerd. Vraag het maar aan Toni. Zij zal het jullie vertellen.

Ik hou van haar. Ik hou van mijn kinderen. Maar... maar ik kan niet anders.'

Dean boog zich weer voorover. 'Dat is precies wat ik bedoel. Je kúnt niet anders. Melissa maakte je vanavond zo geil, dat je door het dolle heen raakte toen ze nee zei. Je pakte haar beet, schudde haar heen en weer en liet haar alle hoeken van de kamer zien. Je wilde het niet, maar je kon je impuls niet bedwingen, al wist je hoeveel spijt je later van je daden zou hebben.

Je verlangen om het meisje seksueel te domineren was veel sterker dan je geweten en beroofde je van je gezonde verstand. Je móest haar gewoon hebben. Iets anders deed er niet meer toe. Niet de straf die je zou krijgen als je gepakt werd. Zelfs je liefde voor Toni en je kinderen kon je niet tegenhouden. Het is een dwangimpuls die je niet hebt leren bedwingen. Het bracht je ertoe te doen wat je Melissa vanavond aandeed en wat je Janey hebt aangedaan.'

'Niet reageren,' zei de advocaat.

Dean liet zijn stem dalen en sprak tegen Armstrong alsof zij de enigen in de kamer waren. 'Ik heb een duidelijk beeld van wat er drie avonden geleden is gebeurd, Brad. Er was een sexy, begeerlijk meisje van wie je dacht dat ze net zo verliefd op jou was als jij op haar. Ze had regelmatig een afspraak met je gemaakt en jij dacht dat ze het uitsluitend met jóu deed.

Die avond pijpt ze je. En het is geweldig, maar je weet dat ze onoprecht is. Je weet dat ze een leugenaar is en een meedogenloze kwelgeest. Je weet dat ze wacht op haar nieuwe vlam, degene die jou zal vervangen.

Als je haar daarmee confronteert, zegt ze dat je moet opdonderen. Je bent jaloers en bezitterig geworden, en ze kan niet meer tegen je gejammer. Denk je nou echt dat ik andere mannen zou opgeven voor jóu? vraagt ze. Jij arme, lichtgelovige sukkel.

Je wordt woedend. Je vraagt jezelf af: hoe durft ze me zo te behandelen? Paris Gibson bellen en op de radio over me praten. Wie denkt ze wel dat ze is?'

De verdachte keek Dean als gehypnotiseerd aan. 'Ik denk niet dat je, toen je die avond in Janeys auto stapte, van plan was haar te ontvoeren en te vermoorden. Ik denk dat je alleen van plan was het met haar uit te praten, schoon schip te maken.

En misschien zou het ook zo zijn geëindigd als zij niet de spot met je had gedreven. Maar Janey lachte je uit. Ze ontmande je met haar spot. Ze beledigde je op een manier die je niet kon verdragen.

Je verloor je zelfbeheersing en wilde haar straffen. En dat is wat je deed. Je bedacht een passende straf: seksueel misbruik. Dagenlang deed je haar pijn, tot je besloot dat je voldoende wraak had genomen en dat de deadline die je Paris had gegeven onbelangrijk was. En toen wurgde je Janey.'

Brad staarde Dean verbaasd en ontzet aan. Hij wierp een blik op Curtis, wiens gezicht onbewogen bleef. Toen legde Brad zijn armen op tafel, liet zijn hoofd erop rusten en kreunde met een gekwelde, overslaande stem: 'O, God. O, Gód.'

Curtis en Dean gaven gehoor aan het verzoek van de advocaat om een paar minuten alleen te zijn met zijn cliënt en verlieten de kamer. Curtis glimlachte en wreef zich in de handen, genietend van de 'genadeslag'.

'Hij heeft nog geen bekentenis getekend,' bracht Dean hem in herinnering.

'Het is een kwestie van pen en papier. Trouwens, je bent goed.'

'Dank je,' zei Dean afwezig. Dit was ronde één geweest van wat waarschijnlijk een langdurig en uitputtend verhoor zou zijn, maar er zaten hem een paar dingen dwars. 'Ik vroeg hem niet specifiek of hij Janey op de radio had horen praten over de jaloerse minnaar die ze op het punt stond te dumpen.'

'Maar je zinspeelde erop, en hij ontkende het niet.'

'Hij ontkende dat hij Paris over Janey had gebeld.'

'Vóórdat we het vroegen, wat voor mij "schuldig" betekent,' zei de rechercheur.

'Hij wist dat Paris bij de zaak betrokken was, want dat is op het journaal geweest. De lijst met de telefoonnummers die hij de afgelopen maanden heeft gedraaid, weerlegt de beschuldiging dat hij haar heeft gebeld.'

'Er zijn diverse manieren waarop hij die belletjes kan hebben gepleegd zonder dat de nummers werden geregistreerd.'

'Armstrong heeft zich nooit aan bizarre telefoontjes bezondigd. Waarom nu wél?'

'Misschien had hij een nieuwe kick nodig. De Valentino-belletjes maakten het leven een beetje pikanter voor hem, en tegelijkertijd kon hij Paris op die manier kapotmaken. Hij wilde een kick krijgen en wraak nemen. De telefoontjes maakten dat alle twee mogelijk.'

Het klonk zinnig, maar Dean had er toch moeite mee. 'Valentino's telefoontjes hebben iets boosaardigs, maar ik vind niet dat ze bij Armstrong passen. Hij is ziek, maar ik denk niet dat hij slecht is.'

Curtis wierp hem een geërgerde blik toe. 'Vergeet de motivatie even en kijk naar de feiten.'

'Zoals?'

'Zijn beroep. Hij is tandarts.'

'Het chemisch schoonwassen,' zei Dean, hardop peinzend. De lijkschouwer had kunnen bevestigen dat Janeys lijk, net als dat van Maddie Robinson, met een bijtend middel was gewassen.

'Klopt. Het is iets wat een medicus zou doen.'

'Het is wat een zorgvuldig te werk gaande psychopaat eveneens zou doen. Iemand met een dwangimpuls om zijn schuld weg te boenen.'

'Armstrong behoort tot beide categorieën.'

Dean keek achterom naar de gesloten deur van de verhoorkamer. 'Janey werd opgesloten en gemarteld. Er waren afdrukken in haar huid die erop wezen dat ze was gebeten, verdomme.'

'Om te vergelijken zullen we afdrukken van zijn gebit maken.'

'Ik bedoel dat bij geen van Armstrongs eerdere misdrijven geweld is gebruikt en dat ze ook niet wezen op de neiging daartoe. Hij was een engerd, maar geen gewelddádige engerd.'

'Wat krijgen we nou, Malloy?' zei Curtis boos. 'Zijn eigen vrouw vertelde ons dat zijn gewelddadige neigingen erger waren geworden, en jíj zei dat dat bij zijn psychose een natuurlijk proces was. Ben je dat soms vergeten?'

'Ik weet wat ik heb gezegd en ik had gelijk.'

'Oké. Vanavond heeft hij Melissa Hatscher alle hoeken van de kamer laten zien.'

'Er is een heel groot verschil tussen een vrouw een pak slaag geven en haar dagenlang martelen alvorens haar keel dicht te knijpen tot ze sterft.'

'Voor mij niet. En waarschijnlijk ook niet voor de vrouw die werd toegetakeld.'

'Doe niet zo stom, Curtis,' zei Dean nijdig. 'Ik praat het ook niet goed. Ik bedoel alleen...'

'Verdomme, ik weet wel wat je bedoelt,' bromde Curtis. Toen haalde hij diep adem. Na een korte pauze waarin ze beiden konden afkoelen, vroeg hij: 'Nog meer twijfels?'

'De fotografie.'

'Armstrong gaf toe dat hij wellicht een paar foto's van Janey had genomen.'

'Een paar. Wellicht. Hij sprak over het fotograferen alsof het niets voorstelde. Volgens Janey was het tegendeel het geval. Vind je het goed dat ik, voor we weer met Armstrong aan de gang gaan, Gavin erbij haal en hem meer hierover vraag?'

Curtis haalde zijn schouders op. 'Ik ben vóór alles wat helpt om die vent aan de kaak te stellen.'

Dean liep de gang op, wenkte Gavin en liet Melissa achter bij een echtpaar. Dean nam aan dat het haar ouders waren.

'Wat is er, pa?' vroeg Gavin. 'Heeft hij bekend?'

'Nog niet. Ik wil dat je brigadier Curtis en mij alles verteld wat Janey over Valentino heeft gezegd. Elk detail dat je je kunt herinneren. Goed?'

'Dat heb ik al een keer of tien gedaan.'

'Nog één keer, alsjeblieft!'

Toen ze Curtis vonden stond hij koffie voor zichzelf in te schenken. Hij bood hun ook koffie aan, maar ze weigerden. Curtis nam een slok uit zijn plastic bekertje en zei: 'Op gevaar af aan een dood paard te trekken, zelfs een terloopse opmerking van Janey zou belangrijk kunnen zijn, Gavin.'

'Ik wou dat ik me nog iets anders kon herinneren, sir. Ze zei tegen me dat de man ouder was. Ouder dan wij, bedoel ik. Dat hij te gek was en wist hoe een vrouw behandeld wilde worden.'

'We zijn hoofdzakelijk geïnteresseerd in de fotografie,' zei Dean tegen Gavin.

'Ze zei dat hij een camerafreak was,' zei Gavin. 'Lampen, lenzen en een heleboel accessoires. Hij zette haar zélf in de juiste pose. Armen. Benen. Hoofd. Alles.'

'Kan het zijn dat ze overdreef om indruk op je te maken? Om je te laten denken dat ze een model was, zoals in *Penthouse*?'

'Dat is mogelijk,' antwoordde Gavin. 'Maar als ze overdreef had ze beslist haar huiswerk gedaan, want ze wist er veel van af. Ze had het over sluiters en belichtingssnelheid en dat soort dingen. Ze zei dat hij allerlei technische snufjes gebruikte om elke foto zo mooi mogelijk te maken, en hij werd boos als ze niet meewerkte.'

'Hij maakte niet slechts een paar pikante kiekjes,' zei Dean tegen Curtis. 'Als je de foto bestudeerde die Janey aan Gavin heeft gegeven, kun je zien dat hij door een amateur-fotograaf is genomen die artistiek probeert te zijn.'

'En je denkt niet dat Armstrong daartoe in staat is?'

'Dat wel,' zei Dean. 'Maar als je je vrouw bedriegt die hoogstwaarschijnlijk op je zit te wachten, neem je dan zoveel tijd om foto's te maken?'

Terwijl Curtis daarover nadacht wierp hij een blik achter Deans schouder. 'Wat kom je doen?'

Dean draaide zich om en zag wie Curtis had afgeleid. Agent Griggs kwam naar hen toe, maar zijn glimlach verdween bij het zien van de frons op Curtis' voorhoofd en het horen van de afkeuring in zijn stem.

'Ik... ik kreeg het alles-veilig-teken, sir, en ze zeiden dat ik mocht vertrekken. Maar ik was zeer benieuwd of Armstrong had bekend, dus ben ik...'

'Heb je Paris daar alleen achtergelaten?' vroeg Dean.

'Nou, sir, niet...'

'Wie zei dat je mocht vertrekken?'

'John Rondeau.'

Vanuit zijn ooghoek zag Dean Gavins reactie toen Rondeaus naam viel. Gavin reageerde niet met de verwachte afkeer, maar met schrik.

'Gavin? Wat is er?' Zijn zoon staarde hem met een lijkbleek gezicht aan. 'Gavin?'

'Pa...' De jongen moest zich vermannen voordat hij verder kon gaan. 'Ik moet je iets vertellen.'

34

Door de glazen pui wierp het blauwwitte, fluorescerende licht van de hal van het radiostation een zwak schijnsel op de omringende duisternis. De lichten van de binnenstad waren onzichtbaar door de heuvels. De maansikkel was te smal om veel licht te verspreiden. Op dit uur van de nacht passeerde op de hoofdweg slechts af en toe een auto. Bijna een kilometer verderop stond het dichtstbijzijnde gebouw, een avondwinkel die om tien uur was gesloten.

Vanaf het uitkijkpunt van 101.3 FM was er niets te zien, behalve heuvels die bezaaid waren met cederbomen, zwerfkeien en hier en daar een kudde vee. Het was een ideale plek voor de zendmast, waarvan de rode lichten onophoudelijk knipperden als waarschuwing voor laagvliegende privé-vliegtuigen.

Rondeau stond naast zijn auto te wachten tot de achterlichten van Griggs patrouilleauto achter een heuvel verdwenen. Hij fronste zijn voorhoofd vol minachting voor de agenten die wegreden. Natuurlijk, hij had gewild dat ze vertrokken, maar hadden ze niet eerst het bevel waarvan hij had gezegd dat het rechtstreeks van Curtis kwam, moeten verifiëren in plaats van hem op zijn woord te geloven? Dat soort onachtzaamheid was niet acceptabel. Morgen zou hij hen rapporteren. Daarmee zou hij niet hun genegenheid winnen, maar je werd niet bevorderd door vrienden te maken.

Hij liep naar de ingang en had de map met informatie over Stan Crenshaw bij zich. Er werd een verontrustend beeld geschetst van een man wiens verstoorde gezinsleven en persoonlijke onzekerheden tot seksuele misstappen in zijn jeugd hadden geleid. Geloofwaardige voorboden van Valentino's gestoorde gedrag.

Maar wat Rondeau het meest boos maakte was de onrechtvaardigheid van alles. Crenshaw was niet gestraft voor zijn wangedrag, want zijn oom had hem uit elke netelige situatie vrijge-kocht. Daardoor had Wilkins Crenshaw geleidelijk aan een mon-ster gecreëerd dat in staat was tot ontvoering, verkrachting, mar-teling en moord op een knappe jonge vrouw.

Omdat hij al zijn aandacht op Brad Armstrong richtte, had bri-gadier Curtis de interessante inhoud van deze map weggewuifd. Aanvankelijk had Rondeau aanstoot genomen aan de botte afwij-zing, maar in feite had het in zijn voordeel gewerkt en had Curtis hem ongewild een gouden kans gegeven om de held van iedereen te worden.

In plaats van op de bel te drukken, klopte Rondeau op de gla-zen deur.

Hij hoefde niet lang te wachten voordat hij zijn eerste blik op de weinig imponerende Stan Crenshaw kon werpen. Stan kwam uit een donkere gang die in de hal uitkwam, en liep behoedzaam naar de deur. Daar tuurde hij door het glas. Rondeau wist dat het glas als een spiegel zou reflecteren, waardoor Crenshaw heel dicht bij het glas moest gaan staan om te kijken wie er had geklopt.

Hij nam Rondeau op met de neerbuigendheid van de rijken, en keek daarna naar het parkeerterrein, waar de patrouilleauto op-vallend ontbrak. 'Waar zijn de agenten?'

Rondeau, die al succes proefde, hield zijn badge omhoog.

'Dat was Johnny Mathis met zijn klassieker *Misty*. Absoluut mu-ziek om bij te liefkozen. Ik hoop dat je vanavond iemand bij je hebt terwijl je naar klassieke liefdessongs op 101.3 luistert. Hier is Paris Gibson, en tot middernacht horen jullie *I Don't Know How to Love Him* van Melissa Manchester. De telefoonlijnen staan open. Bel me.'

Toen het lied begon zette ze haar microfoon af. Twee van de te-lefoonlijnen knipperden. Ze drukte op een van de knoppen, maar kreeg een kiestoon. In gedachten verontschuldigde ze zich bij de beller, die kennelijk alle hoop had opgegeven haar aan de lijn te krijgen.

Ze drukte op het tweede knipperende knopje. 'Je spreekt met Paris.'

'Hallo, Paris.'

Haar hart hield op met slaan voordat een stoot adrenaline het weer op gang bracht met het harde, snelle gebons van een sprinter die uit de startblokken komt. 'Met wie spreek ik?'

'Dat weet je best.' Zijn lach was nog angstaanjagender dan zijn fluisterende stem. 'Je trouwe fan Valentino.'

Snel keek ze over haar schouder, in de hoop dat Stan zich stilletjes bij haar had gevoegd. Nu zou ze blij zijn geweest als hij naar haar toe was geslopen. Maar ze was alleen in de studio. 'Hoe...'

'Ik weet het, ik weet het, je vriend denkt dat hij zijn dader heeft ingerekend. Zijn zelfvoldane geklungel zou komisch zijn als het niet zo zielig was.' Hij lachte opnieuw. Ze kreeg er kippenvel van op haar armen. 'Ik ben een stoute jongen geweest, is het niet, Paris?'

Ze had een droge mond gekregen. Haar hart bleef bonken, haar hartslag weerklonk luid tegen haar trommelvliezen. Ze dwong zichzelf te kalmeren en na te denken. Ze moest Dean waarschuwen, brigadier Curtis, Griggs, die buiten was, wie dan ook, dat ze de verkeerde man hadden opgepakt en dat Valentino nog steeds vrij rondliep. Maar hoe?

Wat een vraag! Ze had een microfoon in haar hand! Honderdduizenden mensen waren op haar afgestemd.

Toen ze een hand uitstak om de microfoon aan te zetten, dacht ze er nog eens over na. Moest ze er op de radio uitflappen dat de politie van Austin had geblunderd? Wat als dit telefoontje een grap bleek te zijn, iemand die haar een gemene streek leverde? Wat als de luisteraars door haar in paniek raakten?

Het was beter om hem aan de praat te houden tot ze had bedacht wat ze moest doen. 'Bovendien ben je een leugenaar, Valentino. Je hebt je niet aan de deadline gehouden.'

'Dat is waar. Ik heb geen eergevoel.'

'Je doodde Janey voor je mij een kans gaf haar te redden.'

'Oneerlijk, hè? Maar ik heb nooit beweerd dat ik eerlijk ben.'

'Waarom belde je me eigenlijk? Als je de hele tijd al van plan was haar te vermoorden, waarom plande je dan zo'n ingewikkelde telefooncampagne?'

'Om jou erbij te betrekken. En het werkte! Jij voelt je absoluut ellendig omdat je niet in staat was het leven van die slet te redden.'

Paris weigerde toe te happen. Dat had ze al eens gedaan, en Janey was tóch gestorven. De enige manier om dat goed te maken, was de identiteit van de klootzak vast te stellen en ervoor te zorgen dat hij voor het gerecht werd gebracht, en dat kon niet door met hem te redetwisten.

Ze zou met haar mobieltje Dean kunnen bellen, maar – verdomme! – dat zat in haar handtas in haar kantoor. Kon ze een technisch probleem scheppen dat Stan zou alarmeren? Spoedig zou het lied van Manchester afgelopen zijn, het laatste van een reeks. Als er niets meer werd uitgezonden, zou Stan naar de studio komen om te kijken wat er aan de hand was.

Terwijl dat alles door haar hoofd spookte kletste Valentino maar door. 'Ze moest sterven, weet je, omdat ze me had belazerd. Ze was een harteloos kreng. Ik vond het leuk om haar langzaam te zien doodgaan. Ik zag dat ze zich realiseerde dat ze nooit aan me kon ontsnappen. Ze wist dat ze het niet zou overleven.'

'Daar moet je een geweldige kick van hebben gekregen.'

'O, absoluut. Hoewel het hartverscheurend was zoals haar ogen me zwijgend smeekten haar leven te sparen.'

Die opmerking maakte dat Paris haar recent genomen besluit vergat om zich door niets wat hij zei boos te laten maken. 'Jij gestoorde schoft!'

'Denk je dat ik gestoord ben?' vroeg hij vriendelijk. 'Dat is vreemd, Paris. Ik martelde en doodde Janey, ja, maar jij martelde en doodde je verloofde! Was het geen marteling voor hem om erachter te komen dat je hem met zijn boezemvriend bedroog? Beschouw je jezélf als een gestoorde?'

'Ik heb Jacks auto niet tegen een bruggenhoofd gereden, maar híj. Het ongeluk was zíjn schuld. Híj bepaalde zijn lot, niet ík.'

'Dat klinkt alsof je je verdedigt,' zei hij op de afkeurende toon van een pastoor die de biecht afneemt. 'Ik zie het verschil niet tussen jouw zonde en de mijne, behalve dat de marteling van jou langer duurde en dat hij een stuk langzamer is gestorven. Dat maakt jou veel wreder, vind je niet? En daarom moet je worden gestraft.

Zou het rechtvaardig zijn om je vrolijk door te laten gaan en lang en gelukkig met Malloy te leven? Dat denk ik niet,' zei hij. 'Dat zal niet gebeuren. Jullie zullen nooit samen zijn omdat jij, Paris, zult sterven. Vanavond.' De verbinding werd verbroken. Onmiddellijk reikte ze naar de buitenlijn. Niets. Stilte. Snel achter elkaar testte ze alle telefoonlijnen, maar zonder succes. Ze waren dood.

Het besef bekroop haar als een opdringende schaduw. Of hij had de mogelijkheid en de kennis om gecomputeriseerde telefoonapparatuur van buitenaf onbruikbaar te maken. Of – en dit vreesde ze – hij had de telefoonverbindingen van binnenuit verbroken.

Ze vloog van haar kruk, rukte de gecapitonneerde deur open en schreeuwde door de donkere gang: 'Stan!'

Het Webber-lied was bijna afgelopen. Ze rende terug naar het bedieningspaneel en zette haar microfoon aan. 'Hallo, hier is Paris Gibson.' Haar stem klonk zwak en hoog, helemaal niet als haar normale alt. 'Dit is geen...'

Ze werd onderbroken door een schel alarm.

Snel richtte ze haar blik op de bron. Het geluid was afkomstig van de scanner die alles opnam wat werd uitgezonden. Je merkte er nooit iets van. Het alarm maakte je alleen attent op een storing in de uitzending.

Ze raakte in paniek en drukte herhaaldelijk op de knop van haar microfoon, maar net als alle andere knoppen op het bedieningspaneel weigerde hij te gaan branden.

Opnieuw vloog ze naar de deur. 'Stan!' De echo van haar schreeuw leek haar te achtervolgen terwijl ze naar haar kantoor rende. Haar handtas stond op haar bureau, waar ze hem had achtergelaten, maar hij was binnenstebuiten gekeerd. De inhoud lag verspreid over haar bureau. Met bevende handen zocht ze tussen cosmetica, tissues en kleingeld naar haar mobieltje, maar ze wist dat het er niet zou zijn.

Het was er inderdaad niet.

En er ontbrak nóg iets – haar sleutels.

Verwoed doorzocht ze de post, die eveneens over haar bureau verspreid lag. Ze knielde zelfs neer om onder het bureau te kijken, maar wist dat zowel haar sleutelbos als haar telefoon was meegenomen door de persoon die ook de telefoonlijnen had afgesneden en het uitzenden onmogelijk had gemaakt. Alle communicatielijnen waren geblokkeerd door de man die Janey had vermoord en had beloofd háár te zullen vermoorden.

Valentino.

Ze ademde zo luid, dat ze niets anders kon horen. Even hield ze haar adem in om te luisteren. Ze sloop naar de open deur van haar kantoor, maar op de drempel aarzelde ze. Zoals altijd was het halfduister in de gang. Die avond gaf de vertrouwde duisternis haar echter geen gevoel van veiligheid en troost, maar had hij iets sinisters. Misschien omdat het doodstil was in het gebouw.

Waar was Stan? Had hij niet gemerkt dat ze niet meer uitzonden? Als hij de studio had gecontroleerd en had ontdekt dat ze daar niet was, waarom riep hij haar dan niet terwijl hij door het gebouw liep om te kijken wat er gaande was?

Maar het antwoord op die vraag wist ze al: Stan was niet in staat naar haar toe te komen om te kijken wat er aan de hand was.

Valentino had hem gedood, misschien nog vóór hij haar belde. Hij kon al een tijd in het gebouw zijn zonder dat ze het wist, want ze had immers opgesloten gezeten in de geluiddichte studio.

Hoe was Valentino langs Griggs en Carson gekomen? En toen hem dat eenmaal was gelukt, hoe had hij de voordeur van het gebouw geopend? Je moest een speciale sleutel hebben om het nachtslot open te maken. Had hij Stan overgehaald de deur te openen? Hoe?

Vragen waarop ze geen antwoorden had.

Ze was geneigd haar kantoordeur dicht te gooien, op slot te doen en dan te wachten tot er hulp kwam. De luisteraars in het heuvelland zouden zich al afvragen hoe het kwam dat de zender uit de lucht was. Misschien wist Dean het al. Brigadier Curtis. Spoedig zou iemand haar te hulp komen.

Maar intussen kon ze zich niet in haar kantoortje blijven verstoppen. Griggs en Carston konden gewond zijn. En Stan.

Ze liep de gang in, en terwijl ze haar rug tegen de muur drukte, zodat ze naar links en rechts kon kijken, schuifelde ze naar de voorkant van het gebouw en deed alle lichten uit die ze passeerde. Ze had één ding voor op Valentino: ze kende het gebouw als haar broekzak. Ze was gewend in het half duister haar weg te vinden.

Snel, maar zo stil en voorzichtig mogelijk, liep ze naar de ingang. Bij het naderen van elke kruising van gangen was ze bang voor wat haar om de hoek wachtte. Maar toen ze de laatste hoek omging was de gang tussen haar en de goedverlichte hal goed zichtbaar. Ze rende de gang af en door de hal. Ze was van plan zich tegen de deur te werpen en op het glas te bonzen om de aandacht te trekken van de politieagenten die haar bewaakten.

Maar de patrouilleauto was er niet, en de voordeur was op slot.

Met een kreetje liep ze achteruit weg, bij de deur vandaan, tot ze tegen de balie van de receptioniste botste. Ze leunde ertegenaan om weer op adem te komen en te besluiten wat ze zou doen.

Plotseling werd haar enkel vastgepakt. Ze gilde het uit.

Toen ze naar beneden keek zag ze een mannenhand onder de

balie vandaan komen. Maar voor ze ook maar kon proberen zich uit zijn greep te bevrijden, ontspanden de vingers zich en viel de hand levenloos op het smerige tapijt.

Struikelend over haar eigen voeten liep ze om de balie heen. Bij het zien van de gedaante die op zijn buik op de vloer lag bleef ze abrupt staan. Ze knielde neer, pakte de schouder van de man vast en draaide hem om.

John Rondeau kreunde. Hij knipperde met de ogen, maar ze bleven gesloten. Hij bloedde hevig uit een hoofdwond.

Er ging een blij gevoel door haar heen toen ze zijn naam hijgde. 'John. Alsjeblieft, wordt wakker. Alsjeblieft!' Ze gaf een flinke tik op zijn wang, maar hij kreunde opnieuw en zijn hoofd viel opzij. Hij was bewusteloos.

Net buiten het bereik van zijn uitgestrekte hand lag een officieel uitziende dossiermap. Ze las de naam die op het etiketje was getypt. Stanley Crenshaw.

Haar maag draaide om. 'O, mijn God.'

Stan? Was het al die tijd Stán geweest?

Waarom niet? dacht ze. Zijn onbekwaamheid kon een uitstekende vermomming zijn. Hij had de tijd en de gelegenheid gehad om de misdrijven te begaan. Overdag was hij vrij en ook 's avonds voor en na haar programma. Hij had net voldoende technische kennis om telefoontjes langs een andere route te sturen, was dol op elektronica en de meest geavanceerde snufjes. Hij had veel speeltjes, en ongetwijfeld zat daar ook fotoapparatuur tussen. Hij kon het zich makkelijk veroorloven en was aantrekkelijk genoeg om een op sensatie beluste tiener te verleiden.

Bovendien had hij zijn leven lang woede en wrok opgekropt, meer dan voldoende motivatie om een vrouw te vermoorden die hem had afgewezen. Met angstaanjagende helderheid besefte Paris dat ook zij hem vanavond had afgewezen.

'Er zal gauw hulp komen,' fluisterde ze tegen Rondeau. Hij reageerde niet, was nog steeds bewusteloos. De politieman was uitgeschakeld. Ze was in feite alleen.

Maar ze peinsde er niet over om te wachten tot Valentino haar vond. Ze ging hem zoeken.

Snel doorzocht ze Rondeaus kleren. Ze wist niet of computeragenten gewapend waren, maar ze hoopte van wel. Ze hield niet van wapens, walgde ervan, maar desnoods zou ze er een gebruiken om haar leven te redden.

Ze slaakte een zucht van verlichting toen ze een bobbel onder zijn jas voelde. Ze deed de jas open en ontdekte dat de holster die aan zijn riem was vastgemaakt leeg was.

Stan moest hetzelfde idee hebben gehad als zij. Hij was dus bewapend.

Na nogmaals Rondeau ervan te hebben verzekerd dat alles goed zou komen – ze hoopte dat het waar was – verliet ze voorzichtig de schijnveiligheid van de schuilplaats achter de balie.

Toen ze de hal verliet, deed ze het licht uit, hoewel ze besefte dat Stan het gebouw net zo goed kende als zij. De duisternis was dus niet langer een voordeel dat alleen voor háár gold.

Ze piekerde er niet over zich nog langer verborgen te houden. Zij en Stan waren alleen in het gebouw, zoals al honderden avonden eerder het geval was geweest. Ze piekerde er niet over een kinderachtig kat-en-muis-spelletje met hem te spelen. Als ze in het offensief ging en hem opzocht, kon ze hem ongetwijfeld net zo lang aan de praat houden tot er hulp kwam.

De kamer van de technici was leeg, evenals de herentoiletten en het keukentje. Alle kantoren, inclusief die van haar, waren verlaten. Langzaam liep ze naar de achterkant van het gebouw, waar een grote opslagruimte was. De deur ervan was dicht.

De metalen kruk voelde koud aan toen ze hem beetpakte en de deur opende. De muffe geur van oude, niet meer gebruikte spullen kwam haar tegemoet. Het vertrek was aardedonker, nog donkerder dan de rest van het gebouw. De open deur wierp een beetje licht op de betonnen vloer.

Paris aarzelde op de drempel. Toen haar ogen zich aan het pikkedonker hadden aangepast, zag ze de manshoge, diepe kast waarin de schoonmaakspullen van Lancy alias Marvin werden bewaard. De deur van de kast stond op een kier. Paris luisterde aandachtig. Ze was er zeker van dat ze iemand in de kast hoorde ademhalen.

'Stan, dit is dwaasheid. Kom eruit. Hou op met dit idiote gedoe, voordat iemand anders, jijzelf inbegrepen, gewond raakt.'

Ze verzamelde al haar moed en ging de opslagruimte binnen. 'Ik weet dat je een wapen hebt, maar ik geloof niet dat je me zult neerschieten. Als je me had willen doden, had je dat op elke willekeurige avond kunnen doen.'

Was de ademhaling in de kast gejaagder gaan klinken? Of verbeeldde ze zich dat maar? Of hoorde ze de echo van haar eigen ademhaling?

'Ik weet dat je boos op me bent omdat ik je liefde heb afgewezen, maar tot vanavond wist ik niet dat je dat soort gevoelens voor me had. Laten we erover praten.'

Terwijl ze op haar tenen over de betonnen vloer naar de kast liep, luisterde ze ingespannen of ze een geluid, hoe gering ook, hoorde dat aangaf dat er hulp was gearriveerd. Waren scherpschutters op dit moment hun posities aan het innemen? Waren speciale mobiele brigades de buitenmuren aan het beklimmen om op het dak te komen? Of had ze te veel actiefilms gezien?

Toen ze vlak bij de gedeeltelijk geopende kastdeur was, bleef ze staan. 'Stan?' Ze strekte haar arm en duwde de deur helemaal open.

Er klonken geen schoten in de stilte, maar zijn ademhaling was nu nóg luider. Ze dacht aan wat hij met Janey had gedaan. Nu hij wist dat hij ontdekt was, zou hij wanhopig zijn, gewetenloos en tot alles in staat. De situatie vereiste een ervaring die ze niet had. Dean wel.

Dean! Vol angst en verlangen riep haar hart in stilte zijn naam terwijl ze de laatste stap naar de kast zette.

Toen ze Stan zag, staarde ze hem verbijsterd aan.

Hij ademde zwaar door zijn neusgaten omdat zijn mond was dichtgeplakt met tape, waarmee ook zijn enkels en polsen waren vastgebonden. Zijn benen waren gebogen, met zijn knieën tot onder zijn kin. Hij was letterlijk in de enorme, roestvrijstalen gootsteen gepropt.

'Stan! Wat...' Ze stak haar hand uit om de tape van zijn mond te trekken toen zijn ogen, groot van angst, achter haar keken en nóg groter werden.

Ze draaide zich razendsnel om.

'Verrassing!' zei John Rondeau.

Maar het was de stem van Valentino.

35

'Verdomme, verdomme,' herhaalde Dean terwijl hij de met rubber beklede cijfers van zijn mobieltje intoetste.

Met zijn ene hand bestuurde hij zijn auto en de andere hand gebruikte hij voor zijn mobiele telefoon. Hij had een paar keer het speciale telefoonnummer ingetoetst dat Paris hem had gegeven, maar ze had niet opgenomen. Hij had herhaaldelijk het nummer gedraaid waarop verzoeknummers konden worden aangevraagd, maar hij had steeds het bandje gekregen met het bericht dat Paris zo gauw mogelijk aan de lijn zou komen. Hij belde naar haar mobieltje, maar kreeg haar voicemail.

'Waarom heb je me niet over Rondeau ingelicht?' Curtis, die voorin zat, was eveneens met zijn mobieltje aan het bellen. Hij was in de wacht gezet, in afwachting van meer informatie over John Rondeau.

'Jij hoorde het toen ík het hoorde.'

De rechercheur had naast hem gestaan toen Gavin onthulde wat hij van Rondeau wist. Het was moeilijk te zeggen wie het eerst in actie was gekomen. Dean herinnerde zich dat hij Curtis opzij duwde en naar de uitgang begon te rennen.

Hij liep voorop toen Curtis schreeuwde dat er eenheden naar het radiostation moesten worden gestuurd. 'Bijzondere Bijstandseenheid ook. Schiet op!'

Dean had er niet over gepeinsd om te wachten en te kijken of de orders van de brigadier werden uitgevoerd. Blijkbaar had Curtis zijn mening dat er haast was geboden gedeeld. Ze waren door de dubbele deuren gestormd en met twee treden tegelijk de trap afgerend, tot ze de parkeergarage bereikten. Deans auto had het meest dichtbij gestaan. Zo hard als hij nu reed, zouden ze het winnen van de patrouilleauto's die op weg waren naar het radiostation.

'Je hebt nagelaten me te vertellen dat Rondeau je zoon in de toiletruimte had lastiggevallen.'

'Het was persoonlijk. Ik dacht dat hij alleen maar een hufter was.'

'Een hufter met...' Curtis zweeg abrupt en luisterde. 'Ja, ja,' zei hij in de telefoon, 'wat heb je?'

Terwijl Curtis de primeur over John Rondeau kreeg, draaide Dean opnieuw de telefoonnummers van Paris. Toen bleek dat er nog niets was veranderd, begon hij luidkeels te vloeken en drukte het gaspedaal nóg verder in.

Of het iets met het intrappen van het gaspedaal te maken had of niet, op dat moment hield de autoradio ermee op. Hij was er zo op gespitst Paris' stem te horen, dat het plotselinge, statische gesis net zo'n pijn deed aan zijn oren als een bloedstollende gil.

Hij begon als een gek op de knoppen van zijn radio te drukken. Alle andere zenders kwamen luid en duidelijk over. Er was niets mis met de radio. 101.3 was gestopt met uitzenden.

'Het station is zojuist uit de ether gegaan.'

Curtis, die druk in gesprek was, draaide zijn hoofd om. 'Hè?'

'Het station zendt niet meer uit.'

'Jemig.' Toen zei Curtis in zijn mobieltje: 'Dat was het voorlopig,' en verbrak de verbinding.

'Wat? Vertel op,' zei Dean, terwijl hij vrijwel op twee wielen een bocht nam.

'Geen vader in het gezin Rondeau. Ze gaan na of hij tijdens Johns vroege jeugd is gestorven, of er ooit een Mr. Rondeau is geweest. Geen mannelijk rolmodel, zoals een oom, een hopman...'

'Ik snap het, ga door.'

'Moeder werkte om in het levensonderhoud van John en zijn een jaar oudere zus te voorzien.'

'Wat zeiden zijn moeder en zus over John?'

'Niets. Ze zijn alle twee overleden.'

Dean wierp Curtis een zijdelingse blik toe. 'Toen hij het over hen had, sprak hij in de tegenwoordige tijd.'

'Ze werden in hun huis vermoord toen John veertien was. Hij ontdekte de lijken. Zijn zus was in de badkuip verdronken, bij zijn moeder was een ijspriem door het ruggenmerg gestoken terwijl ze sliep.'

'Wie was de dader?'

'Onbekend. Het is een onopgeloste zaak.'

'Niet meer.' Deans handen omklemden het stuur.

'Dat weten we niet,' zei Curtis, die Deans gedachte las. 'Hij werd ondervraagd, maar is nooit echt als een verdachte beschouwd. Moeder en kinderen waren dol op elkaar. Moeder werkte hard om de kost te verdienen. Broer en zus waren sleutelkinderen, die elkaar volkomen vertrouwden. Hun band was hecht.'

'Ongetwijfeld!' zei Dean met een strak gezicht. 'Heel hecht.'

'Denk je aan incest?'

'Valentino's gedrag is symptomatisch. Waarom stond dit alles niet in Rondeaus dossier?'

'De feiten staan er wél in. Iedereen die bij de politie solliciteert, wordt aan een streng onderzoek onderworpen. '

'Niemand keek verder dan de tragedie dat hij zijn hele familie had verloren. Niemand dacht aan incest. Wat gebeurde er na de dubbele moord met de jonge John?'

'Pleeggezin. Hij woonde bij een echtpaar tot hij oud genoeg was om op eigen benen te staan.'

'Nog meer kinderen in dat pleeggezin?'

'Nee.'

'Gelukkig maar. Kon hij goed met de pleegvader opschieten?'

'Er waren geen problemen met de pleegouders. Ze waren verzot op hem.'

'Vooral de vrouw.'

'Dat weet ik niet,' zei Curtis. 'Maar ze waren zeer over hem te spreken. Ze zeiden dat hij een ideaal kind was. Respectvol. Beleefd.'

'Dat zijn veel psychopaten.'

'Hij was een uitstekende student,' vervolgde Curtis. 'Geen studieproblemen. Na twee jaar universiteit schreef hij zich in op de politieacademie. Hij wilde politieman worden...'

'Ik kan wel raden waarom. Om te voorkomen dat andere vrouwen dezelfde dood stierven als zijn moeder en zijn zus.'

'Min of meer.' Curtis keek hem aan. 'Eén klein detail...'

'Ja?'

'De zus was vijf maanden zwanger toen ze stierf.'

Dean wierp hem een vragende blik toe.

'Nee,' zei Curtis. 'Dat hebben ze gecontroleerd. De baby was niet van Rondeau.'

'Dat had ik je wel kunnen vertellen,' zei Dean grimmig. 'Dat is de reden waarom hij haar heeft gedood.'

Curtis' mobieltje ging over. 'Ja,' snauwde hij.

Dean kon de lichten op de zendmast zien. Hoe ver waren ze ervandaan? Twee of drie kilometer? Hij reed te dicht achter het busje van de Bijzondere Bijstandseenheid. Een paar kilometer terug had het hem ingehaald en Dean had het laten passeren.

Het busje reed hard, maar Dean dwong de chauffeur om nóg harder te rijden. Ze waren de twee voorste voertuigen in een colonne die uit diverse politie-eenheden bestond. Een ambulance sloot de rij. Dean probeerde daar niet aan te denken.

Curtis beëindigde zijn telefoongesprek. 'Ze zijn in Rondeaus appartement geweest. Het stelde niet veel voor, maar hij had eersteklas fotoapparatuur. Albums boordevol schunnige foto's. Lange, blonde haren op het beddengoed. Hij is onze man.'

Dean keek recht voor zich uit en klemde zijn kaken zo hard op elkaar dat ze pijn deden.

Curtis controleerde zijn pistolen. Het ene zat in de holster aan zijn riem en het andere in zijn beenholster. 'Heb jíj een blaffer?'

Dean knikte. 'Ik ben hem gaan dragen toen hij Paris begon te bedreigen.'

'Oké, maar luister goed. Als we daar zijn, hou jij je gedeisd en laat je die mannen hun werk doen.' Hij knikte naar het BBE-busje. 'Begrepen?'

'Begrepen, brigadier.'

De herinnering aan hun respectievelijke rangen ontging Curtis niet, maar hij hield voet bij stuk. 'Als je daar half over de rooie naar binnen gaat, zul je iets doen wat onze arrestatie verknalt, en dan zullen ze hem laten lopen vanwege een of ander lullig vormfoutje.'

'Ik zei dat ik het begreep,' zei Dean koppig.

'Dus je bent kalm?'

'Ik ben kalm.'

Curtis stopte het pistool weer in zijn beenholster terwijl hij bromde: 'Om de donder niet.'

Dean zei: 'Klopt. Als hij Paris kwaad doet, vermoord ik hem.'

Ze staarde naar het grijnzende gezicht van John Rondeau, maar haar verbijstering was slechts tijdelijk. Toen reageerde ze snel. Met al haar kracht gaf ze een duw tegen zijn borstkas, maar hij drukte haar tegen de metalen legplanken in de kast terwijl hij met zijn pistool op Stan schoot.

Het schot maakte haar doof. Of misschien was het haar eigen gil.

Rondeau gaf haar een klap. 'Hou je kop!' Hij pakte haar haren beet, sleepte haar weg van de kast en schopte de kastdeur dicht. Toen duwde hij haar met zoveel kracht naar voren dat ze vooro-vervielt op de betonnen vloer.

'Hallo, Paris,' zei hij met de angstaanjagende stem die ze nu goed kende.

'Heb je hem gedood?'

'Crenshaw? Dat hoop ik. Dat was de bedoeling toen ik recht in zijn hart schoot. Wat een sukkel. Maar hij is sterker dan hij eruit-ziet. Dít heb ik in feite aan hem te danken.' Hij wees naar zijn bloedende hoofdwond. 'Eerst was hij erg behulpzaam en liet me zien wat je moest doen om het uitzenden te stoppen. Onder be-dreiging van een vuurwapen, natuurlijk. Toen deed hij een bela-chelijke maar heel dappere poging jou te beschermen door met een fles op mijn hoofd te slaan.' Hij sprak nog steeds met Valentino's stem.

'De stem... dat is heel slim bedacht.'

'Ja, hè? De kans was klein dat een van mijn collega's ook een fan van Paris Gibson was, maar ik wilde niet aan mijn stem worden herkend als ik belde.'

'Je was van begin af aan Valentino.' Haar mond was zo droog dat haar tong bij elk woord aan haar gehemelte plakte.

'Ja. Dat gaat terug tot... Eens kijken.' Hij streek met de loop van zijn pistool over zijn wang. 'Ergens voordat Maddie Robin-son op het toneel verscheen.'

'Dus je hebt twéé vrouwen vermoord.'

Hij glimlachte toegeeflijk. 'Eigenlijk niet, Paris.'

'Meer dan twee?'

'Ja.'

Hou hem aan de praat. Hoe langer hij praat, hoe langer je leeft. 'Waarom heb je hen vermoord?'

Hij nam zijn gewone stem weer aan en zei: 'Omdat ze het niet verdienden om te leven.'

'Ze bedrogen je, net zoals Janey.'

'Janey, Maddie, mijn zus.'

'Heb je je zús vermoord?'

'Het was geen móórd. Het was gerechtigheid.'

'Juist, ja. Wat was er gebeurd? Wat had je zus met je gedaan?'

Hij lachte vrolijk. 'Alles. We deden álles met elkaar. Ik sliep tussen hen in. Tussen haar en mijn moeder. Snap je?' Hij bewoog zijn wenkbrauwen op en neer.

Hij had haar willen choqueren, en dat was hem gelukt, maar ze probeerde het niet te tonen. Ze zou hem niet de voldoening geven haar afkeer te zien.

'We hielden het allemaal binnen de familie. Ons kleine geheim,' fluisterde hij. 'Mama waarschuwde ons. "Je mag het niet vertellen, anders zullen ze je meenemen en je opsluiten bij stoute jongetjes en meisjes die met elkaars plassertje spelen. Beloofd? Mooi zo. Zuig nu aan mama's tieten en dan zal ze iets extra lekkers voor jullie doen."'

Paris werd misselijk.

Hij ging door. 'Maar dan beginnen we volwassen te worden. Zus krijgt een baantje. Na schooltijd. In een platenzaak. Ze is er elke middag in plaats van thuis bij mij om te doen wat we het fijnst vinden. Ze begint langer in de winkel te blijven, zodat ze bij een van de mannen kan zijn die daar werken. Ze heeft geen tijd meer voor me.

Ze is nooit in de stemming. Ze zegt dat ze te moe is, maar in feite is het omdat ze de hele tijd met hém vrijt. En mama vindt het fantastisch dat zus verliefd is geworden. "Is het niet romantisch en ben je niet blij voor haar, Johnny?"'

Hij verzonk in somber stilzwijgen. Zijn borst ging op en neer, alsof hij op het punt stond in huilen uit te barsten. 'Ik hield van hen.'

Hij leek verdiept in zijn gedachten. Paris keek snel naar de deur en schatte de afstand.

Zijn lach maakte dat ze haar blik weer op hem richtte. 'Vergeet het maar, Paris. Dit uitstapje naar het verleden heeft me niet afgeleid van wat ik hier kwam doen.'

'Als je mij vermoordt…'

'O, ik zal je ombrengen, maar Stan Crenshaw zal er de schuld van krijgen.'

'Hij is dood.'

'Als een pier. Ik móest hem wel ombrengen. Toen ik hier kwam, vond ik jou dood, gewurgd door Crenshaw, die vanaf zijn kindertijd een perverse zielenpoot is geweest. Het staat allemaal in zijn dossier, het schoolvoorbeeld van een psychopaat met een seksuele afwijking.

Hoe dan ook, toen ik de situatie in ogenschouw nam, probeerde ik hem te arresteren. Tijdens het gevecht dat volgde slaagde hij erin mij een flinke klap op mijn kop te geven, wat me trouwens inspireerde tot het kunstje dat ik jou flikte. Slim, hè? Je bent er compleet ingetuind, hè?'

'Ja,' gaf ze toe.

'Het spijt me, maar ik kon het niet nalaten. Vooral de scène met je enkel,' zei hij grinnikend. 'Waar was ik gebleven? O, ja, ik zal hun vertellen dat ik Crenshaw eindelijk onder controle had en bezig was zijn enkels en handen vast te binden met de tape die ik in de kast had gevonden, toen hij een ontsnappingspoging deed. Triest genoeg zat er niets anders voor me op dan hem dood te schieten.'

'Heel goed,' zei ze, 'maar niet volmaakt. De forensische experts zullen discrepanties vinden.'

'Ik heb antwoorden voor alle vragen die kunnen worden gesteld.'

'Weet je zeker dat je aan alles hebt gedacht, John?'

'Ik heb onderzoek gedaan. Ik ben een goede politieman.'

'Die op vrouwen aast.'

'Ik heb nooit op ze "geaasd". Mijn moeder en zus waren bepaald geen slachtoffers. Ze waren mijn trainers, mijn leraressen. Elke vrouw met wie ik het sindsdien heb gedaan, heeft geprofiteerd van wat zij me hebben bijgebracht, en het waren allemaal gewillige partners. Aanvankelijk voelde ik me helemaal niet zo aangetrokken tot Maddie. Maar ze bleef achter me aan lopen. Toen was zíj degene die het wilde uitmaken. Moet je je voorstellen!' Hij schudde niet-begrijpend zijn hoofd.

'En als je bedoelt dat de meisjes in de Sex Club een prooi zijn, dan heb je niet goed opgelet. Ze zijn hoeren die avontuur zoeken. Ik heb geen remmingen. Ze houden van me,' fluisterde hij, terwijl hij zijn tong naar haar uitstak.

Opnieuw werd ze misselijk. 'Blijkbaar hield Janey níet van je.'

'Janey hield van niemand, alleen van Janey. Maar ze hield wel van wat ik met haar deed. Ze was een harteloos kreng dat met de gevoelens van mensen speelde. En jij had medelijden met haar, Paris. Jij liet haar op de radio over me klagen. Weet je waarom? Omdat jij net zo bent als zij.

Jij speelt ook met de gevoelens van mensen. Je denkt dat je heel wat bent. Malloy en zelfs Curtis smachten naar je, ze smeken om een klein beetje van je aandacht.'

Plotseling keek hij op zijn horloge. 'Over Malloy gesproken, ik kan maar beter terzake komen. Jij bent al vijf minuten uit de lucht.'

Vijf minuten? Het leek wel een eeuwigheid.

'De mensen krijgen het in de gaten, en ik weet zeker dat je vriend de psycholoog hier zal komen binnenstormen en...'

Aan de voorkant van het gebouw hoorden ze iets wat klonk als een explosie van brekend glas, gevolgd door schreeuwende stemmen en rennende voetstappen.

Paris schopte zo hard mogelijk tegen Rondeaus knieschijf.

Zijn been sloeg dubbel. Hij schreeuwde het uit van de pijn. Paris krabbelde overeind en rende naar de deur.

Ze hoorde het schot pas toen de kogel haar trof.

Krachtiger dan ze zich ooit kon hebben voorgesteld. De branddende pijn die volgde deed haar naar adem snakken. Ze raakte bijna bewusteloos, maar door de adrenaline bleef ze overeind. Ze rende door de deuropening buiten zijn gezichtsveld en zakte daar in elkaar.

Ze probeerde te schreeuwen om de politie te laten weten waar ze was, maar ze kon slechts zachtjes kreunen. Het werd steeds donkerder om haar heen, tot de halfduistere gang langer en smaller werd, als de tunnel van een nachtmerrie.

Dean zou de aanval leiden. Zelfs Rondeau had dat gezegd. Ze moest hem waarschuwen. Ze probeerde overeind te komen, maar haar ledematen leken wel van rubber en ze was kotsmisselijk. Ze deed haar mond open om te roepen, maar haar goedgetrainde, met zorg gekoesterde stem liet haar volledig in de steek.

Rondeau kwam steeds dichter bij de deur. Ze kon hem horen kreunen van de pijn terwijl hij over de betonnen vloer van de opslagruimte hinkte. Het zou niet lang meer duren of hij zou de gang bereiken, en hij zou iemand die de hoek om kwam eerder zien dan andersom.

'Dean,' kraste ze met schorre stem, en opnieuw probeerde ze te gaan staan. Het lukte haar om half overeind te komen, maar ze wankelde en viel hard tegen de muur. De pijn was als een brandijzer dat door haar vlees brandde, helemaal tot op het bot. Ze liet een bloedspoor op de muur achter toen ze op de grond zakte, met haar rug naar de muur.

Hoewel haar oren tuitten, wist ze dat de schreeuwende stemmen dichterbij kwamen. Bewegende lichtbundels van zaklampen waren zichtbaar op de muren aan het eind van de gang.

Ze hoorde nog een ander geluid, en ze draaide zich om op het moment dat Rondeau in de deuropening van de opslagruimte verscheen. Grommend van pijn zette hij zich schrap tegen de deurpost. Ze zag tot haar voldoening dat zijn rechterbeen bungelde. Zijn gezicht baadde in het zweet en was vertrokken tot een afschuwelijk masker van woede toen hij dreigend op haar neerkeek.

'Je bent net als zij,' zei hij. 'Ik moet je doden.'

'Geen beweging!' De schreeuw weerkaatste op de muren, zoals de lichtbundels van de zaklantaarns.

Maar Rondeau sloeg geen acht op de waarschuwing en richtte zijn pistool op haar.

Het spervuur was oorverdovend en vulde de gang met rook.

Terwijl ze vooroverviel vroeg Paris zich vaag af of ze alleen haar bewustzijn verloor of dat ze doodging.

36

'Wie heeft hem eigenlijk neergeschoten?'

'Noem het maar een gezamenlijke actie. Rondeau gaf ons geen keus. Een aantal van ons heeft hem geraakt.'

Paris leunde achterover in het kussen van haar ziekenhuisbed, opgelucht door Curtis' antwoord op haar vraag. Ze zou niet hebben gewild dat Dean zich verantwoordelijk voelde voor het doden van John Rondeau. Later hoorde ze dat hij als eerste in de gang was geweest, zoals ze al had vermoed. Maar Curtis en een paar BBE-agenten waren daar ook. Elke kogel die op Rondeau was afgevuurd kon de fatale zijn geweest. Die morgen zag Curtis er nog eleganter uit dan anders, alsof hij zich had opgedoft om haar een bezoek te brengen. Hij droeg een grijs, slank gesneden pak, en zijn laarzen waren extra glanzend gepoetst. Ze rook eau de cologne en hij had een doos Godiva-bonbons voor haar meegenomen.

Toch was zijn houding heel zakelijk. 'Rondeau wist voldoende van computers om te leren hoe hij telefoontjes langs een andere route moest leiden,' zei Curtis tegen Paris. 'Onze jongens kwamen er uiteindelijk achter dat het laatste telefoontje van een mobieltje afkomstig was. Maar ook daarmee had Rondeau rekening gehouden. De telefoon was niet geregistreerd. Een wegwerpding. Dat deel van het verhaal leverde hem geen problemen op.'

'Hij kon ook zijn stem naar willekeur veranderen. Het was eng,' zei Paris.

Soms gingen er minuten voorbij zonder dat ze dacht aan Rondeau en de buitengewoon angstige minuten met hem in de opslagruimte. Dan kwam er zonder waarschuwing een herinnering bij haar op en was ze gedwongen de angstaanjagende momenten weer te beleven.

Toen ze dit verschijnsel aan Dean beschreef, verzekerde hij haar dat de herinneringen elke dag minder zouden worden en ze steeds meer zouden vervagen. Hoewel ze de ervaring nooit helemaal zou vergeten, zou die in haar onderbewustzijn wegzakken. Zijn advies had één kanttekening: hij zou erop toezien dat ze in het heden leefde, en voor de toekomst, en níet in het verleden bleef hangen.

'Rondeau wilde naar het Centrale Onderzoeksbureau bevorderd worden,' zei Curtis. 'Hij had mij er al over benaderd, en hij zei dat hij op de afdeling Kindermishandeling wilde werken. '

'Waar hij onbeperkt toegang tot kinderporno zou hebben.'

Curtis knikte, en van zijn gezicht was onverholen afkeer af te lezen. 'Hij ging die avond naar het radiostation om zijn persoonlijke plannen ten uitvoer te brengen en zich tegelijkertijd als politieman te onderscheiden door Valentino aan ons uit te leveren.

Als jij en Crenshaw dood waren geweest, zou het hem misschien gelukt zijn. Het onderzoek van Janeys lijk leverde geen DNA van de dader op. Blijkbaar had Rondeau gehoord van een middel dat voor dat doel bij een moordzaak in Dallas was gebruikt.' Curtis schudde somber zijn hoofd. 'Zijn politiewerk heeft hem veel geleerd.'

'En weet je ook hoe het met Stan gaat?'

'Zijn toestand is verbeterd. Het gaat nu vrij goed met hem.'

Op wonderbaarlijke wijze had Stan het schot in zijn borst overleefd, evenals de zware operatie waarbij de kogel was verwijderd. Hij had een ingeklapte long gehad en aanzienlijke weefselschade, maar zou in leven blijven. Toen hij stabiel genoeg was om te worden vervoerd, had Wilkins Crenshaw hem met zijn privé-vliegtuig naar Atlanta laten brengen.

'Ik heb zijn oom gevraagd me te bellen zodra Stan kan telefoneren,' zei Paris. 'Ik wil mijn excuses aanbieden.'

'Ik ben er zeker van dat hij geen wrok tegen je koestert. Hij zal heel dankbaar zijn dat hij nog leeft.'

'Rondeau zei tegen me dat hij Stan recht door het hart had geschoten.'

'Als hij daarop richtte, had hij meer tijd op de schietbaan moeten doorbrengen,' zei Curtis grimmig. 'Gelukkig voor jullie heeft hij dat niet gedaan.'

Paris had gehoord dat ze veel bloed had verloren omdat de kogel vlak onder haar schouder haar rug was binnengedrongen en er boven haar borst weer was uitgekomen. Ze zou er een lelijk litteken aan overhouden. En haar snoeiharde tennisservice was verleden tijd, maar ze leefde!

Als de kogel een paar centimeter lager was ingeslagen, zou haar leven voorbij zijn geweest. Dean had haar aangeraden ook dáár niet bij te blijven stilstaan, hoewel het de gebruikelijke reactie was van een overlevende.

'Ga niet na wat de redenen zijn waarom je leven werd gespaard, Paris. Dat is zinloos. Je kunt nooit een antwoord vinden. Wees alleen dankbaar dat je er nog bent. Ik ben dat wél,' had hij gezegd, met een stem die schor was van emotie.

Curtis richtte haar aandacht weer op hun gesprek door te zeggen dat de incestueuze relaties in zijn jeugd Rondeau met woede hadden vervuld. 'Ik denk dat hij niet eens weet hoe boos hij was,' zei hij. 'Hij had geleerd het goed te verbergen, maar door het seksuele misbruik van zijn moeder koesterde hij een diepgewortelde woede tegen vrouwen.'

'Dean heeft het me verteld.'

'Ik geef hem vrij weer,' bekende Curtis. Daarna vroeg hij of ze de krant van die morgen had gezien. 'Rechter Kemp gebruikt de moord op Janey voor zijn campagne.'

'Smakeloos!'

'Sommige mensen...' zei de rechercheur terwijl hij minachtend snoof.

'Wat gaat er met Brad Armstrong gebeuren?' vroeg Paris. 'Moet hij naar de gevangenis?'

'Hij is aangeklaagd wegens ontucht met een minderjarige en aanranding, en als hij veroordeeld wordt, krijgt hij een zware straf. Maar Melissa Hatcher bekende dat ze vrijwillig met hem is meegegaan en aan veel dingen heeft meegedaan voordat ze hem een halt toeriep. Misschien bekent hij schuld aan een minder zware aanklacht in ruil voor een minder zware straf, maar ik voorspel je dat hij een poos in de bak zal zitten. Hopelijk gebruikt hij die tijd goed om orde op zaken te stellen.'

'Ik vraag me af of zijn vrouw bij hem zal blijven.' Haar ogen dwaalden naar het bloemstukje dat Toni Armstrong had laten bezorgen.

'Dat zal de toekomst leren,' zei Curtis. 'Maar als ik een gokker was, zou ik ja zeggen.' Even viel er een stilte. Toen sloeg hij op zijn dijen en ging zuchtend staan. 'Kom, ik moet gaan. Dan kun jij rusten.'

Ze lachte. 'Ik heb niets anders gedaan dan rusten, en kan nauwelijks wachten tot ik word ontslagen.'

'Verlang je ernaar om weer aan het werk te gaan?'

'Volgende week, hoop ik.'

'Je fans zullen blij zijn, evenals het ziekenhuispersoneel. Ze zeiden dat er binnen een straal van honderdvijftig kilometer geen bloem meer te krijgen is, omdat ze allemaal in de grote hal hierbeneden zijn.'

'Dean heeft me er gisteren in de rolstoel heen gereden om ze te bewonderen. De mensen zijn bijzonder aardig geweest.'

'Wat mij betreft, ik heb het luisteren naar jou gemist.' Curtis kreeg een kleur tot in zijn haarwortels toen hij eraan toevoegde: 'Je hebt klasse, Paris.'

'Dank je. Jij ook, brigadier Curtis.'

Een beetje onhandig reikte hij naar haar rechterhand en schudde hem heel even. 'Ik ben er zeker van dat we elkaar gauw weer zien. Ik bedoel, nu jij en Malloy...' Zijn stem stierf weg.

Ze glimlachte. 'Ja, ik weet zeker dat ik je spoedig weer zal zien.'

Dean arriveerde juist op het moment dat ze de laatste hand aan haar make-up legde.

'Paris?'

'Ik ben híer,' riep ze vanuit de kleine badkamer. Hij ging achter haar staan, en hun ogen ontmoetten elkaar in de spiegel boven de wastafel. 'Hoe zie ik eruit?'

'Verrukkelijk.'

Ze keek met gefronst voorhoofd bedenkelijk naar haar spiegelbeeld. 'Het is niet makkelijk om je haar te doen als je maar één hand kunt gebruiken. Gelukkig is het mijn linker die ik niet kan gebruiken.'

Hij pakte haar rechterhand beet. Op de rug ervan zat een blauwe plek door het infuus dat de vorige dag pas was verwijderd. Hij kuste de verkleurde plek. 'Ik vind dat je er fantastisch uitziet.'

'En jouw mening legt gewicht in de schaal.' Ze draaide zich naar hem om, maar toen hij alleen een vluchtige kus op haar lippen drukte, keek ze hem teleurgesteld aan.

'Ik wil je geen pijn doen,' zei hij, terwijl hij naar haar verbonden arm en de mitella wees.

'Ik zal heus niet breken.'

Met haar rechterhand trok ze zijn hoofd naar beneden en gaf hem een echte kus, die hij op dezelfde manier beantwoordde. Ze kusten elkaar hartstochtelijk, in het besef dat ze elkaar bijna voor de tweede keer hadden verloren.

Toen ze elkaar loslieten, zei ze: 'Liz Douglas heeft me een kaart gestuurd om me beterschap te wensen. Heel aardig van haar, gezien de omstandigheden.'

'Ze is een dame. Er was maar één ding verkeerd aan haar. Ze was jóu niet!'

Ze kusten elkaar opnieuw. Toen fluisterde hij, met zijn lippen tegen de hare: 'Als we thuis zijn...'

'Ja?'

'Gaan we dan linea recta naar bed?'

'Doe je...?'

'Alles. We gaan álles doen.' Hij gaf haar een harde, snelle kus. Toen zei hij: 'Laten we maken dat we wegkomen.'

Ze verzamelden haar laatste spulletjes en stopten ze in een grote draagtas. Haar zonnebril zette ze op. Hij beval haar in de door het ziekenhuis verplicht gestelde rolstoel te gaan zitten en reed haar naar de lift.

Op weg naar de begane grond zei ze: 'Ik verwachtte dat Gavin bij je zou zijn.'

'Hij laat je groeten. Vanmorgen is hij naar Houston vertrokken om het weekend bij Pat door te brengen. Hij hoopt het weer goed te maken met haar. Misschien biedt hij haar man wel een zoenoffer aan.'

'Goed van hem.'

'Maar mij kon hij niet voor de gek houden.'

'Denk je dat hij niet oprecht is?'

'O, wel wat het vrede sluiten betreft. Maar hij koos ervoor om juist dít weekend te gaan, zodat wij alleen zouden zijn.' Toen de liftdeuren opengingen, boog hij zich voorover en fluisterde glimlachend in haar oor: 'Ik sta bij hem in het krijt.'

Ze glimlachte terug en zei: 'Ik ook.'

'Je trouwt toch wel met me, hè?'

Quasi-beledigd zei ze: 'Anders zou ik niet met een huwelijksreis instemmen.'

'Gavin zal blij zijn. Hij wil vrienden maken op zijn nieuwe school, en zei tegen me dat het een groot voordeel voor hem zal zijn om een stiefmoeder te hebben die beroemd is en ook nog een lekker stuk.'

'Vindt hij me een stúk?'

'En ook gaaf. Je hebt zijn volle goedkeuring.'

'Het is fijn om je zo welkom te voelen.'

Met een ernstig gezicht ging Dean voor haar rolstoel staan en boog voorover tot zijn gezicht op gelijke hoogte was met dat van haar. 'Jij bent alles wat ik wil.'

Het publiek in de hal bestond uit ziekenhuispersoneel en bezoekers, maar Dean besteedde geen aandacht aan hen. Hij pakte opnieuw haar hand beet, en deze keer gaf hij haar een handkus. Ze wisselden een veelbetekenende, suggestieve blik uit. Toen liet hij haar hand los en zei: 'Klaar?'

'Klaar.'

'Wees gewaarschuwd, Paris. Je zult spitsroeden moeten lopen. Achter die deur zijn er camera's in overvloed. Elke nieuwszender, van Dallas tot Houston en El Paso, heeft hier een reporter en een fotograaf om verslag te doen van je ontslag uit het ziekenhuis. Je staat in het middelpunt van de belangstelling.'

'Dat weet ik.'

'En dat is oké?'

'Dat is oké. In feite…' Ze zette haar zonnebril af en glimlachte tegen hem. 'Het is tijd dat ik in de openbaarheid treed.'

Grijnzend duwde hij de rolstoel naar de automatische deuren, die openschoven. Camera's begonnen te flitsen.

Maar Paris gaf geen krimp.